THE GREEK EXPERIENCE
Books, Music, Video, Art
www.**GreeceInPrint**.com
262 Rivervale Rd, River Vale, N.J. 07675
Tel 201-664-3494 Email info@GreeceInPrint.com

ΝΙΚΟΣ ΚΑΖΑΝΤΖΑΚΗΣ

ΒΙΟΣ ΚΑΙ ΠΟΛΙΤΕΙΑ ΤΟΥ ΑΛΕΞΗ ΖΟΡΜΠΑ

ΥΠΕΥΘΥΝΟΣ ΕΚΔΟΤΙΚΟΥ ΣΧΕΔΙΑΣΜΟΥ
Φιλήμονας Πατσάκης

ΠΡΟΛΟΓΟΣ - ΕΠΙΜΕΤΡΟ
Θανάσης Αγάθος

ΚΑΛΛΙΤΕΧΝΙΚΗ ΔΙΕΥΘΥΝΣΗ
Γιάννης Καρλόπουλος

ΕΠΙΣΤΗΜΟΝΙΚΗ ΕΠΙΤΡΟΠΗ
Θανάσης Αγάθος, Δημήτρης Κόκορης, Βαγγέλης Χατζηβασιλείου

ΔΙΟΡΘΩΣΗ - ΕΠΙΜΕΛΕΙΑ
Βίκυ Κατσαρού

ΣΕΛΙΔΟΠΟΙΗΣΗ
Ηλίας Σούφρας

ΕΚΔΟΣΕΙΣ ΔΙΟΠΤΡΑ
Αγ. Παρασκευής 40, 121 32 Περιστέρι, +30 210 380 5228

ΒΙΒΛΙΟΠΩΛΕΙΟ **books & life**
Σόλωνος 93-95, 106 78 Αθήνα, +30 210 330 0774

www.dioptra.gr
e-mail: sales@dioptra.gr • info@dioptra.gr
ISBN: 978-618-220-136-7

Φωτογραφία: Ο Νίκος Καζαντζάκης στο σπίτι του στην Αίγινα.
Μάρτιος 1943

ΝΙΚΟΣ ΚΑΖΑΝΤΖΑΚΗΣ

ΒΙΟΣ ΚΑΙ ΠΟΛΙΤΕΙΑ ΤΟΥ ΑΛΕΞΗ ΖΟΡΜΠΑ

ΕΚΔΟΣΕΙΣ ΔΙΟΠΤΡΑ

Αν με ζορίσεις, μ' έχασες. Σ' αυτά τα πράματα, πρέπει να ξέρεις, είμαι άνθρωπος.

— Άνθρωπος; Τι θες να πεις;

— Να, λεύτερος.

ΠΡΟΛΟΓΟΣ

ΒΙΟΣ ΚΑΙ ΠΟΛΙΤΕΙΑ ΤΟΥ ΑΛΕΞΗ ΖΟΡΜΠΑ
ΤΟΥ ΝΙΚΟΥ ΚΑΖΑΝΤΖΑΚΗ

ΕΝΑ ΕΘΝΙΚΟ ΜΥΘΙΣΤΟΡΗΜΑ ΜΕ ΟΙΚΟΥΜΕΝΙΚΗ ΔΙΑΣΤΑΣΗ

Χρόνος συγγραφής - πρώτη έκδοση

Απόλυτο best seller της νεοελληνικής πεζογραφίας, το μυθιστό-
ρημα του Νίκου Καζαντζάκη *Βίος και πολιτεία του Αλέξη Ζορμπά*
(1946) έχει προσλάβει πλέον μυθικές διαστάσεις: είναι το βιβλίο
που χαρίζει στον δημιουργό του διεθνή καταξίωση ύστερα από
σαράντα και πλέον έτη περιπλάνησης σε χώρες, ιδεολογίες, καλλι-
τεχνικά ρεύματα και λογοτεχνικά είδη· το βιβλίο που προσφέρει
στην παγκόσμια λογοτεχνία έναν αξέχαστο ήρωα, που με τα χρόνια
θα αγγίξει το status ενός οικουμενικού συμβόλου· το βιβλίο του
οποίου η διασημότητα ανατροφοδοτείται διαρκώς από την παράλ-
ληλη πορεία μέσα στον χρόνο της επιτυχημένης κινηματογραφικής
μετάπλασής του από τον Μιχάλη Κακογιάννη (*Zorba the Greek*, 1964).

Η ιδέα της σύνθεσης του μυθιστορήματος αρχίζει να
απασχολεί τον συγγραφέα ήδη από τη δεκαετία του '30, αφού
ο Πρόλογος πρωτοδημοσιεύεται το 1937 στο περιοδικό *Κρητικές
Σελίδες*·[1] ωστόσο, το κύριο μέρος του μυθιστορήματος γράφεται

---

[1] Νίκος Καζαντζάκης, «Πρόλογος στο μυθιστόρημα *Βίος και πολιτεία του Αλέ-
ξη Ζορμπά*», *Κρητικές Σελίδες*, τχ. 11-12 (Δεκέμβριος 1936-Ιανουάριος 1937),
σσ. 290-292.

11

από τον Καζαντζάκη στην Αίγινα κατά τη διάρκεια της Γερμανικής Κατοχής, συγκεκριμένα την περίοδο από τον Αύγουστο του 1941 ως τον Μάιο του 1943. Έπειτα από μία προδημοσίευση ενός σύντομου αποσπάσματος στο περιοδικό *Νέα Εστία* τον Φεβρουάριο του 1946,[2] το *Βίος και πολιτεία του Αλέξη Ζορμπά* εκδίδεται στην Ελλάδα τον Δεκέμβριο του 1946 από τον Αρχαίο Εκδοτικό Οίκο Δημ. Δημητράκου Α.Ε., όταν ο Καζαντζάκης έχει εγκαταλείψει οριστικά τη χώρα του για τη Γαλλία, απογοητευμένος από τα πολιτικά και λογοτεχνικά πράγματα (μέσα στο 1946 ο συγγραφέας παραιτείται από την κυβέρνηση Σοφούλη, όπου διατελεί για μικρό διάστημα Υπουργός Άνευ Χαρτοφυλακίου, αναστατώνεται από την έλλειψη νηφαλιότητας που χαρακτηρίζει την υποδοχή του έργου του *Καποδίστριας*, που ανεβαίνει στο Εθνικό Θέατρο και γνωρίζει την πρώτη από τις ατυχείς υποψηφιότητές του για το Νόμπελ Λογοτεχνίας).

Η βιωματική ύλη του μυθιστορήματος

Βάση του μυθιστορήματος είναι η σχέση του Καζαντζάκη με τον Γιώργη Ζορμπά,[3] ο οποίος γεννιέται το 1865 στον Κολινδρό Πιερίας, εργάζεται ως μεταλλωρύχος σε μια γαλλική εταιρεία εκμετάλλευσης μεταλλείων στο Ίσβορο (Στρατονίκη), παντρεύεται την Ελένη Καλκούνη, κόρη του αρχιεργάτη του μεταλλείου, του Γιάννη Καλκούνη, αποκτά μαζί της δώδεκα παιδιά (από τα οποία ζουν τα επτά) και μετά τον θάνατό της αλλάζει τόπους και επαγγέλματα, για να φτάσει το 1915 στο Άγιον Όρος, όπου γνωρίζεται με τον Καζαντζάκη (που σχεδιάζει μια επιχείρηση για αποκομιδή ξυλείας). Οι δύο άντρες θα συνδεθούν με βαθιά φιλία και οι δρόμοι τους θα διασταυρωθούν σε κομβικές στιγμές του βίου του συγγραφέα: το 1917 συνεργάζονται στην επιχείρηση

---

[2] Νίκος Καζαντζάκης, «Ο Ζορμπάς στην Κρήτη», *Νέα Εστία*, τόμ. 39, τχ. 447 (15 Φεβρουαρίου 1946), σσ. 220-224.

[3] Για τον Γιώργη Ζορμπά και τη σχέση του με τον Καζαντζάκη, βλ. Γιάννης Αναπλιώτης, *Ο αληθινός Ζορμπάς και ο Καζαντζάκης*, Δίφρος, Αθήνα 1960.

εξόρυξης λιγνίτη στην Πραστοβά της μεσσηνιακής Μάνης και το 1919 ο Ζορμπάς ακολουθεί τον Καζαντζάκη στην αποστολή επαναπατρισμού των Ελλήνων του Καυκάσου, οι οποίοι καταδιώκονται από τους μπολσεβίκους, σε αντίποινα για τη συμμετοχή του ελληνικού κράτους στην απόπειρα των ευρωπαϊκών δυνάμεων να ανατρέψουν το κομμουνιστικό καθεστώς (βασικός συνεργάτης του Καζαντζάκη στην αποστολή αυτή είναι ο Γιάννης Σταυριδάκης, ο οποίος, ως πρόξενος της Ελλάδας στη Ζυρίχη, φιλοξενεί τον συγγραφέα στο εκεί ταξίδι του τον Σεπτέμβριο του 1917).

Η πλοκή του μυθιστορήματος

Αυτή η βιωματική πρώτη ύλη χρησιμοποιείται από τον Καζαντζάκη ως υπόστρωμα για ένα μυθιστόρημα του οποίου, με λίγα λόγια, η πλοκή έχει ως εξής: Ένας νεαρός διανοούμενος (το Αφεντικό) γνωρίζει στο λιμάνι του Πειραιά έναν ηλικιωμένο εργάτη, τον Αλέξη Ζορμπά, τον οποίο παίρνει μαζί του σε ένα απομονωμένο κρητικό παραθαλάσσιο χωριό, για να τον χρησιμοποιήσει ως επιστάτη σε ένα λιγνιτωρυχείο που έχει μισθώσει. Οι δύο άντρες μένουν στο πανδοχείο της μαντάμ Ορτάνς, μιας ηλικιωμένης Γαλλίδας πρώην πόρνης, η οποία ξέμεινε στην Κρήτη μετά την Επανάσταση του 1897 και συνδέεται ερωτικά με τον Ζορμπά. Ο Ζορμπάς αρχίζει να δουλεύει στο ορυχείο, συλλαμβάνει την ιδέα να κατεβάσει ξυλεία από το βουνό και διαπραγματεύεται με τους μοναχούς του τοπικού μοναστηριού την ενοικίαση του δάσους, ενώ το Αφεντικό προσπαθεί να ολοκληρώσει ένα κείμενό του για τον Βούδα και συχνά σκέφτεται τον αγαπημένο φίλο του, που έχει αναχωρήσει για τον Καύκασο, για να λάβει μέρος σε μιαν εθνική αποστολή. Καθώς περνά ο χρόνος, ο Ζορμπάς και το Αφεντικό έρχονται όλο και πιο κοντά, συζητώντας για τον Θεό, την πατρίδα, τον πόλεμο, τις ιδεολογίες, τη σχέση άντρα και γυναίκας, ενώ ο Ζορμπάς συχνά αποκαλύπτει στον διανοούμενο λεπτομέρειες από τον περιπετειώδη βίο του. Χάρη στην καταλυτική επίδραση του Ζορμπά, το Αφεντικό υπερνικά την ερωτική δειλία του και περνά μια νύχτα με τη Σουρμελίνα, την όμορφη χήρα που ποθούν όλοι οι άντρες του χωριού. Οι εξελίξεις ωστόσο δεν είναι ευχάριστες: η χήρα δολοφονείται από τον Μαυραντώνη, προεστό του χωριού, που τη θεωρεί υπεύθυνη για την αυτοκτονία του γιου του, του Παυλή (που ήταν ερωτευμένος μαζί της χωρίς ανταπόκριση από την πλευρά της γυναίκας), η μαντάμ Ορτάνς αρρωσταίνει βαριά και πεθαίνει στην αγκαλιά του Ζορμπά, ο οποίος βλέπει τους ντόπιους να διαγουμίζουν ανελέητα το σπίτι της, και η τελετή εγκαινίων του εναέριου σιδηρόδρομου που θα μεταφέρει ξυλεία από το βουνό στο ορυχείο καταλήγει σε φιάσκο. Το Αφεντικό λαμβάνει μια ψυχική προειδοποίηση ότι ο φίλος του Καυκάσου θα πεθάνει και στη συνέχεια αποχαιρετά τον Ζορμπά. Το Αφεντικό διηγείται τι συνέβη στα χρόνια ανάμεσα στη ζωή του με τον Ζορμπά και στην απόφασή του να γράψει για τον Ζορμπά. Το μυθιστόρημα τελειώνει με ένα γράμμα που περιγράφει τον θάνατο του Ζορμπά.

Όπως φαίνεται από την παράθεση της υπόθεσης, ο Καζαντζάκης χρησιμοποιεί ως βασικό πυρήνα τη φιλία του με τον Ζορμπά, αλλά αλλάζει το όνομα από το πραγματικό Γιώργης στο μυθοπλαστικό Αλέξης, μεταφέρει την ιστορία του λιγνιτωρυχείου από τη Μάνη στην Κρήτη και τη διασταυρώνει με την ιστορία του Σταυριδάκη (ο αγαπημένος φίλος που βρίσκεται σε αποστολή στον Καύκασο) και με την ιστορία της μαντάμ Ορτάνς, η οποία στηρίζεται σε ένα υπαρκτό πρόσωπο, τη Γαλλίδα Adeline Guitar, μια γυναίκα «ελαφρών ηθών» που βρέθηκε στην Κρήτη το 1897 (την περίοδο της διεθνούς κατοχής), παρακινημένη από τον εραστή της και προστάτη της, τον Γάλλο ναύαρχο Pottier, και παρέμεινε εκεί ως το τέλος της ζωής της, χωρίς πάντως να συναντηθεί ποτέ με τον Καζαντζάκη ή τον Γιώργη Ζορμπά. Έτσι, ο Καζαντζάκης αναμειγνύει πραγματικά περιστατικά από διαφορετικές περιόδους και φανταστικά περιστατικά, χωρίς να προσδιορίζει τον χρόνο της ιστορίας, περιοριζόμενος «μόνο στην εξιστόρηση ορισμένων περιστατικών με βάση τον κυκλικό χρόνο (φθινόπωρο, χειμώνας, άνοιξη, καλοκαίρι), που ταυτίζεται με χριστιανικές ή άλλες γιορτές (Χριστούγεννα, Πάσχα, Πρωτομαγιά)».[4]

Η αντίθεση Ζορμπά-Αφεντικού

Πιστός στη λογική των διπολικών αντιθέσεων, που χαρακτηρίζει το σύνολο του έργου και του στοχασμού του, ο Καζαντζάκης τοποθετεί στο κέντρο του μυθιστορήματος την αντιπαράθεση των δύο κόσμων που αντιπροσωπεύουν οι αρχετυπικοί χαρακτήρες του Ζορμπά και του Αφεντικού: ο πρώτος είναι ο άνθρωπος της δράσης, ο ενσαρκωτής του διονυσιακού στοιχείου, ο θιασώτης του ενστίκτου, ο φορέας της λαϊκής σοφίας και της αυθεντικής ζωής, ο δεύτερος είναι ο άνθρωπος της θεωρίας, ο εκπρόσωπος του απολλώνειου στοιχείου και της νοησιαρχίας, ο άτολμος διανοούμενος που έχει προσκολληθεί στον βουδισμό και έχει σμικρύνει τη ζωή, καθώς τη ζει μέσα από τη γραφή και την ανάγνωση. Ανάμεσα στους δύο άντρες αναπτύσσεται μια βαθιά σχέση, που έχει τις διαστάσεις τόσο της αντιπαράθεσης όσο και της μαθητείας (από την πλευρά του Αφεντικού),[5] ενώ το κρητικό ακρογιάλι, όπου οι δρόμοι τους διασταυρώνονται, λειτουργεί ως ένας προσωρινός παράδεισος, ξεκομμένος από τις συμβάσεις του «πολιτισμένου» κόσμου, όπου ο Ζορμπάς χαίρεται τη ζωή με όλες τις αισθήσεις του και προσπαθεί να δείξει την ομορφιά της ζωής στο (βυθισμένο στην ψευδαίσθηση και στον πεσιμιστικό μηδενισμό) Αφεντικό.

Στο μυθιστορηματικό πρόσωπο του Ζορμπά ο Καζαντζάκης ευφυώς συνδυάζει στοιχεία από τους δύο φιλοσόφους που άσκησαν τη μεγαλύτερη επίδραση στη διαμόρφωση της κοσμοθεωρίας του, τον Friedrich Nietzsche και τον Henri Bergson. Ο συγγραφέας

---

4 Γεωργία Φαρίνου-Μαλαματάρη, «Ο Καζαντζάκης και η βιογραφία», στο *Νίκος Καζαντζάκης: Σαράντα χρόνια από το θάνατό του*, Έκδοση Δημοτικής Πολιτιστικής Επιχείρησης Χανίων, Χανιά 1998, σσ. 163-178: 171.

5 Βλ. και τις σχετικές παρατηρήσεις στις οποίες προβαίνει ο Αλέξης Ζήρας, «Νίκος Καζαντζάκης» (παρουσίαση-ανθολόγηση), στο *Η Μεσοπολεμική πεζογραφία. Από τον πρώτο ως τον δεύτερο παγκόσμιο πόλεμο (1914-1939)*, τόμος Δ΄, Εκδόσεις Σοκόλη, Αθήνα 1992, σσ. 126-209: 143.

ενσωματώνει στον ήρωά του μια σειρά διονυσιακών στοιχείων που ο Nietzsche εκθέτει στη *Γέννηση της τραγωδίας*: άνθρωπος γεμάτος πάθος, γεμάτος έντονα συναισθήματα τα οποία δεν φοβάται να εκφράσει, χωρίς αναστολές, με μια τρέλα ανορθολογική. Η παραφροσύνη του (παρέκκλιση από τον ορθό λόγο, υπερβολή, «μπελάδες») αντιτίθεται στην αταραξία, στον ορθολογισμό, στη σωφροσύνη του Αφεντικού (την οποία ο Nietzsche ταυτίζει με το απολλώνειο στοιχείο και η οποία περιλαμβάνει μετριοπάθεια και έλεγχο των επιθυμιών) και αποδέχεται την αντίφαση.[6] Παράλληλα, στον ίδιο ήρωα εντοπίζεται η απήχηση της άποψης του Bergson «ότι το νόημα της ζωής και ο ίδιος ο σκοπός της πορείας της είναι η ελευθερία, δηλαδή το ελεύθερο ξέσπασμα και η βίωσή της».[7] Ο Καζαντζάκης, που ορίζει τη «ζωτική ορμή» (élan vital) ως τη διαρκή δημιουργία, το ζωικό ανάβρυσμα, το οποίο εκδηλώνεται με δύο ρεύματα, το ρεύμα της ζωής (που οδηγεί στην αθανασία) και το ρεύμα της ύλης (που οδηγεί στην αποσύνθεση), με τον τρόπο που σκιαγραφεί τον Αλέξη Ζορμπά δείχνει να πιστεύει ότι γίνεται ένας άνθρωπος «πνευματικός» όταν αντιγράφει τη «ζωτική ορμή» μέσα από πράξεις καθημερινού μόχθου· έτσι, συνεισφέρει τόσο στον Θεό (ελευθερώνει τη ζωτική ορμή του με τη δουλειά του στο ορυχείο και τις σχέσεις του με τις γυναίκες) όσο και σε άλλους (η ζωή του επηρεάζει το Αφεντικό σε τέτοιο βαθμό, που ο συγγραφέας την κάνει αθάνατη μέσω της τέχνης).[8]

Αυτός ο σπάνιος ύμνος στην ανδρική φιλία επισφραγίζεται με την υπέροχη σκηνή του χορού στην ακροθαλασσιά, που συμβολίζει την πιο ουσιαστική προσέγγιση των δύο ανδρών, τη λύτρωση από την υπαρξιακή αγωνία, την απελευθέρωση από «τα καλά και συμφέροντα», την αποδέσμευση από τη συμβατικότητα. Ο «γέρος

---

6   Peter Bien, *Νίκος Καζαντζάκης. Η πολιτική του πνεύματος*, τόμος δεύτερος, απόδοση στα ελληνικά Αθανάσιος Κ. Κατσικερός, Πανεπιστημιακές Εκδόσεις Κρήτης, Ηράκλειο 2007, σ. 187.

7   Πέτρος Σπανδωνίδης, «Νίκος Καζαντζάκης. Ο γιος της ανησυχίας», *Καινούρια Εποχή*, Φθινόπωρο 1960, σσ. 107-145: 143.

8   Darren J. N. Middleton, *Novel Theology: Nikos Kazantzakis's Encounter with Whiteheadian Process Theism*, Mercer University Press, Μέικον 2002, σ. 182.

αρχάγγελος εργάτης» μαθαίνει το Αφεντικό να χορεύει και ο δια-
νοούμενος, βλέποντας τον «όλο πρόκληση, πείσμα κι ανταρσία»
χορό του Ζορμπά, αισθάνεται για πρώτη φορά «τη δαιμονικιάν
ανταρσία του ανθρώπου, να νικήσει το βάρος και την ύλη, την
προγονική κατάρα».

Μέσα από την αντίθεση των δύο ανδρικών χαρακτήρων ξεπρο-
βάλλει και ένα προσεκτικά μελετημένο σχόλιο για την αντίθεση
γραφής και προφορικού λόγου και την αποδόμηση της γλώσσας.
Ήδη από τον Πρόλογο του μυθιστορήματος το γράψιμο στιγμα-
τίζεται ως μία πράξη που μεταμορφώνει την πραγματική ζωή σε
νεκρό χειρόγραφο και γι' αυτό το Αφεντικό εύχεται να μπορούσε
να ξεχάσει όσα ξέρει και να μάθει το αληθινό, αυθεντικό αλφάβητο
του Ζορμπά, το μεταφυσικό αλφάβητο της φύσης· ωστόσο, αυτή
η απόπειρα απόρριψης της γραφής μένει ανεπιτυχής και ανολο-
κλήρωτη, όχι μόνο γιατί εξαρτάται από την ίδια τη γραφή, αλλά
και γιατί το μυθιστόρημα συνθέτει ένα σκηνικό γραφής, το οποίο
υφαίνεται από πολλούς αλληλοδιαπλεκόμενους ιστούς.[9] Στην ίδια
κατεύθυνση, ο *Ζορμπάς* μυθοποιεί με τον πλέον εύγλωττο τρόπο
μια προγραμματική θέση του μοντερνισμού, αυτήν της καταγγε-
λίας και της αποδόμησης μιας θεσμοποιημένης γλώσσας, αφού
«θεματοποιεί τόσο την κριτική της κρατούσας γλώσσας και της
ιδεολογίας που στηρίζει όσο και την επιθυμία για την ανάκτηση
της χαμένης, αρχέγονης, φυσικής εκείνης γλώσσας που σιωπά
εντός μας».[10] Επιπλέον, η προβολή αφενός των αφηγήσεων του
Ζορμπά και αφετέρου της συνεχούς ενασχόλησης του Αφεντικού
με το γράψιμο του «Βούδα» μετατρέπει το μυθιστόρημα από βιβλίο
που στοχεύει να προσφέρει ένα μοντέλο αυθεντικής ζωής σε
βιβλίο που αφηγείται τη διαδικασία συγγραφής ενός βιβλίου· ο

9 Gregory Jusdanis, «The Politics of Criticism: Deconstruction,
   Kazantzakis, "Literature"», *Byzantine and Modern Greek Studies*, τχ. 9
   (1984/85), σσ. 161-186.
10 Τζίνα Πολίτη, *Η ανεξακρίβωτη σκηνή: Δοκίμια για τους Ν. Καζαντζάκη, Α.
   Τερζάκη, Μ. Καραγάτση, Σ. Τσίρκα – Λ. Ντάρρελλ, Γ. Πάνου, Ρ. Γαλανάκη, Γ.
   Κιουρτσάκη, Δ. Δημητριάδη*, Άγρα, Αθήνα 2001, σσ. 25-26.

μετασχηματισμός αυτός συντελείται και με μια δεύτερη ανατροπή, αυτήν της υποκατάστασης του κειμένου για τον Βούδα από ένα κείμενο για τον Ζορμπά, με αποτέλεσμα ο λαϊκότροπος λόγος να προβάλλεται ως υπόδειγμα για τον αυθεντικό, δηλαδή προφορικό, λόγο.[11] Η πρόθεση για επιστροφή σε ένα μοντέλο μη αλλοτριωμένου λόγου, στο αληθινό, αυθεντικό αλφάβητο του Ζορμπά, στο μεταφυσικό αλφάβητο της φύσης, ανατρέπεται τελικά από την παντοδυναμία, τη σχεδόν διαρκή παρουσία του γραπτού λόγου μέσα στο μυθιστόρημα, μέσα από τη συχνή παράθεση επιστολών, τηλεγραφημάτων, καρτών, ποιημάτων.

Η μαντάμ Ορτάνς

Πέρα από τους χαρακτήρες του Ζορμπά και του Αφεντικού, το μυθιστόρημα του Καζαντζάκη περιλαμβάνει ακόμη έναν πρωταγωνιστικό χαρακτήρα, αυτόν της μαντάμ Ορτάνς. Η ηλικιωμένη Γαλλίδα, πρώην πόρνη με περιπετειώδη βίο και άσβηστη δίψα για ζωή, είναι η μοναδική γυναικεία φιγούρα του καζαντζακικού έργου που δείχνει να απολαμβάνει τον έρωτα και γενικότερα να διαθέτει σεξουαλικές ορμές σε προχωρημένη ηλικία. Η έντονη και ανενδοίαστη ερωτική δραστηριότητα της νεότητάς της και, επιπρόσθετα, η πολιτική επιρροή που αυτή της εξασφάλισε προσθέτουν ένα ακόμη ανεπανάληπτο στίγμα στον χαρακτήρα της Ορτάνς: Το παρελθόν της αποτυπώνεται ως παρελθόν μιας γυναίκας της δράσης, μιας γυναίκας με αναμφισβήτητο φυσικό κάλλος αλλά και ισχυρή προσωπικότητα, που αψήφησε τις καθιερωμένες παραδοσιακές αξίες της εποχής της. Με την παραπάνω έννοια είναι μια ταιριαστή σύντροφος για τον Ζορμπά, που δείχνει να το αναγνωρίζει αποκαλώντας τη «συναγωνίστρια» και «κυρα-καπετάνισσα». Η ηρωίδα

---

[11] Σταμάτης Ν. Φιλιππίδης, «Ο λόγος του Πατρός και ο λόγος του Υιού: Αυθεντική ζωή και αυθεντικός λόγος στο μυθιστόρημα *Βίος και πολιτεία του Αλέξη Ζορμπά* του Ν. Καζαντζάκη», στο βιβλίο του *Αμφισημίες: Μελετήματα για τον αφηγηματικό λόγο έξι Νεοελλήνων συγγραφέων*, Ίνδικτος, Αθήνα 2005, σσ. 153-183.

αυτή αντιπροσωπεύει την Αιώνια Γυναίκα, η οποία, σύμφωνα με μια νιτσεϊκή -και σαφώς ανδροκρατική- αντίληψη, υποτάσσεται στη φυσική -όχι την κοινωνική- νομοτέλεια και είναι σε μόνιμη βάση εξαρτημένη από τον φυσικό της κατακτητή, τον άντρα. Η σκηνή του θανάτου της, ένας είδος τελετουργίας, που αρχίζει και τελειώνει με έναν τρόπο καθαρά καρναβαλικό, σύμφωνα με τον ορισμό του Bakhtine,[12] και της κλοπής όλης της οικοσκευής της από τους χωρικούς αποτελεί μία από τις πιο συγκλονιστικές στιγμές της καζαντζακικής πεζογραφίας.

Η χήρα Σουρμελίνα

Ένας άλλος σημαντικός γυναικείος χαρακτήρας του μυθιστορήματος είναι αυτός της χήρας Σουρμελίνας, που διεγείρει τον ερωτικό πόθο των αντρών του χωριού - και του Αφεντικού. Ο δειλός διανοούμενος αρχικά πανικοβάλλεται από τον έντονο ερωτισμό της, αλλά τελικά, μετά τη συνεύρεσή του μαζί της, κατορθώνει να ξεπεράσει τους σεξουαλικούς του φόβους και δισταγμούς και να τελειώσει το χειρόγραφό του για τον Βούδα. Με τον βίαιο φόνο της η ηρωίδα πληρώνει το τίμημα της διαφορετικότητάς της: Η σεξουαλικότητα που εκπέμπει και η διάθεσή της να επιλέγει η ίδια τους ερωτικούς της συντρόφους αποτελούν απειλή για τα ήθη των ανδρών και των γυναικών του κρητικού χωριού, καθώς έρχονται σε αντίθεση με τις πατρογονικές αξίες που οι τελευταίοι αγωνίζονται με κάθε μέσο να διατηρήσουν.

Ο Σταυριδάκης ως σύνθεση Ζορμπά και Αφεντικού

Ένας πέμπτος χαρακτήρας με ιδιαίτερη παρουσία μέσα στο μυθι-

12 Έρη Σταυροπούλου, «Η τελετουργία του θανάτου στο πεζογραφικό έργο του Νίκου Καζαντζάκη», στον τόμο: Κ. Ε. Ψυχογιός (επιμ.), *Νίκος Καζαντζάκης: Το έργο και η πρόσληψή του. Πεπραγμένα Διεθνούς Επιστημονικού Συνεδρίου: Ρέθυμνο, 23-25 Απριλίου 2004*, Κέντρο Κρητικής Λογοτεχνίας, Ηράκλειο 2006, σσ. 229-254: 241.

στόρημα είναι αυτός του Σταυριδάκη. Η σκιαγράφησή του αγγίζει τα όρια της εξιδανίκευσης, καθώς, σε ένα πρώτο επίπεδο, παρουσιάζεται να συνταιριάζει τη διονυσιακή έκσταση του Ζορμπά με την απολλώνεια ονειροπόλα διάθεση του Αφεντικού, δημιουργώντας μια νέα ένωση της ζωής, όπως έκαναν οι κλασικοί τραγικοί ποιητές στη δική τους τέχνη.[13] Η μορφή του εμφανίζεται μέσα από αναμνήσεις, όνειρα και επιστολές, η παρουσία του συσχετίζεται με προαισθήματα θανάτου: «ενώ ο Σταυριδάκης παραμένει τυπικά ζωντανός μέχρι το τελευταίο κεφάλαιο, απεικονίζεται από την πρώτη στιγμή να κινείται στον ακαθόριστο χώρο ανάμεσα στη ζωή και τον θάνατο».[14] Ο χαρακτήρας αυτός, φορέας του μεγαλοϊδεατισμού, λειτουργεί αντιστικτικά σε σχέση με τον Ζορμπά, που πρεσβεύει ένα αντιμιλιταριστικό και διεθνιστικό πνεύμα. Τελικά ο Ζορμπάς θα «νικήσει» τον Σταυριδάκη, καθώς το Αφεντικό θα συνειδητοποιήσει τη χρεοκοπία της Μεγάλης Ιδέας.[15]

Η εικόνα της Κρήτης

Η εικόνα της Κρήτης στον *Ζορμπά* εμφανίζεται γεμάτη από αντιφάσεις (η ομορφιά του τοπίου, το ιστορικό παρελθόν, το πλήθος, άλλοτε σπαρταριστό και άλλοτε μανιασμένο, που, από τη μία πλευρά, υποδέχεται με θέρμη και φιλόξενη διάθεση τον Ζορμπά και το Αφεντικό και χορεύει με ευφρόσυνη διάθεση και, από την άλλη, αντιμετωπίζει με απίστευτη σκληρότητα τη νεκρή Ορτάνς και ανάγει τη δολοφονία της χήρας σε «έργο ομαδικό, κοινό, όπου ο πατέρας του νέου που αυτοκτόνησε, ως "τελετάρχης", είναι ο

[13] Morton P. Levitt, *The Cretan Glance: The World and Art of Nikos Kazantzakis*, Ohio State University Press, Κολόμπους 1980, σ. 106.

[14] Μιχαήλ Πασχάλης, «Η κυοφορία του Ζορμπά και οι τέσσερεις μαίες του: Όμηρος, Πλάτωνας, Δάντης και Σαίξπηρ», *Νέα Εστία*, τόμ. 162, τχ. 1806 (Δεκέμβριος 2007), σσ. 1114-1191: 1156-1164.

[15] Bien, *Νίκος Καζαντζάκης. Η πολιτική του πνεύματος*, τόμος δεύτερος, ό.π., σ. 202.

εκτελεστής, αλλά η ευθύνη είναι συλλογική»),[16] δίνοντας στο μυθιστόρημα ένα ξεχωριστό χρώμα και στρέφοντάς το ενίοτε προς μια ηθογραφική κατεύθυνση.[17]

Η κριτική υποδοχή στην Ελλάδα και το εξωτερικό

Όταν κυκλοφορεί το βιβλίο στην Ελλάδα, στην καρδιά του Εμφυλίου, η κριτική υποδοχή είναι αρκετά θετική. Αρκετοί κριτικοί διχάζονται ως προς την ειδολογική κατάταξη του έργου: Ο Γιάννης Χατζίνης σημειώνει ότι ο *Ζορμπάς* δεν είναι ούτε μυθιστόρημα ούτε δοκίμιο, αλλά αποτελεί τη συνέχεια και το τέλος των ταξιδιωτικών βιβλίων του δημιουργού[18] ο Μανώλης Γιαλουράκης βρίσκει ότι το έργο απομακρύνεται από την τεχνική του σύγχρονου μυθιστορήματος·[19] ο Α. Κόμης το χαρακτηρίζει «μυθιστόρημα φιλοσοφικό»[20] ο Μιχάλης Ροδάς κάνει λόγο για κείμενο ρωμαλέο, το οποίο ωστόσο δεν μπορεί να χαρακτηριστεί μυθιστόρημα, αφού αποτελείται από σκέψεις εκπορευόμενες από τις εμπειρίες και τα διαβάσματα του συγγραφέα.[21] Πέρα από αυτό τον προβληματισμό, που συνεχίζεται

16   Σταυροπούλου, «Η τελετουργία του θανάτου στο πεζογραφικό έργο του Νίκου Καζαντζάκη», ό.π., σ. 237.

17   Ο Μ. Γ. Μερακλής [«Ξαναδιαβάζοντας το "Ζορμπά" (Η φιλοσοφική ηθογραφία του Καζαντζάκη)», *Θεώρηση του Νίκου Καζαντζάκη*, Τετράδια Ευθύνης 3, Αθήνα 1977, σσ. 61-66] κάνει λόγο για «φιλοσοφική ηθογραφία», επειδή συνδυάζονται ο πρωτογενής φιλοσοφικός προβληματισμός του Καζαντζάκη και η αναλυτική περιγραφή του κλειστού ορίζοντα του μικρού κρητικού χωριού. Πρβλ. και τις σχετικές απόψεις του Roderick Beaton (*Εισαγωγή στη Νεότερη Ελληνική Λογοτεχνία*, μτφρ. Ευαγγελία Ζούργου, Μαριάννα Σπανάκη, Νεφέλη, Αθήνα 1996, σσ. 230-231).

18   Γιάννης Χατζίνης, «Τα βιβλία. Ν. Καζαντζάκη, *Βίος και πολιτεία του Αλέξη Ζορμπά*», *Νέα Εστία*, τόμ. ΜΔ΄, τχ. 507 (15 Αυγούστου 1948), σσ. 1052-1054: 1053.

19   Μανώλης Γιαλουράκης, «Κριτική του βιβλίου. *Βίος και πολιτεία του Αλέξη Ζορμπά*», *Αλεξανδρινή Λογοτεχνία*, 1947, σσ. 67-69: 69.

20   Α. Κόμης, «Κριτική. Βιβλίο. Ν. Καζαντζάκη: *Βίος και πολιτεία του Αλέξη Ζορμπά*», *Ελεύθερα Γράμματα*, τχ. 61 (1 Μαρτίου 1947), σ. 60.

21   Μιχ. Ροδάς, «Ο κόσμος των βιβλίων. *Αλέξης Ζορμπάς* του κ. Νίκου Καζαντζάκη», *Το Βήμα*, 13 Απριλίου 1947, σ. 2.

και σε μεταγενέστερες περιόδους, στις πρώτες αυτές κριτικές επαινούνται ιδιαίτερα οι αρετές της καζαντζακικής γραφής, το υποδειγματικό προσωπικό ύφος του πεζογράφου, ο ρυθμός, η σκιαγράφηση των χαρακτήρων και οι λαμπρές περιγραφικές σελίδες, γοητεύει η προσωπικότητα του Ζορμπά (ο Βάρναλης τον βλέπει ως alter ego του συγγραφέα)[22] και χρησιμοποιούνται χαρακτηρισμοί όπως «εξαιρετικό βιβλίο» και «το καλλίτερο μυθιστόρημα από όσα εμφανίσθηκαν μετά τον πόλεμο».[23]

Ο ίδιος ενθουσιασμός για τον χαρακτήρα του Ζορμπά αποτελεί κυρίαρχο στοιχείο της πρόσληψης του καζαντζακικού μυθιστορήματος και στα μεταγενέστερα χρόνια, τόσο στην Ελλάδα όσο και στο εξωτερικό.[24] Η διεθνής σταδιοδρομία του μυθιστορήματος ξεκινά από τη Γαλλία, όπου μεταφράζεται το 1947, σε μια άτυχη έκδοση, παρά τις θαυμάσιες κριτικές (ο Pierre Minet του περιοδικού *Paru* το χαρακτηρίζει «μια μεγαλειώδη έκρηξη λυρισμού, μια καυτερή εποποιία που συγκλονίζουν τον αναγνώστη»),[25] για να επανέλθει δριμύτερο το 1954 σε νέα έκδοση, με εξίσου διθυραμβικές κριτικές (ο Marcel Brion στην κριτική του στην εφημερίδα *Le Monde* βλέπει τον Ζορμπά ως μια παραμορφωμένη αντανάκλαση, μια μεγέθυνση του δημιουργού του, ο οποίος προσπαθεί να ισορροπήσει μεταξύ του πανθεϊσμού της φύσης και του θεού της απομόνωσης).[26] Στην

---

[22] Κώστας Βάρναλης, «Τα βιβλία. Νίκου Καζαντζάκη: *Βίος και πολιτεία του Αλέξη Ζορμπά*», *Ο Ρίζος της Δευτέρας*, 23 Δεκεμβρίου 1946, σ. 2.

[23] Βάσος Βαρίκας, «Το χρονικό του βιβλίου. *Αλέξης Ζορμπάς*. Ένα μυθιστόρημα του Καζαντζάκη», *Τα Νέα*, 7 Μαΐου 1947, σ. 2.

[24] Για αναλυτική επισκόπηση της κριτικής υποδοχής του μυθιστορήματος του Καζαντζάκη στην Ελλάδα και στο εξωτερικό, βλ. Θανάσης Αγάθος, *Από το Βίος και πολιτεία του Αλέξη Ζορμπά στο Zorba the Greek: κριτικοί βίοι παράλληλοι*, Αιγόκερως, Αθήνα 2007, σσ. 15-90.

[25] (Ανυπόγραφο), «Ειδήσεις», *Νέα Εστία*, τόμ. 45, τχ. 518 (1 Φεβρουαρίου 1949), σ. 196 (μετάφραση της κριτικής: Pierre Minet «Littérature Grecque: "Alexis Zorba ou Le rivage de Crète" par Nikos Kazantzaki», *Paru*, vo. 48, Ιούλιος 1948).

[26] (Ανυπόγραφο), «Ενθουσιώδης κριτική του Μαρσέλ Μπριόν διά τον Έλληνα συγγραφέα Καζαντζάκη. Ο *Αλέξης Ζορμπάς* είναι ένας αθάνατος τύπος. Και ένα βιβλίον της Λιλίκας Νάκου», *Το Βήμα*, 28 Δεκεμβρίου 1954, σ. 3.

Αγγλία, όπου το μυθιστόρημα, υπό τον τίτλο *Zorba the Greek*, κυκλο-
φορεί μεταφρασμένο από τον Carl Wildman το φθινόπωρο του
1952 από τον εκδοτικό οίκο John Lehmann, η υποδοχή του από
τον βρετανικό τύπο είναι εξίσου θερμή (η ανυπόγραφη κριτική που
δημοσιεύεται στο λογοτεχνικό ένθετο της εφημερίδας *The Times*
τονίζει ότι «ο Καζαντζάκης [...] έχει δημιουργήσει με τον Ζορμπά
έναν από τους μεγάλους χαρακτήρες της σύγχρονης πεζογραφίας»
και υποστηρίζει ότι το έργο αποτυπώνει την ελληνική ιλαρότητα
στην καλύτερη έκφρασή της).²⁷ Στις ΗΠΑ, όπου το μυθιστόρημα
εκδίδεται το 1953, τα υμνητικά σχόλια υπερβαίνουν κάθε προηγού-
μενο: ο Anthony West, κριτικός του περιοδικού *New Yorker*, επαινεί
το ύφος και το χιούμορ του Καζαντζάκη και βρίσκει ότι το βιβλίο
είναι γεμάτο από τη φωτεινή ομορφιά των ελληνικών νησιών,²⁸ ο
Kimon Friar, κριτικός του περιοδικού *The New Republic*, επιγράφει
το σχετικό άρθρο του «Ένα μικρό αριστούργημα» και θεωρεί ότι το
κοινό πρέπει να διαβάσει και να απολαύσει το μυθιστόρημα του
Καζαντζάκη στο επίπεδο του ρεαλιστικού συμβολισμού,²⁹ ενώ το
περιοδικό *Time* στη λογοτεχνική επισκόπηση του 1953 περιλαμ-
βάνει τον *Ζορμπά* στη λίστα των καλύτερων βιβλίων της χρονιάς
(«Ο *Ζορμπάς* είναι το πιο πλούσιο, το πιο γενναιόδωρο μυθιστόρημα
της χρονιάς»).³⁰

Αν από τις ελληνικές κριτικές που δημοσιεύονται την περίοδο
1946-1948 για τον *Ζορμπά* απουσιάζουν σχεδόν παντελώς οι
αναφορές σε έργα της ξένης λογοτεχνίας (με εξαίρεση τον παραλ-
ληλισμό που επιχειρούν ο Βάρναλης, ο Κόμης και ο Γιαλουράκης

²⁷ (Ανυπόγραφο), «Greek Fire», *The Times Literary Supplement*, 3 Οκτωβρίου 1952, σ. 641.
²⁸ Anthony West, «Happy and Happy-Go-Lucky», *The New Yorker*, τχ. 29 (25 Απριλίου 1953), σσ. 114, 117.
²⁹ Kimon Friar, «A Minor Masterpiece», *The New Republic*, τχ. 128 (27 Απριλίου 1953), σσ. 20-21.
³⁰ (Ανυπόγραφο), «The Year in Books», *Time*, τχ. 62 (21 Δεκεμβρίου 1953), σ. 94.

με τον *Φάουστ* του Goethe),[31] εντούτοις στις υμνητικές κριτικές για την πρώτη γαλλική έκδοση του μυθιστορήματος το 1947 επιχειρούνται διακειμενικοί συσχετισμοί με το *Ταξίδι στην άκρη της νύχτας* του Céline[32] και τον *Κολοσσό του Μαρουσιού* του Henry Miller.[33] Στη Γαλλία πάντα, το 1954, με την ευκαιρία της βράβευσης του έργου ως «καλύτερου ξένου βιβλίου», εντοπίζονται ομοιότητες του Ζορμπά με τους χαρακτήρες του Hamsun και του Rabelais.[34] Το 1953 στις ΗΠΑ επιχειρούνται παραλληλισμοί με την ομηρική *Οδύσσεια*, τον Αριστοφάνη, τον Πλαύτο, τον Βολταίρο και τον Cervantes, τον D. H. Lawrence.[35] Σε μεταγενέστερες μελέτες η γκάμα των συγγραφέων και των έργων με τους οποίους συσχετίζεται το καζαντζακικό μυθιστόρημα παραμένει ευρύτατη: αναφέρονται ενδεικτικά ο *Δον Κιχώτης* του Cervantes,[36] η *Πολιτεία* του Πλάτωνα,[37] η *Θεία Κωμωδία* του Dante,[38] η *Τρικυμία* του Shakespeare.[39]

---

[31] Βάρναλης, «Τα βιβλία. Νίκου Καζαντζάκη: *Βίος και πολιτεία του Αλέξη Ζορμπά*», ό.π., σ. 2· Κόμης, «Κριτική. Βιβλίο. Ν. Καζαντζάκη: *Βίος και πολιτεία του Αλέξη Ζορμπά*», ό.π., σ. 60· Γιαλουράκης, «Κριτική του βιβλίου. *Βίος και πολιτεία του Αλέξη Ζορμπά*», ό.π., σ. 68.

[32] (Ανυπόγραφο), «Ειδήσεις», *Νέα Εστία*, ό.π., σ. 196.

[33] Maurice Nadeau, «Le nouveau mythe grec», *Combat*, 21 Μαΐου 1948.

[34] (Ανυπόγραφο), «Ενθουσιώδης κριτική του Μαρσέλ Μπριόν διά τον Έλληνα συγγραφέα Καζαντζάκην. Ο *Αλέξης Ζορμπάς* είναι ένας αθάνατος τύπος. Και ένα βιβλίον της Λιλίκας Νάκου», ό.π., σ. 3.

[35] Edmund Fuller, «The Wild and Wily Zorba; Zorba the Greek by Nikos Kazantzakis. Translated from the Greek by Carl Wildman. 312 pp. New York: Simon & Schuster», *The New York Times Book Review*, 19 Απριλίου 1953, σ. 4· William Du Bois, «Books of the Times», *The New York Times*, 15 Απριλίου 1953, σ. 29.

[36] Αιμίλιος Χ[ουρμούζιος], «Το μέγιστο μάθημα. *Βίος και πολιτεία του Αλέξη Ζορμπά*. Ένα φιλοσοφικό μυθιστόρημα σε μορφή επική», *Η Καθημερινή*, 23 Απριλίου 1953, σ. 2.

[37] Μιχαήλ Πασχάλης, «Η κυοφορία του Ζορμπά και οι τέσσερεις μαίες του: Όμηρος, Πλάτωνας, Δάντης και Σαίξπηρ», ό.π., σσ. 1156-1164.

[38] Στο ίδιο, σσ. 1164-1184.

[39] Στο ίδιο, σσ. 1184-1191.

Η ταινία του Κακογιάννη

Η διεθνής πρόσληψη του καζαντζακικού μυθιστορήματος σαφέστατα επηρεάζεται από την κινηματογραφική διασκευή του, την ταινία του Μιχάλη Κακογιάννη *Αλέξης Ζορμπάς/Zorba the Greek* (1964). Το βιβλίο του Καζαντζάκη είναι βεβαίως διάσημο ανά τον κόσμο και πριν από την κυκλοφορία της ταινίας (γι' αυτό άλλωστε η αμερικανική εταιρεία 20th Century Fox αναλαμβάνει τη χρηματοδότηση), αλλά ο παγκόσμιος θρίαμβος της ταινίας ανανεώνει και τη δική του δημοτικότητα. Η ταινία γίνεται δεκτή με ενθουσιασμό από το κοινό και επαινείται από την κριτική για την αδρότητα, την ένταση και την εικονοπλαστική δύναμη της σκηνοθεσίας του Κακογιάννη, την εξαιρετική ασπρόμαυρη φωτογραφία του Walter Lassally, την αριστουργηματική δουλειά του Βασίλη Φωτόπουλου στη σκηνογραφία και στην ενδυματολογία, τη θρυλική μουσική του Μίκη Θεοδωράκη (με το πασίγνωστο μουσικό θέμα που σχεδόν ταυτίζεται με τον χαρακτήρα του Ζορμπά και εισάγει το πολυσυζητημένο «συρτάκι») και τις πολύ καλές ερμηνείες των Anthony Quinn, Alan Bates, Lila Kedrova, Ειρήνης Παπά και Γιώργου Φούντα. Ωστόσο, διατυπώνονται και ενστάσεις για τον τρόπο παρουσίασης των Κρητικών και για την έμφαση στις σκηνές του θανάτου της Ορτάνς και της δολοφονίας της χήρας, για την αλλαγή του τέλους (η ταινία του Κακογιάννη τελειώνει με τον Ζορμπά να διδάσκει στο Αφεντικό χορό), ενώ δεν λείπουν και οι φωνές που θεωρούν το φιλμ υπεύθυνο για μια «τουριστική» και στερεοτυπική παρουσίαση της Ελλάδας.

Επιλεγόμενα

Στο πέρασμα του χρόνου το *Βίος και πολιτεία του Αλέξη Ζορμπά* κατακτά το status του εθνικού μυθιστορήματος, που όμως περνά τα εθνικά σύνορα και αγγίζει το διεθνές αναγνωστικό κοινό. Παρά τις γοητευτικές αντιφάσεις του ίδιου του μυθιστορήματος σε θεματολογικό και μορφολογικό επίπεδο, παρά τις θυελλώδεις συζητήσεις για το εάν ο -ούτως ή άλλως σαγηνευτικός- χαρακτήρας του Ζορμπά είναι αντιπροσωπευτικός του Νεοέλληνα ή όχι, παρά τη

διχογνωμία για το εάν υπερισχύει το εθνικό ή το διεθνιστικό στοι-
χείο, το βιβλίο του Καζαντζάκη, με την ποικιλία των αναγνώσεών
του από την κριτική και το κοινό στην πολύχρονη διεθνή πορεία
του, με το άνοιγμά του στους πλέον απρόβλεπτους διακειμενικούς
συσχετισμούς, με τον τονισμό διαφορετικών κάθε φορά στοιχείων
ανάλογα με τη δυναμική και τις ιδιομορφίες της κάθε περιόδου,
με τον γόνιμο διάλογό του με τις άλλες τέχνες, παραμένει το πλέον
διάσημο ελληνικό μυθιστόρημα, το κατεξοχήν εθνικό μας βιβλίο,
που απέκτησε οικουμενική διάσταση και κατόρθωσε να εκφράσει
μια διεθνώς αναγνωρίσιμη –και εντέλει διαχρονική– εκδοχή της
ελληνικής ταυτότητας.

Θανάσης Αγάθος
Αναπληρωτής Καθηγητής Νεοελληνικής Φιλολογίας
Τμήμα Φιλολογίας ΕΚΠΑ

ΣΗΜΕΙΩΜΑ ΤΗΣ ΕΠΙΜΕΛΗΤΡΙΑΣ

Ο Νίκος Καζαντζάκης

πάνω και πέρα από όλα είναι στοχαστής. Το *Βίος και Πολιτεία του Αλέξη Ζορμπά* είναι ένα μυθιστόρημα όπου μορφοποιείται η γεμάτη αντιφάσεις ψυχή του συγγραφέα. Η διαφορά στη στοχαστική διάθεση του Καζαντζάκη εδώ έγκειται στο ότι κατορθώνει στον στοχασμό του αυτόν να δώσει μια ανάλαφρη διάθεση, να τον μετουσιώσει σε μια ελεύθερη αφήγηση.

Το έργο οικοδομείται πάνω στην αντίθεση δύο χαρακτήρων, του συγγραφέα, δηλαδή του πνευματικού, και του Ζορμπά, δηλαδή του σαρκικού ανθρώπου, του χοϊκού, εκείνου στον οποίο υπερέχει ο βιταλισμός του Νίτσε.

Μία από τις πιο βασικές αντινομίες που θα συναντήσουμε εδώ είναι η αέναη πάλη ανάμεσα στην επιθυμία για ελευθερία κι η συνειδητοποίηση ότι η απόλυτη ελευθερία είναι ανέφικτη.

Άλλη μία αντινομία είναι η επιθυμία του Καζαντζάκη να είναι αυτό που θα ήθελε να είναι σε αντίστιξη με αυτό που όντως είναι. Ο Καζαντζάκης νιώθει άνθρωπος της θεωρίας ενώ θα ήθελε να

27

είναι άνθρωπος της πράξης, κι εδώ είναι το ψυχικό δράμα του συγγραφέα που φλέγεται για πράξη αλλά δεν μπορεί να τη ζήσει.

Αυτό το κάλεσμα στην πράξη το ενσαρκώνει ο Ζορμπάς, ο οποίος είναι μια μορφή Πατέρα, ένα πρότυπο, ανάγοντας την πράξη στο διηνεκές, στο τέλος όμως της ημέρας ο συγγραφέας επανέρχεται στην αλήθεια του: στο ανέφικτο της απόλυτης ελευθερίας.

Σε ό,τι αφορά τον σχεδιασμό αυτών των νέων εκδόσεων, έχουμε προσανατολιστεί στον αναγνώστη, με πιστότητα όμως στο ύφος του συγγραφέα. Για τον λόγο αυτό μελετήθηκαν οι επιμέλειες των βιβλίων του από τον Εμμανουήλ Κάσδαγλη, οι οποίες έχαιραν και της υποστήριξης του Παντελή Πρεβελάκη κι είναι οι μόνες εγκεκριμένες από τον ίδιο τον συγγραφέα.

Παρ' όλα αυτά, επειδή έχουν περάσει πολλά έτη από τις εν λόγω εκδόσεις κι η επιμέλεια πλέον θεωρείται αυτοτελής κλάδος με τα δικά του εργαλεία, έχουμε προχωρήσει σε περαιτέρω διορθώσεις στην ομογενοποίηση, στη στίξη και στην παραγραφοποίηση, και πάλι προς διευκόλυνση του αναγνωστικού κοινού μα και για να υπάρχει συμμόρφωση με τη σύγχρονη τυπογραφία.

Όσον αφορά την ορθογραφία των λέξεων, επιλέχθηκε σε κάποιες περιπτώσεις η παλαιότερη γραφή, σε μια προσπάθεια αφενός να αποδοθεί και οπτικά η εποχή της αφήγησης και αφετέρου να γεφυρωθεί το παρελθόν και το παρόν, το παλιό και το νέο, σε μια γλώσσα που δεν υπήρξε ποτέ στατική και που στη γραφή του Καζαντζάκη παίρνει σάρκα και οστά με τρόπο μοναδικό.

Επιπλέον ο αναγνώστης θα έχει προς διευκόλυνσή του υποσελίδιες σημειώσεις με λέξεις που ίσως αγνοεί τη σημασία τους, για τη σύνταξη των οποίων χρησιμοποιήθηκε το *Γλωσσάρι στο έργο του Νίκου Καζαντζάκη*, από τις Πανεπιστημιακές Εκδόσεις Κρήτης του κ. Βασίλη Γεώργα. Οι σημειώσεις αυτές είναι χωρίς αρίθμηση ώστε ο αναγνώστης να μη διακόπτει την ανάγνωσή του παρά μόνο σε περίπτωση που αγνοεί τη σημασία των λέξεων.

Ακόμα, ο σχεδιασμός της γραμματοσειράς βασίστηκε στη συνύπαρξη συγχρονικότητας και διαχρονικότητας στο έργο του Νίκου Καζαντζάκη, αλλά και στην απόδοση των συγκρούσεων, του βάθους και της έντασης του κειμένου.

Με τιμή αλλά και με αίσθημα ευθύνης

Βίκυ Κατσαρού,
υπεύθυνη έκδοσης των εκδόσεων Διόπτρα

ΒΙΟΣ ΚΑΙ ΠΟΛΙΤΕΙΑ ΤΟΥ ΑΛΕΞΗ ΖΟΡΜΠΑ

Να λες «Ναι!» στην ανάγκη, να
μετουσιώνεις το αναπόφευκτο σε δικιά σου
λεύτερη βούληση, αυτός, ίσως, είναι
ο μόνος ανθρώπινος δρόμος της λύτρωσης.

ΠΡΟΛΟΓΟΣ

Πολλές φορές

πεθύμησα να γράφω το βίο και την πολιτεία του Αλέξη Ζορμπά, ενός γέρου εργάτη που πολύ αγάπησα.

Στη ζωή μου, οι πιο μεγάλοι μου ευεργέτες στάθηκαν τα ταξίδια και τα ονείρατα· από τους ανθρώπους, ζωντανούς και πεθαμένους, πολύ λίγοι βοήθησαν τον αγώνα μου. Όμως, αν ήθελα να ξεχωρίσω ποιοι άνθρωποι αφήκαν βαθύτερα τ᾽ αχνάρια τους στην ψυχή μου, ίσως να ξεχώριζα τρεις τέσσερεις: τον Όμηρο, τον Μπέρξονα, το Νίτσε και το Ζορμπά.

Ο πρώτος στάθηκε για μένα το γαλήνό κατάφωτο μάτι –σαν το δίσκο του ήλιου– που φωτίζει με απολυτρωτικιά λάμψη τα πάντα· ο Μπέρξονας με αλάφρωσε από άλυτες φιλοσοφικές αγωνίες που με τυραννούσαν στα πρώτα νιάτα· ο Νίτσε με πλούτισε με καινούριες αγωνίες και μ᾽ έμαθε να μετουσιώνω τη δυστυχία, την πίκρα, την αβεβαιότητα σε περηφάνια· κι ο Ζορμπάς μ᾽ έμαθε ν᾽ αγαπώ τη ζωή και να μη φοβούμαι το θάνατο.

Αν ήταν στον κόσμον όλο σήμερα να διάλεγα έναν ψυχικό οδηγό, «γκουρού» όπως τον λένε οι Ιντοί, «Γέροντα» όπως τονε λένε οι καλόγεροι στο Αγιονόρος, σίγουρα θα διάλεγα το Ζορμπά.

Γιατί αυτός είχε ό,τι χρειάζεται ένας καλαμαράς για να σωθεί: την πρωτόγονη ματιά που αδράχνει φηλάθε σαΐτευτά τη

θροφή της· τη δημιουργική, κάθε πρωί ανανεούμενη, αφέλεια,
να βλέπει ακατάπαυτα για πρώτη φορά τα πάντα και να δίνει
παρθενιά στα αιώνια καθημερινά στοιχεία – αγέρα, θάλασσα,
φωτιά, γυναίκα, φωμί· τη σιγουράδα του χεριού, τη δροσεράδα
της καρδιάς, την παλικαριά να κοροϊδεύει την ίδια του την
ψυχή, σα να 'χε μέσα του μια δύναμη ανώτερη από την ψυχή,
και τέλος το άγριο γάργαρο γέλιο από βαθιά πηγή, βαθύτερη
από το σπλάχνο του ανθρώπου, που ανατινάζουνταν απολυτρω-
τικό στις κρίσιμες στιγμές από το γέρικο στήθος του Ζορμπά·
ανατινάζουνταν και μπορούσε να γκρεμίσει, και γκρέμιζε,
όλους τους φράχτες –ηθική, θρησκεία, πατρίδα– που άσκωσε
γύρα του ο κακομοίρης ο φοβητσιάρης ο άνθρωπος για να
κουτσοπορέψει ασφαλισμένα τη ζωούλα.

Όταν συλλογίζουμαι με τι θροφή τόσα χρόνια με τάιζαν τα
βιβλία κι οι δάσκαλοι για να χορτάσουν μια λιμασμένη ψυχή
και τι λιονταρίσιο μυαλό για θροφή με τάισε ο Ζορμπάς σε
λίγους μήνες, δύσκολα μπορώ να βαστάξω την οργή και τη
θλίψη μου. Από μια σύμπτωση πήγε η ζωή μου χαμένη· πολύ
αργά συναπαντήθηκα με το «Γέροντα» τούτον κι ό,τι μπορούσε
ακόμα μέσα μου να σωθεί ήταν ασήμαντο. Η μεγάλη στροφή,
η ολοκληρωτική αλλαγή του μετώπου, η «εκπύρωσις» κι η
«ανακαίνισις» δεν έγιναν. Ήταν πια πολύ αργά. Κι έτσι ο
Ζορμπάς, αντί να γίνει για μένα υψηλό, επιταχτικό πρότυπο
ζωής, ξέπεσε κι έγινε φιλολογικό, αλίμονο, θέμα για να μουντζα-
λώσω κάμποσες κόλλες χαρτί.

Τούτο το θλιβερό προνόμιο, να κάνεις τέχνη τη ζωή,
καταντάει σε πολλές σαρκοβόρες ψυχές ολέθριο. Γιατί έτσι,
βρίσκοντας διέξοδο το σφοδρό πάθος, φεύγει από το στήθος
κι αλαφρώνει η ψυχή, δεν πλαντάει πια, δε νιώθει πια την
ανάγκη κορμί με κορμί να παλέψει, επεμβαίνοντας άμεσα στη
ζωή και στην πράξη – μα χαίρεται καμαρώνοντας το σφοδρό
της το πάθος να δαχτυλιδώνεται στον αγέρα και να σβήνει.

Κι όχι μονάχα χαίρεται παρά είναι και περήφανη· θαρρεί
πως πραγματώνει έργο υψηλό, την εφήμερη αναντικατάστατη

στιγμή –τη μόνη στον απέραντο καιρό που έχει σάρκα κι αίμα–
μετατρέποντάς την τάχα σ' αιώνια. Κι έτσι ο Ζορμπάς, ο γεμάτος
σάρκα και κόκαλα, κατάντησε στα χέρια μου μελάνι και χαρτί.
Χωρίς να το θέλω, και μάλιστα θέλοντας το αντίθετο, κίνησε
από καιρό να κρυσταλλώνεται μέσα μου ο μύθος του Ζορμπά.
Άρχισε η μυστική στο σπλάχνο κατεργασία· στην αρχή μια
μουσική ταραχή, πυρετική ηδονή και δυσφορία, σα να μπήκε
μέσα στο αίμα μου ένα ξένο σώμα και μάχουνταν ο οργανι-
σμός μου να το δαμάσει και να το αφανίσει, αφομοιώνοντάς το.
Κι άρχισε γύρα από τον πυρήνα αυτόν να τρέχουν οι λέξεις,
να τον κυκλώνουν και να τον θρέφουν σαν έμβρυο. Στερεώ-
νουνταν οι θαμπωμένες θύμησες, ανέβαιναν οι βουλιαγμένες
χαρές και πίκρες, μετατοπίζουνταν σε ελαφρότερον αγέρα η
ζωή, γίνουνταν ο Ζορμπάς παραμύθι.

Δεν κάτεχα ακόμα τι μορφή να δώσω στο παραμύθι τούτο
του Ζορμπά: ρομάντσο, τραγούδι, πολύπλοκο φανταστικό
διήγημα της Χαλιμάς ή στεγνά, ξερά, να ξεσηκώσω τις κουβέ-
ντες που μου έκανε σ' ένα ακρογιάλι της Κρήτης, όπου ζήσαμε,
σκάβοντας για να βρούμε τάχα λιγνίτη. Ξέραμε καλά κι οι δυο
πως ο πραχτικός αυτός σκοπός ήτανε στάχτη για τα μάτια του
κόσμου· εμείς βιαζόμαστε πότε να βασιλέψει ο ήλιος, να σκολά-
σουν οι εργάτες, να στρωθούμε οι δυο μας στην αμμουδιά, να
φάμε το χωριάτικο νόστιμο φαΐ μας, να πιούμε το μπρούσκο
κρητικό κρασί και ν' αρχίσουμε την κουβέντα.

Εγώ, τις περισσότερες φορές, δε μιλούσα· τι να πει ένας
«διανοούμενος» σ' ένα δράκο; Τον άκουγα να μου μιλάει για
το χωριό του στον Όλυμπο, για τα χιόνια, τους λύκους, τους
κομιτατζήδες, την Αγια-Σοφιά, το λιγνίτη, το λευκόλιθο, τις
γυναίκες, το θεό, την πατρίδα και το θάνατο – και ξάφνου,
όταν πλαντούσε και πια δεν τον χωρούσαν τα λόγια, τινά-
ζουνταν απάνω, στα χοντρά χαλίκια του γιαλού, κι άρχιζε
να χορεύει.

Γέρος, ορθόκορμος, κοκαλιάρης, με αναγερτό κατά πίσω το
κεφάλι, με καταστρόγγυλα μικρά μάτια σαν πουλιού, χόρευε

και σκλήριζε και χτυπούσε τις αδρές πατούσες στο γιαλό και πιτσίλιζε με θάλασσα το πρόσωπό μου.

Αν άκουγα τη φωνή του −όχι τη φωνή, την κραυγή του− η ζωή μου θα 'χε πάρει αξία· θα ζούσα μ' αίμα και σάρκα και κόκαλα ό,τι τώρα χασισοπότικα στοχάζουμαι κι ενεργώ με χαρτί και καλαμάρι.

Μα δεν τόλμησα. Έβλεπα το Ζορμπά μεσάνυχτα να χορεύει χλιμιντρίζοντας και να μου κράζει να τιναχτώ κι εγώ από το βολικό καβούκι της φρονιμάδας και της συνήθειας και να φύγω για τα μεγάλα ταξίδια μαζί του − κι έμενα ασάλευτος, τουρτουρίζοντας.

Πολλές φορές έχω ντραπεί στη ζωή μου, γιατί έπιασα την ψυχή μου να μην τολμάει να κάνει ό,τι η ανώτατη παραφροσύνη −η ουσία της ζωής− μου φώναζε να κάμω· μα ποτέ δεν ντράπηκα για την ψυχή μου όσο μπροστά στο Ζορμπά.

Ένα πρωί, ξημερώματα, χωρίσαμε: εγώ τράβηξα πάλι για την ξενιτιά, αγιάτρευτα χτυπημένος από τη φαουστικήν αρρώστια της μάθησης· αυτός πήρε κατά βορρά και καταστάλαξε στη Σερβία, σ' ένα βουνό κοντά στα Σκόπια, όπου ξετόπωσε, λέει, πλούσια φλέβα λευκόλιθο, τύλιξε μερικούς παραλήδες, αγόρασε σύνεργα, στρατολόγησε εργάτες κι άρχισε πάλι ν' ανοίγει μέσα στη γης γαλαρίες. Τίναξε βράχους, έφτιασε δρόμους, έφερε νερό, έχτισε σπίτι, παντρεύτηκε, γέρος κοτσονάτος, μιαν όμορφη γλεντοχήρα, τη Λιούμπα, κι έκαμε ένα παιδί μαζί της.

Μια μέρα, στο Βερολίνο, έλαβα ένα τηλεγράφημα: «Εύρον πρασίνην πέτραν ωραιοτάτην, ελθέ αμέσως. Ζορμπάς».

Ήταν η εποχή της μεγάλης πείνας στη Γερμανία. Τόσο είχε κατρακυλήσει το μάρκο, που για να κάμεις μια μικρή πλερωμή κουβαλούσες με το τσουβάλι τα εκατομμύρια· κι όταν πήγαινες στο ρεστωράν κι έτρωγες, άνοιγες την παραφουσκωμένη χαρτονομίσματα σερβιέτα σου και την άδειαζες απάνω στο τραπέζι για να πλερώσεις· κι ήρθαν μέρες που χρειαζόσουν δέκα δισεκατομμύρια μάρκα για ένα γραμματόσημο.

Πείνα, κρύο, τριμμένα σακάκια, ξεπατωμένα παπούτσια, τα κόκκινα γερμανικά μάγουλα είχαν κιτρινίσει. Αγέρας χινοπωριάτικος, κι έπεφταν σα φύλλα οι άνθρωποι στους δρόμους. Στα μωρά έδιναν ένα κομμάτι λάστιχο να το μασουλίζουν, να ξεγελιούνται, να μην κλαίνε. Η αστυνομία περιπολούσε τα γιοφύρια του ποταμού, για να μην πέφτουν τη νύχτα οι μανάδες με τα μωρά τους να πνιγούν να γλιτώσουν. Χειμώνας, χιόνιζε. Στη διπλανή μου κάμαρα ένας Γερμανός καθηγητής κινεζολόγος, για να ζεσταθεί, έπαιρνε το μακρύ πινέλο και με τον άβολο τρόπο της Μακρινής Ανατολής προσπαθούσε ν' αντιγράφει κάποιο παλιό κινέζικο τραγούδι ή κανένα ρητό του Κουμφούκιου. Η μύτη του πινέλου, ο ανασηκωμένος ανάερα αγκώνας κι η καρδιά του σοφού έπρεπε να σχηματίζουν τρίγωνο.

— Ύστερα από λίγα λεφτά, μου 'λεγε ευχαριστημένος, ο ιδρώτας τρέχει από τις αμασκάλες μου κι έτσι ζεσταίνουμαι.

Μέσα σε τέτοιες φαρμακερές μέρες έλαβα το τηλεγράφημα του Ζορμπά. Στην αρχή θύμωσα. Εκατομμύρια άνθρωποι εξευτελίζονται και γονατίζουν, γιατί δεν έχουν ένα κομμάτι ψωμί να στυλώσουν την ψυχή τους και τα κόκαλά τους· κι ορίστε τώρα ένα τηλεγράφημα, να κινήσεις να κάμεις χίλια μίλια για να δεις μιαν όμορφη πράσινη πέτρα! Ανάθεμα, είπα, στην ομορφιά, γιατί είναι άκαρδη και δε νοιάζεται για τον πόνο του ανθρώπου.

Μα ξαφνικά τρόμαξα· ο θυμός είχε κιόλα ξεθυμάνει κι ένιωθα με φρίκη πως η απάνθρωπη αυτή κραυγή του Ζορμπά αποκρίνουνταν σε άλλη απάνθρωπη μέσα μου κραυγή. Ένα άγριο όρνιο μέσα μου τίναξε τα φτερά του να φύγει.

Όμως δεν έφυγα· δεν τόλμησα πάλι. Δεν μπήκα στο τρένο, δεν ακολούθησα τη θεϊκιά θηριώδη μέσα μου κραυγή, δεν έκαμα μια γενναία παράλογη πράξη. Ακολούθησα τη μετρημένη, κρύα, ανθρώπινη φωνή του λογικού. Και πήρα την πένα κι έγραφα του Ζορμπά και του ξηγούσα...

Κι αυτός μου αποκρίθηκε:

«Είσαι, και να με συμπαθάς, αφεντικό, καλαμαράς. Μπορούσες και συ, κακομοίρη, μια φορά στη ζωή σου να δεις μιαν όμορφη πράσινη πέτρα και δεν την είδες. Μα το Θεό, κάθουμουν κάποτε, όταν δεν είχα δουλειά, κι έλεγα με το νου μου: "Υπάρχει, δεν υπάρχει Κόλαση;" Μα χτες που έλαβα το γράμμα σου, είπα: "Σίγουρα πρέπει να υπάρχει Κόλαση για μερικούς καλαμαράδες!"»

Ξεκίνησαν οι θύμησες και σπρώχνει η μια την άλλη και βιάζουνται. Καιρός να βάλουμε τάξη. Να πιάσουμε το βίο και την πολιτεία του Ζορμπά από την αρχή. Και τα πιο ασήμαντα περιστατικά που δέθηκαν μαζί του λάμπουν τη στιγμή τούτη στο νου μου καθαρά, γοργοσάλευτα και πολύτιμα, σαν πολύχρωμα ψάρια σε διάφανη καλοκαιριάτικη θάλασσα. Τίποτα δικό του δεν πέθανε μέσα μου, ό,τι άγγιξε το Ζορμπά θαρρείς κι έγινε αθάνατο, κι όμως τις μέρες τούτες άξαφνη ανησυχία με ταράζει: έχω δυο χρόνια να λάβω γράμμα του, θα 'ναι πια εβδομήντα και πάνω χρόνων, μπορεί και να κιντυνεύει. Σίγουρα θα κιντυνεύει, αλλιώς δεν μπορώ να εξηγήσω την απότομη ανάγκη που με κυρίεψε ν' ανασυντάξω ό,τι δικό του, να θυμηθώ ό,τι μου είπε κι όσα έκαμε, και να τ' ακινητήσω στο χαρτί, να μη φύγουν. Σα να θέλω να ξορκίσω το θάνατο· το θάνατό του. Δεν είναι τούτο, φοβούμαι, βιβλίο που γράφω· είναι Μνημόσυνο.

Έχει, τώρα το βλέπω, όλα τα χαραχτηριστικά του μνημόσυνου. Στολισμένος ο δίσκος τα κόλλυβα με πυκνή πασπαλισμένη ζάχαρη και γραμμένο τ' όνομα απάνω: ΑΛΕΞΗΣ ΖΟΡΜΠΑΣ με κανέλα και μύγδαλα. Κοιτάζω τ' όνομα κι ολομεμιάς τινάζεται η θάλασσα η λουλακιά της Κρήτης και συγκλύζει το μυαλό μου. Λόγια, γέλια, χοροί, μεθύσια, έγνοιες, σιγαλινές κουβέντες το δειλινό, μάτια καταστρόγγυλα που τρυφερά και καταφρονετικά στυλώνουνταν απάνω μου, σα να με καλωσόριζαν κάθε στιγμή, σα να με αποχαιρετούσαν κάθε στιγμή, για πάντα.

Κι όπως όταν κοιτάζουμε το νεκρικό καταστόλιστο δίσκο
κρεμιούνται αρμαθιές σα νυχτερίδες κι άλλες μέσα στη σπηλιά
της καρδιάς μας θύμησες, όμοια, χωρίς να το θέλω, περιπλέ-
χτηκε από την πρώτη στιγμή με τον ίσκιο του Ζορμπά κι ένας
άλλος ίσκιος πολυαγαπημένος, και πίσω του, απροσδόκητα,
ένας άλλος ακόμα, μιας ξεπεσμένης, χιλιοβαμμένης, χιλιοφι-
λημένης γυναίκας, που την είχαμε συναντήσει με το Ζορμπά
σ' ένα αμμουδερό ακρογιάλι της Κρήτης, στο Λιβυκό πέλαγο...
Σίγουρα η καρδιά του ανθρώπου είναι ένας κλειστός λάκκος
αίμα, κι άμα ανοίξει, τρέχουν να πιουν και να ζωντανέφουν όλοι
οι διφασμένοι απαρηγόρητοι ίσκιοι, που ολοένα και πυκνώνου-
νται γύρω μας και σκοτεινιάζουν τον αγέρα. Τρέχουν να πιουν
το αίμα της καρδιάς μας, γιατί ξέρουν πως άλλη ανάσταση δεν
υπάρχει. Κι απ' όλους πιο μπροστά τρέχει σήμερα ο Ζορμπάς με
τις μεγάλες δρασκελιές του κι αναμερίζει τους άλλους ίσκιους,
γιατί ξέρει πως γι' αυτόν γίνεται σήμερα το μνημόσυνο.

Ας του δώσουμε λοιπόν το αίμα μας να ζωντανέφει. Ας κάμουμε
ό,τι μπορούμε να ζήσει λίγο ακόμα ο εξαίσιος αυτός φαγάς,
πιοτής, δουλευταράς, γυναικάς κι αλήτης. Η πιο
πλατιά ψυχή, το πιο σίγουρο σώμα, η πιο
λεύτερη κραυγή που γνώρισα
στη ζωή μου.

I

Τον πρωτογνώρισα

στον Πειραιά. Είχα κατέβει στο λιμάνι να πάρω το βαπόρι για την Κρήτη. Κόντευε να ξημερώσει. Έβρεχε. Φυσούσε δυνατή σοροκάδα κι έφταναν οι πιτσιλιές της θάλασσας στο μικρό καφενεδάκι. Κλειστές οι τζαμόπορτες, μύριζε ο αγέρας ανθρώπινη βόχα και φασκόμηλο. Έκανε όξω κρύο και τα τζάμια είχαν παχνιστεί από τις ανάσες. Πέντ' έξι θαλασσινοί ξενυχτισμένοι, με τις καφετιές από γιδότριχα φανέλες, έπιναν καφέδες και φασκόμηλα και κοίταζαν από τα θαμπωμένα τζάμια τη θάλασσα.

Τα ψάρια, παραζαλισμένα από τα χτυπήματα της φουρτούνας, είχαν βρει καταφύγι χαμηλά στα ήσυχα νερά και περίμεναν πότε να γαληνέψει ο κόσμος απάνω· κι οι ψαράδες, στριμωγμένοι στους καφενέδες, περίμεναν κι αυτοί πότε να πάψει η θεϊκιά ταραχή, να ξεφοβηθούν και ν' ανέβουν στο πρόσωπο του νερού τα ψάρια να τσιμπήσουν. Οι γλώσσες, οι σκορπιοί, τα σελάχια, γυρνούσαν από τις νυχτερινές επιδρομές τους να κοιμηθούν. Ξημέρωνε.

Η τζαμόπορτα άνοιξε· ένας κοντός, ταγαριασμένος λιμανιώτης μπήκε· ξεσκούφωτος, ξυπόλυτος, ολολάσπωτος.

σοροκάδα: *δυνατός σορόκος, ισχυρός νοτιοανατολικός άνεμος, υγρός και ζεστός*
ταγαριάζω, μτχ. ταγαριασμένος: *χάνω τη φρεσκάδα μου, ρυτιδιάζω*

— Ε Κωσταντή, φώναξε ένας γέρος θαλασσόλυκος με γαλάζια πατατούκα, τι γίνεσαι, μπρε;
Ο Κωσταντής έφτυσε ξαγριεμένος.
— Τι να γίνουμαι; αποκρίθηκε. Καλημέρα, καφενέ! Καλησπέρα, σπίτι! Καλημέρα, καφενέ! Καλησπέρα, σπίτι! Να η ζωή μου. Δουλειά, γιοκ!
Μερικοί γέλασαν, άλλοι κούνησαν το κεφάλι, βλαστήμησαν.
— Η ζωή είναι ισόβια, είπε κάποιος μουστακαλής, που είχε κάμει τις φιλοσοφικές του σπουδές στον Καραγκιόζη· ισόβια, ανάθεμά τη!
Γλυκό γαλαζοπράσινο φως περέχυσε τα βρόμικα τζάμια, μπήκε κι αυτό στο καφενείο, κρεμάστηκε σε χέρια και μύτες και κούτελα, πήδηξε στο τζάκι, πήραν φωτιά οι μποτίλιες. Τα ηλεχτρικά έχασαν τη δύναμή τους, άπλωσε ο μαχμουρλής ξαγρυπνισμένος καφετζής το χέρι και τα 'σβησε.
Μια στιγμή σιωπή. Τα μάτια όλα σηκώθηκαν και κοίταξαν όξω τη λασπωμένη μέρα. Ακούστηκαν τα κύματα που σπούσαν μουγκρίζοντας και μέσα στον καφενέ μερικοί ναργιλέδες που γουργούριζαν.
Ο γερο-θαλασσόλυκος αναστέναξε.
— Μωρέ, τι να γίνεται ο καπετάν Λεμονής; φώναξε. Ο Θεός να βάλει το χέρι του!
Κοίταξε με άγριο μάτι πέρα τη θάλασσα.
— Φτου σου, αντρογυνοχωρίστρα! έγρουξε και δάγκασε το φαρό μουστάκι του.
Κάθουμουν σε μια γωνιά, κρύωνα, παράγγειλα και δεύτερο φασκόμηλο· νύσταζα· πάλευα με τον ύπνο, με την κούραση και με την πρωινή θλίψη της μέρας. Κοίταζα από τα θαμπά τζάμια το λιμάνι που ξυπνούσε κι ούρλιαζε με τις βαπορίσιες σειρήνες και με τους αραμπάδες και τους βαρκάρηδες. Κοίταζα, κοίταζα, κι ένα παραγάδι από θάλασσα, βροχή και μισεμό, πυκνό πολύ, συντύλιγε την καρδιά μου.

αραμπάς: άμαξα

Είχα καρφώσει τα μάτια αντίκρα στη μαύρη πλώρα μεγάλου βαποριού, βουλιαγμένου ακόμα από την κουπαστή και κάτω μέσα στη νύχτα. Έβρεχε, κι έβλεπα τα νήματα της βροχής που έσμιγαν τον ουρανό με τη λάσπη.

Κι ως κοίταζα το μαύρο βαπόρι και τους ίσκιους και τη βροχή, σιγά σιγά έπαιρνε πρόσωπο η πίκρα μου, ανέβαιναν οι θύμησες, στερεώνουνταν στον ογρόν αγέρα, καμωμένος από βροχή και λαχτάρα, ο αγαπημένος φίλος. Πότε; Πέρυσι; Σε άλλη ζωή; Χτες; Είχα κατέβει στο λιμάνι ετούτο να τον αποχαιρετήσω. Βροχή θυμούμαι πάλι και κρύο και ξημερώματα· κι η καρδιά πάλι φούσκωνε ανταρεμένη.

Φαρμάκι ο αργός αποχωρισμός από τους ανθρώπους που αγαπάς· καλύτερα να κόβεις με το μαχαίρι και να μένεις πάλι ολομόναχος στο φυσικό κλίμα του ανθρώπου, στη μοναξιά. Όμως, τη βροχερή εκείνη αυγή, δεν μπορούσα να ξεκολλήσω από το φίλο μου. (Αργότερα ένιωσα, αλίμονο πολύ αργά, το γιατί.) Είχα ανέβει μαζί του στο βαπόρι και κάθουμουν στην καμπίνα του, ανάμεσα από τις σκορπισμένες βαλίτσες. Τον κοίταζα αργά, επίμονα, όταν πρόσεχε αλλού, σα να 'θελα να σημαδέψω ένα ένα τα σουσούμια του – τα φωτερά γαλαζο-πράσινα μάτια, το παχουλό νεανικό πρόσωπο, τη φίνα περήφανη έκφραση κι απάνω απ' όλα τα μακροδάχτυλα αρχοντικά χέρια του.

Μια στιγμή πρόφτασε τη ματιά μου να σούρνεται αρπαχτά, βυζαχτά, απάνω του· στράφηκε, με το περιπαιχτικό ύφος που έπαιρνε όταν ήθελε να κρύψει τη συγκίνησή του. Με κόχεφε· κατάλαβε. Και για να ξεστρατίσει τη θλίψη του χωρισμού:

— Ως πότε; με ρώτησε χαμογελώντας ειρωνικά.

— Τι ως πότε;

— Θα τρως χαρτί, θα πασαλείφεσαι μελάνια; Έλα μαζί μου·

σουσούμι: *διακριτικό σημάδι, ιδίως το σύνολο των χαρακτηριστικών του προσώπου· γνώρισμα, όψη*
κοχεύω: *κοιτάζω λοξά με την κόχη του ματιού, δηλώνοντας καχυποψία, δυσαρέσκεια, φθόνο*

εκεί πέρα, στον Καύκασο, χιλιάδες από τη ράτσα μας κιντυνεύουν· έλα να τους σώσουμε.

Γέλασε, σα να 'θελε να κοροϊδέψει την αφηλή του πρόθεση. — Μπορεί βέβαια να μην τους σώσουμε, πρόστεσε· μα θα σωθούμε εμείς προσπαθώντας να σώσουμε. Έτσι δεν είναι; Αυτά δεν κηρύχνεις, δάσκαλέ μου; «Ο μόνος τρόπος να σώσεις τον εαυτό σου είναι να μάχεσαι να σώσεις τους άλλους...» Εμπρός, λοιπόν, δάσκαλε που δίδασκες... Έλα!

Δεν αποκρίθηκα. Άγια, θεογεννήτρα Ανατολή, αφηλά βουνά, κραυγή του Προμηθέα καρφωμένη στο βράχο... Καρφωμένη τα χρόνια εκείνα η ράτσα μας στους ίδιους βράχους, φώναζε. Κιντύνευε· φώναζε πάλι ένα γιο της να τη σώσει. Κι εγώ την άκουγα άνεργος, σα να 'ταν όνειρο ο πόνος, κι η ζωή μια συναρπαχτική τραγωδία, κι είναι μεγάλη χωριατιά κι αφέλεια να πετιέσαι από το θεωρείο σου στη σκηνή και να επεμβαίνεις στην πράξη.

Ο φίλος μου, χωρίς να περιμένει απάντηση, σηκώθηκε. Το βαπόρι σφύριζε τώρα για τρίτη φορά. Άπλωσε το χέρι:

— Γεια σου, χαρτοπόντικα! είπε περγελαχτά, για να κρύψει τη συγκίνησή του.

Το 'ξερε καλά πως ήταν ντροπή να μην μπορείς να εξουσιάσεις την καρδιά σου. Δάκρυα, τρυφερά λόγια, ακατάστατες χερονομίες, λαϊκές οικειότητες, του φάνταζαν ασκήμιες ανάξιες του ανθρώπου. Ποτέ, εμείς που τόσο αγαπιούμαστε, δεν είχαμε σταυρώσει έναν τρυφερό λόγο· παίζαμε και τσαγκρουνιούμαστε σα θεριά. Αυτός φίνος, ειρωνικός, πολιτισμένος· εγώ βάρβαρος. Αυτός συγκρατημένος, εξαντλώντας άνετα όλα τα φανερώματα της ψυχής του γύρα από το χαμόγελο· εγώ απότομος, ξεσπώντας σε ανάρμοστο απολίτιστο γέλιο.

Έκαμα να καμουφλάρω κι εγώ μ' ένα σκληρό λόγο την ταραχή μου, μα ντράπηκα. Όχι, δεν ντράπηκα· δεν μπόρεσα. Έσφιξα το χέρι του· το κρατούσα και δεν το άφηνα. Με κοίταξε με απορία.

τσαγκρουνώ, -ιούμαι: *δημιουργώ αμυχές, γρατζουνίζω*

— Συγκίνηση; μου έκαμε προσπαθώντας να χαμογελάσει.

— Ναι, του αποκρίθηκα ήσυχα.

— Γιατί; Δεν είπαμε, χρόνια τώρα δεν είχαμε μείνει σύμφωνοι; Πώς το λεν οι Γιαπωνέζοι που αγαπάς; Φουντόσιν! Απάθεια, αταραξία, το πρόσωπο χαμογελούσα ακίνητη μάσκα. Τι γίνεται πίσω από τη μάσκα, δικός μας λογαριασμός.

— Ναι, αποκρίθηκα πάλι, προσπαθώντας να μην ξανοιχτώ σε καμιά μεγάλη φράση – δεν ήμουν βέβαιος πως θα μπορούσα να κυβερνήσω τη φωνή μου, να μην τρέμει.

Το γκονγκ ακούστηκε στο βαπόρι να διώχνει από καμπίνα σε καμπίνα τους επισκέφτες. Σιγόβρεχε. Ο αγέρας γιόμισε λόγια παθητικά του χωρισμού, όρκους, μακρόσερτα φιλιά, γοργές λαχανιαστές παραγγελίες... Έπεφτε η μάνα στο γιο, η γυναίκα στον άντρα, ο φίλος στο φίλο. Σα να χώριζαν για πάντα· σα να τους θύμιζε, ο μικρός ετούτος χωρισμός, το Μεγάλο. Κι ο γλυκύτατος αχός του γκονγκι ξαφνικά αντιλάλησε, πρύμνα πλώρα, μέσα στον ογρόν αγέρα, σα νεκρικιά καμπάνα.

Ο φίλος μου έσκυφε:

— Άκουσε, είπε σιγά, μην έχεις κακό ψυχανέμισμα;

— Ναι, αποκρίθηκα πάλι.

— Πιστεύεις σε τέτοια παραμύθια;

— Όχι, αποκρίθηκα με βεβαιότητα.

— Ε, λοιπόν;

Δεν είχε λοιπόν· δεν πίστευα, μα φοβόμουν.

Ο φίλος μου απίθωσε αλαφριά το αριστερό του χέρι στο γόνατό μου, όπως συνήθιζε στην πιο εγκάρδια στιγμή, όταν κουβεντιάζαμε μαζί και τον έσπρωχνα να πάρει κάποιαν απόφαση κι αυτός αντιστέκουνταν και τέλος δέχουνταν και μου άγγιζε το γόνατο, σα να μου 'λεγε: «Θα κάμω ό,τι θες, από αγάπη...»

Δυο τρεις φορές αναπετάρισαν τα βλέφαρά του. Με κοίταξε πάλι. Κατάλαβε πως ήμουν πολύ θλιμμένος και δίστασε να μεταχειριστεί τ' αγαπημένα μας όπλα – το γέλιο, το περγέλιο...

— Καλά, είπε. Δώσ' μου το χέρι σου· αν ένας από τους δυο μας βρεθεί σε κίντυνο θανάτου...

Σταμάτησε, σα να ντράπηκε. Εμείς που χρόνια περγελούσαμε τις μεταφυχικές αυτές αεροδρομίες και ρίχναμε στον ίδιο λάκκο χορτοφάγους, πνεματιστές, θεοσόφους κι εχτοπλάσματα...

— Λοιπόν; ρώτησα, προσπαθώντας να μαντέφω.

— Ας το πάρουμε, έτσι, παιγνίδι, είπε βιαστικά, για να γλιτώσει από την επικίντυνη φράση όπου μπλέχτηκε. Αν ένας από τους δυο μας βρεθεί σε κίντυνο θανάτου, να στοχαστεί τον άλλο με τόσην ένταση που να τον ειδοποιήσει, όπου κι αν βρίσκεται... Σύμφωνοι;

Έκαμε να γελάσει, μα τα χείλια του λες κι ήταν παγωμένα, δεν κουνήθηκαν.

— Σύμφωνοι, είπα.

Ο φίλος μου φοβήθηκε μην παραφάνηκε η ταραχή του, και πρόστεσε βιαστικά:

— Δεν πιστεύω βέβαια σε τέτοιες εναέριες φυχικές συγκοινωνίες...

— Δεν πειράζει, μουρμούρισα· ας είναι...

— Καλά λοιπόν, ας είναι· ας παίξουμε. Σύμφωνοι;

— Σύμφωνοι, αποκρίθηκα πάλι.

Αυτά ήταν τα τελευταία μας λόγια. Σφίξαμε αμίλητοι τα χέρια, έσμιξαν τα δάχτυλα λαχταριστά, χώρισαν απότομα, κι έφυγα γρήγορα, χωρίς να στραφώ πίσω, σα να με κυνηγούσαν. Έκαμα να γυρίσω το κεφάλι να δω το φίλο μου στερνή φορά, μα κρατήθηκα. «Μη γυρίσεις!» πρόσταξα από μέσα μου· «φτάνει!»

Όλο λάσπη η ψυχή του ανθρώπου, αδούλευτη, απελέκητη, με χοντροκομμένες ακόμα χωριάτισσες αίστησες, και τίποτα καθαρό, σίγουρο, δεν μπορεί να μαντέφει· αν μάντευε, πόσο διαφορετικός θα 'ταν ο χωρισμός ετούτος!

Το φως πλήθαινε, τα δυο πρωινά έσμιγαν, το αγαπημένο πρόσωπο του φίλου μου, το 'βλεπα καθαρότερα τώρα, βρέχουνταν ασάλευτο, θλιμμένο, μέσα στον αγέρα του λιμανιού. Η τζαμόπορτα του καφενέ άνοιξε, μούγκρισε η θάλασσα, μπήκε μέσα ένας θαλασσινός ανοιχτοσκέλης, κοντοπόδαρος, με κρεμαστά μουστάκια. Φωνές χαρούμενες ξέσπασαν:

— Καλώς τον καπετάν Λεμονή.

Στριγμώχθηκα στη γωνιά μου, προσπάθησα να συγκεντρώσω πάλι την ψυχή μου· μα το πρόσωπο του φίλου μου είχε κιόλα λιώσει μέσα στη βροχή, χάθηκε.

Ο καπετάν Λεμονής είχε βγάλει το κομπολόι του κι έπαιζε ήσυχος, βαρύς, λιγομίλητος. Μάχουμουν να μη βλέπω, να μην ακούω και να κρατήσω ακόμα τ' όραμα που χάνουνταν. Να ξαναζήσω πάλι το θυμό που με είχε κυριέψει τότε, όχι το θυμό, την ντροπή, όταν μ' έκραξε ο φίλος μου «χαρτοπόντικα». Είχε δίκιο· εγώ που τόσο αγαπούσα τη ζωή, πώς είχα μπλεχτεί, χρόνια τώρα, στα χαρτιά και στα μελάνια! Ο φίλος μου, τη μέρα εκείνη του χωρισμού, με βοήθησε να δω καθαρά. Χάρηκα· ξέροντας πια τ' όνομα της κακομοιριάς μου, μπορούσα ίσως ευκολότερα να τη νικήσω. Σα να μην ήταν πια σκορπισμένη, ασώματη κι άπιαστη· σα να 'χε πάρει σώμα, και μου ήταν τώρα εύκολο να παλέψω μαζί της.

Ο σκληρός λόγος αυτός του φίλου μου κουφοδρομούσε μέσα μου, κι από τότε γύρευα να βρω αφορμή να παρατήσω τα χαρτιά και να ριχτώ στην πράξη. Σιχαίνουμουν και ντρέπουμουν να 'χω πνεματικό μου οικόσημο το άθλιο αυτό τρωχτικό ζώο. Και πριν από ένα μήνα βρήκα την ευκαιρία· νοίκιασα σ' ένα κρητικό ακρογιάλι, προς το Λιβυκό πέλαγο, ένα παρατημένο ορυχείο λιγνίτη και κατέβαινα τώρα στην Κρήτη, να ζήσω με απλούς ανθρώπους, εργάτες, χωριάτες, μακριά από τη συνομοταξία των χαρτοπόντικων.

Ετοιμάστηκα να φύγω κι ήμουν πολύ συγκινημένος, σα να 'χε κάποιο πολύ κρυφό νόημα το ταξίδι μου ετούτο· μέσα μου είχα πάρει απόφαση ν' αλλάξω στράτα. «Ως τώρα, ψυχή

κουφοδρομώ: *ενεργώ κρυφά, υπολανθάνω*

μου», έλεγα, «έβλεπες τον ίσκιο και χόρταινες· τώρα σε πάω στο κρέας».

Ήμουν έτοιμος· την παραμονή του μισεμού, φάχνοντας τα χαρτιά μου, βρήκα ένα μισοτελειωμένο χερόγραφο. Το ανασήκωσα στα χέρια μου, το ξεφύλλισα διστάζοντας. Δυο χρόνια τώρα στο σπλάχνο μου μια ταραχή, μια λαχτάρα μεγάλη, ένας σπόρος: ο Βούδας. Τον ένιωθα ακατάπαυτα μέσα μου να τρώει, ν' αφομοιώνει, να δένει. Μεγάλωνε, λάχτιζε, άρχιζε να κλοτσάει το στήθος μου να φύγει. Και τώρα δε μου 'κανε καρδιά να τον πετάξω· δεν μπορούσα. Ήταν κιόλα πολύ αργά για μιαν τέτοια πνεματικήν αποβολή.

Μια στιγμή, έτσι που κρατούσα το χερόγραφο αναποφάσιστος, το χαμόγελο του φίλου μου διάνεφε στον αγέρα, όλο ειρωνεία και τρυφερότητα. «Θα το πάρω!» είπα πεισματωμένος· «δεν το φοβούμαι, θα το πάρω, μη χαμογελάς!» Το τύλιξα με προσοχή, σα να τύλιγα στη φασκιά του βρέφος, και το πήρα.

Η φωνή του καπετάν Λεμονή ακούστηκε βαριά, βραχνιασμένη. Έστησα το αυτί· μιλούσε για τα τελώνια που είχαν πιάσει κι άγλειφαν, μέσα στη φουρτούνα, τα κατάρτια του καραβιού του.

— Μαλακά, γλοιτσερά, τα πιάνεις και τα χέρια σου γιομώνουν φωτιές· πασάλειφα τα μουστάκια μου, κι όλη τη νύχτα γυάλιζα σα διάολος. Μπήκε λοιπόν που λέτε η θάλασσα στο καράβι, μουσκεύτηκαν τα κάρβουνα που ήμουν φορτωμένος, βάρυναν. Το καράβι άρχισε να γονατίζει, μα έβαλε ο Θεός το χέρι του, έριξε το αστροπελέκι του, έσπασαν τα πορτέλα, γέμισε η θάλασσα κάρβουνο. Το καράβι ξαλάφρωσε, πήρε απάνω, γλίτωσα. Πάει κι αυτό!

Έβγαλα από την τσέπη μου το μικρό μου Ντάντε το Συνταξιδιώτη· άναφα την πίπα μου, ακούμπησα στον τοίχο, βολεύτηκα. Καμπάνισε μια στιγμή η πεθυμιά μου· από πού ν' ανασύρω

πορτέλο: μικρή πόρτα, άνοιγμα, θυρίδα

τους αθάνατους στίχους; Από την καυτή πίσσα της Κόλασης, από τη δροσάτη φλόγα του Καθαρτήριου ή να χιμήξω ολοΐσια στο πιο αψηλό πάτωμα της Ελπίδας του ανθρώπου; Ό,τι θέλω διαλέγω. Κρατούσα το μικροσκοπικό μου Ντάντε, χαίρουμουν τη λευτεριά μου. Οι στίχοι που θα διάλεγα πρωί πρωί θα ρύθμιζαν τη μέρα μου όλη.

Έσκυψα στο πυκνότατο όραμα να πάρω απόφαση, μα δεν πρόλαβα· ολομεμιάς, ανήσυχος, σήκωσα το κεφάλι. Ένιωσα, δεν ξέρω πώς, σα ν᾽ ανοίγουνταν δυο τρύπες στην κορφή του κεφαλιού μου· στράφηκα απότομα, κοίταξα πίσω μου, κατά την τζαμόπορτα. Αστραπή πέρασε το νου μου η ελπίδα: «Θα δω πάλι το φίλο μου». Ήμουν έτοιμος να δεχτώ το θάμα. Μα γελάστηκα· ένας γέρος, εξηνταπεντάρης, πανύψηλος, ξερακιανός, με γουρλωμένα τα μάτια, είχε κολλήσει το μούτρο του στο τζάμι και με κοίταζε. Κρατούσε ένα μικρό πιτακωτό μπόγο κάτω από τη μασκάλη.

Ό,τι απ᾽ όλα μου ᾽κανε εντύπωση ήταν τα μάτια του, περγελαστικά, θλιμμένα, ανήσυχα, όλο φλόγα. Έτσι μου φάνηκαν.

Ευτύς ως έσμιξαν οι ματιές μας, θαρρείς και βεβαιώθηκε πως εγώ ήμουν αυτός που ζητούσε, κι άπλωσε το χέρι αποφασιστικά κι άνοιξε την πόρτα. Πέρασε ανάμεσα από τα τραπέζια με γοργό ελαστικό περπάτημα κι ήρθε και στάθηκε από πάνω μου.

— Ταξίδι; με ρώτησε. Για πού, με το καλό;

— Για την Κρήτη. Γιατί ρωτάς;

— Με παίρνεις μαζί σου;

Τον κοίταξα με προσοχή. Βουλιαγμένα μάγουλα, χοντρή μασέλα, εξογκωμένα ζυγωματικά, φαρά κατσαρωμένα μαλλιά, μάτια που σπίθιζαν.

— Γιατί; Τι να σε κάμω;

Σήκωσε τους ώμους.

— Γιατί! Γιατί! έκαμε με περιφρόνηση. Δεν μπορεί τέλος πάντων ο άνθρωπος να κάμει κάτι και χωρίς γιατί; Έτσι, για

πιτακωτός: *πατικωμένος*

το κέφι του. Να, πάρε με, ας πούμε, μάγερα· ξέρω και φτιάνω κάτι σούπες!...

Έβαλα τα γέλια. Μου άρεσαν οι τσεκουράτοι τρόποι και τα λόγια του· μου άρεσαν κι οι σούπες. Δε θα 'ταν άσκημο, συλλογίστηκα, να τον πάρω μαζί μου το γέρο ετούτον κρεμανταλά στο μακρινό έρημο ακρογιάλι. Σούπες, γέλια, κουβέντες... Φαίνουνταν πολυταξιδεμένος, πολυζωισμένος Σεβάχ Θαλασσινός· μου άρεσε.

— Τι συλλογιέσαι; μου κάνει κουνώντας τη χοντρή του κεφάλα. Κρατάς και του λόγου σου ζυγαριά, ε; Ζυγιάζεις με το δράμι, ε; Μωρέ, πάρε απόφαση, κατά διαόλου οι ζυγαριές! Στέκουνταν από πάνω μου μαντράχαλος, κοκαλιάρης, και κουράζουμουν να σηκώνω το κεφάλι να του μιλώ. Έκλεισα τον Ντάντε.

— Κάτσε, του είπα· παίρνεις ένα φασκόμηλο;

Κάθισε· απίθωσε με προσοχή τον μπόγο του στη διπλανή καρέκλα.

— Φασκόμηλο; έκαμε περιφρονητικά. Έλα εδώ, καφετζή· ένα ρούμι!

Ήπιε το ρούμι ρουφιά ρουφιά· το κρατούσε πολλήν ώρα στο στόμα του να το χαρεί, κι έπειτα το άφηνε αγάλια να κατεβαίνει και να του ζεσταίνει τα σωθικά. «Φιλήδονος», συλλογίστηκα, «μερακλής...»

— Τι δουλειά κάνεις; τον ρώτησα.

— Όλες τις δουλειές· του ποδαριού, του χεριού, του κεφαλιού, όλες. Αυτό μας έλειπε τώρα και να διαλέγουμε.

— Πού δούλευες τώρα τελευταία;

— Σ' ένα μεταλλείο. Είμαι, να ξέρεις, καλός μιναδόρος· καταλαβαίνω από μέταλλα, βρίσκω φιλόνια, ανοίγω γαλαρίες, κατεβαίνω στα πηγάδια, δε φοβούμαι. Δούλευα καλά, έκανα τον αρχιεργάτη, παράπονο δεν είχα· μα να που ο διάολος έβαλε την ουρά του. Το περασμένο σαββατόβραδο ήρθα στο κέφι, και μια και δυο κινώ, βρίσκω τον ιδιοχτήτη που 'χε έρθει εκείνη τη μέρα να μας επιθωρήσει και τον σπάζω στο ξύλο.

— Μα γιατί; Τι σου 'καμε;

— Εμένα; Τίποτα! Μα τίποτα, σου λέω! Πρώτη φορά τον έβλεπα τον άνθρωπο. Μας μοίρασε και τσιγάρα, ο κακομοίρης.

— Τότε λοιπόν;

— Ου, κάθεσαι και ρωτάς! Έτσι μου κάπνισε, βρε αδερφέ! Από της μυλωνούς τον πισινό ζητάς ορθογραφία. Ο πισινός της μυλωνούς είναι ο νους του ανθρώπου.

Είχα διαβάσει πολλούς ορισμούς του νου του ανθρώπου· τούτος μου φάνηκε ο πιο καταπληχτικός, και μου άρεσε. Κοίταξα τον καινούριο σύντροφο· το πρόσωπό του ήταν γεμάτο ζάρες, σκαλισμένο, σαρακοτρυπημένο, σα να το 'χαν φάει τα λιοβόρια κι οι βροχές. Ένα άλλο πρόσωπο, ύστερα από λίγα χρόνια, μου 'καμε την ίδια εντύπωση, δουλεμένου, δυστυχισμένου ξύλου: το πρόσωπο του Παναΐτ Ιστράτη.

— Και τι έχεις στον μπόγο; Τρόφιμα; Ρούχα; Εργαλεία;

Ο σύντροφός μου σήκωσε τους ώμους, γέλασε.

— Πολλά φρόνιμος μου φαίνεσαι, είπε, και να με συμπαθάς.

Χάιδεφε με τα μακριά σκληρά του δάχτυλα τον μπόγο.

— Όχι, πρόστεσε· είναι σαντούρι.

— Σαντούρι! Παίζεις σαντούρι;

— Όταν με σφίξουν οι φτώχειες, γυρίζω τους καφενέδες και παίζω σαντούρι. Τραγουδώ κιόλα κάτι παλιούς κλέφτικους σκοπούς, μακεδονίτικους. Κι υστέρα βγάζω δίσκο· να, το σκούφο τούτον, και μαζεύω δεκάρες.

— Πώς σε λένε;

— Αλέξη Ζορμπά. Με λένε και Τελέγραφο, για να με πειράξουν που 'μαι μακρύς μακρύς καλόγερος και πίτα η κεφαλή μου. Μα δεν πάνε να λένε! Με φωνάζουν και Τσακατσούκα, γιατί μια φορά πουλούσα κολοκυθόσπορους καβουρντισμένους. Με λένε και Περονόσπορο, γιατί όπου πάω, λέει, τα κάνω μπούλβερη και κουρνιαχτό. Έχω κι άλλα παρατσούκλια, μα άλλη ώρα...

λιοβόρι: *βορειοανατολικός άνεμος, πνιγηρός και ξηρός καιρός*

53

— Και πώς έμαθες σαντούρι;

— Εγώ ήμουν είκοσι χρονώ. Σ' ένα πανηγύρι του χωριού μου, πέρα, στη ρίζα του Όλυμπου, άκουσα για πρώτη φορά σαντούρι. Πιάστηκε η αναπνοή μου. Τρεις μέρες έκαμα να βάλω μπουκιά στο στόμα μου. «Τι έχεις, μωρέ;» μου κάνει ο πατέρας μου, ο Θεός να συχωρέσει την ψυχή του. «Εγώ θέλω να μάθω σαντούρι!» «Μωρέ, δεν ντρέπεσαι; Κατσίβελος είσαι; Όργανα θα παίζεις;» «Εγώ θέλω να μάθω σαντούρι!...» Είχα κομπόδεμα μερικά παραδάκια, για να παντρευτώ, σαν έρθει η ώρα. Παιδί πράμα, βλέπεις, παλαβός, το αίμα έβραζε, ήθελα παντριγιά ο ερίφης! Έδωκα ό,τι είχα και δεν είχα, κι αγόρασα ένα σαντούρι. Να, ετούτο εδώ που βλέπεις. Έφυγα μαζί του, πήγα στη Σαλονίκη, βρήκα ένα μερακλή Τούρκο, τον Ρετσέπ εφέντη, το δάσκαλο του σαντουριού. Πέφτω στα πόδια του. «Τι θες, μωρέ ρωμιόπουλο;» μου κάνει. «Εγώ θέλω να μάθω σαντούρι!» «Ε, και γιατί μαθές πέφτεις στα πόδια μου;» «Γιατί δεν έχω παράδες να σε πλερώσω!» «Έχεις μεράκι για σαντούρι;» «Έχω». «Ε, κάτσε, μωρέ, κι εγώ δε θέλω πλερωμή!» Έκατσα μαζί του ένα χρόνο κι έμαθα. Ο Θεός ν' αγιάσει τα κόκαλά του, θα 'χει πια πεθάνει. Αν ο Θεός βάζει στην Παράδεισο και σκύλους, ας βάλει και τον Ρετσέπ εφέντη. Από τον καιρό που έμαθα σαντούρι, γίνηκα άλλος άνθρωπος. Όταν έχω σεκλέτια ή όταν με ζορίσει η φτώχεια, παίζω σαντούρι κι αλαφρώνω. Όταν παίζω, μου μιλούν και δεν ακούω· κι αν ακούσω, δεν μπορώ να μιλήσω. Θέλω, θέλω, μα δεν μπορώ.

— Μα γιατί, Ζορμπά;

— Ε, σεβντάς!

Η πόρτα άνοιξε· η βουή της θάλασσας μπήκε πάλι στον καφενέ, τα πόδια και τα χέρια τουρτούρισαν. Βολεύτηκα πιο βαθιά στη γωνιά μου, τυλίχτηκα στο παλτό μου, ένιωσα αναπάντεχη ευδαιμονία. «Πού να πάω;» συλλογίστηκα· «καλά είμαι εδώ. Χρόνια να βαστάξει ετούτη η στιγμή».

ερίφης: *άνθρωπος κακόμοιρος, δυστυχής, φουκαράς*

Κοίταξα τον παράξενο μουσαφίρη μπροστά μου· το μάτι του ήταν καρφωμένο απάνω μου· μικρό, στρογγυλό, κατάμαυρο· με κόκκινες φλεβίτσες στο ασπράδι· ένιωθα, με τρυπούσε και μ' έφαχνε αχόρταγο.

— Λοιπόν; έκαμα· κι ύστερα;

Ο Ζορμπάς σήκωσε πάλι τους κοκαλιάρικους ώμους.

— Δε βαριέσαι! είπε· μου δίνεις ένα τσιγάρο;

Του 'δωκα. Έβγαλε από το γιλέκο του τσακμακόπετρα και φιτίλι, άναφε. Τα μάτια του μισόκλεισαν ευχαριστημένα.

— Παντρεύτηκες;

— Άνθρωπος δεν είμαι; Άνθρωπος, πάει να πει στραβός· έπεσα κι εγώ με τα μούτρα στο λάκκο όπου έπεσαν κι οι μπροστινοί μου. Παντρεύτηκα. Πήρα την κατρακύλα. Έγινα νοικοκύρης, έχτισα σπίτι· έκαμα παιδιά. Βάσανα. Μα ας είναι καλά το σαντούρι.

— Έπαιζες σπίτι να πάν' οι πίκρες κάτω;

— Ε, μωρέ, πώς φαίνεται πως δεν παίζεις κανένα όργανο. Τι 'ναι αυτά που τσαμπουνάς; Στο σπίτι είναι σκοτούρες, γυναίκα, παιδιά, τι θα φάμε, πώς να ντυθούμε, τι θ' απογίνουμε; Κόλαση! Και το σαντούρι θέλει καλή καρδιά. Άμα μου πει εμένα η γυναίκα μου περίσσιο λόγο, τι καρδιά θες να 'χω να 'ζω σαντούρι; Άμα τα παιδιά πεινούν και νιαουρίζουν, κόπιασε του λόγου σου να παίζεις. Το σαντούρι θέλει να συλλογιέσαι μονάχα σαντούρι – κατάλαβες;

Κατάλαβα πως ο Ζορμπάς ετούτος είναι ο άνθρωπος που τόσον καιρό τον ζητούσα και δεν τον έβρισκα· μια ζωντανή καρδιά, ένα ζεστό λαρύγγι, μια ακατέργαστη μεγάλη ψυχή, που ακόμα δεν αφαλοκόπηκε από τη μάνα της, τη Γης.

Τι θα πει τέχνη, έρωτας της ομορφιάς, αγνότητα, πάθος – ο εργάτης ετούτος μου το ξεδιάλυνε με τα πιο απλά ανθρώπινα λόγια.

Κοίταξα τα χέρια αυτά που κάτεχαν να δουλεύουν τον κασμά και το σαντούρι – γιομάτα ρόζους και χαραμάδες, παραμορφωμένα και νευρικά. Άνοιξαν με προσοχή και τρυφεράδα, σα να 'γδυναν γυναίκα, το σακούλι κι έβγαλαν ένα παλιό μαγλινό σαντούρι, με πλήθος κόρδες, με προύντζινα και φιλντισένια στολίδια και με μιαν κόκκινη μεταξωτή φούντα στην άκρα. Τα χοντρά δάχτυλα το χάδεφαν όλο, αργά, παθητικά, σα να χάδευαν γυναίκα. Κι υστέρα πάλι το τύλιξαν, όπως τυλίγουμε αγαπημένο σώμα μη μας κρυώσει.

— Αυτό είναι! μουρμούρισε με στοργή και το απίθωσε πάλι προσεχτικά στην καρέκλα.

Οι θαλασσινοί σκουντρούσαν τώρα τα ποτήρια τους, έμπηχναν τα γέλια. Ένας χτύπησε χαδευτικά την πλάτη του καπετάν Λεμονή.

— Ε, σε πήε πέντε κι ένα, καπετάν Λεμονή, πες την αλήθεια! Ο Θεός ξέρει τι λαμπάδες έταξες στον Αϊ-Νικόλα!

Ο καπετάνιος ζάρωσε τ' αγκαθωτά του φρύδια.

— Μωρέ, σας ορκίζουμαι, παιδιά, μα τη θάλασσα, όταν είδα το Χάρο μπροστά μου, μήτε Παναγιά συλλογίστηκα μήτε Αϊ-Νικόλα! Γύρισα κατά την Κούλουρη, θυμήθηκα τη γυναίκα μου και φώναξα: «Ε μωρή Κατερίνα, και να 'μουνα στο κρεβάτι σου!»

Έσκασαν πάλι οι θαλασσινοί στα γέλια· γέλασε κι ο καπετάν Λεμονής.

— Μωρέ, τι θεριό 'ναι ο άνθρωπος! είπε. Στέκεται ο αρχάγγελος από πάνω του με το σπαθί, μα ο νους του εκεί, διάνα! Ου να χαθεί, ο ξετσίπωτος!

Χτύπησε τα παλαμάκια.

— Καφετζή, φώναξε, φέρε να κεράσεις τα παιδιά!

Ο Ζορμπάς είχε στήσει την αυτούκλα του κι αφουκράζουνταν. Στράφηκε, κοίταξε τους θαλασσινούς, ύστερα εμένα.

— Πού «εκεί»; ρώτησε. Τι λέει αυτός;

Μα ξαφνικά μπήκε στο νόημα, τινάχτηκε.

— Μωρέ, μπράβο, έκαμε με θαμασμό. Αυτοί οι θαλασσινοί ξέρουν το μυστικό· γιατί παλεύουν, μαθές, μέρα νύχτα με το θάνατο.

μαγλινός *και* μαγλινός: *που είναι λείος και ολισθηρός, μαλακός στην αφή*

Κούνησε τη χερούκλα του στον αγέρα.

— Ας είναι, είπε· άλλου παπά τροπάρι αυτό. Ας έρθουμε στα δικά μας: Να καθίσω; Να φύγω; Πάρε απόφαση.

— Ζορμπά, είπα, και με βιας κρατήθηκα να μην τον αρπάξω από το χέρι, Ζορμπά, σύμφωνοι· θα 'ρθεις μαζί μου. Έχω λιγνίτη στην Κρήτη, θα επιστατείς τους εργάτες. Το βράδυ θα ξαπλώνουμε οι δυο μας στην αμμουδιά —γυναίκα, παιδιά, σκυλιά δεν έχω— θα τρώμε και θα πίνουμε μαζί. Κι ύστερα θα παίζεις σαντούρι.

— Αν έχω κέφι, ακούς; Αν έχω κέφι. Να σου δουλεύω όσο θες· σκλάβος σου! Μα το σαντούρι είναι άλλο πράμα. Είναι θεριό, θέλει λευτεριά. Αν έχω κέφι, θα παίζω· θα τραγουδώ κιόλα. Και θα χορεύω το ζεϊμπέκικο, το χασάπικο, τον πεντοζάλη — μα πρέπει, ξεκομμένα παζάρια! να 'χω κέφι. Παστρικοί λογαριασμοί· αν με ζορίσεις, μ' έχασες. Σ' αυτά τα πράματα, πρέπει να ξέρεις, είμαι άνθρωπος.

— Άνθρωπος; Τι θες να πεις;

— Να, λεύτερος.

— Καφετζή, φώναξα, ένα ρούμι ακόμα!

— Δυο ρούμια! πετάχτηκε ο Ζορμπάς. Θα πιεις και του λόγου σου, να τσουγκρίσουμε. Φασκόμηλο με ρούμι συμπεθεριό δεν κάνουν· θα πιεις και του λόγου σου ρούμι. Για να πιάσει το συμπεθεριό.

Σκουντρήξαμε τα ποτηράκια μας· είχε πια καλά ξημερώσει. Το βαπόρι σφύριζε. Ήρθε ο βαρκάρης που μου είχε πάει τις βαλίτσες στο βαπόρι, μου 'γνεφε. Σηκώθηκα· άγγιξα τον ώμο του Ζορμπά.

— Πάμε, είπα· στ' όνομα του Θεού!

— Και του διαβόλου! συμπλήρωσε ήσυχα ο Ζορμπάς.

Έσκυψε, πήρε παραμάσκαλα το σαντούρι, άνοιξε την πόρτα και βγήκε πρώτος.

II

Θάλασσα,

χινοπωριάτικη γλύκα, φωτολουσμένα νησιά, διάφανο πέπλο από φιλή βροχούλα που έντυνε την αθάνατη γύμνια της Ελλάδας. Χαρά στον άνθρωπο, συλλογίζουμαι, που αξιώθηκε, προτού πεθάνει, ν' αρμενίσει το Αιγαίο.

Πολλές χαρές έχει ο κόσμος ετούτος – γυναίκες, φρούτα, ιδέες· μα να 'ναι χινόπωρο τρυφερό και να σκίζεις το πέλαο ετούτο, μουρμουρίζοντας τ' όνομα του κάθε νησιού, θαρρώ δεν υπάρχει χαρά που να βυθίζει περισσότερο την καρδιά του ανθρώπου στην Παράδεισο. Πουθενά αλλού δεν μετατοπίζεσαι τόσο γαληνά και πιο άνετα από την αλήθεια στ' όνειρο· τα σύνορα αραιώνουν και τα κατάρτια και του πιο σαράβαλου καραβιού πετούν βλαστούς και σταφύλια· αλήθεια, εδώ, στην Ελλάδα, το θάμα είναι ο σίγουρος ανθός της ανάγκης.

Κατά το μεσημέρι η βροχή είχε σταματήσει, έσκισε ο ήλιος τα σύννεφα και πρόβαλε δροσερός, τρυφερός, νιολουσμένος και κανάκιζε με τις αχτίδες του τ' αγαπημένα νερά και χώματα.

Στέκουμουν στην πλώρα και περιχαίρουμουν, ως την άκρα του ουρανοθάλασσου, το θάμα· και μέσα στο βαπόρι οι τετραπέρατοι Ρωμιοί, τα μάτια τ' αρπαχτικά, τα φιλικατζίδικα μυαλά, οι μικροπολιτικοί καβγάδες, ένα ξεκουρδισμένο πιάνο, τίμιες φαρμακερές κυράτσες, μοχθηρή, μονότονη επαρχιώτικη μιζέρια. Σου ερχόταν να πιάσεις το βαπόρι από τις δυο άκρες, να το βουτήξεις στη θάλασσα, να το τινάξεις καλά καλά, να φύγουν όλα τα ζωντανά που το μολεύουν –ανθρώποι, ποντίκια, κορέοι– και να το ανεβάσεις πάλι απάνω στα κύματα, αδειανό και φρεσκοπλυμένο.

Κάποτε πάλι συμπόνια με κυρίευε· μια συμπόνια βουδική, κρύα, σα συμπέρασμα από πολύπλοκους μεταφυσικούς συλλογισμούς. Συμπόνια όχι για τους ανθρώπους μονάχα παρά και για τον κόσμο αλάκερο που παλεύει, φωνάζει, κλαίει, ελπίζει και δε βλέπει πως όλα είναι φαντασμαγορία του Τίποτα. Συμπόνια για τους Ρωμιούς και για το βαπόρι και για τη θάλασσα και για μένα και για την επιχείρηση του λιγνίτη και για το χερόγραφο του «Βούδα», για όλα ετούτα τα μάταια συμπλέγματα από ίσκιο και φως, που μια στιγμή αναστατώνουν και μολεύουν τον αέρα.

Κοίταζα το Ζορμπά ανακερωμένο από τη θάλασσα, να κουρνιάζει κατσουφιασμένος απάνω σε μιαν κουλούρα σκοινιά στην πλώρη. Μυρίζουνταν ένα λεμόνι, τέντωνε την αυτούκλα του, άκουγε τους επιβάτες να πιάνουνται ο ένας για το βασιλιά, ο άλλος για το Βενιζέλο. Κουνούσε την κεφάλα του, έφτυνε.

— Παλαιά πολιτέματα! μουρμούριζε με καταφρόνια· δεν ντρέπουνται!

— Τι θα πει: παλαιά πολιτέματα, Ζορμπά;

— Να, όλα ετούτα: βασιλιάδες, δημοκρατίες, βουλευτές, μασκαραλίκια!

Στο νου του Ζορμπά τα σύγχρονα είχαν καταντήσει παμπάλαια, τόσο τα 'χε κιόλα μέσα του ξεπεράσει. Σίγουρα μέσα του ο τηλέγραφος και το βαπόρι κι ο σιδερόδρομος κι η τρεχούμενη ηθική κι η πατρίδα κι η θρησκεία θα φάνταζαν παλαιά πολιτέματα. Πολύ πιο γρήγορα από τον κόσμο προχωρούσε η ψυχή του.

Σουραύλιζαν τα σκοινιά στα κατάρτια, τ' ακρογιάλια

ανακερώνω, -ουμαι, μτχ. ανακερωμένος: *προκαλώ ναυτία σε κάποιον, ζαλίζω, γίνομαι ωχρός από ασθένεια, συγκίνηση ή συναισθηματική ταραχή*

χόρευαν, οι γυναίκες είχαν γίνει κίτρινες σαν το φλουρί. Είχαν παραδώσει τ' άρματα –φκιασίδια, φουρκέτες, χτενάκια– τα χείλια τους είχαν ασπρίσει, τα νύχια τους μπλάβισαν. Μάδησαν οι καρακάξες, έπεσαν τα ξένα φτερά –κορδελίτσες, φεύτικα φρύδια, φεύτικες ελιές, στηθοπάνια– κι έτσι που τις έβλεπες στα πρόθυρα του εμετού, ένιωθες αηδία και μεγάλη συμπόνια.

Κιτρίνισε κι ο Ζορμπάς, πρασίνισε, το αστραφτερό του μάτι θόλωσε. Μονάχα, κατά το δειλινό, το μάτι του έπαιξε· άπλωσε το χέρι και μου 'δειξε δυο μεγάλα δελφίνια που πηδούσαν και παράβγαιναν με το βαπόρι.

— Δελφίνια! έκαμε χαρούμενος.

Τότε για πρώτη φορά πήρε το μάτι μου πως ο δείχτης του αριστερού χεριού του ήταν κομμένος κοντά ως τη μέση.

— Τι έπαθε το δάχτυλό σου, Ζορμπά; φώναξα.

— Τίποτα! αποκρίθηκε, πειραγμένος που δε χάρηκα όσο έπρεπε για τα δελφίνια.

— Σου το πήρε καμιά μηχανή; επέμεινα.

— Τι μηχανή κάθεσαι και λες; Το 'κοψα μοναχός μου!

— Μοναχός σου; Γιατί;

— Πού να καταλάβεις ελόγου σου, αφεντικό! είπε σηκώνοντας τους ώμους. Σου είπα πως όλες τις τέχνες τις πέρασα. Μια φορά το λοιπόν έκανα και τον κανατά. Την αγαπούσα την τέχνη αυτή σαν παλαβός. Ξέρεις τι θα πει να πιάνεις ένα σβώλο λάσπη και να κάνεις ό,τι θες; Φρρρ! ο τροχός, κι η λάσπη στρουφογυρίζει σα δαιμονισμένη, και συ από πάνω της και λες: θα κάμω κανάτι, θα κάμω πιάτο, θα κάμω λυχνάρι, θα κάμω διάολο! Αυτό θα πει να 'σαι άνθρωπος, σου λέω: Ελευτερία!

Είχε ξεχάσει τη θάλασσα, δε δάγκανε πια το λεμόνι, το μάτι του ξεθόλωσε.

— Λοιπόν; ρώτησα· και το δάχτυλο;

— Να, μ' εμπόδιζε στον τροχό· έμπαινε στη μέση και μου χαλούσε τα σχέδια. Άρπαξα λοιπόν κι εγώ μια μέρα το σκεπάρνι...

— Και δεν πόνεσες;

— Πώς δεν πόνεσα; Κουτσούρι είμαι; Άνθρωπος είμαι, πόνεσα. Μα μ' εμπόδιζε, σου λέω, στη δουλειά μου· κόφ' το λοιπόν! Ο ήλιος έπεσε, η θάλασσα κάλμαρε λίγο, σκόρπισαν τα σύννεφα. Ο Αποσπερίτης κουδούνισε στον ουρανό. Κοίταξα τη θάλασσα, κοίταξα τον ουρανό, έπεσα σε λογισμούς... Έτσι ν' αγαπάς, να παίρνεις το σκεπάρνι, να πονάς και να κόβεις... Μα έκρυφα τη συγκίνησή μου.

— Κακό σύστημα αυτό, Ζορμπά! είπα γελώντας. Όμοια κι ένας ασκητής μια φορά, λεν τα συναξάρια, είδε μια γυναίκα, σκανταλίστηκε, πήρε έναν μπαλτά...

— Τον κακό του τον καιρό! μου 'κοφε την κουβέντα ο Ζορμπάς, που μάντεφε τι θα 'λεγα. Αυτό να κόφει! Να χαθεί ο κουτεντές! Μα αυτό το βλογημένο ποτέ δεν εμποδίζει...

— Πώς! επέμεινα· εμποδίζει, και πολύ μάλιστα.

— Σε τι;

— Να μπεις στη βασιλεία των ουρανών.

Ο Ζορμπάς με λοξοκοίταξε κοροϊδευτικά.

— Μα αυτό, είπε, κουτέ, είναι το κλειδί της Παράδεισος! Σήκωσε το κεφάλι, με κοίταξε καλά, σα να 'θελε να ξεκρίνει τι ιδέαν έχω για μέλλουσες ζωές και βασιλείες των ουρανών και γυναίκες και παπάδες· μα φαίνεται δεν μπόρεσε να καταλάβει πολλά πράματα και κούνησε με περίσκεφη την γκρίζα σαρακοφαγωμένη κεφάλα.

— Σακατεμένοι δεν μπαίνουν στην Παράδεισο, είπε και σώπασε.

Ξάπλωσα στην καμπίνα μου, πήρα ένα βιβλίο, ο Βούδας κυβερνούσε ακόμα τις έγνοιες μου· διάβασα το «Διάλογο Βούδα και Βοσκού», που τα τελευταία ετούτα χρόνια γέμιζε το στήθος μου ειρήνη κι ασφάλεια.

«Ο Βοσκός: —Το φαΐ μου φήθηκε, άρμεξα τα πρόβατά μου· μανταλωμένο το καλύβι μου, αναμμένη η φωτιά μου· και συ, βρέχε όσο θες, ουρανέ μου!

»Ο Βούδας: —Δεν έχω ανάγκη πια από φαγιά και γάλατα·

οι άνεμοι είναι το καλύβι μου, έσβησε η φωτιά μου· και συ, βρέχε όσο θες, ουρανέ μου!

»Ο Βοσκός: –Έχω βόδια, έχω γελάδες, έχω λιβάδια πατρογονικά κι έναν ταύρο που πηδάει τις γελάδες μου· και συ, βρέχε όσο θες, ουρανέ μου!

»Ο Βούδας: –Δεν έχω βόδια μήτε γελάδες· δεν έχω λιβάδια. Δεν έχω τίποτα. Δε φοβούμαι τίποτα· και συ, βρέχε όσο θες, ουρανέ μου!

»Ο Βοσκός: –Έχω μια βοσκοπούλα υπάκουη και πιστή· χρόνια τώρα γυναίκα μου, και χαίρουμαι να παίζω μαζί της τη νύχτα· και συ, βρέχε όσο θες, ουρανέ μου!

»Ο Βούδας: –Έχω μιαν ψυχή υπάκουη και λεύτερη· χρόνια τώρα τη γυμνάζω και τη μαθαίνω να παίζει μαζί μου· και συ, βρέχε όσο θες, ουρανέ μου!»

Μιλούσαν ακόμα οι δυο ετούτες φωνές, κι ο ύπνος με πήρε. Αγέρας πάλι είχε σηκωθεί, και σπούσαν στο κρουσταλλένιο φενεστρίνι τα κύματα. Διάνευα, μισό στέρεος, μισό ανάριος καπνός, ανάμεσα ύπνου και ξύπνου. Τα κύματα είχαν γίνει φουρτούνα δυνατή, τα λιβάδια βούλιαξαν, πνίγηκαν τα βόδια, οι γελάδες, ο ταύρος. Πήρε ο άνεμος τη στέγη του καλυβιού, έσβησε η φωτιά, έσυρε φωνή η γυναίκα και σωριάστηκε νεκρή μέσα στη λάσπη. Κι ο Βοσκός κίνησε το θρήνο, φώναζε, δεν άκουγα τι έλεγε, φώναζε, κι εγώ γλιστρούσα όλο και πιο βαθιά στον ύπνο, χυτά, σαν ψάρι στη θάλασσα.

Όταν ξύπνησα, ξημερώματα, το μέγα αρχοντονήσι απλώνουνταν δεξά μας κακοτράχαλο, περίφανο, και τα βουνά αχνογελούσαν ειρηνεμένα στον πρωινόν ήλιο. Η θάλασσα χοχλάκιζε γύρα μας μπλε λουλακιά.

Ο Ζορμπάς, τυλιγμένος σε χοντρή καφετιά κουβέρτα, κοίταζε αχόρταγα την Κρήτη. Το μάτι του πετούσε από το βουνό στον κάμπο κι έπειτα τραβιόταν γιαλό γιαλό ερευνώντας. Σαν όλα τα χώματα ετούτα να του ήταν γνώριμα και τώρα χαίρουνταν να ξαναπερπατάει απάνω τους με το νου του.

Ζύγωσα, άγγιξα τον ώμο του Ζορμπά.

— Σίγουρα δεν είναι η πρώτη φορά που έρχεσαι στην Κρήτη, Ζορμπά! είπα· την κοιτάζεις σαν παλιά φιλενάδα.

Ο Ζορμπάς χασμουρήθηκε βαριεστισμένος· δεν είχε καθόλου κέφι να πιάσει κουβέντα. Γέλασα.

— Βαριέσαι να μιλήσεις, Ζορμπά;

— Δε βαριέμαι, αφεντικό, αποκρίθηκε· μα δυσκολεύουμαι.

— Δυσκολεύεσαι;

Δεν αποκρίθηκε ευτύς. Αργόσυρε πάλι τη ματιά του στ' ακρογιάλια· είχε κοιμηθεί στο κατάστρωμα, και τα γκρίζα κατσαρά μαλλιά του έσταζαν δροσούλα. Όλες οι βαθιές ζάρες στα μάγουλά του, στο πιγούνι και στο λαιμό φωτίστηκαν ως το βυθό, τώρα που είχε πέσει απάνω τους ο ήλιος.

Τα χείλια του τέλος, χοντρά, κρεμαστά σαν τράγου, κουνήθηκαν.

— Δυσκολεύουμαι ν' ανοίξω το πρωί το στόμα να μιλήσω, είπε· δυσκολεύουμαι, και να με συμπαθάς.

Σώπασε και κάρφωσε πάλι το στρογγυλό μάτι στην Κρήτη.

Το κουδούνι χτύπησε για τον πρωινό καφέ. Άρχισαν να ξετρυπώνουν από τις καμπίνες τσαλακωμένες χλωροπράσινες φάτσες· γυναίκες με κρεμάμενους ετοιμόρροπους κότσους στρατάριζαν τρεκλίζοντας από τραπέζι σε τραπέζι, μύριζαν εμετό και κολόνια και το μάτι τους είχε θολώσει τρομαγμένο κι ηλίθιο.

Ο Ζορμπάς, καθούμενος αντικρύ μου, ρουφούσε με ζωική αναγάλλιαση τον καφέ του. Άλειφε το ψωμί του βούτυρο και μέλι, έτρωγε. Άνοιξε, μέρωσε το πρόσωπό του, το στόμα του γλύκανε. Τον κρυφοκαμάρωνα να ξεθηκαρώνει αγάλια αγάλια από τον ύπνο και τη σιωπή και να μπιρμπιλίζουν τα μάτια του.

Άναφε ένα τσιγάρο, ρούφηξε με λαχτάρα, ξετουλούπωσαν τα μαλλιαρά του ρουθούνια γαλάζιους καπνούς. Λύγισε το δεξί του πόδι και κάθισε απάνω· βολεύτηκε ανατολίτικα, μπορούσε τώρα να μιλήσει. Μίλησε.

— Αν είναι η πρώτη φορά που έρχουμαι στην Κρήτη; άρχισε,

μισόκλεισε τα μάτια κι αγνάντεφε πέρα, από το παράθυρο, τον Ψηλορείτη που στραφτάλιζε. Όχι, δεν είναι η πρώτη φορά. Το '96 εγώ ήμουν άντρας ξετελεμένος. Τα γένια μου και τα μαλλιά είχαν το αληθινό τους χρώμα, μαύρο καραμπογιά. Είχα τριάντα δυο δόντια, κι όταν μεθούσα, έτρωγα τους μεζέδες κι ύστερα έτρωγα και το πιάτο που είχε τους μεζέδες. Κι ίσια ίσια ο διάολος το 'φερε κι εκείνη την εποχή σηκώθηκε πάλι η Κρήτη.

»Έκανα τότε τον πραματευτή. Γύριζα από χωριό σε χωριό στη Μακεδονία, πουλούσα φιλικά κι έπαιρνα, αντίς για πλερωμή, τυρί, μαλλί, βούτυρο, κουνέλια, καλαμπόκι, τα μεταπουλούσα και κέρδιζα διπλά. Τη νύχτα, σε όποιο χωριό βραδιάζουμουν, ήξερα σε ποιο σπίτι να κονέψω – πάντα μια χήρα πονόψυχη, ας είναι καλά! βρίσκεται στο κάθε χωριό. Έδινα το λοιπόν μιαν κουβαρίστρα ή μιαν τσατσάρα ή ένα φακιόλι, μαύρο εξαιτίας του μακαρίτη, και κοιμόμουνα μαζί της. Φτήνια!

»Φτήνια, αφεντικό, ζωή χαρισάμενη. Μα να σου ο διάολος, και πιάνει πάλι το τουφέκι η Κρήτη. "Φτου, ανάθεμα τη μοίρα μου", είπα· "αυτή η Κρήτη δε θα μας αφήσει τέλος πάντων ήσυχους;" Παράτησα τις κουβαρίστρες και τις χήρες, πήρα ένα τουφέκι, έσμιξα με τους άλλους ρέμπελους και τραβήξαμε για την Κρήτη.

Ο Ζορμπάς σώπασε. Περνούσαμε τώρα ένα γυρογιάλι αμμουδερό, ήσυχο, τα κύματα έμπαιναν κι απλώνουνταν στον κόρφο του χωρίς να σπάσουν κι απίθωναν μονάχα λίγους αφρούς ολόγυρα στον άμμο. Τα σύννεφα είχαν σκορπίσει, έλαμπε ο ήλιος κι η άγρια Κρήτη χαμογελούσε ειρηνεμένη.

Ο Ζορμπάς στράφηκε και με κόχεψε κοροϊδευτικά.

— Ελόγου σου θαρρείς, αφεντικό, πως θα καθίσω τώρα να σου αραδιάσω πόσα τούρκικα κεφάλια έκοφα και πόσα τούρκικα αυτιά έβαλα στο σπίρτο – καθώς το συνηθούνε στην Κρήτη... Βγάλ' το απ' το νου σου· βαριέμαι, ντρέπουμαι. Τι να 'ναι αυτή η λύσσα, στοχάζουμαι τώρα που έβαλα γνώση, τι να 'ναι αυτή η λύσσα να χιμάς να δαγκάνεις έναν άλλον άνθρωπο, που δε σου 'καμε τίποτα, να του κόβεις τη μύτη, να του παίρνεις το αυτί, να του ανοίγεις την κοιλιά και να φωνάζεις το Θεό να κατέβει να σε βοηθήσει – πάει να πει, να κόβει κι αυτός μύτες κι αυτιά και ν' ανοίγει κοιλιές; Μα τότε έβραζε, βλέπεις, το αίμα μου, πού μυαλό να ξεφαχνίζω! Οι σωστοί, οι τίμιοι λογισμοί θέλουν ησυχία, γεράματα, φαφουταρία. Όταν είσαι φαφούτης, εύκολο είναι να λες: «Ντροπή, παιδιά, μη δαγκάνετε!» Μα όταν έχεις και τα τριάντα δυο σου τα δόντια... Θεριό είναι ο άνθρωπος στα νιάτα του, θεριό ανήμερο, και τρώει ανθρώπους!

Κούνησε το κεφάλι.

— Τρώει κι αρνιά και κότες και γουρουνάκια, μα αν δεν φάει άνθρωπο, όχι, δε χορταίνει, πρόστεσε και ζούπηξε το τσιγάρο στο πιατάκι του καφέ. Όχι, δε χορταίνει! Τι λες και του λόγου σου, σοφολογιότατε;

Μα, χωρίς να περιμένει απάντηση:

— Τι μπορείς να πεις; έκαμε ζυγιάζοντάς με με τη ματιά. Καθώς καταλαβαίνω, η ευγενεία σου δεν πείνασες, δε σκότωσες, δεν έκλεψες, δε μοίχεψες – τι μπορείς λοιπόν να ξέρεις από κόσμο; Άπηχτο μυαλό, ανήλιαγο κρέας... μουρμούρισε με φανερή περιφρόνηση.

Κι εγώ ντράπηκα για τ' αδούλευτά μου χέρια, για το χλωμό μου πρόσωπο και την ανήλιαγη ζωή μου.

— Ας είναι, έκαμε ο Ζορμπάς κι απόσυρε συγκαταβατικά τη βαριά του φούχτα απάνω στο τραπέζι, σα να κρατούσε σφουγγάρι κι έσβηνε· ας είναι. Ένα πράμα μονάχα ήθελα να σε ρωτήσω· θα 'χεις ξεφυλλίσει ένα μπαούλο φυλλάδες. Μπορεί να ξέρεις...

— Για λέγε, Ζορμπά, τι;

— Εδώ γίνεται, αφεντικό, ένα θάμα... Ένα αλλόκοτο θάμα, κι ο νους μου σαστίζει. Όλες αυτές οι ατιμίες, οι κλεφιές, οι σφαγές, που κάμαμε εμείς οι αντάρτες, έφεραν τον πρίγκιπα Γεώργιο στην Κρήτη· τη λευτεριά!

Με κοίταξε με γουρλωμένα μάτια, κατάπληκτος.

— Μυστήριο! μουρμούρισε· μυστήριο μεγάλο! Για να 'ρθει

λοιπόν η λευτεριά στον κόσμο χρειάζουνται τόσα φονικά και τόσες ατιμίες; Γιατί, να καθίσω να σου αραδιάσω τι ατιμίες κάμαμε και τι φονικά, θα σηκωθεί η τρίχα σου. Κι όμως ποιο ήταν το αποτέλεσμα; Η λευτεριά! Αντί ο Θεός να ρίξει το αστροπελέκι του να μας κάψει, μας δίνει τη λευτεριά! Δεν καταλαβαίνω τίποτα! Με κοίταξε σα να ζητούσε βοήθεια. Το 'βλεπες, πολύ τον είχε τυραννήσει το μυστήριο ετούτο και δεν μπορούσε να βρει άκρα.

— Καταλαβαίνεις του λόγου σου, αφεντικό; ρώτησε με αγωνία.

Τι να καταλάβω; Τι να του πω; Ή δεν υπάρχει αυτό που λέμε Θεός, ή ο Θεός αγαπάει τα φονικά και τις ατιμίες, ή αυτά που λέμε φονικά κι ατιμίες είναι απαραίτητα στον αγώνα και στην αγωνία του κόσμου...

Μα προσπάθησα να βρω για το Ζορμπά μια άλλη απόκριση:

— Πώς από την κοπριά κι από τη βρόμα φυτρώνει και θρέφεται ένα λουλούδι; Πες, Ζορμπά, πως κοπριά είναι ο άνθρωπος και λουλούδι είναι η ελευτερία.

— Μα ο σπόρος; έκαμε ο Ζορμπάς και χτύπησε τη γροθιά του στο τραπέζι. Για να φυτρώσει ένα λουλούδι χρειάζεται ο σπόρος. Ποιος έβαλε έναν τέτοιο σπόρο στα βρομερά σπλάχνα μας; Και γιατί ο σπόρος αυτός να μην πετάει λουλούδι με την καλοσύνη και την τιμιότητα; Μα να θέλει αίμα και βρόμα;

Κούνησα το κεφάλι.

— Δεν ξέρω, είπα.

— Ποιος ξέρει;

— Κανένας.

— Μα τότε λοιπόν, φώναξε ο Ζορμπάς απελπισμένος κι έριξε γύρα του άγρια ματιά, τι να τα κάμω εγώ τα βαπόρια και τις μηχανές και τα κολάρα;

Δυο τρεις στραπατσαρισμένοι από τη θάλασσα, που κάθουνταν στο διπλανό τραπέζι κι έπιναν τον καφέ τους, ζωντάνεφαν, μυρίστηκαν καβγά και γόργωσαν το αυτί.

Ο Ζορμπάς σιχάθηκε να τον παρακατσεύουν, χαμήλωσε τη φωνή.

— Ας τ' αφήσουμε αυτά να παν στο διάολο, είπε. Όταν τα συλλογίζουμαι, μου 'ρχεται να σπάσω ό,τι βρω μπροστά μου, μιαν καρέκλα ή μια λάμπα ή το κεφάλι μου στον τοίχο. Κι ύστερα, τι καταλαβαίνω; Τον κακό μου τον καιρό! Πλερώνω τα σπασμένα ή πάω στο φαρμακείο και μου τυλίγουν με γάζες το κεφάλι. Κι αν υπάρχει Θεός, ε, τότε πια, μούντζωσ' τα! Θα με σεριανάει από τον ουρανό και θα σκάει στα γέλια.

Κούνησε την απαλάμη του απότομα, σα να 'διωχνε κάποια μύγα που τον βασάνιζε.

— Τέλος πάντων! είπε βαριεστισμένος. Αυτό που ήθελα να σου πω είναι ετούτο: όταν έφτασε το βασιλικό βαπόρι σημαιοστόλιστο κι άρχισαν οι κανονιές και πάτησε ο πρίγκιπας το πόδι του στην Κρήτη... Είδες ποτέ σου λαό να ζουρλαίνεται όλος μαζί, γιατί είδε τη λευτεριά του; Όχι; Ε, τότε, κακομοίρη μου αφεντικό, στραβός γεννήθηκες, στραβός θα πεθάνεις. Εγώ, και χίλια χρόνια να ζήσω και μιαν μπουκιά μονάχα κρέας να μου μένει ζωντανό, αυτό το πράμα που είδα κείνη τη μέρα δε θα το ξεχάσω. Κι αν ήταν κάθε άνθρωπος να διαλέει την Παράδεισό του στον ουρανό, σύφωνα με τα γούστα του –έτσι πρέπει! αυτό θα πει Παράδεισο!– εγώ θα 'λεγα του Θεού: «Θεέ μου, να 'ναι η Παράδεισό μου μια Κρήτη γεμάτη μερτιές και σημαίες· και να βαστά αιώνια η στιγμή που πατάει ο πρίγκιπας Γεώργιος το πόδι του στην Κρήτη... Τίποτα άλλο δε θέλω!»

Σώπασε πάλι ο Ζορμπάς. Έστριφε το μουστάκι του, ξεχείλισε ένα ποτήρι παγωμένο νερό, το 'πιε μονορούφι.

— Τι έγινε, Ζορμπά, στην Κρήτη; Λέγε!

— Λόγια θα λέμε; έκαμε ο Ζορμπάς κι αγρίεφε πάλι. Μωρέ, εγώ σου λέω πως ο κόσμος ετούτος είναι μυστήριο κι ο άνθρωπος είναι χτήνος μεγάλο. Χτήνος μεγάλο και μεγάλος

παρακατσεύω, -ουμαι: *παρακολουθώ κρυφά, κρυφακούω, κρυφοκοιτάζω, ενεδρεύω, παραμονεύω*

θεός. Ένας κακούργος κομιτατζής, που είχε κατέβει κι αυτός μαζί μου από τη Μακεδονία, ο Γιώργαρος με τ' όνομα, κι είχε κάμει τέρατα και σημεία, ένας βρομερός χοίρος, έκλαιγε. «Τι κλαις, μωρέ Γιώργαρε;» του κάνω, κι έτρεχαν και μένα βρύσες τα μάτια μου. «Τι κλαις, βρε γουρούνι;» Μα αυτός έπεσε απάνω μου και δώστου να με φιλάει και να κλαίει σα μωρό παιδί. Κι ύστερα έβγαλε, αυτός ο τσιγκούναρος, το κεμέρι του, φκαίρεσε στην ποδιά του τις χρυσές λίρες, που είχε κουρσέψει από τους Τούρκους που σκότωσε κι από τα σπίτια που πάτησε, και τις πετούσε φούχτες φούχτες στον αγέρα. Κατάλαβες, αφεντικό; Αυτό θα πει ελευτερία!

Σηκώθηκα, ανέβηκα στη γέφυρα να με χτυπήσει ο καθαρός αγέρας.

Αυτό θα πει ελευτερία, συλλογίζουμουν. Να 'χεις ένα πάθος, να μαζεύεις χρυσές λίρες, και ξαφνικά να νικάς το πάθος και να σκορπάς όλο το έχει σου στον αγέρα!

Να λευτερωθείς από ένα πάθος, υπακούοντας σ' ένα άλλο υφηλότερο... Μα μήπως κι αυτό δεν είναι σκλαβιά; Να θυσιάζεσαι για μιαν ιδέα, για τη ράτσα σου, για το Θεό; Ή μήπως όσο πιο αφηλά στέκεται ο αφέντης τόσο και πιο μακραίνει το σκοινί της σκλαβιάς μας, πηδούμε τότε και παίζουμε σε πολύ πλατύχωρο αλώνι, πεθαίνουμε χωρίς να βρούμε την άκρα του, κι αυτό το λέμε ελευτερία;

Απομεσήμερο φτάσαμε στο αμμουδερό ακρογιάλι μας. Άσπρη, φιλοκοσκινισμένη αμμούδα, ανθισμένες ακόμα πικροδάφνες, συκιές, χαρουπιές, και πιο πέρα, δεξιά, χαμηλό σταχτερό βουναλάκι άδεντρο, που έμοιαζε με αναγερτό πρόσωπο γυναίκας· και κάτω από το πιγούνι της, στο λαιμό, περνούσαν καστανόμαυρες οι φλέβες του λιγνίτη.

Άνεμος αποβροχάρης φυσούσε, αναφούφουδα σύννεφα

κεμέρι: *πλατιά δερμάτινη ή υφασμάτινη ζώνη με εσωτερικές θήκες για φύλαξη χρημάτων, είδος πορτοφολιού*

περνούσαν με βιάση και γλύκαιναν, θαμπώνοντάς τη, τη γης· άλλα ανηφόριζαν από τον ουρανό ξαγριεμένα. Σκεπάζουνταν, ξεσκεπάζουνταν ο ήλιος, και το πρόσωπο της γης φωτίζουνταν και σκοτείνιαζε σαν πρόσωπο ζωντανό κι ανταρεμένο.

Στάθηκα μια στιγμή στην άμμο, κοίταξα. Η άγια μοναξιά απλώθηκε μπροστά μου φαρμακερή, μαυλιστική, σαν την έρημο. Το σειρηνικό βουδικό τραγούδι σηκώθηκε από το χώμα και τύλιξε το σπλάχνο μου: «Πότε λοιπόν, επιτέλους, θα τραβηχτώ στην ερημία – μονάχος, δίχως σύντροφο, με μόνο την άγια βεβαιότητα πως όλα είναι όνειρο;» «Πότε με τα κουρέλια μου –χωρίς επιθυμίες– θα τραβηχτώ χαρούμενος στο βουνό;» «Πότε, βλέποντας πως το κορμί μου δεν είναι παρά αρρώστια και φονικό, γεράματα και θάνατος –λεύτερος, άφοβος, όλο χαρά– θα τραβηχτώ στο δάσο;» «Πότε; Πότε; Πότε;»

Ο Ζορμπάς με το σαντούρι παραμάσκαλα ζύγωσε.

— Να το λιγνίτη! είπα για να σκεπάσω τη συγκίνησή μου κι άπλωσα το χέρι προς το αναγερτό πρόσωπο της γυναίκας.

Μα ο Ζορμπάς μάζεψε τα φρύδια, δε στράφηκε:

— Άλλη ώρα, αφεντικό, είπε· να σταθεί πρώτα η γη. Κουνιέται ακόμα, να πάρει ο διάολος, κουνιέται η άτιμη, σαν κατάστρωμα. Πάμε γρήγορα στο χωριό! είπε κι άνοιξε το μακρύ του κομπάσο.

Δυο ξυπόλυτα χωριατάκια, ηλιοκαμένα σα φελαχόπουλα, έτρεξαν και φορτώθηκαν τις βαλίτσες. Ένας τελωνοφύλακας γαλανομάτης, παχύς, κάπνιζε ναργιλέ στην παράγκα που παράσταινε τελωνείο. Μας κοίταξε λοξά, έριξε μιαν αργόσερτη ματιά στις βαλίτσες, κουνήθηκε μια στιγμή από την καρέκλα του κι έκαμε να σηκωθεί· μα βαρέθηκε. Σήκωσε αργά το μαρκούτσι:

— Καλώς ορίσατε! είπε μαχμουρλίδικα.

Το ένα από τα χωριατάκια με ζύγωσε· έπαιξε τα κατάμαυρα σαν ελιές μάτια του:

— Παλιοελλαδίτης! έκαμε περιπαιχτικά· βαριέται!

— Δε βαριούνται τάχατε κι οι Κρητικοί; είπα.

— Βαριούνται... βαριούνται... αποκρίθηκε το Κρητικόπουλο, μα αλλιώς...

— Είναι μακριά το χωριό;

— Μπα! Μιαν τουφεκιά! Να, πίσω από τα περβόλια, στη ρεματιά. Καλό χωριό, αφεντικό· έχει τα ελέη του Θεού: χαρούπια, βρούβες, λάδι, κρασί. Κι εκεί πέρα, στην άμμο, βγαίνουν τα πιο πρώιμα αγγούρια στην Κρήτη. Έρχεται ο αγέρας από την Αραπιά και τα μεγαλώνει· και να κοιμηθείς στο μποστάνι τη νύχτα, τ' ακούς να τρίζουν κρρ! κρρ! κρρ! και να μεγαλώνουν. Ο Ζορμπάς πήγαινε μπροστά και στραβοπατούσε ακόμα ζαλισμένος.

— Κουράγιο, Ζορμπά! του φώναξα· πιάσαμε κλαρί, μη φοβάσαι!

Περπατούσαμε γρήγορα. Το χώμα ήταν ανακατεμένο με άμμο και κοχύλια· κάπου κάπου ένα αρμυρίκι, μια τούφα βούρλα, φαρμακεροί φλόμοι. Κουφόβραση. Τα σύννεφα όλο και χαμήλωναν, ο αγέρας βάραινε.

Περνούσαμε από μια μεγάλη συκιά· διδυμάρικος ο κορμός της, περιπλεμένος, κι άρχιζε να κουφαλιάζει από τα γεράτια. Το ένα παιδί με τις βαλίτσες στάθηκε· τέντωσε το πιγούνι, μου 'δειξε το γέρικο δέντρο.

— Της Αρχοντοπούλας η συκιά! είπε.

Στάθηκα. Στο χώμα τούτο της Κρήτης κάθε πέτρα, κάθε δέντρο έχει την τραγική του ιστορία.

— Της Αρχοντοπούλας; Γιατί;

— Στον καιρό του παππού μου μια αρχοντοπούλα αγάπησε ένα μικρό βοσκόπουλο. Μα ο πατέρας της δεν ήθελε· έκλαιγε, φώναζε, σκοτώνουνταν η αρχοντοπούλα, μα ο γέρος το χαβά του! Όπου ένα βράδυ χάθηκαν κι οι δυο ερωτοχτυπημένοι. Τους ζητούσαν μια μέρα, δυο, τρεις, μια βδομάδα· άφαντοι! Μα ήταν καλοκαίρι, βρόμησαν, πήραν τον ντορό της βρόμας και

φλόμος: *είδος ποώδους ή θαμνώδους φυτού, γνωστού για τις ναρκωτικές του ιδιότητες*

διδυμάρικος: *για κορμό δέντρου που είναι διχαλωτός*

τορός *και* **ντορός:** *ίχνη· φρ. παίρνω τον ντορό κάποιου: ακολουθώ τα ίχνη του θηράματος από την οσμή*

τους βρήκαν κάτω από τη συκιά τούτη σαπημένους κι αγκαλιασμένους. Κατάλαβες; Τους βρήκαν από τη βρόμα! Πουφ! Πουφ! έκαμε το παιδί κι έσπασε στα γέλια.

Η βουή του χωριού ακούστηκε· σκυλιά άρχισαν να γαβγίζουν, γυναίκες σκλήριζαν, τα κοκόρια διαλαλούσαν την αλλαξοκαιριά. Ο αγέρας μύριζε τσίπουρο από τα ρακοκάζανα.

— Να το χωριό! φώναξαν τα δυο παιδιά και πήραν φόρα. Στο απογύρισμα του αμμόλοφου φάνηκε, σκαρφαλωμένο στη ρεματιά, το χωριουδάκι. Ασβεστωμένα χαμόσπιτα με ταράτσες, το ένα κολλητά στο άλλο, κι έτσι που μαυρολογούσαν ανοιχτά τα παραθυρόφυλλα, έμοιαζαν σαν ξασπρισμένα κρανία σφηνωμένα στις πέτρες. Ζύγωσα το Ζορμπά.

— Το νου σου, Ζορμπά, του παράγγειλα σιγά, να φερθείς καθώς πρέπει, τώρα που μπαίνουμε στο χωριό. Να μη μας πάρουν μυρωδιά, Ζορμπά! Να κάνουμε τους σοβαρούς επιχειρηματίες – εγώ το αφεντικό και συ ο αρχιεργάτης. Οι Κρητικοί, να ξέρεις, δε χωρατεύουν, μια φορά να σε μπανίσει το μάτι τους, σου βρίσκουν ευτύς το κουσούρι και σου κολνούν ένα παρατσούκλι, και πια δεν έχεις γλιτωμό· τρέχεις πια σα σκύλος που του 'δεσαν έναν τενεκέ στην ουρά.

Ο Ζορμπάς φούχτωνε τα μουστάκια του, έπεσε σε συλλογή.

— Να σου πω, αφεντικό, είπε τέλος· αν έχει εδώ καμιά χήρα, μη φοβάσαι· αν όμως δεν έχει...

Τη στιγμή εκείνη, στο έμπα του χωριού, μια κουρελοφορτωμένη ζητιάνα έτρεξε με απλωμένο το χέρι· λιοφημένη, όλο λίγδα, με μαύρο αδρό μουστακάκι.

— Ε κουμπάρε, φώναξε του Ζορμπά, ε κουμπάρε, έχεις ψυχή;

Ο Ζορμπάς στάθηκε:

— Έχω, αποκρίθηκε με σοβαρότητα.

— Ε, τότε δώσε μου πέντε δραχμές!

Ο Ζορμπάς έβγαλε μιαν ετοιμόρροπη πέτσινη πορτοφόλα από τον κόρφο του.

— Πάρε! είπε και τα φλομωμένα χείλια του γέλασαν.

Στράφηκε:

— Εδώ βλέπω, είπε, μεγάλη φτήνια· πέντε δραχμές η ψυχή.

Τα σκυλιά του χωριού χίμηξαν απάνω μας, οι γυναίκες αποκρεμάστηκαν στα δώματα, τα παιδιά μας πήραν γιουχαΐζοντας ξοπίσω, κι άλλα γάβγιζαν, άλλα κορνάριζαν σαν αυτοκίνητα κι άλλα μας προσπερνούσαν και μας κοίταζαν με μεγάλα εκστατικά μάτια.

Φτάσαμε στην πλατεία του χωριού: δυο πανύψηλες λεύκες, χοντροπελεκημένοι κορμοί, γύρα τους παγκάκια κι αντίκρα το καφενείο με μια φαρδιά ξεθωριασμένη επιγραφή: «Καφεκρεοπωλείον η Αιδώς».

— Γιατί γελάς, αφεντικό; ρώτησε ο Ζορμπάς.

Μα δεν πρόλαβα ν' απαντήσω· από την πόρτα του καφεκρεοπωλείου πετάχτηκαν πέντ' έξι αντρακλαράδες, με τις μπλάβες φουφούλες, με τα κόκκινα ζωνάρια.

— Καλώς τα κουμπαράκια! φώναξαν. Κοπιάστε να πάρετε μια ρακή, ζεστή ζεστή ακόμα, από το καζάνι.

Ο Ζορμπάς χτύπησε τη γλώσσα:

«Τι λες, αφεντικό;» στράφηκε και μου 'παιξε το μάτι· «πίνουμε μια;»

Ήπιαμε, τα σωθικά μας κάηκαν. Ο καφετζοχασάπης, ένας νταβραντισμένος γοργοκίνητος γέρος, μας έφερε καρέκλες. Ρώτησα για σπίτι.

— Να πάτε στης μαντάμ Ορτάνς, φώναξε κάποιος.

— Φραντσέζα; έκαμα ξαφνιασμένος.

— Από του διαόλου τη μάνα. Βίος και πολιτεία. Πήδηξε πολλά παλούκια, και τώρα που γέρασε, κάθισε στο στερνό παλούκι εδώ κι άνοιξε χάνι.

— Πουλάει και καραμέλες! πετάχτηκε ένα παιδί.

— Κι αλευρώνεται και μπογιατίζεται! φώναξε ένα άλλο. Βάνει μιαν κορδέλα στο λαιμό· έχει κι ένα παπαγάλο...

— Χήρα; ρώτησε ο Ζορμπάς· χήρα;

Μα κανένας δεν του αποκρίθηκε.

καφετζοχασάπης: *καταστηματάρχης που σερβίρει καφέδες και κρεατικά*

— Χήρα; ξαναρώτησε με λαχτάρα.

Ο καφετζής φούχτωσε τα πηχτά φαρά γένια του:

— Πόσες τρίχες είναι ετούτες, κουμπάρε; πόσες; Ε, από τόσους άντρες είναι και τούτη χήρα. Μπήκες στο νόημα;

— Μπήκα, αποκρίθηκε ο Ζορμπάς κι έγλειφε τα χείλια του.

— Μπορεί να σε κάμει χήρο και του λόγου σου· έχε το νου σου, κουμπάρε! φώναξε ένας πρόσχαρος γέρος κι όλοι πάτησαν τα χάχανα.

Πρόβαλε πάλι ο καφετζής μ' ένα δίσκο καινούρια τραταρίσματα: κρίθινη κουλούρα, αθότυρο, αχλάδια.

— Μωρέ, αφήστε τους ανθρώπους ήσυχους! φώναξε. Τι μαντάμες, ξεμαντάμες; Στο σπίτι μου θα κοιμηθούν.

— Εγώ θα τους πάρω, Κοντομανολιό! είπε ο γέρος· εγώ δεν έχω παιδιά, το σπίτι μου είναι μεγάλο, έχει τόπο.

— Να με συμπαθάς, μπαρμπα-Αναγνώστη, φώναξε ο καφετζής σκύβοντας στο αυτί του γέρου· εγώ το πρωτόπα!

— Πάρε εσύ τον ένα, είπε ο μπαρμπα-Αναγνώστης· εγώ παίρνω το γέρο.

— Ποιο γέρο; έκαμε ο Ζορμπάς και τα μάτια του αγρίεφαν.

— Δε χωρίζουμε, είπα εγώ κι έγνεφα του Ζορμπά να μην αγριεύει· δε χωρίζουμε. Θα πάμε στης μαντάμ Ορτάνς.

— Καλώς ορίσατε! Καλώς ορίσατε!

Μια γυναικούλα κοντουλή, παχουλή, με ξέθωρα λιναρόξανθα μαλλιά, με γουρουνοτρίχατη ελιά στο πιγούνι, πρόβαλε κάτω από τις λεύκες κουνιστή, στραβοπόδα, με ανοιχτές τις αγκάλες. Φορούσε κόκκινη βελουδένια κορδέλα στο λαιμό και τα μαραμένα της μάγουλα ήταν παστωμένα με μοβ πούδρα. Ένα παιχνιδιάρικο τσουλούφι πετιόταν από το κούτελό της κι έτσι έμοιαζε με τη γριά Σάρα Μπερνάρ, όταν έπαιζε τον «Αετιδέα».

— Καλώς σας βρήκαμε, μαντάμ Ορτάνς! αποκρίθηκα κι έκαμα να της φιλήσω το χέρι, συνεπαρμένος από άξαφνο κέφι.

Η ζωή άστραφε μπροστά μου σαν παραμύθι, σα μια κωμωδία του Σαιξπήρου, η «Τρικυμία» να πούμε. Κι είχαμε ξεμπαρκάρει εμείς, μουσκεμένοι από το φανταστικό ναυάγιο, εξερευνούμε τα καταπληκτικά ακρογιάλια και χαιρετούμε μ' επισημότητα τα ζωντανά του τόπου. Κι η μαντάμ Ορτάνς ετούτη μου φάνταζε η βασίλισσα του νησιού, ένα είδος μουστακαλίνας, γυαλιστερής φώκιας, που είχε ξεπέσει, πριν από χιλιάδες χρόνια, στην αμμουδιά τούτη, μισοσαπημένη, παρφουμαρισμένη, χαρούμενη. Πίσω της, με μπόλικα κεφάλια, όλο λίγδα και τρίχες και κέφι, ο Κάλιμπαν ο λαός, που την κοίταζε με περιφρόνηση και καμάρι.

Κι ο Ζορμπάς, ο μεταμφιεσμένος πρίγκιπας, την καμάρωνε κι αυτός με γουρλωμένα μάτια, σα μακρινή συντρόφισσα, γριά καραβέλα, που κάπου πολέμησε κι αυτή, σε αλαργινές θάλασσες, νίκησε, νικήθηκε, πληγώθηκε, άνοιξαν οι μπουκαπόρτες της, έσπασαν τα κατάρτια της, σκίστηκαν τα πανιά της – και τώρα, γεμάτη χαραμάδες που τις καλαφάτιζε με πούδρες, τραβήχτηκε στο ακρογιάλι ετούτο και περίμενε. Σίγουρα θα περίμενε το Ζορμπά, τον σαρανταπληγιάρη καπετάνιο. Και χαίρουμουν να βλέπω τους δυο θεατρίνους να γλυκανταμώνουν, επιτέλους, στο απλά ετούτο σκηνοθετημένο, χοντρομπογιαντισμένο κρητικό τοπίο.

— Δυο κρεβάτια, μαντάμ Ορτάνς! είπα κι υποκλίθηκα μπροστά από τη γριά θεατρίνα του έρωτα. Δυο κρεβάτια χωρίς κορέους...

— Κορέο ντεν έκει! Ντεν έκει! μου αποκρίθηκε ρίχνοντάς μου αργόσερτη προκλητικιά ματιά παμπάλαιης σαντέζας.

— Έκει! Έκει! φώναξαν χαχαρίζοντας τα στόματα του Κάλιμπαν.

— Ντεν έκει! Ντεν έκει! πεισμάτωνε η πρωταγωνίστρια, χτυπώντας στις πέτρες ένα παχουλό ποδαράκι με χοντρή γαλάζια κάλτσα.

Φορούσε παλιά γοβάκια ξεπατωμένα, μ' ένα κοκέτικο φιογκάκι μεταξωτό.

καραβέλα: *μεταφορικά για ηλικιωμένη, συνήθως ευτραφή γυναίκα*
σαντέζα: *τραγουδίστρια σε παλαιότερο κέντρο διασκέδασης*

— Ου να χαθείς, πριμαντόνα! φώναξε πάλι ο Κάλιμπαν χαχαρίζοντας.

Μα η μαντάμ Ορτάνς με αξιοπρέπεια τραβούσε τώρα μπροστά και μας άνοιγε το δρόμο· μύριζε πούδρα και φτηνό μοσκοσάπουνο. Ο Ζορμπάς πήγαινε πίσω της και την έτρωγε με το μάτι.

— Μωρέ, για κοίτα τη, μου κάνει κλείνοντάς μου το μάτι, σαν πάπια περπατά, η αφιλότιμη! Πώς κουνιέται, πλαφ! πλαφ! σαν κάτι προβατίνες με ουρά όλο ξύγκι!...

Δυο τρεις χοντρές στάλες έπεσαν, ο ουρανός σκοτείνιασε. Γαλάζιες αστραπές σπάθιζαν το βουνό. Μικρές κοπελούδες βιαστικές, με τ' άσπρα από γιδότριχα καποτάκια τους, γύριζαν από τη βοσκή την κατσίκα και το πρόβατο του σπιτιού. Οι γυναίκες, κουκουβιστές ομπρός στο τζάκι, άναβαν τη βραδινή φωτιά.

Ο Ζορμπάς δάγκασε νευρικός το μουστάκι του κι όλο και κοίταζε με βουλιμία τα κουνιστά καπούλια της μαντάμας.

— Χμ! μουρμούρισε μια στιγμή στενάζοντας· ανάθεμά τη τη ζωή, δεν έχει η άτιμη τελειωμό!

III

Το ξενοδοχειάκι

της Μαντάμ Ορτάνς ήταν μια σειρά παμπάλαιες καμπίνες μπάνιου, κολλημένες η μια πίσω από την άλλη. Η πρώτη καμπίνα ήταν το μαγαζί· πουλούσε καραμέλες, τσιγάρα, φιστίκια αράπικα, φιτίλια της λάμπας, αλφαβητάρια, μοσκολίβανο. Τέσσερεις άλλες καμπίνες συνέχεια ήταν τα δωμάτια του ύπνου· και πίσω στην αυλή ήταν η κουζίνα, το πλυσταριό, το κοτέτσι και τα κουνέλια. Γύρα τρογύρα, φυτεμένα στην φιλήν αμμούδα, πυκνά καλάμια κι αραποσυκιές. Όλο το σύμπλεγμα αυτό μύριζε θάλασσα, κουτσουλιά και δριμύτατο ούρο. Κάπου κάπου μονάχα, όταν περνούσε η μαντάμ Ορτάνς, άλλαζε ο αγέρας μυρωδιά – σα να χύνονταν μπροστά σου μια λεκάνη κουρείου.

Στρώθηκαν τα κρεβάτια, πέσαμε και τον πήραμε μονορούφι. Δε θυμούμαι τι όνειρο είδα, μα το πρωί ήμουν ανάλαφρος και χαρούμενος σα να 'βγαινα από τη θάλασσα.

Ήταν Κυριακή, οι εργάτες θα 'ρχουνταν αύριο από τα κοντινά χωριά να πιάσουν δουλειά στο λιγνίτη· είχα λοιπόν καιρό να βγω σήμερα σεριάνι και να δω σε τι ακρογιαλιά μ' έριξε η μοίρα. Ξημερώματα ακόμα πετάχτηκα έξω, πέρασα τα περβόλια, έκαμα ένα γύρο γιαλό γιαλό, γνωρίστηκα πεταχτά με το νερό, το χώμα, τον αγέρα του τόπου, μάζεψα μυριστικά αγριόχορτα κι οι παλάμες μου μύρισαν θρούμπα, φασκόμηλο και φλισκούνι.

Ανέβηκα σ' ένα φήλωμα, κοίταξα. Αυστηρό, σοβαρό τοπίο

από σιδερόπετρα, από σκούρα δέντρα κι άσπρο ασβεστόχωμα που λες δεν μπορεί κασμάς να το χαράξει· μα ξάφνου κίτρινα ντελικάτα κρινάνθια τρυπούσαν την αστρακωμένη τούτη γης κι έλαμπαν στον ήλιο. Μακριά, κατά νότου, ένα νησάκι χαμηλό, αμμουδερό, λαμποκοπούσε τριανταφυλλένιο και κοκκίνιζε καταπάρθενο στις πρώτες αχτίδες.

Λίγο πιο μέσα από το γυρογιάλι, ελιές, χαρουπιές, συκιές, λίγα αμπέλια· στις απάνεμες λακκούβες, ανάμεσα σε δυο βουναλάκια, ξινόδεντρα και μουσμουλιές, και πιο κοντά στο γιαλό, τα μποστάνια.

Ώρα πολλή χαίρουμουν από το φήλωμα τους απαλούς κυματισμούς της γης· ζώνες ζώνες οι σιδερόπετρες, οι σκουροπράσινες χαρουπιές, οι ασημόφυλλες ελιές, σα ν' απλώνουνταν μπροστά σου κυματιστό ριγάτο δέρμα τίγρης. Και πέρα, κατά νότου, στραφτάλιζε η θυμωμένη ακόμα θάλασσα, απέραντη, έρημη, έφτανε ως την Μπαρμπαριά, μούγκριζε, χιμούσε κι έτρωε την Κρήτη.

Έμοιαζε το κρητικό ετούτο τοπίο, έτσι μου φάνηκε, με την καλή πρόζα: καλοδουλεμένο, λιγόλογο, λυτρωμένο από περιττά πλούτη, δυνατό και συγκρατημένο. Διατύπωνε με τ' απλούστερα μέσα την ουσία. Δεν έπαιζε, δεν καταδέχουνταν να χρησιμοποιήσει κανένα τερτίπι, δε ρητόρευε· έλεγε ό,τι ήθελε να πει με αντρίκεια αυστηρότητα. Μα ανάμεσα από τις αυστηρές γραμμές του ξεχώριζες στο κρητικό ετούτο τοπίο απροσδόκητη ευαισθησία και τρυφεράδα – σε απάνεμες γούβες μοσκοβολούσαν οι λεμονιές κι οι πορτοκαλιές, και πέρα, από την απέραντη θάλασσα, ξεχύνουνταν αστέρευτη ποίηση.

— Η Κρήτη, μουρμούριζα, η Κρήτη... – κι η καρδιά μου αναπετάριζε.

Κατέβηκα από το βουναλάκι, πήρα γιαλό γιαλό. Κακαριστές κοπέλες φάνηκαν από το χωριό, με τις χιονάτες μπολίδες τους, με τα κίτρινα στιβάνια, με ανασηκωμένες τις φούστες, και πήγαιναν πέρα, στο ακρογιαλίσιο μοναστήρι, να λειτουργηθούν.

στιβάνι: *υψηλή δερμάτινη μπότα*

Στάθηκα. Ευτύς ως με πήρε το μάτι τους, το γέλιο τους κόπηκε. Το πρόσωπό τους, ως είδαν ξένον άντρα, κλείστηκε αγριεμένο, από κορφής το σώμα τους οχυρώθηκε, τα δάχτυλα αγκριφώθηκαν νευρικά από τα σφιχτοκουμπωμένα μπολκάκια, κατά το στήθος.

Το αίμα, παμπάλαιο μέσα τους, θυμόταν και τρόμαξε· σε όλα ετούτα τα κρητικά ακρογιάλια που βλέπουν κατά την Μπαρμπαριά, αιώνες πολλούς χιμούσαν οι κουρσάροι, άρπαζαν πρόβατα, γυναίκες, παιδιά, τα 'δεναν με τα κόκκινα ζωνάρια τους, τα 'ριχναν στ' αμπάρια και σάλπερναν να τα πουλήσουν στο Αλγέρι, στην Αλεξάντρεια, στο Μπερούτι. Αιώνες πολλούς ο γιαλός ετούτος αντιλαλούσε από κλάματα και στρώνουνταν με πλεξούδες. Κοίταζα τις κοπέλες να ζυγώνουν άγριες, κολλητά η μια στην άλλη, σα να 'θελαν να κάμουν αδιαπέραστο φράγμα και να επιχειρήσουν απελπισμένην άμυνα. Σίγουρες κίνησες, απαραίτητες πριν από αιώνες, και που ξαναγυρίζουν σήμερα χωρίς λόγο, ακολουθώντας το ρυθμό μιας περασμένης ανάγκης.

Μα ως περνούσαν οι κοπέλες μπροστά μου, τραβήχτηκα ήσυχα ήσυχα και χαμογέλασα. Κι ευτύς, ως να 'νιωσαν μονομιάς πως από αιώνες τώρα ο κίντυνος είχε περάσει, σα να ξύπνησαν απότομα και βρέθηκαν στη σημερινή ασφαλισμένη εποχή, και τα πρόσωπά τους άνοιξαν, αραίωσε η πυκνωμένη παράταξη κι όλες μαζί καλημέρισαν με γάργαρες φωνές κι οι λαιμοί τους έλαμψαν. Την ίδια στιγμή οι καμπάνες του μακρινού μοναστηριού, χαρούμενες, παιχνιδιάρικες, γέμισαν τον αγέρα ευδαιμονία.

Ο ήλιος είχε ψηλώσει, ο ουρανός ήταν κατακάθαρος. Τρύπωξα στους βράχους, στριμώχτηκα σα γλάρος σε μιαν κουφάλα, κοίταξα ευτυχισμένος το πέλαο. Ένιωθα το σώμα μου δυνατό, δροσερό, υπάκουο· κι ο νους μου, ακολουθώντας το κύμα, γίνουνταν κύμα κι υποτάζουνταν κι αυτός, χωρίς αντίσταση, στο χορευτό ρυθμό της θάλασσας.

Μα σιγά σιγά άρχιζε η καρδιά ν' αγριεύει, φωνές σκοτεινές ανέβαιναν από το σπλάχνο μου· ήξερα ποιος φώναζε· μια

NIKO KAZANTZAKH

στιγμή να 'μενα μόνος, μούγκριζε μέσα μου αγκουσεμένος από ακατονόμαστες επιθυμίες, από παράφορες, ανισόρροπες ελπίδες και προσδοκούσε από μένα τη λύτρωση.

Άνοιξα γρήγορα τον Ντάντε τον Συνταξιδιώτη, να μην τον ακούω· να ξορκίσω το φοβερό, όλο θλίψη και δύναμη, μέσα μου δαίμονα. Ξεφύλλιζα, διάβαζα σκόρπια ένα στίχο, μιαν τερτσίνα, θυμόμουν όλο το κάντο, ανέβαιναν ουρλιάζοντας από τις πύρινες σελίδες οι κολασμένοι· μάχουνταν πιο πέρα μεγάλες λαβωμένες ψυχές να σκαρφαλώσουν ένα πανύψηλο βουνό· πιο πάνω ακόμα σεριάνιζαν σε λιβάδια από σμαράγδι οι μακάριες ψυχές, σαν κατάφωτες πυγολαμπίδες. Ανεβοκατέβαινα το φοβερό τρίπατο οικοδόμημα της Μοίρας, κυκλοφορούσα άνετα στην Κόλαση, στο Καθαρτήρι, στον Παράδεισο, σα να 'ταν το οικοδόμημα ετούτο το σπίτι μου. Πονούσα, προσδοκούσα και χαίρουμουν αρμενίζοντας απάνω στους εξαίσιους στίχους.

Έκλεισα τον Ντάντε, κοίταξα αλάργα το πέλαο. Ένας γλάρος ακούμπησε την κοιλιά του στο κύμα και παράτησε το κορμί του στη μεγάλη δροσερότατη ηδονή. Ένα ηλιοκαμένο αγόρι φάνηκε γιαλό γιαλό ξυπόλυτο και τραγουδούσε ερωτικές μαντινάδες· θαρρώ, καταλάβαινε τον πόνο τους, γιατί η φωνή του είχε αρχίσει κιόλα να βραχνοκοκορίζει.

Όμοια τραγουδιούνταν χρόνια πολλά, αιώνες, στην πατρίδα τους κι οι στίχοι του Ντάντε. Κι όπως το ερωτικό τραγούδι προετοιμάζει τ' αγόρια για τον έρωτα, όμοια προετοίμαζαν κι οι φλογεροί φλωρεντίνικοι στίχοι τους Ιταλούς έφηβους για τον εθνικόν αγώνα και τη λύτρωση. Και σιγά σιγά όλοι, μεταλαβαίνοντας την ψυχή του ποιητή, μετουσίωναν τη σκλαβιά σ' ελευτερία.

Γέλιο ακούστηκε πίσω μου. Κατρακύλησα μεμιάς από τις κορυφές του Ντάντε, στράφηκα κι είδα το Ζορμπά να στέκεται πίσω μου, κι όλο το πρόσωπό του γελούσε.

— Τι 'ναι αυτά, αφεντικό; φώναξε. Ώρες σε ζητώ, μα πού να σε ξετρουπώσω!

8 0

Κι όπως μ' έβλεπε αμίλητο, ακίνητο:

— Το μεσημέρι πέρασε, φώναξε· η κότα έβρασε, θα 'γινε λιώμα η κακομοίρα! Κατάλαβες;

— Κατάλαβα, μα δεν πεινώ.

— Δεν πεινάς! έκαμε ο Ζορμπάς χτυπώντας τα χέρια στα μεριά του. Μα από το πρωί δεν έφαες τίποτα· έχει και το κορμί ψυχή, λυπήσου το. Δώσ' του να φάει, αφεντικό, δώσ' του να φάει, αυτό 'ναι μαθές το γαϊδουράκι μας· αν δεν το ταΐσεις, θα σε παρατήσει μεσόστρατα.

Από χρόνια καταφρονούσα τις χαρές ετούτες της σάρκας, και να 'ταν βολετό, θα 'τρωγα κρυφά, σα να 'κανα ντροπερή πράξη· μα τώρα, για να μη φωνάζει ο Ζορμπάς:

— Καλά, είπα· έρχουμαι.

Πήραμε κατά το χωριό. Οι ώρες μέσα στους βράχους είχαν περάσει σαν ερωτικές, μοναστραπίς. Ένιωθα ακόμα απάνω μου τη φλογάτη αναπνοή του Φλωρεντινού.

— Συλλογίζουσουν το λιγνίτη; ρώτησε ο Ζορμπάς με κάποιο δισταγμό.

— Αμ τι άλλο; αποκρίθηκα γελώντας. Αύριο πιάνουμε δουλειά, έπρεπε να κάμω λογαριασμούς.

Ο Ζορμπάς με κοίταξε με την κόχη του ματιού, σώπασε. Καταλάβαινα πάλι πως με ζύγιζε, δεν ήξερε ακόμα – να πιστέψει, να μην πιστέψει;

— Και τι έβγαλες; ρώτησε πάλι προχωρώντας με περίσκεφη.

— Πως ύστερα από τρεις μήνες πρέπει να βγάζουμε δέκα τόνους λιγνίτη τη μέρα, για ν' απαντούμε τα έξοδα.

Ο Ζορμπάς με κοίταξε πάλι, μα τώρα ανήσυχος· κι ύστερα από λίγο:

— Και γιατί πήγες στη θάλασσα, είπε, για να κάνεις λογαριασμούς; Με συμπαθάς, αφεντικό, που σε ρωτώ, μα δεν καταλαβαίνω. Εγώ, όταν καταπιάνουμαι με νούμερα, θα 'θελα να χωθώ σε μια τρύπα της γης, να στραβωθώ, να μη βλέπω. Να σηκώσω τα μάτια και να δω τη θάλασσα ή ένα δέντρο ή μια γυναίκα, μωρέ ας είναι και γριά, πάνε στο διάολο οι λογαριασμοί. Κάνουν φτερά τα νούμερα, ανάθεμά τα, κάνουν φτερά και φεύγουν!

— Γιατί, Ζορμπά; έκαμα για να τον πειράξω. Φταις εσύ. Δεν έχεις τη δύναμη να συμμαζέφεις το νου σου.

— Ξέρω κι εγώ, αφεντικό; Όπως το πάρεις. Είναι μερικά πράματα, που μήτε ο σοφός Σολομώντας... Να, μια μέρα περνούσα από ένα χωριουδάκι. Ένας μπαμπόγερος ενενήντα χρονώ φύτευε μια μυγδαλιά. «Ε παππούλη», του κάνω, «μυγδαλιά φυτεύεις;» Κι αυτός, έτσι σκυμμένος που ήταν, στράφηκε και μου κάνει: «Εγώ, παιδί μου, ενεργώ σα να ήμουν αθάνατος!» «Κι εγώ», του αποκρίθηκα, «ενεργώ σα να 'ταν να πεθάνω την πάσα στιγμή». Ποιος από τους δυο μας είχε δίκιο, αφεντικό;

Με κοίταξε θριαμβευτικά:

— Εδώ σε θέλω! είπε.

Σώπαινα. Όμοια ανηφορικοί κι αντρίκειοι κι οι δυο δρόμοι, και μπορούν να φέρουν κι οι δυο στην κορυφή. Να ενεργείς σα να μην υπήρχε θάνατος και να ενεργείς έχοντας στο νου σου κάθε στιγμή το θάνατο, είναι, ίσως, ένα· μα τότε, όταν με ρώτησε ο Ζορμπάς, δεν το 'ξερα.

— Λοιπόν; ρώτησε ο Ζορμπάς περιπαιχτικά. Μην κακοκαρδίζεις, αφεντικό, δε βρίσκεις άκρα· άλλα λόγια, ρε παιδιά. Εγώ συλλογίζουμαι την ώρα ετούτη το φαΐ, την κότα και το πιλάφι, με την κανέλα στην κορφή· κι όλο το μυαλό μου αχνίζει σαν πιλάφι. Ας φάμε πρώτας, ας σαβουρώσουμε πρώτας, κι ύστερα βλέπουμε. Ένα ένα, με τη σειρά του. Τώρα μπροστά μας είναι πιλάφι· πιλάφι το λοιπόν κι ο νους μας. Αύριο θα 'ναι μπροστά μας λιγνίτης· λιγνίτης το λοιπόν κι ο νους μας. Όχι μισές δουλειές – κατάλαβες;

Μπαίναμε στο χωριό. Οι γυναίκες κάθουνταν στα κατώφλια τους και φιλοκουβέντιαζαν, οι γέροι ακουμπούσαν στα ραβδιά τους και σώπαιναν. Κάτω από μιαν κατάκαρπη ροδιά μια σταφιδιασμένη γριούλα φείριζε το εγγονάκι της.

Απόξω από το καφενείο στέκουνταν ένας ορθόκορμος γέρος,

κουκουλομάτης, με αυστηρή συγκεντρωμένη φυσιογνωμία, με αϊτίσια μύτη, με αρχοντικό θώρι. Ήταν ο Μαυραντώνης, ο δημογέροντας, που μας είχε νοικιάσει το λιγνίτη. Είχε περάσει χτες από της μαντάμ Ορτάνς για να μας πάρει σπίτι του.

— Είναι μεγάλη ντροπή, είπε, να μένετε στο χάνι, σα να μην είχε ανθρώπους το χωριό.

Ήταν σοβαρός και ακριβομίλητος, αληθινός άρχοντας. Αρνηθήκαμε· πειράχτηκε, μα δεν επέμενε.

— Έκαμα το χρέος μου, είπε κι έφυγε.

Σε λίγο μας έστειλε δυο κεφάλια τυρί, ένα κοφίνι ρόδια, ένα κιουπάκι σταφίδες και ξερά σύκα και μιαν νταμιζάνα ρακή.

— Ορίστε ένα χαιρετισμό από τον καπετάν Μαυραντώνη, είπε ο φαμέγιος ξεφορτώνοντας το γαϊδουράκι· λίγο πράμα, λέει, και πολλή αγάπη!

Χαιρετήσαμε τον προεστό του χωριού με περίσσια εγκάρδια λόγια.

— Πολλά τα έτη σας! είπε απλώνοντας την παλάμη στο στήθος.

Κι άλλο δε μίλησε.

— Δε θέλει πολλές κουβέντες, μουρμούρισε ο Ζορμπάς· στυφός άνθρωπος.

— Περήφανος, είπα εγώ· μου αρέσει.

Φτάναμε πια· τα ρουθούνια του Ζορμπά έπαιζαν χαρούμενα. Η μαντάμ Ορτάνς, ως μας αγνάντεψε από το κατώφλι, έσυρε χαρούμενη φωνή και μπήκε μέσα.

Ο Ζορμπάς έστρωσε το τραπέζι στην αυλή, κάτω από τη μαδημένη κληματαριά. Έκοφε μεγάλες φέτες ψωμί, έφερε κρασί, έβαλε τα πιάτα και τα κουταλοπίρουνα. Στράφηκε, με κοίταξε με πονηριά, μου 'γνεφε κατά το τραπέζι: είχε βάλει τρία σερβίτσια!

— Κατάλαβες, αφεντικό; μου σφύριξε στο αυτί.

— Κατάλαβα, αποκρίθηκα· κατάλαβα, γερο-κολασμένε!

— Η γριά κότα έχει το ζουμί, είπε γλείφοντας τα χείλια του· κάτι ξέρω.

Πηγαινοέρχουνταν σβέλτος, τα μάτια του πετούσαν σπίθες, σιγομουρμούριζε παλιούς αμανέδες.

— Αυτό θα πει ζωή, αφεντικό· ζωή και κότα, έλεγε. Να, τώρα ενεργώ σα να 'ταν να πέθαινα ετούτη τη στιγμή· και βιάζουμαι να μην τα κακαρώσω πριν να φάω την κότα.

— Κοπιάστε στο τραπέζι! πρόσταξε η μαντάμ Ορτάνς. Σήκωσε το τσουκάλι κι ήρθε να το απιθώσει μπροστά μας. Μα απόμεινε με το στόμα ανοιχτό, είχε πάρει το μάτι της τα τρία σερβίτσια. Κατακοκκίνισε από την ευχαρίστηση· κοίταξε το Ζορμπά, και τα ξινά γαλάζια ματάκια της έπαιξαν.

— Πήραν φωτιά τα μπατζάκια της, μου κάνει σιγά ο Ζορμπάς.

Ύστερα, με μεγάλη ευγένεια, στράφηκε στη μαντάμα:

— Πεντάμορφη νεράιδα του γιαλού, είπε, είμαστε καραβοτσακισμένοι και μας έριξε η θάλασσα στο βασίλειό σου· καταδέξου να φας μαζί μας, γοργόνα μου!

Η γριά σαντέζα ανοιγοσφάληξε τη φαρδιάν αγκάλη, σα να 'θελε να μας πάρει μέσα και τους δυο, κουναροσείστηκε κι ακράγγιξε με περιπάθεια πρώτα το Ζορμπά κι ύστερα εμένα και γουργουρίζοντας έτρεξε στην κάμαρά της· σε λίγο νατη, κατάφτασε, σεινάμενη κουνάμενη, με την πιο καλή της τουαλέτα: ένα παλιό πράσινο βελούδο καταξεφτισμένο, με κίτρινα λιωμένα σιρίτια· το στήθος έμενε φιλόξενα ανοιχτό, κι είχε καρφώσει στη διχάλα ένα ξεφουντωμένο πάνινο τριαντάφυλλο. Στο χέρι της κρατούσε το κλουβί με τον παπαγάλο και το κρέμασε αντίκρα της στην κληματαριά.

Τη βάλαμε και κάθισε στη μέση· ο Ζορμπάς δεξιά, εγώ αριστερά της.

Πέσαμε κι οι τρεις με τα μούτρα στο φαΐ. Κάμποση ώρα δε βγάζαμε άχνα· ταΐζαμε με βιάση το γαϊδουράκι μας, το ποτίζαμε κρασί, γίνουνταν γρήγορα η θροφή αίμα, τα σωθικά στέριωναν, ο κόσμος ομόρφαινε, κι η γυναίκα δίπλα μας όλο και γίνουνταν πιο νέα κι οι ζάρες της αφανίζουνταν. Κι ο

κουναροσειέμαι: *λικνίζομαι ελαφρώς*

παπαγάλος που κρέμουνταν αντίκρυ μας, πράσινος, με κίτρινο στήθος, έσκυβε και μας κοίταζε και μας φαίνουνταν πότε σα μικροσκοπικό μαγεμένο ανθρωπάκι και πότε σαν την ψυχή της γριάς σαντέζας, με την ίδια πρασινοκίτρινη τουαλέτα. Κι απάνω από τα κεφάλια μας η ξεφυλλισμένη κληματαριά πέταξε ξαφνικά κάτι μεγάλα μαυρόρωγα σταφύλια.

Ο Ζορμπάς ένωσε τα χέρια, σα ν' αγκάλιαζε τον κόσμο.

— Μπρε, τι 'ναι ετούτο; φώναξε σαστισμένος. Πίνεις ένα ποτηράκι κρασί, κι ο κόσμος τα χάνει. Μωρέ, τι 'ναι η ζωή, αφεντικό; Στο Θεό σου, σταφύλια είναι αυτά που κρέμουνται από πάνω μας, αγγέλοι είναι, δεν ξεχωρίζω. Ἤ δεν είναι τίποτα, δεν υπάρχει τίποτα, μήτε κότα, μήτε νεράιδα, μήτε Κρήτη; Μίλα, αφεντικό, μίλα, μην παλαβώσω!

Ο Ζορμπάς είχε έρθει στο κέφι· τέλειωσε με την κότα, κοίταζε τώρα τη μαντάμ Ορτάνς με λαιμαργία. Τα μάτια του χιμούσαν απάνω της, ανέβαιναν, κατέβαιναν, τρύπωναν στο παραφουσκωμένο στήθος και το έφαχναν, σα χέρια. Έλαμπαν και τα ματάκια της κυράς μας, αγαπούσε το κρασάκι κι είχε σουρώσει κάμποσο. Και το σκανταλιάρικο δαιμόνιο του αμπελιού την είχε γυρίσει πίσω στα παλιά, είχε γίνει πάλι τρυφερή, ανοιχτόστηθη, ανοιχτόκαρδη, σηκώθηκε, αμπάρωσε την ξώπορτα, να μην τη βλέπουν οι χωριανοί –το «άγκριος άντρωπος», όπως τους έλεγε– άναφε ένα τσιγάρο κι άρχισε να βγάζει καπνούς δαχτυλίδια η ανασηκωμένη φραντσέζικη μυτίτσα.

Τέτοιες στιγμές όλες οι πόρτες της γυναίκας είναι ανοιχτές, οι φρουροί έχουν αποκοιμηθεί κι ένας καλός λόγος είναι παντοδύναμος, σαν το χρυσάφι ή σαν τον έρωτα.

Άναφα λοιπόν την πίπα μου κι είπα τον καλό λόγο:

— Μου θυμίζεις, να 'σαι καλά, μαντάμ Ορτάνς, τη Σάρα Μπερνάρ... όταν ήταν νέα. Τέτοια κομψότητα, χάρη, ευγένεια και τέτοια ομορφιά δεν περίμενα στον άγριο ετούτον τόπο. Ποιος Σαιξπήρος σ' έστειλε ανάμεσα εδώ στους ανθρωποφάγους;

— Σαιξπήρος; έκαμε ανοίγοντας τα ξεβαμμένα ματάκια της· τι Σαιξπήρος;

Ο νους της πέταξε φαχουλεύοντας στα θέατρα που είδε, έκαμε μια βόλτα στα καφέ σαντάν, από το Παρίσι ίσαμε το Μπερούτι, από κει γιαλό γιαλό στην Ανατολή, και ξάφνου θυμήθηκε – στην Αλεξάντρεια, μεγάλη σάλα, με πολυέλεους και βελουδένια καθίσματα, πλήθος άντρες και γυναίκες, γυμνές πλάτες, μυρωδιές, λουλούδια, κι άξαφνα άνοιξε η αυλαία και φάνηκε ένας φοβερός αράπακας...

— Τι Σαιξπήρος; έκαμε πάλι, χαρούμενη που επιτέλους θυμήθηκε· αυτός που τονε λένε κι Οθέλο;

— Αυτός. Ποιος Σαιξπήρος σ' έριξε, κυρά μου, στο άγριο ετούτο ακρογιάλι;

Κοίταξε γύρα της· οι πόρτες σφαληχτές, ο παπαγάλος κοιμόταν, τα κουνέλια έκαναν έρωτα, ήμασταν μόνοι. Κι άρχισε να μας ανοίγει την καρδιά της, όπως ανοίγουμε ένα παλιό σεντούκι, γεμάτο μπαχαρικά, κιτρινιασμένα ραβασάκια, παλιές τουαλέτες...

Μιλούσε τα ρωμαίικα τσάτρα πάτρα, μπέρδευε τις συλλαβές, ήθελε να πει ναύαρχος κι έλεγε νάβρακος και την επανάσταση την έλεγε ανάσταση. Όμως, ας είναι καλά το κρασί, τέλεια την καταλαβαίναμε, και πότε με βιας κρατούσαμε τα γέλια, πότε πάλι –το 'χαμε κιόλα τσούξει καμπόσο– μας έπαιρναν τα κλάματα.

— Λοιπόν (αυτά απάνω κάτω μας παραμυθολογούσε η γριά σειρήνα στην ευωδάτη αυλή της), λοιπόν, εγώ που βλέπετε ήμουν, αχ! μεγάλη και τρανή. Όχι, δεν ήμουν εγώ του καφέ αμάν, ήμουν φουμισμένη αρτίστα και φορούσα μεταξωτές κομπινεζόν με αληθινές δαντέλες. Μα ο έρωτας...

Αναστέναξε βαθιά. Κι άναψε καινούριο τσιγάρο από τη φωτιά του Ζορμπά.

— Αγάπησα ένα «νάβρακο». Η Κρήτη είχε πάλι «ανάσταση» κι οι στόλοι άραξαν στη Σούδα. Ύστερα από λίγες μέρες άραξα κι εγώ. Ε μεγαλεία! Έπρεπε να βλέπατε τους τέσσερους «νάβρακους», Αγγλίας, Γαλλίας, Ιταλίας, και το Ρούσο· όλο χρυσάφι, λουστρίνι παπούτσι και φτερά στο κεφάλι. Σαν κοκόροι. Μεγάλοι κοκόροι, 60 και 70 οκάδες ο καθένας· με ξέκαμαν. Και τι γένια! Σγουρά, ολομέταξα· μαύρα, ξανθά, φαρά, καστανά, και πώς μύριζαν! Καθένας είχε και τη μυρωδιά τη δικιά του, κι έτσι τους ξεχώριζα τη νύχτα· ο Εγγλέζος μύριζε κολόνια, ο Φραντσέζος βιολέτα, ο Ρούσος μόσκο κι η Ιταλία, αχ! η Ιταλία τρελαίνουνταν για το πατσουλί. Τι γένια, Χριστέ και Παναγιά μου, τι γένια!

»Πολλές φορές καθόμασταν κι οι πέντε στη «ναβρακίδα» και μιλούσαμε για την «ανάσταση», ντεκολτέ όλοι. Εγώ μ' ένα μεταξωτό πουκαμισάκι που κολνούσε απάνω μου, γιατί μου το περέχυναν σαμπάνια. Καλοκαίρι, βλέπεις. Μιλούσαμε λοιπόν για την «ανάσταση», σοβαρές κουβέντες, κι εγώ έπιανα τα γένια και τα παρακαλούσα να μη βομβαρδίζουν τα καημένα τα Κρητικάκια. Τα βλέπαμε με τα κιάλια, απάνω σ' ένα βράχο, κοντά στα Χανιά· μικρά μικρά σα μερμήγκια, με κάτι βρακάκια γαλάζια και κίτρινες μπότες. Και φώναζαν, φώναζαν ζήτω! ζήτω! κι είχαν και μια σημαία...

Τα καλάμια που έκαναν φράχτη στην αυλή κουνήθηκαν. Η παλιά ναυαρχομάχα σταμάτησε τρομαγμένη· ανάμεσα από τα καλάμια μικρά παμπόνηρα μάτια σπίθισαν. Τα παιδιά του χωριού είχαν μυριστεί το γλέντι μας και παρακάτσευαν.

Η σαντέζα έκαμε να σηκωθεί, μα δεν τα κατάφερε· είχε φάει και πιει πολύ, κάθισε κάτω ιδρωμένη. Ο Ζορμπάς άρπαξε από χάμω μιαν πέτρα· τα παιδιά σκόρπισαν γιουχαΐζοντας.

— Λέγε, κυρα-νεράιδα μου, λέγε, χρυσό μου! έκαμε ο Ζορμπάς, ζυγώνοντας την καρέκλα του.

— Έλεγα λοιπόν στον Ιταλό, που είχα και το περισσότερο θάρρος· του 'πιανα τα γένια και του 'λεγα: «Καναβάρο μου» –έτσι τον έλεγαν– «Καναβουράκι μου, μην κάμεις μπουμ! μπουμ! Μην κάμεις μπουμ! μπουμ!»

»Πόσες φορές εγώ που βλέπεις γλίτωσα τους Κρητικούς από το θάνατο! Πόσες φορές δεν ήταν τα κανόνια έτοιμα, κι εγώ κρατούσα τα γένια του «νάβρακου» και δεν τον άφηνα να κάμει μπουμ! μπουμ! Μα ποιος μου χρωστάει χάρη; Αν είδατε σεις παράσημο, είδα κι εγώ...

Θύμωσε η μαντάμ Ορτάνς για την αχαριστία των ανθρώπων, χτύπησε τη γροθίτσα της τη μαλακιά, τη ζαρωμένη, στο τραπέζι.

Κι ο Ζορμπάς άπλωσε στ' ανοιγμένα, πολυδουλεμένα γόνατα και τ' άρπαξε, τάχατε απάνω στη συγκίνηση, και φώναξε:

— Μπουμπουλίνα μου, να σε χαρώ, μην κάμεις μπουμ! μπουμ!

— Κάτω τα ξερά σου! έκαμε η κυρά μας χιχιρίζοντας· για ποια με πήρες, καλέ; Και του 'ριξε μιαν τρυφερή ματιά.

— Υπάρχει Θεός, έλεγε ο παμπόνηρος γεροξούρης, μη μου στενοχωριέσαι, Μπουμπουλίνα μου! Υπάρχει Θεός – εδώ είμαστε κι εμείς· μην αναστενάζεις.

Σήκωσε η γριά φραντσέζα τα ξινισμένα μπλάβα ματάκια της στον ουρανό, μα είδε τον παπαγάλο της που κοιμόταν στο κλουβί του, καταπράσινος.

— Καναβάρο μου, Καναβουράκι μου, γουργούρισε ερωτικά.

Κι ο παπαγάλος γνώρισε τη φωνή, άνοιξε τα μάτια, γαντζώθηκε από τα σύρματα του κλουβιού κι άρχισε να φωνάζει με βραχνή φωνή ανθρώπου που πνίγεται:

— Καναβάρο! Καναβάρο!

— Παρών! φώναξε ο Ζορμπάς κι άπλωσε πάλι το χέρι στα πολυδουλεμένα γόνατα, σα να 'θελε να κάμει κατοχή.

Η γριά σαντέζα τρίφτηκε στην καρέκλα κι άνοιξε πάλι το ζαρωμένο στοματάκι:

— Πολέμησα κι εγώ, στήθος με στήθος, παλικαρίσια. Μα ήρθαν κι οι κακές μέρες· η Κρήτη λευτερώθηκε, οι στόλοι πήραν διαταγή να φύγουν. «Τι θ' απογίνω εγώ» – ξεφώνιζα κι έπιανα τα τέσσερα γένια. «Πού θα με αφήσετε; Συνήθισα στα μεγαλεία, συνήθισα στις σαμπάνιες και στα κοτόπουλα, συνήθισα στα ναυτάκια που μου κάναν σχήμα, στα κανόνια που με κοίταζαν, να τα χαρώ! έτσι, πλαγιαστά, γεμάτα, σαν άντρες! Τι θ' απογίνω εγώ, τέσσερεις φορές χήρα, "νάβρακοί" μου;»

»Κι αυτοί γελούσαν –αχ, οι άντρες!– με γέμισαν λίρες εγγλέ-ζικες, λιρέτες, ρούβλια και φράγκα. Έβαλα στις κάλτσες μου και στον κόρφο μου και στα σκαρπινάκια. Κι έκλαιγα την τελευταία βραδιά και φώναζα. Κι οι «νάβρακοι» με λυπήθηκαν, γέμισαν την μπανιέρα σαμπάνια, με βούτηξαν μέσα κι έκανα μπροστά τους το μπάνιο μου –είχαμε, βλέπεις, το θάρρος– κι ύστερα βουτούσαν μέσα τα ποτήρια κι ήπιαν όλη τη σαμπάνια, καλή τους ώρα! Και μέθυσαν κι έσβησαν τα φώτα...

»Το πρωί μύριζα όλη, πατωσιές πατωσιές, βιολέτα, κολόνια, μόσκο και πατσουλί. Και τις τέσσερεις μεγάλες Δυνάμες –την Αγγλία, τη Ρουσία, τη Γαλλία, την Ιταλία– τις κρατούσα εδώ, εδώ στον κόρφο μου και τις έπαιζα, να, έτσι!

Κι άνοιγε η μαντάμ Ορτάνς τα κοντουλά παχουλά βραχιόνια της, και τ' ανέβαζε, τα κατέβαζε, σα να ταχτάριζε στα γόνατά της μωρό.

— Να, έτσι, έτσι! Κι άμα ξημέρωσε, άρχισαν οι κανονιές, σας ορκίζουμαι στην τιμή μου, άρχισαν οι κανονιές, και με πήρε μια άσπρη βάρκα με δώδεκα κουπιά και μ' έβγαλε έξω στα Χανιά...

Έπιασε το μαντιλάκι της κι άρχισε να κλαίει απαρηγόρητα.

— Μπουμπουλίνα μου, φώναξε ο Ζορμπάς κατασυγκινημένος, κλείσε τα ματάκια σου... Κλείσε τα ματάκια σου, χρυσό μου· εγώ είμαι ο Καναβάρο!

— Κάτω τα ξερά σου, σου λέω! έγρουξε πάλι η κυρά μας ναζλίδικα. Ορίστε μούτρα! Πού 'ναι οι χρυσές σπαλέτες, το τρικαντό, τα μυρωδάτα γένια; Αχ! Αχ!

Έσφιξε γλυκά το χέρι του Ζορμπά κι άρχισε πάλι να κλαίει. Δρόσισε. Σωπάσαμε. Η θάλασσα πέρα από τα καλάμια αναστέναξε τώρα ήσυχα, τρυφερά. Ο αγέρας είχε πέσει, ο ήλιος βασίλεψε. Δυο καλοθρεμμένα κοράκια πέρασαν από πάνω μας, και τα φτερά τους σούριξαν σα να σκίστηκε μεταξωτό πανί – το μεταξωτό πουκάμισο, να πούμε, μιας σαντέζας.

Το σούρουπο έπεφτε χρυσή σκόνη και πασπάλιζε την αυλή. Το τσουλούφι της μαντάμ Ορτάνς πήρε φωτιά και κουνιόταν βίαια στο βραδινό αγεράκι, σα να 'θελε να φύγει, να μεταδώσει

σπαλέτα: *επωμίδα στρατιωτικής στολής*
τρικαντό: *είδος καπέλου από μαύρο ύφασμα με τρεις κόχες, τρίκοχο*

την πυρκαγιά στ' αντικρινά κεφάλια. Τα μεσανοιγμένα στήθη της, τ' ανοιγμένα γεροντόπαχα γόνατά της, οι ζάρες του λαιμού της, τα ξεπατωμένα γοβάκια της γέμισαν χρυσάφι. Η γριά μας σειρήνα ανατρίχιασε. Μεσόκλεισε τα κοκκινισμένα από τα δάκρυα και το κρασί ματάκια της, και πότε κοίταζε εμένα, πότε το Ζορμπά, που με στεγνά τραγίσια χείλια αποκρεμιόταν στον κόρφο της. Μας κοίταζε και τους δυο ερωτηματικά –είχε σκοτεινιάσει πια για καλά– και προσπαθούσε να χωρίσει ποιος από τους δυο μας είναι ο Καναβάρο.

— Μπουμπουλίνα μου, της γουργούριζε με περιπάθεια ο Ζορμπάς, κι είχε τώρα καβαλικέψει το γόνατό του το γόνατό της· δεν υπάρχει Θεός, δεν υπάρχει διάολος, μη μου στενοχωριέσαι. Σήκωσε το κεφαλάκι σου, ακούμπησε το χεράκι σου στο μάγουλο και τράβα τον αμανέ, να πεθάνει ο Χάρος!

Ο Ζορμπάς είχε πάρει φωτιά! Με το δεξό του χέρι έστριβε το μουστάκι του, κι άπλωνε το ζερβό του στη ζαλισμένη σαντέζα. Μιλούσε με κομμένη αναπνοή και τα μάτια του είχαν γλαρώσει. Σίγουρα δεν έβλεπε τώρα πια μπροστά του τη βαμμένη ετούτη μπαλσαμωμένη γριά, παρά αλάκερο το «θηλυκό γένος», όπως συνήθιζε να λέει τη γυναίκα. Η ατομικότητα αφανίζουνταν, το πρόσωπο χάνουνταν, νέα ή σαράβαλο, όμορφη ή άσκημη, καταντούσαν παραλλαγές ασήμαντες· πίσω από κάθε γυναίκα ορθώνουνταν αυστηρό, ιερό, γεμάτο μυστήριο, το πρόσωπο της Αφροδίτης.

Αυτό το πρόσωπο έβλεπε ο Ζορμπάς, με αυτό μιλούσε, αυτό λαχτάριζε, κι η μαντάμ Ορτάνς ήταν μονάχα μια εφήμερη διάφανη μάσκα· κι ο Ζορμπάς την έσκιζε για να φιλήσει το αιώνιο στόμα.

— Σήκωσε το χιονάτο λαιμό σου, χρυσό μου, ξανάρχιζε παρακλητικά, λαχανιασμένη η φωνή του· σήκωσε το χιονάτο λαιμό σου, τράβα τον αμανέ!

Κι η γριά σαντέζα ακούμπησε το πολυπλάνητο, σκασμένο από τις μπουγάδες χέρι στο μάγουλό της και τα ματάκια της λιγώθηκαν, έσυρε μια θλιβερή αγριοφωνάρα κι άρχισε

το αγαπημένο της, χιλιοειπωμένο της τραγούδι, κοιτάζοντας
-είχε πια κάμει την εκλογή της- με λιγωμένα μάτια το Ζορμπά:

**«Εις το ρεύμα της ζωής μου
διατί να σε απαντήσω...»**

Κι ο Ζορμπάς τινάχτηκε, έφερε από μέσα το σαντούρι, κάθισε
διπλοπόδι χάμω, το 'γδυσε, το απίθωσε απάνω στα γόνατά του,
άπλωσε τις χερούκλες του.
— Ώχου! ώχου! μούγκρισε· πάρε μαχαίρι, σφάξε με, Μπου-
μπουλίνα μου!

Κι όταν άρχισε να πέφτει η νύχτα και κατρακύλησε στον
ουρανό ο Αποσπερίτης κι ακούστηκε η συνένοχη μαυλιστική
φωνή του σαντουριού, η μαντάμ Ορτάνς, παραγεμισμένη με
κότα και ρύζι και μύγδαλα καβουρντισμένα και κρασί, έγειρε
βαριά στον ώμο του Ζορμπά κι αναστέναξε. Τρίφτηκε αλαφριά
στις κοκαλιάρικές του πλάτες, χασμουρήθηκε, αναστέναξε πάλι.

Ο Ζορμπάς μου 'γνεφε· χαμήλωσε τη φωνή:
— Ανάφαν τα μπατζάκια της, αφεντικό· φεύγα!

IV

Ξημέρωσε

ο Θεός, άνοιξα τα μάτια κι ειδα αντίκρα μου το Ζορμπά να κάθεται διπλοπόδι στην άκρα του κρεβατιού του και να καπνίζει, σε βαθιά συλλογή. Κρατούσε στυλωμένα τα μικρά στρογγυλά του μάτια στο φεγγίτη μπροστά του, που είχε αρχίσει να γαλαχτώνεται από το φως της αυγής. Τα μάτια του ήταν πρισμένα, ο γυμνός λαιμός του ο κοκαλιάρικος τανύζουνταν μακρουλός, ανώμαλος, σαν όρνιου.

Είχα τραβηχτεί ενωρίς χτες βράδυ από το γλέντι και τον είχα αφήσει μονάχο με τη γριά γοργόνα.

— Φεύγω, είπα, καλή διασκέδαση, Ζορμπά· και καλή δύναμη!

— Στο καλό, αφεντικό, έκαμε ο Ζορμπάς· άφησέ μας εμάς να βγάλουμε τα μάτια μας.

Φαίνεται θα τα 'βγαλαν, γιατί στον ύπνο μου σα ν' άκουσα σιγανά γουργουρητά, και μια στιγμή σα να σείστηκε η διπλανή κάμαρα· ύστερα με πήρε πάλι ο ύπνος. Πέρα πια από τα μεσάνυχτα ένιωσα το Ζορμπά να μπαίνει ξυπόλυτος και να πέφτει στο στρώμα του ελαφριά ελαφριά, μη με ξυπνήσει.

Και τώρα, ξημερώματα, τον έβλεπα να κοιτάζει πέρα, κατά το φως, και το μάτι του δεν είχε ακόμα ανάφει· ένιωθες, ήταν βυθισμένος σε πηχτή αναγάλλια, δεν είχαν ακόμα μαδήσει από τα μελίγγια του οι φτέρουγες του ύπνου. Ήσυχα, παθητικά, παραδίνουνταν σ' ένα μισοσκότεινο, αργοκίνητο σα μέλι, ποτάμι· κυλούσε ο κόσμος, χώματα, νερά, λογισμοί, ανθρώποι, κατά μια θάλασσα μακρινή, κυλούσε κι ο Ζορμπάς μαζί του, χωρίς να φέρει αντίσταση, χωρίς να ρωτάει, ευτυχισμένος.

Το χωριό άρχιζε να ξυπνάει – βουή ανάκατη από κοκόρια, γουρούνια, γαϊδούρια, ανθρώπους. Έκαμα να τιναχτώ από το κρεβάτι, να φωνάξω: «Ε Ζορμπά, σήμερα έχουμε δουλειά!» μα ένιωθα κι εγώ πολλήν ευδαιμονία έτσι, αμίλητα, ακίνητα, να παραδίνουμαι στις αβέβαιες, ροδόφωτες υποβολές της αυγής. Όλη η ζωή στις μαγικές ετούτες στιγμές φαντάζει ανάλαφρη σαν πούπουλο, κι η γης άπηχτη, αναφούφουδη, σα σύννεφο που όλο κι αλλάζει μορφή και μεταπλάθεται στο φύσημα του ανέμου.

Έβλεπα το Ζορμπά να καπνίζει, ζούλεφα· άπλωσα το χέρι, πήρα την πίπα μου. Την κοίταξα με συγκίνηση· μου την είχε χαρίσει ο φίλος μου με τα γκριζοπράσινα μάτια, με τ' αρχοντικά μασουροδάχτυλα χέρια. Χρόνια τώρα, στην ξενιτιά, ένα μεσημέρι· είχε τελειώσει τις σπουδές του, έφευγε το βράδυ εκείνο για την Ελλάδα. «Παράτα το τσιγάρο», μου 'πε, «το ανάβεις, το καπνίζεις το μισό, το πετάς· σαν τις γυναίκες του δρόμου. Ντροπής πράματα. Παντρέφου την πίπα· ετούτη είναι η γυναίκα η πιστή· σα θα γυρίζεις σπίτι, αυτή θα σε περιμένει ασάλευτη. Και κοίταζε τον καπνό να δαχτυλιδώνεται στον αγέρα – να με θυμάσαι!»

Ήταν μεσημέρι, βγαίναμε από ένα μουσείο του Βερολίνου, όπου είχε πάει ν' αποχαιρετήσει τον αγαπημένο του «Πολεμιστή» του Ρέμπραντ, με το αφηλό προύντζινο κράνος, με τα χλωμά λιωμένα μάγουλα, με την αποφασιστικιά, θλιμμένη ματιά. «Αν θα κάνω ποτέ μια γενναία πράξη στη ζωή μου», μουρμούρισε κοιτάζοντας τον απροσκύνητο, ανέλπιδο πολεμιστή, «σε τούτον εδώ θα το χρωστώ...»

Βγήκαμε έξω, ακουμπήσαμε σε μιαν κολόνα στην αυλή του Μουσείου· αντίκρα μας ένα μαυρισμένο χάλκινο άγαλμα – μια γυμνή αμαζόνα που καβαλικεύει με άφραστη χάρη και σιγουράδα ένα γυμνό άλογο· κάποιο μικρό γκρίζο πουλί, μια σουσουράδα, κάθισε μια στιγμή στο κεφάλι της αμαζόνας, κούνησε βιαστικά την ουρά, σφύριξε δυο τρεις φορές περιγελαστικά, κι έφυγε.

Ανατρίχιασα· κοίταξα το φίλο μου: «Άκουσες το πουλί;» ρώτησα· «σαν κάτι να μας είπε κι έφυγε». «Πουλάκι 'ναι κι ας κελαηδεί, πουλάκι 'ναι κι ας λέει!» αποκρίθηκε ο φίλος μου και χαμογέλασε.

Πώς ανέβηκε σήμερα πρωί πρωί στο κρητικό ετούτο ακρογιάλι η μακρινή στιγμή εκείνη και ξεχείλισε πίκρα το νου μου! Γέμισα αγάλια την πίπα καπνό, άναφα.

Όλα έχουν ένα κρυφό νόημα στον κόσμο ετούτον, συλλογίστηκα. Όλα, άνθρωποι, ζώα, δέντρα, άστρα, είναι ιερογλυφικά, και χαρά σ' εκείνον, αλίμονο σ' εκείνον, που αρχίζει να τα συλλαβίζει και να μαντεύει τι λένε... Τη στιγμή που τα βλέπεις δεν καταλαβαίνεις· θαρρείς πως είναι άνθρωποι, ζώα, δέντρα, άστρα· μονάχα ύστερα από χρόνια, πολύ αργά, μπαίνεις στο νόημα.

Ο Πολεμιστής με το προύντζινο κράνος, ο φίλος μου που ακουμπούσε το θαμπό εκείνο μεσημέρι στην κολόνα, η σουσουράδα και τι μας είπε τιτυβίζοντας, κι ακόμα ο δημοτικός στίχος από το νεκρικό τραγούδι της Αρετής, όλα ετούτα, συλλογίζουμαι σήμερα, μπορεί να 'χουν κάποιο κρυφό νόημα· μα ποιο;

Παρακολουθούσα τον καπνό να στρουφίζεται, να ξεστρουφίζεται μέσα στο μεσόφωτο, να παιχνιδίζει μια στιγμή γαλάζιος, πολύπλοκος, και να χωνεύει αργά, να γίνεται αγέρας. Κι η ψυχή μου περιπλέκουνταν μαζί του, παιχνίδιζε και χάνουνταν κι ανέβαινε πάλι με τον καινούριο στρόβιλο του καπνού και ξαναχάνουνταν. Ώρα πολλή, και ζούσα κατάσαρκα, χωρίς τη μεσολάβηση του λογικού, με άφραστη βεβαιότητα, την αρχή, την ακμή και την εξαφάνιση του κόσμου. Βυθίζουμουν πάλι, μα χωρίς τώρα τις παραπλανητικές λέξεις και τα ξετσίπωτα σκοινοβατικά παιχνίδια του νου, στο Βούδα. Ετούτος ο καπνός είναι η ουσία της διδασκαλίας του, ετούτα τα εφήμερα μεταπλαθόμενα σχήματα είναι η ζωή που καταλήγει, ήσυχη, αθόρυβη, ευτυχισμένη, στη γαλάζια νιρβάνα... Δεν έκανα συλλογισμούς, δε μάχουμουν να βρω τίποτα, δεν είχα καμιά αμφιβολία· ζούσα τη βεβαιότητα. Στέναξα σιγά. Και σα να μ' έφερε ο στεναγμός αυτός στην τωρινή στιγμή, κοίταξα κι είδα γύρα μου την άθλια σανιδένια καμπίνα, ένα μικρό καθρεφτάκι που κρέμουνταν δίπλα μου στον τοίχο κι είχε πέσει απάνω του η πρώτη αχτίδα και πετούσε σπίθες· κι αντίκρα μου, απάνω στο στρώμα του, ανακαθιστός ο Ζορμπάς μου είχε γυρισμένη την πλάτη και κάπνιζε.

Και μονομιάς ξεπετάχτη μέσα μου, με όλες τις τραγικές, κωμικές της περιπέτειες, η χτεσινή μέρα. Μυρωδιές ξεθυμασμένης βιολέτας - βιολέτας, κολόνιας, μόσκου και πατσουλί· κι ένας παπαγάλος, μια ανθρώπινη ψυχή που 'γινε παπαγάλος και χτυπούσε τα φτερά στο σιδερένιο κλουβί και φώναζε· και μια γριά μαούνα που 'χε απομείνει από ολόκληρο στόλο κι αναθίβανε παμπάλαιες ναυμαχίες...

Ο Ζορμπάς άκουσε το στεναγμό μου, τίναξε το κεφάλι, στράφηκε:

— Κακά φερθήκαμε, μουρμούρισε· κακά φερθήκαμε, αφεντικό. Γέλασες, γέλασα κι εγώ, και μας είδε η κακομοίρα! Κι έτσι που έφυγες χωρίς να της ριχτείς, σα να 'ταν χιλιών χρονών μπαμπόγρια, τι ντροπή! Δεν είναι αυτά ευγένεια, αφεντικό, δε φέρνουνται έτσι οι άνθρωποι, όχι, και να με συμπαθάς! Γυναίκα είναι, μαθές, αδύνατο πλάσμα, παραπονιάρικο. Πάλι καλά που απόμεινα εγώ να την παρηγορήσω.

— Μα τι 'ναι αυτά, Ζορμπά, είπα γελώντας· με τα σωστά σου θαρρείς πως κάθε γυναίκα δεν έχει άλλο πράμα στο νου της;

— Όχι, δεν έχει άλλο πράμα στο νου της, αφεντικό. Άκου με εμένα που είδα κι έπαθα κι έκαμα πολλά κι έβαλα, ας πούμε, γνώση. Η γυναίκα δεν έχει άλλο πράμα στο νου της, είναι άρρωστο πράμα, σου λέω, παραπονιάρικο. Αν δεν της πεις

αναθιβάνω: *θυμάμαι, αναπολώ*

πως την αγαπάς και πως τη θες, αρχίζει τα κλάματα. Μπορεί να μη σε θέλει καθόλου, να σε σιχαίνεται μάλιστα, μπορεί να σου πει όχι· άλλο πράμα αυτό. Μπορεί. Μα θέλει πάντα όποιος τη δει να την πεθυμήσει. Αυτό θέλει η κακομοίρα, κάμε της λοιπόν το χατίρι!

»Εγώ είχα μια γιαγιά, θα 'ταν ογδόντα χρονών. Τα ιστορικά αυτής της γριάς είναι σωστό παραμύθι. Ας είναι, άλλο τροπάρι... Θα 'ταν τότε ως ογδόντα χρονών, κι αντίκρα στο σπίτι μας κάθουνταν μια κοπέλα όμορφη, σαν το κρύο το νερό, και την έλεγαν Κρουστάλλω. Κάθε σαββατόβραδο εμείς τα ξεπεταρούδια του χωριού πίναμε, ερχόμασταν στο κέφι, περνούσαμε ένα κλωνί βασιλικό στο αυτί μας, έπαιρνε ένας εξάδερφός μου τον ταμπουρά και της κάναμε καντάδα. Πάθος, σεβντάς, μουγκρίζαμε σα βουβάλια. Όλοι τη θέλαμε, και πηγαίναμε κάθε σαββατόβραδο, κοπάδι, να διαλέξει.

»Ε λοιπόν, θα το πιστέψεις, αφεντικό; Μυστήριο φοβερό η γυναίκα, κι έχει μιαν πληγή που δεν κλείνει ποτέ της. Όλες οι πληγές κλείνουν, αυτή δεν κλείνει, και μην ακούς, ποτέ της. Τι πως είναι ογδόντα χρονών η γυναίκα; Η πληγή ανοιχτή.

»Κάθε Σάββατο λοιπόν η γριά τραβούσε το μεντέρι της στο παραθύρι, έπαιρνε κρυφά το καθρεφτάκι, και δώστου χτένιζε όσα μαλλιά της είχαν απομείνει και τα 'κανε χωρίστρα. Κοίταζε γύρα κλεφτά, μην τη βλέπουμε· κι όταν κανένας μας ζύγωνε, μαζώνουνταν ήσυχη σα φραγκοπαναγιά κι έκανε τάχατε την κοιμισμένη. Μα πού να κοιμηθεί! Περίμενε την καντάδα. Ογδόντα χρονών! Καταλαβαίνεις τι μυστήριο η γυναίκα, αφεντικό; Εμένα μου 'ρχουνται τώρα τα κλάματα. Μα τότε ήμουν σερσέμης, δεν καταλάβαινα και γελούσα. Μια μέρα φούρκισα μαζί της, γιατί με μάλωνε που κυνηγούσα τις κοπέλες, και της τα 'φαλα κι εγώ καλά ένα χεράκι: "Τι μου τρίβεις με καρυδόφυλλο τα χείλια κάθε Σάββατο και μου

μεντέρι: *είδος χαμηλού ανατολίτικου καναπέ ή κρεβατιού που τοποθετείτο κατά μήκος ενός τοίχου, ντιβάνι*
σερσέμης: *άνθρωπος χαζός, ανόητος*

κάνεις χωρίστρα; Θαρρείς για σένα κάνουμε καντάδα; Εμείς την Κρουστάλλω θέμε· εσύ μυρίζεις λιβάνι!"

»Θα το πιστέφεις, αφεντικό; Τότε κατάλαβα για πρώτη φορά τι θα πει γυναίκα. Δυο πύρινα δάκρυα πετάχτηκαν από τα μάτια της γιαγιάς μου. Κουλουριάστηκε σα σκύλα κι έτρεμε το κατωσάγονό της. "Την Κρουστάλλω", φώναξα εγώ και τη ζύγωσα, ν' ακούσει καλύτερα· "την Κρουστάλλω!" Άγριο πράμα είναι η νιότη, απάνθρωπο, γιατί δεν καταλαβαίνει. Η γιαγιά μου σήκωσε τα ξυλιασμένα χέρια της στον ουρανό: "Την κατάρα μου να 'χεις από τα φύλλα της καρδιάς!" φώναξε. Κι από τη μέρα εκείνη η κακομοίρα η γιαγιά μου πήρε την κάτω βόλτα. Μαράζωσε, κι ύστερα από δυο μήνες έπεσε του θανατά. Την ώρα που ψυχομαχούσε με πήρε το μάτι της· φύσηξε σαν τη χελώνα κι άπλωσε το ξερό της να με αρπάξει: "Εσύ μ' έφαες", σούριξε, "εσύ μ' έφαες, αναθεματισμένε Αλέξη! Την κατάρα μου να 'χεις, κι ό,τι έπαθα, να το πάθεις!"

Ο Ζορμπάς γέλασε.

— Η κατάρα της γριάς βάβως έπιασε! είπε χαδεύοντας τα μουστάκια του. Έχω πατήσει, θαρρώ, τα εξήντα πέντε, μα εκατό χρονών να γίνω, γνώση δε θα βάλω· θα 'χω ακόμα ένα καθρεφτάκι στην τσέπη μου και θα κυνηγώ το θηλυκό γένος.

Γέλασε πάλι· πέταξε το τσιγάρο του από το φεγγίτη, αποταυρίστηκε.

— Έχω πολλά κουσούρια, είπε, μα αυτό θα με φάει!

Πήδηξε από το στρώμα του:

— Ας τ' αφήσουμε αυτά· πολλά είπαμε. Σήμερα, δουλειά!

Ντύθηκε γρήγορα γρήγορα, έβαλε τα χοντροπάπουτσά του, πετάχτηκε όξω στην αυλή.

Έσκυψα το κεφάλι στο στήθος, αναμαυλούσα τα λόγια του Ζορμπά, και ξαφνικά ανέβηκε στο νου μου μια μακρινή χιονισμένη πολιτεία, κι εγώ στέκουμουν και κοίταζα σε μιαν έκθεση του Ροντέν ένα τεράστιο προύντζινο χέρι, το «Χέρι του Θεού». Η απαλάμη ήταν μισοκλεισμένη, και μέσα στην απαλάμη, αλλοπαρμένοι, παλεύοντας, έσμιγαν ένας άντρας και μια γυναίκα.

Μια κοπέλα ζύγωσε και στάθηκε δίπλα μου· κοίταζε κι αυτή, ταραγμένη, το ανησυχαστικό αιώνιο σύμπλεγμα. Ήταν λιγνή, καλοδεμένη, με ξανθά πυκνά μαλλιά, δυνατό σαγόνι, φτενά σπαθάτα χείλη. Είχε κάτι το αποφασιστικό και το αντρίκειο. Κι εγώ που οχτρεύουμαι να πιάνω εύκολες κουβέντες, δεν ξέρω ποιο χέρι μ' έσπρωξε, στράφηκα και της μίλησα:

— Τι συλλογιέστε; τη ρώτησα.

— Να μπορούσε κανείς να ξεφύγει! μουρμούρισε με πείσμα.

— Πού να πάει; Το χέρι του Θεού είναι παντού. Σωτηρία δεν υπάρχει. Λυπάστε;

— Όχι. Μπορεί ο έρωτας να 'ναι η πιο σφοδρή χαρά απάνω στη γης. Μπορεί. Μα τώρα που βλέπω το προύντζινο αυτό χέρι, θα 'θελα να ξεφύγω.

— Προτιμάτε τη λευτεριά;

— Ναι.

— Κι αν τότε μονάχα είμαστε ελεύτεροι, όταν υπακούμε στο προύντζινο χέρι; Αν η λέξη «Θεός» δεν έχει την πρόχειρη έννοια που το πλήθος της δίνει;

Με κοίταξε ανήσυχη. Τα μάτια της ήταν γκρίζα μεταλλικά, τα χείλη της στεγνά και πικραμένα.

— Δεν καταλαβαίνω, είπε κι απομακρύνθηκε τρομαγμένη.

Χάθηκε. Από τότε πια ποτέ δεν ανέβηκε στο νου μου· όμως ζούσε φαίνεται μέσα μου και βύζαινε κάτω από την καταπαχτή του στήθους μου – και τώρα, στο έρημο ετούτο ακρογιάλι, πώς πρόβαλε από το σπλάχνο μου, ανήλιαγη, χλωμή, παραπονεμένη!

Φέρθηκα άσκημα, έχει δίκιο ο Ζορμπάς. Καλή 'ταν αφορμή το προύντζινο αυτό χέρι, καλά είχε αρχίσει η πρώτη επαφή, βολικά τα πρώτα λόγια, και μπορούσαμε σιγά σιγά, χωρίς κι οι δυο να το νιώσουμε, ή, κι αν το νιώθαμε, χωρίς να ντραπούμε, ν' αγκαλιαστούμε και να σμίξουμε ήσυχα στην απαλάμη του Θεού. Μα εγώ πήδηξα απότομα από τη γης στον ουρανό, κι η γυναίκα τρόμαξε κι έφυγε.

Ο γερο-κόκορας στην αυλή της μαντάμ Ορτάνς λάλησε· η μέρα πια έμπαινε κάτασπρη από το παραθυράκι· τινάχτηκα απάνω. Οι εργάτες είχαν αρχίσει να καταφτάνουν και να βροντούν κάτω τις τσάπες τους, τους λοστούς και τους κασμάδες. Άκουσα το Ζορμπά να δίνει διαταγές· είχε κιόλα μπει στη δουλειά, κι έβλεπες τον άνθρωπο που ήξερε να προστάζει κι αγαπούσε την ευθύνη.

Πρόβαλα το κεφάλι από το φεγγίτη και τον είδα να στέκεται, πανύψηλος μαντράχαλος, ανάμεσα σε μιαν τριανταριά μαυριδερούς λιγνομεσάτους βρακάδες· το μπράτσο του απλώνουνταν προσταχτικό, τα λόγια του ήταν λίγα και σταράτα· και μια στιγμή άρπαξε από το σβέρκο ένα νιούτσικο που μουρμούριζε και κοντοστέκουνταν.

— Έχεις να πεις τίποτα; του φώναξε· λέγε το δυνατά! Οι μουρμούρες δε μου αρέσουν. Η δουλειά θέλει κέφι· αν δεν έχεις, τράβα στον καφενέ!

Φάνηκε τη στιγμή αυτή η μαντάμ Ορτάνς· αναμαλλιάρα, φουσκομάγουλη, άβαφη, με βρόμικη φαρδιά πουκαμίσα, σούρνοντας κάτι μακριές ξεχαρβάλωτες κουντούρες. Έβηξε το βραχνό γαϊδουρόβηχα της γριάς σαντέζας· στάθηκε, κοίταξε με καμάρι το Ζορμπά· τα μάτια της θόλωσαν, ξανάβηξε πάλι για να την ακούσει και πέρασε κουνιστή, σουσουραδίζοντας, δίπλα από το Ζορμπά· παρά τρίχα και τον άγγιζε με το φαρδομάνικό της. Μα αυτός μήτε στράφηκε να τη δει. Πήρε από ένα εργάτη ένα κομμάτι κριθαροκουλούρα και μια φούχτα ελιές.

— Ομπρός, παιδιά, φώναξε, κάμετε το σταυρό σας· στο όνομα του Θεού!

Και τράβηξε την τσούρμα, με πλατιές δρασκελιές, γραμμή κατά το βουνό.

Δε θα στορήσω εδώ τις δουλειές του λιγνίτη· αυτό θέλει υπομονή, κι εγώ δεν έχω. Είχαμε στεριώσει με καλάμια, με λυγα-

---

κουντούρα: *είδος χαμηλού υποδήματος, παντόφλα*

ριές και γκαζοτενεκέδες μιαν παράγκα κοντά στη θάλασσα·
χαράματα ξυπνούσε ο Ζορμπάς, άρπαζε τον κασμά, πήγαινε
ομπρός από τους εργάτες, άνοιγε μια γαλαρία, την παρατούσε,
έβρισκε μια φλέβα λιγνίτη λαμπερό σαν πετροκάρβουνο, χόρευε
από τη χαρά του· μα σε λίγες μέρες το φιλόνι χάνουνταν κι
ο Ζορμπάς έπεφτε ανάσκελα κι έδινε χεροπόδαρα μούντζες
στον ουρανό.

Είχε πάρει τη δουλειά κατάκαρδα· μήτε με ρωτούσε πια.
Από τις πρώτες μέρες αλάκερη η έγνοια κι η ευθύνη μετατο-
πίστηκαν από τα χέρια μου στα χέρια του. Αυτός ανέλαβε ν'
αποφασίζει και να εχτελεί· εγώ μονάχα ανέλαβα να πλερώνω
τα σπασμένα, χωρίς και μεγάλη στενοχώρια· γιατί, το 'νιωθα
καλά, οι μήνες ετούτοι θα 'ταν από τους πιο ευτυχισμένους της
ζωής μου· κι έτσι, κάνοντας το λογαριασμό, ένιωθα πως την
ευτυχία μου την αγόραζα πολύ φτηνά.

Ο παππούς μου, από τη γενιά της μητέρας μου, σ' ένα χωριό
της Κρήτης, έπαιρνε κάθε βράδυ το φανάρι και γύριζε μια
βόλτα το χωριό να δει μπας κι ήρθε κανένας ξένος· τον κουβα-
λούσε σπίτι, του 'δινε μπόλικα κι έτρωε κι έπινε, κάθουνταν
έπειτα στο μεντέρι, άναβε το μακρύ τσιμπούκι, γυρνούσε προς
το μουσαφίρη του −είχε φτάσει η ώρα της πλερωμής− και του
'λεγε προσταχτικά: «Λέγε!» «Τι να πω, γερο-Μουστογιώργη;»
«Τι είσαι, ποιος είσαι, από πού έρχεσαι, τι χώρες και χωριά είδαν
τα μάτια σου· όλα, όλα να τα πεις. Εμπρός, λέγε!»

Κι άρχιζε ο μουσαφίρης να λέει αλήθειες και φευτιές
ανάκατα, κι ο παππούς μου κάπνιζε το τσιμπούκι κι άκουγε
και ταξίδευε μαζί του, ήσυχα καθούμενος στο μεντέρι. Κι αν
του άρεσε ο μουσαφίρης, του 'λεγε: «Θα μείνεις κι αύριο, δε
φεύγεις. Έχεις κι άλλα να πεις».

Δεν είχε ξεπορτίσει ποτέ ο παππούς μου από το χωριό του·
μήτε στο Μεγάλο Κάστρο είχε πάει μήτε στο Ρέθεμνος. «Τι να
πάω;» έλεγε· «από δω περνούν Ρεθεμνιώτες και Καστρινοί,

φιλόνι: *φλέβα μεταλλεύματος, υπόγειο κοίτασμα μετάλλου*

έρχεται το Ρέθεμνος και το Κάστρο στο σπίτι μου, ας είναι καλά. Τι ανάγκη έχω να πάω εγώ;»
Συνεχίζω τώρα κι εγώ, εδώ στο κρητικό ακρογιάλι, το μεράκι του παππού μου. Βρήκα κι εγώ, σα να τον είχα ζητήσει με το φανάρι, ένα μουσαφίρη, δεν τον αφήνω να φύγει, μου κοστίζει πολύ πιο ακριβά από ένα δείπνο, μα το αξίζει. Κάθε βράδυ τον περιμένω να σκολάσει, τον βάζω να καθίσει αντίκρα μου, τρώμε, έρχεται η ώρα της πλερωμής, του λέω: «Λέγε!» Καπνίζω την πίπα μου κι ακούω· έχει πολύ γυρίσει τη γης ο μουσαφίρης ετούτος, έχει πολύ γυρίσει την ψυχή του ανθρώπου, δε χορταίνω να τον ακούω. «Λέγε, Ζορμπά, λέγε!»
Κι όλη η Μακεδονία ξανοίγεται μπροστά μου, απλώνεται στο μικρό χώρο ανάμεσα Ζορμπά κι εμένα, με τα βουνά, τα δάση και τα νερά της, τους κομιτατζήδες της, τις δουλευταρούδες αντρογυναίκες και τους τραχιούς μονοκόμματους άντρες... Και πότε το Αγιονόρος με τα είκοσι ένα μοναστήρια του και τους ταρσανάδες, και τους χοντρόκωλους κηφήνες. Ξετινάζει ο Ζορμπάς το γιακά του τελειώνοντας τις αγιορείτικες ιστορίες του, και λέει σπώντας στα γέλια: «Ο Θεός να σε φυλάει, αφεντικό, από τα πισινά του μουλαριού κι από τα μπροστινά του καλόγερου!»
Με σεριανάει κάθε βράδυ ο Ζορμπάς στην Ελλάδα, στη Βουλγαρία, στην Πόλη, σφαλνώ τα μάτια και βλέπω. Έχει γυρίσει τα μπερδεμένα αυτά, πολυβασανισμένα Μπαλκάνια, και το μικρό του μάτι τα σβάρνισε όλα, γρήγορα, κοφτά, σα γερακιού. Γουρλώνει κάθε τόσο τα μάτια, πράματα, που τα 'χουμε εμείς συνηθίσει και τα προσπερνούμε αδιάφοροι, ορθώνουνται μπροστά από το Ζορμπά σα φοβερά αινίγματα. Βλέπει μια γυναίκα να περνάει, και σταματάει με τρόμο: «Τι μυστήριο είναι ετούτο;» ρωτάει. «Τι θα πει γυναίκα, και γιατί να λασκάρει έτσι τις βίδες του μυαλού μας; Τι 'ναι πάλι αυτό – δε μου λες;»
Όμοια γουρλώνει και ρωτάει κοιτάζοντας με κατάπληξη έναν

ταρσανάς: καραβοστάσι, ναυπηγείο

άνθρωπο, ένα ανθισμένο δέντρο, ένα ποτήρι δροσερό νερό. Όλα τα βλέπει ο Ζορμπάς, κάθε μέρα, για πρώτη φορά.

Όταν χτες καθίσαμε απόξω από την παράγκα κι ήπιε ένα ποτήρι κρασί, στράφηκε και με κοίταξε τρομαγμένος:

— Τι 'ναι πάλι αυτό το κόκκινο νερό, αφεντικό – δε μου λες; Ένα παλιοκούτσουρο πετάει βλαστούς, κρέμουνται κάτι ξινά μπιχλιμπίδια, κι ο καιρός περνάει, ο ήλιος τα φήνει, γίνουνται γλυκά, σαν το μέλι, και τα λέμε τότε σταφύλια· τα πατούμε, βγάζουμε το ζουμί τους, το βάζουμε στα βαρέλια, βράζει μοναχό του, το ανοίγουμε του Αϊ-Γιώργη του Μεθυστή τον Οχτώβρη, και βγαίνει κρασί! Τι θάμα είναι πάλι αυτό; Το πίνεις, το κόκκινο αυτό ζουμί, κι η ψυχή μεγαλώνει, δεν τη χωράει πια το παλιοτόμαρο, αντροκαλιέται το Θεό να παλέφουν. Τι 'ναι αυτά, αφεντικό, δε μου λες;

Δε μιλούσα· ένιωθα, γρικώντας το Ζορμπά, ν' ανανιώνεται η παρθενιά του κόσμου. Όλα τα καθημερινά και τα ξεθωριασμένα ξανάπαιρναν τη λάμψη που είχαν τις πρώτες μέρες που βγήκαν από τα χέρια του Θεού. Το νερό, η γυναίκα, το άστρο, το ψωμί, ξαναγύριζαν στην αρχέγονη, μυστηριώδη πηγή, και ξανάπαιρνε φόρα στον αγέρα ο θείος τροχός.

Να γιατί, κάθε βράδυ, ξαπλωμένος στα χαλίκια του γιαλού, περίμενα το Ζορμπά με λαχτάρα. Με το ανοιχτό ξεκουρδισμένο περπάτημα, γεμάτος λάσπη, πασπαλισμένος κάρβουνο, τον έβλεπα να ξεπορίζει σαν τεράστιος πόντικας από τα σπλάχνα της γης. Από μακριά καταλάβαινα πώς πήγαν σήμερα οι δουλειές· από το ανάριμμα του κορμιού του, από τη χαμηλωμένη ή ανασηκωμένη ψηλά κεφάλα του, από τον τρόπο που κουνούσε τις μακριές του χερούκλες.

Στην αρχή πήγαινα κι εγώ μαζί του, παρακολουθούσα τους εργάτες· μάχουμουν να πάρω καινούριο δρόμο, να ενδιαφερθώ για τις πραχτικές δουλειές, να γνωρίσω, να

ξεπορίζω: *ξεπετάγομαι, διακρίνομαι, φαίνομαι*
ανάριμμα: *οι γραμμές του σώματος, η στάση του κορμιού, κορμοστασιά*

αγαπήσω το ανθρώπινο υλικό που έπεσε στα χέρια μου· να δοκιμάσω τη μακροπόθητη χαρά να μην έχω να κάνω πια με λέξες παρά με ζωντανούς ανθρώπους. Κι έκανα ρομαντικά σχέδια, να πάνε, λέει, καλά οι δουλειές του λιγνίτη, να οργανώσουμε ένα είδος κομούνα, όπου όλοι να δουλεύουμε, όλα να 'ναι κοινά, να τρώμε μαζί όλοι το ίδιο φαΐ, να ντυνόμαστε τα ίδια ρούχα, σαν αδέρφια. Μιαν καινούρια κοινωνία έπλαθα στο νου μου, το προζύμι μιας καινούριας συμβίωσης των ανθρώπων...

Μα δεν αποφάσιζα ακόμα να φανερώσω τα σχέδιά μου στο Ζορμπά. Τον έβλεπα να με κοιτάζει απορημένος να τρογυρίζω ανάμεσα στους εργάτες, να ρωτώ, να επεμβαίνω και να παίρνω πάντα το μέρος του εργάτη. Ο Ζορμπάς σούφρωνε τα χείλια:

— Αφεντικό, μου 'λεγε, δεν πας να σεριανίσεις έξω; Ήλιος, χαρά Θεού, πήγαινε!

Μα εγώ, τον πρώτο καιρό, επέμενα, δεν έφευγα. Ρωτούσα, κουβέντιαζα, ήξερα τα ιστορικά του κάθε εργάτη: τα παιδιά που είχαν να θρέφουν, τις αδερφάδες που είχαν να παντρέφουν, τους γέρους ανήμπορους γονιούς. Τις έγνοιες, τις αρρώστιες, τα βάσανα.

— Μην ξεσκαλίζεις τα ιστορικά τους, αφεντικό, μου 'λεγε ο Ζορμπάς κατσουφιασμένος· θα πιαστεί η καρδιά σου, θα τους αγαπήσεις περισσότερο απ' ό,τι πρέπει κι από ό,τι συφέρει στη δουλειά μας· κι ό,τι κι αν κάνουν, θα τους το συχωρνάς... Και τότε, αλίμονο, η δουλειά θα πάει κατά διαόλου, και να το ξέρεις. Το σκληρό αφεντικό οι εργάτες το φοβούνται, το σέβουνται και δουλεύουν, το μαλακό αφεντικό το καβαλικεύουν και τεμπελιάζουν. Κατάλαβες;

Και μια άλλη βραδιά, σα σκόλασε, πέταξε τον κασμά του απόξω από την παράγκα αγαναχτισμένος.

— Ε αφεντικό, σε παρακαλώ, μην ανακατεύεσαι. Εγώ χτίζω, και του λόγου σου χαλνάς. Τι 'ναι πάλι αυτά που τους έλεγες σήμερα; Σοσιαλισμός και κοροφέξαλα! Ιεροκήρυκας είσαι μαθές ή κεφαλαιούχος; Πρέπει να διαλέξεις.

Μα πού να διαλέξω! Μ' έτρωγε η απλοϊκή λαχτάρα να τα συνδυάσω και τα δυο, να βρω τη σύνθεση όπου να αδερφωθούν οι θανάσιμες αντίθεσες και να κερδίσω την επίγεια ζωή και τη βασιλεία των ουρανών. Χρόνια τώρα, από μικρός.

Όταν ήμουν ακόμα στο σκολειό, έκαμα με τους πιο στενούς μου φίλους μια μυστική «Φιλική Εταιρεία», έτσι τη λέγαμε, κι ορκιστήκαμε, κλειδωμένοι μέσα στην κάμαρά μου, πως όλη μας τη ζωή θα την αφιερώναμε να πολεμούμε την αδικία. Κι έτρεχαν χοντρά τα κλάματα από τα μάτια μας, τη στιγμή που βάζαμε το χέρι απάνω στην καρδιά μας και δίναμε τον όρκο.

Παιδιακίσια ιδανικά, όμως αλίμονο στον άνθρωπο που τ' ακούει και γελάει! Όταν βλέπω πού κατάντησαν τα μέλη της «Φιλικής Εταιρείας» –γιατρουδάκια, δικηγοράκια, εμποράκια, πολιτικάντηδες, γαζετατζήδες– σφίγγεται η καρδιά μου. Τραχύ είναι, φαίνεται, σκληρό πολύ το κλίμα της γης ετούτης, κι οι πιο πολύτιμοι σπόροι δεν πετούν φύτρο ή πνίγουνται από τα χαμομήλια και τις τσουκνίδες. Κι όμως, καθώς βλέπω, δεν έβαλα ακόμα γνώση· και τώρα ακόμα, δόξα σοι ο Θεός! είμαι έτοιμος για δονκιχωτικές εκστρατείες.

Την Κυριακή συγυριζόμασταν κι οι δυο σα γαμπροί, ξουριζόμασταν, βάζαμε καθαρό άσπρο πουκάμισο και πηγαίναμε κατά το δειλινό στης μαντάμ Ορτάνς. Μας έσφαζε κάθε Κυριακή μιαν κότα, καθίζαμε κι οι τρεις πάλι, τρώγαμε και πίναμε, άπλωνε ο Ζορμπάς τις μακριές του χερούκλες απάνω στον καλολίμανο κόρφο της κυράς κι έκανε κατοχή. Κι όταν, νύχτα πια, γυρίζαμε στο ακρογιάλι μας, η ζωή μάς φαίνουνταν καλοπροαίρετη, μπατάλικη γριά, μα νόστιμη πολύ και φιλόξενη, σαν τη μαντάμ Ορτάνς.

Μιαν τέτοια Κυριακή, γυρίζοντας από το πλούσιο φαγοπότι, αποφάσισα ν' ανοίξω το στόμα μου και να μπιστευτώ τα σχέδιά μου στο Ζορμπά. Με άκουγε με ανοιχτό το στόμα, έκανε υπομονή, κάπου κάπου μονάχα κουνούσε αγριεμένα την κεφάλα του· ευτύς από τα πρώτα μου λόγια είχε ξεμεθύσει, το μυαλό του καθάρισε, και σαν τέλειωσα, ξερίζωσε νευριασμένα δυο τρίχες από το μουστάκι του.

— Να με συμπαθάς, αφεντικό, είπε, μα θαρρώ πως τα μυαλά σου είναι κουρκούτι. Πόσων χρονών είσαι;

— Τριάντα πέντε.

— Ε, τότε δε θα πήξουν ποτέ, είπε κι έσπασε στα γέλια.

Πεισμάτωσα, θύμωσα:

— Δεν πιστεύεις εσύ στον άνθρωπο;

— Μη θυμώνεις, αφεντικό. Όχι, δεν πιστεύω τίποτα. Αν πίστευα στον άνθρωπο, θα πίστευα και στο Θεό, θα πίστευα και στο διάολο· κι είναι μεγάλη φασαρία. Μπερδεύουνται τα πράματα, αφεντικό, βρίσκω τον μπελά μου. Σώπασε. Έβγαλε το σκούφο του, έξυσε το κεφάλι του με μανία, τράβηξε πάλι τα μουστάκια του, σα να 'θελε να τα ξεριζώσει· ήθελε κάτι να πει, μα κρατιόταν. Με κοίταξε με την κόχη του ματιού, με ξανακοίταξε, πήρε απόφαση.

— Ο άνθρωπος είναι χτήνος! φώναξε και χτύπησε με θυμό το ραβδί του στις πέτρες. Μεγάλο χτήνος. Δεν το ξέρει η ευγενεία σου, σου ήρθαν μαθές όλα βολικά, μα ρώτα και μένα· χτήνος, σου λέω! Του 'καμες κακό; Σε σέβεται και σε τρέμει. Του 'καμες καλό; Σου βγάζει τα μάτια.

»Κράτα την απόσταση, αφεντικό! Μη δίνεις θάρρος στους ανθρώπους, μην τους λες πως όλοι είμαστε ένα, πως όλοι έχουμε τα ίδια δικαιώματα· γιατί ευτύς θα σου πατήσουν το δίκιο σου, θα σου αρπάξουν το ψωμί σου και θα σε αφήσουν να φοφήσεις της πείνας. Κράτα την απόσταση, αφεντικό, το καλό που σου θέλω!

— Μα δεν πιστεύεις εσύ σε τίποτα; έκαμα φουρκισμένος.

— Όχι, δεν πιστεύω σε τίποτα – πόσες φορές να σου το πω; Δεν πιστεύω σε τίποτα, μήτε σε κανένα, παρά μονάχα στο Ζορμπά. Όχι γιατί ο Ζορμπάς είναι καλύτερος από τους άλλους, καθόλου, μα καθόλου! Χτήνος κι αυτός. Μα πιστεύω στο Ζορμπά, γιατί αυτόν μονάχα έχω στην εξουσία μου, αυτόν μονάχα ξέρω, όλοι οι άλλοι φαντάσματα. Με τα μάτια του βλέπω, με τ' αυτιά του ακούω, με τ' άντερά του χωνεύω. Όλοι οι άλλοι, σου λέω, φαντάσματα. Άμα θα πεθάνω εγώ, όλα πεθαίνουν. Όλος ο Ζορμπαδόκοσμος πάει στο φούντο!

— Μωρέ εγωισμός! είπα σαρκάζοντας.

— Τι να κάμω, αφεντικό; Αυτό είναι. Κουκιά έφαγα, κουκιά μολογώ. Ζορμπάς είμαι, ζορμπάδικα μιλώ.

Δε μίλησα. Έπεσαν απάνω μου μαστιγιές τα λόγια του Ζορμπά. Τον καμάρωνα που ήταν έτσι δυνατός και μπορούσε να σιχαίνεται τόσο τους ανθρώπους, και συνάμα να 'χει τόσο κέφι να ζει και να παλεύει μαζί τους. Εγώ ή θα γίνουμουν ασκητής ή θα στόλιζα με φεύτικα φτερά τους ανθρώπους, για να τους ανέχουμαι.

Ο Ζορμπάς στράφηκε, με κοίταξε· στο αστρόφεγγο ξέκρινα το στόμα του να χαμογελάει πλατιά, κι έφτανε το χαμόγελο ίσαμε τ' αυτιά του.

— Σε πείραξα, αφεντικό; είπε και κοντοστάθηκε.

Είχαμε πια φτάσει στην παράγκα.

Δεν αποκρίθηκα· ο νους μου ήταν σύμφωνος με το Ζορμπά, μα η καρδιά μου αντιστέκουνταν· ήθελε αυτή να πάρει φόρα, να ξεφύγει από το χτήνος, ν' ανοίξει δρόμο.

— Δε νυστάζω απόψε, Ζορμπά, είπα· τράβα του λόγου σου να κοιμηθείς.

Τ' άστρα έτρεμαν, η θάλασσα αναστέναζε ήσυχα κι έγλειφε τα χοχλάδια· μια λαμπηδόνα άναφε κάτω από την κοιλιά της το ερωτικό πρασινόχρυσο φαναράκι της· τα μαλλιά της νύχτας έσταζαν δροσούλα.

Ξάπλωσα στο γιαλό, βυθίστηκα στη σιγή, χωρίς να στοχάζουμαι τίποτα· γίνηκα ένα με τη νύχτα και με τη θάλασσα, μια λαμπηδόνα ήταν η ψυχή μου, που άναφε το ερωτικό της φαναράκι, κάθισε απάνω στα ογρά μαύρα χώματα και περίμενε.

Τ' άστρα μετατοπίζουνταν, οι ώρες περνούσαν – κι όταν

χοχλάδι: *βότσαλο, χαλίκι*
λαμπηδόνα: *πυγολαμπίδα*

σηκώθηκα, είχα μέσα μου, χωρίς να το καταλάβω πώς, χαράξει τελειωτικά το διπλό χρέος που έπρεπε να τελέψω στο ακρογιάλι ετούτο:

α΄ Να γλιτώσω από το Βούδα, να ξεφορτώσω στις λέξες όλες μου τις μεταφυσικές έγνοιες και ν' αλαφρώσω·

β΄ Να 'ρθω, από τώρα και πέρα, σε νηφάλια, θερμή επαφή με τους ανθρώπους.

Ίσως, έλεγα, να 'ταν ακόμα καιρός.

V

— Αν έχετε,

λέει, την ευχαρίστηση να κοπιάσετε στο σπίτι του μπαρμπα-Αναγνώστη, του δημογέροντα, να πάρετε ένα μεζεδάκι. Ο καθαριστής θα περάσει σήμερα από το χωριό να μουνουχίσει τους χοίρους· η κυρα-Αναγνώσταινα θα σας ψήσει, λέει, τ' αμολόητα, να πείτε και χρόνια πολλά για το εγγονάκι τους, το Μηνά, που 'χει σήμερα τη γιορτή του.

Χαρά μεγάλη να μπαίνεις σ' ένα χωριάτικο κρητικό σπίτι· όλα γύρα πατριαρχικά, αιώνια: το τζάκι, ένα λυχνάρι κρεμασμένο δίπλα στο τζάκι, πιθάρια με λάδι και γεννήματα, και ζερβά ως μπαίνουμε, σ' ένα κούφωμα του τοίχου, στο σταμνοστάτη, το σταμνί με το δροσερό νερό, ταπωμένο με σταμναγκάθι. Στα δοκάρια κρέμουνται αρμαθιές κυδώνια και ρόδια και μυρωδάτα βότανα – φασκόμηλο, δυόσμο, δεντρολίβανο, θρούμπα. Στο βάθος, τρία τέσσερα σκαλοπάτια, κι ανεβαίνεις στο σοφά, όπου είναι το στριποδένιο κρεβάτι, κι από πάνω τ' άγια κονίσματα με το αναμμένο καντήλι. Το σπίτι σού φαίνεται αδειανό, κι όμως τα 'χει όλα· τόσο λίγα πράματα έχει ανάγκη ο σωστός άνθρωπος.

Η μέρα ήταν χαρά Θεού, γλυκύτατος, πράος ο χινοπωριάτικος ήλιος. Καθίσαμε απόξω από το σπίτι, στο σώχωρο,

---

σταμνοστάτης: *τεχνητό κοίλωμα σε τοίχο όπου τοποθετείται πλαγιαστά η στάμνα προκειμένου να διευκολύνεται το άδειασμα του νερού* κάτω από μιαν κατάκαρπη ελιά. Ανάμεσα από τ' ασημένια φύλλα διακρίναμε πέρα τη θάλασσα ήσυχη, πηχτή, να στραφταλίζει. Ανάρια σύννεφα περνούσαν από πάνω μας, κι έτσι που σκέπαζαν ξεσκέπαζαν τον ήλιο, θαρρούσες πως ο κόσμος ανάπνεε, μια χαρούμενος, μια θλιμμένος.

Στην άλλη άκρα του σώχωρου, σ' ένα μικρό μαντράκι, ακούγαμε το μουνουχισμένο χοίρο να μας ξεκουφαίνει· μούγκριζε από τον πόνο· και μέσα από το τζάκι μάς έρχουνταν μυρωδιά από τ' αμολόητά του, που φήνουνταν στη θράκα. Μιλούσαμε για τα αιώνια: τα σπαρμένα, τ' αμπέλια, τη βροχή. Φωνάζαμε, γιατί ο γερο-προεστός δεν καλάκουγε· είχε, λέει, πολύ περήφανο το αυτί. Γλυκιά η κουβέντα του μπαρμπα-Αναγνώστη, ήσυχη η ζωή του, σα δέντρου σε απάνεμη λακκούβα. Γεννήθηκε, μεγάλωσε, παντρεύτηκε· έκαμε παιδιά, έπιασε αγγόνια· πέθαναν κάμποσα, μα ζουν άλλα, εξασφαλίστηκε το σόι.

Θυμήθηκε ο γερο-Κρητικός τα παλιά, τα χρόνια της Τουρκιάς, αναστορήθηκε τα λόγια του κυρού του· τα θάματα που γίνουνταν την εποχή εκείνη, γιατί οι άνθρωποι ήταν θεοφοβούμενοι και πίστευαν.

— Να, εγώ που θωρείτε, εγώ ο μπαρμπα-Αναγνώστης, από θάμα γεννήθηκα. Ναίσκε, από θάμα. Και να σας στορήσω το πώς, να θαμάξετε και να πείτε: «Μήστητί μου, Κύριε!» και να πάτε στο μοναστήρι της Παναγιάς μας να της ανάφετε ένα κερί.

Έκαμε το σταυρό του κι άρχισε ήσυχα ήσυχα με τη γλυκιά φωνή του:

— Στο χωριό μας, το λοιπόν, που λέτε, ήταν την εποχή εκείνη μια πλούσια Τουρκάλα – πίσσα στα κόκαλά της! Μα να που γκαστρώθηκε η αναθεματισμένη κι ήρθε ο καιρός της να γεννήσει. Τη βάλανε στα σκαμνιά, και μούγκριζε σαν τη μουσκάρα τρεις μέρες και τρεις νύχτες. Μα το παιδί δεν έβγαινε. Μια φιλενάδα της –πίσσα στα κόκαλά της!– της κάνει: «Δε φωνάζεις, Τζαφέρ-χανούμ, και τη Μεϊρέ-μάνα;» Μεϊρέ-μάνα λεν οι Τούρκοι την Παναγία, μεγάλη η χάρη της! «Αυτή να φωνάξω;» μούγκρισε η σκύλα η Τζαφέραινα· αυτή; Κάλλιο να πεθάνω!» Μα οι πόνοι ήταν μεγάλοι. Πέρασε ένα μερονύχτι ακόμα, μούγκριζε, μα δε γεννούσε. Τι να κάμει; Δε βαστούσε πια τους πόνους, έσυρε φωνή: «Μεϊρέ-μάνα! Μεϊρέ-μάνα!» Φώναζε, φώναζε, μα οι πόνοι δε σκολνούσαν, το παιδί δεν έβγαινε. «Δεν ακούει», είπε η φιλενάδα, «δε θα κατέχει τούρκικα· κράξε τη με το ρωμαίικό της τ᾽ όνομα». «Παναγιά των Ρωμιών!» έσυρε τότε φωνή η σκύλα, «Παναγιά των Ρωμιών!» μα του κάκου· οι πόνοι πλήθαιναν· «Δεν της φωνάζεις καλά, Τζαφέρ χανούμ», είπε πάλι η φιλενάδα· «δεν της φωνάζεις καλά, και δεν έρχεται». Και τότε πια η σκύλα η χριστιανομάχα, βλέποντας τα κίντυνα, έσυρε φωνή μεγάλη: «Παναγία μου!» και μονομιάς γλίστρηξε το παιδί από την κοιλιά, σα χέλι.

»Αυτό γίνηκε μιαν Κυριακή· και να δείτε το τυχερό: την άλλη Κυριακή, κι η μάνα μου κοιλοπονούσε. Πονούσε κι αυτή η κακομοίρα, πονούσε, μούγκριζε η μάνα μου. Φώναζε: "Παναγία μου! Παναγία μου!" μα λευτεριά δε θωρούσε. Ο κύρης μου κάθουνταν χάμω, στη μέση της αυλής, και μήτε έτρωγε, μήτε έπινε από τον καημό του. Τα ᾽χε με την Παναγιά. Μια φορά, μαθές, τη φώναξε η σκύλα η Τζαφέραινα, και γκρεμοτσακίστηκε και πήγε να τη λευτερώσει· και τώρα... Την τέταρτη πια μέρα ο κύρης μου δε βάσταξε· παίρνει τη διχαλόβεργά του μια και δυο και πάει στο μοναστήρι της Παναγιάς της Σφαμένης, βοήθειά μας! Πάει, μπαίνει μέσα στην εκκλησιά, χωρίς μήτε το σταυρό του να κάμει, τόση ήταν η φούρκα του, μανταλώνει ξοπίσω του την πόρτα και στέκεται μπροστά από το κόνισμά της: "Ε Παναγιά", της φώναξε, "η γυναίκα μου η Μαρουλιά, κατέχεις τη δα που σου φέρνει κάθε Σαββάτο βράδυ λάδι κι ανάβει τα καντήλια σου, η γυναίκα μου η Μαρουλιά κοιλοπονάει τρία μερόνυχτα και σου φωνάζει· δεν την ακούς; Κουφάθηκες, θαρρώ, και δεν ακούς. Να ᾽τανε μαθές καμιά σκύλα Τζαφέραινα, καμιά μαγαρισμένη, γιβεντισμένη Τουρκάλα, θα μου γκρεμοτσακίζουσουν να πας να την ξεμπερδέψεις. Μα τη χριστιανή, τη γυναίκα μου τη

γιβεντίζω, μτχ. γιβεντισμένος: διαπομπεύω, διασύρω, άξιος μομφής, κατηγορίας

Μαρουλιά, κουφάθηκες, δεν την ακούς! Ε μωρέ, να μην ήσουνα Παναγιά και σου 'δειχνα εγώ με τούτη εδώ τη χαρχαλόβεργα!" »Είπε, και χωρίς να προσκυνήσει, γύρισε την πλάτη του να φύγει. Μα, μέγας είσαι, Κύριε! τη στιγμή εκείνη έτριξε δυνατά το κόνισμα, σα να ράισε. Έτσι τρίζουν τα κονίσματα, και μάθετέ το, αν δεν το 'χετε ακουστά, έτσι τρίζουν όταν κάνουν τα θάματα. Ο κύρης μου κατάλαβε· στράφηκε, έβαλε μετάνοια, έκαμε το σταυρό του: "Ήμαρτον, Παναγιά μου", φώναξε, "κι ό,τι είπαμε νερό κι αλάτι!"

»Δεν είχε φτάσει καλά καλά στο χωριό και του πρόφτασαν το καλό μαντάτο: "Να σου ζήσει, Κωσταντή, γέννησε η γυναίκα σου, έκαμε γιο". Εμένα δα που θωρείτε· εμένα, τον μπαρμπα-Αναγνώστη. Μα γεννήθηκα λιγάκι με περήφανο αυτί· ο κύρης μου μαθές βλαστήμηξε κι είπε την Παναγιά κουφή. "Έτσι ε;" θα 'πε η Παναγιά· "θα κάμω το λοιπόν κι εγώ το γιο σου κουφό, για να μάθεις να βλαστημάς!"

Ο μπαρμπα-Αναγνώστης σταυροκοπήθηκε.

— Πάλι καλά, είπε, δόξα σοι ο Θεός! Γιατί μπορούσε να με κάμει στραβό ή νεραϊδιάρη, ή καμπούρη, ή, Θε μου ξεμπέρδευε! θηλυκό. Πάλι καλά, προσκυνώ τη χάρη της!

Γέμισε τα ποτήρια:

— Βοήθειά μας η χάρη της! είπε και σήκωσε το γεμάτο.

— Στην υγειά σου, μπαρμπα-Αναγνώστη, και να ζήσεις εκατό χρόνια, να πιάσεις και δισέγγονα!

Ο γέρος κατέβασε μονορούφι το κρασί του, σφούγγιξε τα μουστάκια:

— Όχι, παιδί μου, φτάνει! Αγγόνια έπιασα, φτάνει! Να μη θέμε δα να φάμε και τον κόσμο! Ήρθε ο καιρός μου· γέρασα, μωρέ παιδιά, αδιάσαν τα νεφρά μου, δεν μπορώ πια, θέλω, μα δεν μπορώ, να σπείρω κοπέλια. Τι να την κάμω λοιπόν τη ζωή;

Ξαναγέμισε τα ποτήρια, έβγαλε από τη ζώνη και μας φίλεφε καρύδια και ξερά σύκα τυλιγμένα σε δαφνόφυλλα.

— Μοίρασα ό,τι είχα και δεν είχα στα παιδιά μου. Πλάκωσε η φτώχεια, πλάκωσε, μα δε με νοιάζει· έχει ο Θεός!

—Έχει ο Θεός, μπαρμπα-Αναγνώστη, φώναξε ο Ζορμπάς στο αυτί του γέρου· έχει ο Θεός, μα εμείς δεν έχουμε· δε μας δίνει, ο τσιγκούναρος! Μα ο γερο-προεστός ζάρωσε τα φρύδια.

— Ε, μην τον αποπαίρνεις δα, κουμπάρε, το Θεό, είπε με αυστηρότητα. Μην τον αποπαίρνεις· από μας περιμένει δα κι αυτός, ο κακομοίρης!

Ωστόσο, αμίλητη, υποταχτικιά, έφερε η κυρα-Αναγνώσταινα ψημένα, σ' ένα πήλινο σκουτέλι, τ' αμολόητα του χοίρου κι ένα μεγάλο προύντζινο μαστραπά κρασί. Τ' απίθωσε στο τραπέζι, στάθηκε όρθια, σταύρωσε τα χέρια και χαμήλωσε τα μάτια. Σιχαίνουμουν να δοκιμάσω το μεζέ, μα ντρέπουμουν πάλι ν' αρνηθώ. Ο Ζορμπάς με λοξοκοίταζε και χαμογελούσε.

— Είναι το νοστιμότερο κρέας, αφεντικό, με βεβαίωνε· μη σιχαίνεσαι.

Ο γερο-Αναγνώστης χασκογέλασε.

— Αλήθεια λέει, αλήθεια, δοκίμασε να δεις. Μυαλός! Όταν πέρασε από το μοναστήρι μας ο πρίγκιπας Γεώργιος –καλή του ώρα!– του 'στρωσαν οι καλόγεροι βασιλικό τραπέζι και σε όλους έβαλαν κρέατα· μα στον πρίγκιπα ένα βαθύ πιάτο σούπα. Έπιασε ο πρίγκιπας το κουτάλι, ανακάτεφε: «Φασόλες;» ρώτησε ξαφνιασμένος. «Φάε, πρίγκιπά μου», είπε ο γερο-γούμενος, «φάε, κι ύστερα τα λέμε».

»Δοκίμασε ο πρίγκιπας μιαν κουταλιά, δυο, τρεις, άδειασε το πιάτο, έγλειφε τα χείλια του. «Τι θάμα είναι αυτό;» είπε. «Τι νόστιμες φασόλες· μυαλός!» «Δεν είναι φασόλες, πρίγκιπά μου», του κάνει ο γούμενος και γέλασε· «δεν είναι φασόλες· μουνουχίσαμε όλους τους πετεινούς της επαρχίας!»

Γέλασε ο γέρος, κάρφωσε με το πιρούνι ένα κομμάτι από τ' αμολόητα του χοίρου.

— Πριγκιπικός μεζές! είπε· άνοιξε το στόμα σου.

Άνοιξα το στόμα μου και μου τον έχωσε μέσα. Γέμισε πάλι

σκουτέλι: *πιάτο*

τα ποτήρια, ήπιαμε στην υγειά του εγγονού του, τα μάτια του παππού έλαμφαν.

— Τι θες να γίνει, μπαρμπα-Αναγνώστη, ο εγγονός σου; τον ρώτησα. Πες μας, να του ευκηθούμε.

— Τι να θέλω, παιδί μου; Να, να πάρει τη σωστή στράτα. Να γίνει καλός άνθρωπος, καλός νοικοκύρης, να παντρευτεί, να κάμει κι αυτός παιδιά κι αγγόνια, κι ένα από τα παιδιά του να μου μοιάζει. Να το θωρούν οι γέροι και να λένε: «Μωρέ, πώς μοιάζει του γερο-Αναγνώστη! Ο Θεός ν' αγιάσει την φυχή του· ήταν καλός άνθρωπος».

— Ανεζινιώ, έκαμε χωρίς να στραφεί στη γυναίκα του· Ανεζινιώ, γέμισε ακόμα το μαστραπά κρασί!

Τη στιγμή εκείνη, μ' ένα δυνατό σκούντημα, άνοιξε το πορτέλο στο μικρό μαντράκι και χίμηξε, μπαϊλντισμένος από τον πόνο, ο χοίρος στο σώχωρο, μουγκρίζοντας. Πήγαινε, απάνω κάτω, μπροστά από τους τρεις που κάθουνταν γλυκοκουβεντιάζοντας κι έτρωγαν τ' αμολόητά του.

— Πονάει ο κακομοίρης... έκαμε ο Ζορμπάς με συμπόνια.

— Πονάει, μαθές! είπε ο γερο-Κρητικός και γέλασε. Αν σου κάνανε το ίδιο, δε θα πονούσες κι η αφεντιά σου;

Ο Ζορμπάς μετακουνήθηκε.

— Να κοπεί η γλώσσα σου, κουφάλιακα! μουρμούρισε τρομαγμένος.

Ο χοίρος πηγαινόρχουνταν απάνω κάτω μπροστά μας και μας κοίταζε αγριεμένος.

— Μα την πίστη μου, θαρρείς και καταλαβαίνει πως του τα τρώμε! έκαμε πάλι ο γερο-Αναγνώστης, που το λίγο κρασάκι τον είχε φέρει στο κέφι.

Μα εμείς τρώγαμε ήσυχα, ευχαριστημένοι, το νόστιμο μεζέ, σαν κανίβαλοι, και πίναμε το μαύρο κρασί και κοιτάζαμε ανάμεσα από τ' ασημένια ελιόκλωνα τη θάλασσα, που είχε γίνει τώρα, στου ήλιου το βασίλεμα, τριαντάφυλλο.

κουφάλιακας: *αυτός που είναι τελείως κουφός*

Όταν, βράδυ πια, φεύγαμε από το σπίτι του δημογέροντα, ο Ζορμπάς είχε έρθει κι αυτός στο κέφι, ήθελε κουβέντα. Άρχισε:

— Τι λέγαμε προχτές, αφεντικό; Να φωτίσεις, λέει, το λαό, να του ανοίξεις, λέει, τα μάτια! Ορίστε του λόγου σου ν' ανοίξεις τα μάτια του μπαρμπα-Αναγνώστη! Είδες πώς στέκουνταν η γυναίκα του σούζα και περίμενε διαταγές; Πήγαινε τώρα η ευγενεία σου να τους μάθεις πως η γυναίκα έχει ίσα δικαιώματα με τον άντρα και πως είναι πολύ σκληρό πράμα να τρως ένα κομμάτι από το κρέας του χοίρου κι ο χοίρος να μουγκρίζει μπροστά σου ζωντανός και πως είναι μεγάλη κουταμάρα να ευχαριστιέσαι που έχει ο Θεός κι ας φοφάς εσύ από την πείνα! Τι θα κερδίσει ο μαυροσκότεινος ο μπαρμπα-Αναγνώστης απ' όλες αυτές τις διαφωτιστικές σου αρλούμπες; Θα τον βάλεις μονάχα σε μπελάδες. Και τι θα κερδίσει κι η κυρα-Αναγνώσταινα; Θ' αρχίσουν οι καβγάδες, η όρνιθα θα θέλει να γίνει κόκορας, και το αντρόγυνο πια όλο και θα τσακοπετεινιάζουν και θα μαδιούνται... Άσε τους ανθρώπους ήσυχους, αφεντικό, μην τους ανοίγεις τα μάτια· αν τους τ' ανοίξεις, τι θα δουν; Την κακή τους και την ψυχρή! Άσ' τα λοιπόν κλειστά να ονειρεύουνται!

Σώπασε μια στιγμή, έξυσε το κεφάλι, συλλογίζουνταν.

— Εξόν, έκαμε τέλος, εξόν...

— Τι; Για να δούμε!

— Εξόν αν, όταν θ' ανοίξουν τα μάτια τους, έχεις να τους δείξεις έναν κόσμο καλύτερο... Έχεις;

Δεν ήξερα. Ήξερα καλά τι θα γκρεμιστεί· δεν ήξερα τι θα χτιστεί απάνω στα γκρεμίσματα. Κανένας αυτό δεν μπορεί να το ξέρει με σιγουράδα, συλλογίζουμουν· το παλιό είναι χεροπιαστό, στερεωμένο, το ζούμε και το παλεύουμε κάθε στιγμή, υπάρχει· το μελλούμενο είναι αγέννητο, άπιαστο, ρεούμενο, είναι καμωμένο από το υλικό που πλάθουνται τα όνειρα, ένα σύννεφο και το χτυπούν δυνατοί άνεμοι —ο έρωτας, η φαντασία,

tσακοπετεινιάζω: τσακώνομαι

η τύχη, ο Θεός– αραιώνεται, πυκνώνεται, μεταλλάζει... Κι ο πιο μεγάλος προφήτης μονάχα ένα σύνθημα μπορεί να δώσει στους ανθρώπους, κι όσο πιο αόριστο τόσο και πιο προφήτης. Ο Ζορμπάς με κοίταζε περιπαιχτικά χαμογελώντας. Θύμωσα.

— Έχω, αποκρίθηκα πεισματωμένος.

— Έχεις; Για λέγε!

— Δεν μπορώ να σου πω· δε θα καταλάβεις.

— Ε, τότε δεν έχεις! έκαμε ο Ζορμπάς κουνώντας την κεφάλα του. Μη θαρρείς πως έφαγα κουτόχορτο, αφεντικό· σε γέλασαν. Είμαι αγράμματος κι εγώ σαν τον μπαρμπα-Αναγνώστη, μα δεν είμαι τόσο κουτός, όχι! Αφού λοιπόν εγώ δε θα καταλάβω, πώς θες να καταλάβει ο αγαθός αυτός ανθρωπάκος κι η κυρα-γελάδα, η συμβία του; Όλοι οι Αναγνώστηδες κι όλες οι Ανεζίνες του κόσμου; Καινούρια λοιπόν σκοτάδια θα δουν; Άσε τους τότε στα παλιά, που 'ναι και συνηθισμένοι. Καλά τα κατάφεραν ως τώρα· δε βλέπεις; Ζουν και καλοζούν, γεννούν, κάνουν κι αγγόνια, τους κουφαίνει ο Θεός, τους στραβώνει, κι αυτοί φωνάζουν: «Δόξα σοι ο Θεός!» Βολεύτηκαν στην κακομοιριά. Παράτα τους το λοιπόν και σώπα.

Σώπασα. Περνούσαμε από το περιβόλι της χήρας, ο Ζορμπάς κοντοστάθηκε, αναστέναξε, μα δε μίλησε. Κάπου θα 'χε βρέξει κι ο αγέρας μύριζε δροσιά και χωματίλα. Τα πρώτα αστέρια φάνηκαν· το νέο φεγγάρι γυάλισε τρυφερό, χλωροπράσινο, ξεχείλισε ο ουρανός γλύκα.

Ο άνθρωπος αυτός, συλλογίστηκα, δεν πήγε στο σκολειό και το μυαλό του δε χάλασε. Είδε κι έκαμε κι έπαθε πολλά, άνοιξε ο νους του, η καρδιά του πλάτυνε, χωρίς να χάσει την αρχέγονη παλικαριά της. Όλα τα πολύπλοκα, άλυτα για μας, προβλήματα, τα λύνει αυτός με μια σπαθιά, σαν τον συμπατριώτη του το Μέγα Αλέξαντρο. Δύσκολο να πέσει όξω αυτός, γιατί ακουμπά αλάκερος, από τις πατούσες ως το κεφάλι, στο χώμα. Οι άγριοι της Αφρικής λατρεύουν το φίδι, γιατί αλάκερό του το κορμί αγγίζει το χώμα κι έτσι ξέρει όλα τα μυστικά της γης. Τα ξέρει με την κοιλιά του, με την ουρά του, με τ' αχαμνά του, με το κεφάλι. Αγγίζει, σμίγει, γίνεται ένα με τη Μάνα. Τέτοιος κι ο Ζορμπάς. Εμείς οι γραμματιζούμενοι είμαστε τα σερσέμικα πουλιά του αγέρα. Τ' αστέρια πλήθυναν. Άγρια, ακατάδεχτα, σκληρά, χωρίς κανένα έλεος για τους ανθρώπους.

Δε μιλήσαμε πια. Κοιτάζαμε κι οι δυο τον ουρανό με τρόμο, νιώθαμε ολοένα να καταφτάνουν κι άλλα αστέρια και να φουντώνει η πυρκαγιά.

Φτάσαμε στην παράγκα· δεν είχα όρεξη να φάω, και κάθισα σ' ένα βράχο στη θάλασσα. Ο Ζορμπάς άναφε φωτιά, έφαε, έκαμε να 'ρθει να με βρει, μα μετάνιωσε, έπεσε στο στρώμα του και κοιμήθηκε.

Η θάλασσα είχε πήξει, δεν κουνιόταν· κι η γης, μουλλωμένη κάτω από την ξαγριεμένη αστροβολή, σώπαινε κι αυτή. Μήτε ένα σκυλί δε γάβγιζε, μήτε ένα νυχτοπούλι δε θρηνούσε, βαθιά σιγή. Μια σιγή ύπουλη, επικίντυνη, καμωμένη από χιλιάδες κραυγές τόσο μακρινές, ή τόσο μέσα μας, που δεν ακούγουνται. Γρικούσα μονάχα τη βουή που έκανε το αίμα μου χτυπώντας τα μελίγγια και τις βασιλόφλεβες του λαιμού.

«Η μελωδία της τίγρης!» συλλογίστηκα ανατριχιάζοντας.

Στις Ιντίες, όταν πλακώνει η νύχτα, φέλνουν πολύ σιγά ένα θλιμμένο μονότονο σκοπό, ένα άγριο σιγανό τραγούδι, σαν το μακρινό χασμουρητό θεριού – τη μελωδία της τίγρης. Η καρδιά του ανθρώπου ξεχειλίζει ανομολόγητη τρομάρα.

Κι ως συλλογίστηκα τη φοβερή μελωδία, το στήθος μου άρχισε, σιγά σιγά, να ξεχειλίζει· ξυπνούσαν τ' αυτιά, η σιωπή μετουσιώνουνταν σε κραυγή, τανύζουνταν η ψυχή, καμωμένη κι αυτή από την ίδια μελωδία, και πρόβαινε ανήσυχη έξω από το κορμί, ν' ακούσει.

Έσκυψα, γέμισα τη φούχτα μου θάλασσα, έβρεξα το μέτωπο και τα μελίγγια· δροσέρεφα. Ουρλιαχτά ακούστηκαν μέσα μου, φοβεριστικά, σφιχτομπλεμένα, ανυπόμονα – μέσα μου ήταν η τίγρη και φώναζε. Κι ολομεμιάς άκουσα καθαρά μια φωνή: «Ο Βούδας! Ο Βούδας!» και τινάχτηκα απάνω.

μουλώνω, -ουμαι, μτχ. μουλωμένος: κρύβομαι, λουφάζω

Περπάτησα γρήγορα, γιαλό γιαλό, σα να 'θελα να ξεφύγω. Κάμποσο καιρό τώρα, όταν είμαι μόνος τη νύχτα, κι είναι βαθιά σιωπή, ακούω τη φωνή του – στην αρχή θλιμμένη, παρακλητικιά, σα μοιρολόι, κι αγάλια αγάλια αγριεύει, μαλώνει, δίνει προσταγές. Και λαχτίζει το στήθος μου, σα βρέφος που ήρθε ο καιρός του. Θα 'ταν μεσάνυχτα. Μαύρα σύννεφα είχαν μαζωχτεί στον ουρανό, χοντρές στάλες έπεσαν στα χέρια μου. Μα ο νους μου ήταν αλλού· είχα βυθιστεί σε διάπυρη ατμόσφαιρα, ένιωθα δεξόζερβα στα μελίγγια μου δυο βόστρυχους φωτιά.

«Ήρθε η στιγμή», νογήθηκα ανατριχιάζοντας, «με συνεπαίρνει ο βουδικός τροχός, ήρθε η στιγμή να λευτερωθώ από το θεϊκό μέσα μου βάρος».

Γύρισα βιαστικός στην παράγκα, άναψα το λυχνάρι. Ο Ζορμπάς, ως τον χτύπησε το φως, αναπετάρισε τα βλέφαρα, άνοιξε τα μάτια, με κοίταξε να σκύβω απάνω στο χαρτί και να γράφω· κάτι έγρουξε, δεν άκουσα, γύρισε απότομα προς τον τοίχο και ξαναβούλιαξε στον ύπνο.

Έγραφα γρήγορα, χωρίς αναψυχή, βιάζουμουν. Αλάκερος ο «Βούδας» ήταν μέσα μου έτοιμος, τον έβλεπα να ξετυλίγεται από το σπλάχνο μου σα γαλάζια κορδέλα γεμάτη γράμματα· ξετυλίγουνταν γοργά πολύ, κι έτρεχε το χέρι μου να προφτάσω. Έγραφα, έγραφα, όλα είχαν γίνει εύκολα, πολύ απλά· δεν έγραφα, αντέγραφα. Τα πάντα διάνευαν μπροστά μου, καμωμένα από συμπόνια, απάρνηση κι αγέρα – τα παλάτια του Βούδα, οι γυναίκες του χαρεμιού, το μαλαματένιο αμάξι, τα τρία φριχτά συναπαντήματα: του γέρου, του άρρωστου, του νεκρού· η φυγή, η άσκηση, η λύτρωση, το κήρυγμα της σωτηρίας· άνθιζε η γης κίτρινα λουλούδια, ντύνουνταν οι ζητιάνοι κι οι βασιλιάδες κίτρινα ράσα, αλάφρωναν οι πέτρες, τα ξύλα, οι σάρκες· οι ψυχές γίνουνταν αγέρας, γίνουνταν πνέμα, το πνέμα αφανίζουνταν. Τα δάχτυλά μου κουράστηκαν, μα δεν ήθελα, δεν μπορούσα να σταματήσω· τ' όραμα περνούσε γοργό, έφευγε, έπρεπε να το προφτάσω.

Το πρωί με βρήκε ο Ζορμπάς με το κεφάλι ακουμπισμένο απάνω στο χερόγραφο, να κοιμούμαι.

VI

Είχε πια ανέβει

δυο κοντάρια ο ήλιος όταν ξύπνησα· το δεξό μου το χέρι είχε πιαστεί από το γράφιμο και δεν μπορούσαν να σμίξουν τα δάχτυλα. Η βουδική μπόρα είχε περάσει από πάνω μου και με είχε αφήσει εξαντλημένο κι αδειανό.

Έσκυφα, μάζεφα τα χερόγραφα που είχαν κατασκορπίσει χάμω, δεν είχα ούτε την όρεξη, ούτε τη δύναμη να τα κοιτάξω· σα να 'ταν όλη ετούτη η σφοδρή επιφοίτηση όνειρο, και δεν ήθελα να το δω να φυλακίζεται, να εξευτελίζεται μέσα στις λέξες.

Έβρεχε σήμερα, γλυκά, μαλακά, ο Ζορμπάς προτού φύγει μου 'χε ανάψει το μαγκάλι, κι όλη τη μέρα κάθουμουν διπλοπόδι, με απλωμένα τα χέρια απάνω από τη φωτιά, χωρίς να φάω, ακίνητος, κι άκουγα το σιγανό πρωτοβρόχι.

Δε συλλογίζουμουν τίποτα. Το μυαλό μου, τυλιγμένο σαν τυφλοπόντικας μέσα στα μουσκεμένα χώματα, αναπαύουνταν. Άκουγα ανάρια σαλέματα και βουητά και ροκανίσματα της γης, και τη βροχή να πέφτει και να φουσκώνουν οι σπόροι. Ένιωθα τον ουρανό και τη γης να σμίγουν όπως τις πρωτόγονες εποχές που έσμιγαν σαν άντρας και γυναίκα κι έκαναν παιδιά· κι ομπρός μου, γιαλό γιαλό, αφουκράζουμουν τη θάλασσα να μουγκρίζει και ν' αναγλείφεται, σα θεριό που απλώνει τη γλώσσα του και πίνει.

Ήμουν ευτυχής, και το 'ξερα. Όσο ζούμε μιαν ευτυχία, δύσκολα τη νιώθουμε· μονάχα όταν περάσει και κοιτάξουμε πίσω μας, καταλαβαίνουμε ξαφνικά –και κάποτε με κατάπληξη– πόσο σταθήκαμε ευτυχισμένοι. Εγώ όμως, στο κρητικό ετούτο ακρογιάλι, ζούσα την ευτυχία κι ήξερα συνάμα πως είμαι ευτυχισμένος.

Θάλασσα απέραντη, ως κάτω στ' αφρικανικά ακρογιάλια. Κάθε τόσο πολύ ζεστός νοτιάς φυσούσε, λίβας, που κατάφτανε από τις μακρινές πυρωμένες αμμούδες. Μύριζε η θάλασσα το πρωί καρπούζι, το μεσημέρι άχνιζε, ανασηκώνουνταν και γέμιζε μικρούς μικρούς άγουρους μαστούς, και το βράδυ στέναζε τριανταφυλλιά, κρασάτη, μελτζανιά, σκούρα γαλάζια.

Γέμιζα παίζοντας, το δειλινό, τη φούχτα μου φιλή ξανθή άμμο και την άφηνα να γλιστράει και να φεύγει ζεστή, μαλακιά, ανάμεσα από τα δάχτυλά μου. Κλεφύδρα η φούχτα, και φεύγει η ζωή και χάνεται· χάνεται, και κοιτάζω τη θάλασσα, ακούω το Ζορμπά, και τα μελίγγια μου τρίζουν από ευτυχία.

Μια φορά, θυμούμαι, η μικρούλα μου ανιφιά, η Άλκα, τεσσάρων χρονών, την ώρα που χαζεύαμε, παραμονή της αρχιχρονιάς, μια βιτρίνα με παιχνιδάκια, στράφηκε και μου 'πε: «Θείε Δράκο (έτσι μ' έλεγε), θείε Δράκο, από την πολλή χαρά μου έβγαλα κέρατα!» Τρόμαξα. Τι θάμα λοιπόν είναι η ζωή, και πώς σμίγουν, όταν φτάσουν βαθιά στις ρίζες τους, όλες οι ψυχές και γίνουνται ένα! Γιατί θυμήθηκα ευτύς, σ' ένα μουσείο μακρινό, μια μάσκα που είχα δει του Βούδα, σκαλισμένη σε γυαλιστερό έβενο. Ο Βούδας είχε λυτρωθεί και τον είχε συγκλύσει η ανώτατη χαρά, ύστερα από εφτάχρονη αγωνία. Κι οι βασιλόφλεβες του μετώπου του δεξά και ζερβά είχαν τόσο φουσκώσει από τη χαρά, που είχαν ξεπεταχτεί όξω από το δέρμα κι είχαν γίνει δυο στρουφιχτά σαν ατσαλένια ελατήρια, όλο δύναμη, κέρατα.

Κατά το δειλινό η βροχούλα είχε σταματήσει, καθάρισε ο ουρανός. Πεινούσα, χαίρουμουν που πεινούσα, γιατί τώρα θα 'ρχουνταν ο Ζορμπάς, θ' άναβε φωτιά και θ' άρχιζε η καθημερινή τελετή της μαγεριάς και της κουβέντας.

— Άλλη ατέλειωτη ιστορία και τούτη! έλεγε συχνά ο Ζορμπάς, πιθώνοντας το τσουκάλι απάνω στη φωτιά· δεν είναι μονάχα η γυναίκα –καλή της ώρα!– ατέλειωτη ιστορία, είναι και το φαΐ. Για πρώτη φορά στο ακρογιάλι ετούτο χάρηκα τη γλύκα του φαγιού. Όταν το βράδυ ο Ζορμπάς άναβε ανάμεσα σε δυο πυρομάχους φωτιά και μαγέρευε κι ύστερα αρχίζαμε να τρώμε και να κουτσοπίνουμε και να φουντώνει η κουβέντα, ένιωθα πως είναι και το φαΐ μια ψυχική κι αυτό λειτουργία, και πως το κρέας, το ψωμί και το κρασί είναι οι πρώτες ύλες απ' όπου γίνεται το πνέμα.

Πριν φάει και πιει ο Ζορμπάς, μετά τον κάματο της δουλειάς το βράδυ, δεν είχε κέφι, οι κουβέντες του ήταν βαριεστημένες και τα λόγια του έβγαιναν με το τσιγκέλι· κι οι χερονομίες του ήταν κουρασμένες κι άγαρμπες. Μα ευτύς ως έριχνε, καθώς έλεγε, κάρβουνο στη μηχανή, όλο το μουδιασμένο, ξεκουρδισμένο εργοστάσιο του κορμιού του ζωντάνευε, έπαιρνε φόρα κι άρχιζε να δουλεύει. Τα μάτια του άναβαν, η μνήμη ξεχείλιζε, τα πόδια του πετούσαν φτερά, χόρευαν.

— Πες μου τι κάνεις το φαΐ που τρως, μου είπε κάποτε, και θα σου πω ποιος είσαι. Άλλοι το κάνουν ξίγκια και κοπριά, άλλοι το κάνουν δουλειά και κέφι, κι άλλοι, έχω ακουστά, το κάνουν, λέει, θεό. Τριών λογιών είναι το λοιπόν οι ανθρώποι· εγώ, αφεντικό, δεν είμαι από τους χειρότερους μήτε πάλι από τους καλύτερους· στέκουμαι στη μέση. Το φαΐ που τρώγω το κάνω δουλειά και κέφι. Πάλι καλά!

Με κοίταξε πονηρά, γέλασε.

— Του λόγου σου, αφεντικό, θαρρώ πως πολεμάς να κάμεις το φαΐ που τρως θεό· μα δεν τα καταφέρνεις, και βασανίζεσαι. Έπαθες ό,τι έπαθε κι ο κόρακας.

— Και τι έπαθε ο κόρακας, Ζορμπά;

— Αυτός, που λες, περπατούσε πρωτύτερα τίμια, σωστά, σαν κόρακας· μα μια μέρα του κάπνισε να περπατάει, λέει, κι αυτός καμαρωτά, σαν την πέρδικα· κι από τότε ο κακομοίρης ξέχασε και τη δικιά του περπατησιά, τα 'χασε, και τώρα –δεν τον βλέπεις;– πάει πηδοκοπώντας.

Σήκωσα το κεφάλι· άκουσα το περπάτημα του Ζορμπά να κατηφορίζει από το λιγνίτη· σε λίγο τον είδα να ζυγώνει με κρεμασμένα μούτρα, κατσουφιασμένος· κι οι χερούκλες του καμπάνιζαν ξεκούρδιστες.

— Καλησπέρα, αφεντικό! είπε με μισό στόμα.

— Καλώς τον· πώς πήγε η δουλειά σήμερα, Ζορμπά;

Δεν αποκρίθηκε.

— Ας ανάφω φωτιά, είπε, θα μαγερέψω.

Πήρε μιαν αγκαλιά ξύλα από τη γωνιά, βγήκε έξω, τα καλύβωσε με τέχνη ανάμεσα σε δυο πυρομάχους κι άναφε φωτιά· έστησε το πήλινο τσουκάλι, έριξε μέσα νερό, κρεμμύδι, ντομάτα, ρύζι, κι άρχισε το μαγέρεμα. Εγώ ωστόσο έστρωνα απάνω σ' ένα στρογγυλό σοφραδάκι μιαν πετσέτα κι έκοβα χορταστικές φέτες σταρένιο ψωμί, και γέμισα, από μιαν νταμιζάνα, κρασί την ξεμπλιαστή φλάσκα που μας είχε χαρίσει τις πρώτες μέρες ο μπαρμπα-Αναγνώστης.

Ο Ζορμπάς είχε διπλογονατίσει μπροστά από το τσουκάλι, κοίταζε με ασάλευτα μάτια τη φωτιά, σώπαινε.

— Έχεις παιδιά, Ζορμπά; τον ρώτησα ξαφνικά.

Στράφηκε:

— Γιατί ρωτάς; Έχω μια θυγατέρα.

— Παντρεμένη;

Ο Ζορμπάς γέλασε.

— Γιατί γελάς, Ζορμπά;

— Θέλει κι αυτό ρώτημα, αφεντικό; Κουτή είναι να μην παντρευτεί; Δούλευα σ' ένα μεταλλείο χαλκό, στην Πραβίτα της Χαλκιδικής. Μια μέρα έλαβα γράμμα από τον αδερφό μου το Γιάννη. Ξέχασα αλήθεια να σου πω πως έχω έναν αδερφό, νοικοκύρη, φρόνιμο, θρήσκο, τοκογλύφο, υποκριτή, άνθρωπο καθώς πρέπει, στύλο της κοινωνίας. Είναι μπακάλης στη Σαλονίκη. «Αδερφέ Αλέξη», μου 'γραφε, «η θυγατέρα σου η Φρόσω πήρε τον κακό δρόμο, ντρόπιασε το τίμιο όνομά μας·

έχει ένα αγαπητικό, έκαμε μαζί του και παιδί, πάει η τιμή μας! Θα πεταχτώ στο χωριό να τη σφάξω».

— Και τι έκαμες εσύ, Ζορμπά;

Ο Ζορμπάς ανασήκωσε τους ώμους:

— «Πφφ! γυναίκες!» είπα και ξέσκισα το γράμμα. Ανακάτεφε το φαΐ, έριξε αλάτι, γέλασε.

— Μα στάσου να δεις το πιο αστείο. Ύστερα από ένα μήνα λαβαίνω από τον κουτεντέ τον αδερφό μου δεύτερο γράμμα: «Γεια και χαρά σου, αγαπημένε αδερφέ μου Αλέξη!» έγραφε ο σερσέμης· «ξανάρθε πάλι η τιμή στον τόπο της, μπορείς τώρα να σηκώσεις το κούτελό σου αφηλά, ο λεγάμενος στεφανώθηκε τη Φρόσω!»

Ο Ζορμπάς στράφηκε, με κοίταξε· στη λάμφη του τσιγάρου του ξέκρινα τα μάτια του να σπιθίζουν. Σήκωσε πάλι τους ώμους:

— Πφφ! Άντρες! έκαμε με απερίγραπτη περιφρόνηση.

Και σε λίγο:

— Τι περιμένεις από τις γυναίκες; Να κάνουν παιδιά με όποιον λάχει. Τι περιμένεις από τους άντρες; Να πέφτουν στη φάκα. Βάλ᾽ του ρίγανη, αφεντικό!

Κατέβασε το τσουκάλι, καθίσαμε διπλοπόδι, φάγαμε.

Ο Ζορμπάς είχε πέσει σε βαθιά συλλογή. Κάποια έγνοια τον τριβέλιζε. Με κοίταζε, άνοιγε το στόμα, το ᾽κλεινε πάλι. Κάτω από το φως του λυχναριού ξέκρινα καθαρά τα μάτια του στενοχωρημένα κι ανήσυχα. Δε βάσταξα.

— Ζορμπά, κάτι θες να μου πεις· λέγε το! Κοιλιοπονάς, γέννησε!

Ο Ζορμπάς σώπαινε· έπιασε από χάμω ένα πετραδάκι, το σφεντόνισε με δύναμη από την ανοιχτή πόρτα.

— Άσε τις πέτρες, λέγε!

Ο Ζορμπάς άπλωσε το ζαρωμένο λαιμό.

—Έχεις εμπιστοσύνη σε μένα, αφεντικό; ρώτησε με αγωνία και με στύλωσε κατάματα.

—Έχω, Ζορμπά, του αποκρίθηκα. Ό,τι κι αν κάνεις, δεν

μπορείς να πέσεις έξω· και να θες, δεν μπορείς να πέσεις έξω.
Είσαι σαν ένα λιοντάρι, να πούμε, ή σαν ένας λύκος· τα θεριά
αυτά ποτέ δε φέρνουνται σαν πρόβατα ή σα γαϊδούρια, δεν
ξεστρατίζουν ποτέ από τη φύση τους· έτσι και συ: Ζορμπάς,
από την κορφή ως τα νύχια.
Ο Ζορμπάς κούνησε το κεφάλι.
— Μα εγώ δεν ξέρω πια πού διάολο βαδίζουμε!
— Εγώ ξέρω, μη σε νοιάζει· τράβα ομπρός!
— Για ξαναπές το πάλι, αφεντικό, να κάμω κουράγιο! φώναξε
ο Ζορμπάς.
— Τράβα ομπρός!
Τα μάτια του Ζορμπά άστραφαν.
— Τώρα μπορώ να σου μιλήσω, το λοιπόν· έχω, μέρες τώρα,
ένα μεγάλο σχέδιο, μια ιδέα παλαβή στο νου μου· να την
εφαρμόσουμε;
— Και το ρωτάς; Μα γι' αυτό ήρθαμε εδώ: να εφαρμόσουμε
ιδέες.
Ο Ζορμπάς άπλωσε το λαιμό, με κοίταξε με χαρά, με τρόμο:
— Μίλα καλά, αφεντικό! φώναξε. Δεν ήρθαμε εδώ για
κάρβουνο;
— Το κάρβουνο είναι μια αφορμή· έτσι, για να μη σκαντα-
λίζεται ο κόσμος. Για να θαρρούν πως είμαστε σοβαροί επιχει-
ρηματίες, να μη μας πάρουν με τις λεμονόκουπες. Κατάλαβες,
Ζορμπά;
Ο Ζορμπάς έμεινε με μισάνοιχτο στόμα· πολεμούσε να κατα-
λάβει, δεν τολμούσε να πιστέψει τόση ευτυχία. Άξαφνα μπήκε
στο νόημα· χύθηκε απάνω μου, με άρπαξε από τον ώμο.
— Χορεύεις; με ρώτησε με λαχτάρα· χορεύεις;
— Όχι.
— Όχι;!
Κρέμασε τα χέρια κατάπληχτος.
— Καλά, είπε σε λίγο· τότε να χορέψω εγώ, αφεντικό. Στάσου
πιο πέρα, να μη σε αναποδογυρίσω. Χάι! Χάι!
Έδωκε ένα σάλτο, πετάχτηκε όξω από την παράγκα, πέταξε

τα παπούτσια του, το σακάκι, το γιλέκο, ανασήκωσε τα παντα-
λόνια ως τα γόνατα, άρχισε να χορεύει. Το μούτρο του, μουντζα-
λωμένο ακόμα από το κάρβουνο, ήταν κατασκότεινο· τα μάτια
του γυάλιζαν κάτασπρα.

Χύθηκε στο χορό, χτυπούσε τα παλαμάκια, πηδούσε, στρου-
φογύριζε στον αγέρα, έπεφτε κάτω με λυγισμένα γόνατα κι
αντιπηδούσε ανάερα καθιστός, σα λάστιχο. Άξαφνα τινάζου-
νταν πάλι αφηλά στον αγέρα, σα να το 'χε βάλει πείσμα να
νικήσει τους μεγάλους νόμους, να κάνει φτερά και να φύγει.
Ένιωθες μέσα στο σαρακοφαγωμένο αυτό ταγαριασμένο κορμί
την ψυχή να μάχεται να συνεπάρει τη σάρκα και να χυθεί
μαζί της, αστροβολίδα, μέσα στο σκοτάδι. Τίναζε η ψυχή το
κορμί, μα αυτό έπεφτε, δε βαστούσε πολλή ώρα στον αγέρα,
το ξανατίναζε, ανήλεη, λίγο τώρα πιο αφηλά, μα πάλι το έρμο
ξανάπεφτε αγκομαχώντας.

Ο Ζορμπάς μάζευε τα φρύδια, το πρόσωπό του είχε πάρει
ανησυχαστικιά σοβαρότητα· δε σκλήριζε πια· με σφιγμένα τα
δόντια ο Ζορμπάς μάχουνταν να φτάσει το αδύνατο.

— Ζορμπά, Ζορμπά, φώναζα· φτάνει!

Φοβόμουν μην ξαφνικά από την τόση φόρα δε βαστάξει το
γέρικο κορμί του και σκορπίσει στον αγέρα θρύμματα.

Φώναζα, μα πού ν' ακούσει ο Ζορμπάς τις φωνές του
χωμάτου· το σπλάχνο του είχε γίνει σαν του πουλιού.

Παρακολουθούσα με ανάλαφρο τρόμο τον άγριο, ανέλ-
πιδο χορό. Όταν ήμουν μικρό παιδί, δούλευε ξεκαπίστρωτη η
φαντασία μου κι έλεγα τερατολογίες στους φίλους μου, και
τις πίστευα.

— Πώς πέθανε ο παππούς σου εσένα; με ρώτησαν οι συμμα-
θητές μου μια μέρα, στην πρώτη του Δημοτικού.

Κι εγώ μεμιάς έπλασα ένα μύθο, μιλούσα και τον έπλαθα,
κι όσο τον έπλαθα τον πίστευα:

— Ο παππούς μου εμένα φορούσε λαστιχένια παπούτσια.
Μια μέρα, όταν έβγαλε άσπρα γένια, πήδηξε από τη στέγη
του σπιτιού μας· μα ως άγγιξε τη γης, αντιστοίβαξε σαν τόπι κι

ανέβηκε πιο αψηλά από το σπίτι – κι όλο και πιο αψηλά, πιο αψηλά, πιο αψηλά, ωσότου χάθηκε στα σύννεφα. Έτσι πέθανε ο παππούς μου.

Από τη μέρα που έπλασα το μύθο αυτόν, όσες φορές πήγαινα στη μικρούλα εκκλησιά του Αγίου Μηνά κι έβλεπα χαμηλά στο τέμπλο την Ανάληψη του Χριστού, άπλωνα το χέρι κι έλεγα στους συμμαθητές μου:

— Να ο παππούς μου με τα λαστιχένια παπούτσια!

Κι απόψε, ύστερα από τόσα χρόνια, βλέποντας το Ζορμπά να πηδάει στον αγέρα, ξαναζούσα το παιδιάτικο παραμύθι με τρόμο – σα να φοβόμουν μη χαθεί κι ο Ζορμπάς μέσα στα σύννεφα.

— Ζορμπά, Ζορμπά, φώναζα· φτάνει!

Ο Ζορμπάς κουκούβισε στο χώμα, λαχανιασμένος. Το πρόσωπό του έλαμπε ευτυχισμένο. Τα γκρίζα μαλλιά του είχαν κολλήσει στο κούτελό του κι ο ιδρώτας κουρνέλιαζε στα μάγουλά του και στο πιγούνι, ανακατεμένος με κάρβουνο.

Έσκυψα απάνω του ανήσυχος.

— Αλάφρωσα, είπε σε λίγο· σα να μου πήραν αίμα. Τώρα μπορώ να μιλήσω.

Μπήκε μέσα στην παράγκα, ανακάθισε μπροστά από το μαγκάλι, κι έλαμπε το πρόσωπό του.

— Τι σ' έπιασε κι άρχισες το χορό;

— Τι ήθελες να κάμω, αφεντικό; Πλαντούσα από την πολλή χαρά μου· έπρεπε να ξεσκάσω. Και πώς μπορεί να ξεσκάσει ένας άνθρωπος; Με τα λόγια; Πφφ!

— Ποια χαρά σου;

Με κοίταξε ανήσυχος· το χείλος του έτρεμε:

— Ποια χαρά μου; Μα αυτά που μου 'πες τώρα να, τα 'πες έτσι, του βρόντου; Δεν τα καταλάβαινες και συ ο ίδιος; Δεν ήρθαμε εδώ, λέει, για κάρβουνο... Έτσι ντε, ν' αλαφρώσω! Ήρθαμε για να περάσει η ώρα μας, να ρίξουμε στάχτη στα μάτια

κουρνελιάζω: ρέω, κυλώ

του κόσμου, να μη μας πάρουν για παλαβούς, να μη μας πετούν λεμονόκουπες – κι εμείς όταν θα μείνουμε ολομόναχοι και δε μας βλέπει κανένας, να σπούμε στα γέλια! Αυτό, λόγω τιμής, ζητούσα κι εγώ, μα δεν το καταλάβαινα καλά καλά. Πότε το κάρβουνο συλλογίζουμουν, πότε την κυρα-Μπουμπουλίνα, πότε την αφεντιά σου... Μαλλιά κουβάρια. Όταν άνοιγα μια γαλαρία, έλεγα: "Κάρβουνο θέλω! Κάρβουνο θέλω! Κάρβουνο θέλω!" Κι από τη φτέρνα ως την κορφή γίνουμουν κάρβουνο. Κι όταν πάλι σκολνούσα κι έπαιζα με αυτή την παλιοφώκια –καλή της ώρα!– κρεμούσα όλους τους λιγνίτες κι όλα τ' αφεντικά από την κορδελίτσα του λαιμού της. Κρεμούσα και το Ζορμπά, τα 'χανα. Κι όταν απόμενα μόνος και δεν είχα δουλειά, σ' έφερνα στο νου μου, αφεντικό, κι η καρδιά μου ράιζε. Το 'χα βάρος στην ψυχή μου: "Ντροπής, μωρέ Ζορμπά", φώναζα· "ντροπής, μωρέ Ζορμπά, να κοροϊδεύεις τον καλόν αυτόν άνθρωπο και να του τρως τα λεφτά του. Ως πότε θα 'σαι παλιάνθρωπος, μωρέ Ζορμπά; Φτάνει πια!"

»Τα 'χα, σου λέω, αφεντικό, χαμένα· ο διάολος με τραβούσε από τη μια μεριά, ο Θεός από την άλλη, μ' έσκιζαν οι δυο τους μες στη μέση. Τώρα, ας είσαι καλά, αφεντικό, είπες ένα μεγάλο λόγο κι άνοιξαν τα στραβά μου· είδα! Κατάλαβα! Συνεννοηθήκαμε. Τώρα, φωτιά στα τόπια! Πόσα λεφτά 'χεις ακόμα; Βάλ' τα κάτω! Ας πάει και το παλιάμπελο!

Ο Ζορμπάς σφούγγιξε τον ιδρώτα του, έφαξε γύρω· τ' απομεινάρια του δείπνου μας ήταν σκορπισμένα στο σοφραδάκι· άπλωσε τη χερούκλα:

— Με την άδειά σου, αφεντικό, είπε· πείνασα πάλι.

Πήρε μια φέτα ψωμί, ένα κρεμμύδι, μια φούχτα ελιές· έτρωγε με βουλιμία· αναποδογύρισε στο στόμα του, χωρίς να την αγγίζουν τα χείλια του, τη φλάσκα, και το κρασί κακάρισε. Ο Ζορμπάς χτύπησε τη γλώσσα του ευχαριστημένος.

— Ήρθε η καρδιά στον τόπο της, είπε.

Με κοίταξε, μου 'κλεισε το μάτι:

— Γιατί δε γελάς; ρώτησε. Τι με κοιτάς έτσι; Τέτοιο είναι

το σκαρί μου. Ένας διάολος είναι μέσα μου και φωνάζει, και κάνω ό,τι μου πει. Κάθε που πάω να πλαντάξω, μου φωνάζει: «Χόρεψε!» και χορεύω. Ξεπλαντάζω. Μια φορά που πέθανε το παιδί μου, ο Δημητράκης μου, στη Χαλκιδική, έτσι σηκώθηκα πάλι και χόρεψα. Οι συγγενείς κι οι φίλοι που με θωρούσαν να χορεύω μπροστά από το λείφανο, χύθηκαν να με πιάσουν. «Τρελάθηκε ο Ζορμπάς», φώναξαν, «τρελάθηκε ο Ζορμπάς!» Μα εγώ, τη στιγμή εκείνη, αν δε χόρευα, θα τρελαίνουμουν από τον πόνο. Γιατί 'ταν ο πρώτος μου γιος κι ήταν τριών χρονών και δεν μπορούσα να βαστάξω το χαμό του. Κατάλαβες τι σου λέω, αφεντικό, ή μιλώ του αγέρα;

— Κατάλαβα, Ζορμπά, κατάλαβα· δε μιλάς του αγέρα.

— Μιαν άλλη πάλι φορά ήμουνα στη Ρουσία· γιατί πήγα κι εκεί πέρα ακόμα, πάλι για μεταλλεία· για χαλκό, κοντά στο Νοβορωσίσκι.

»Είχα μάθει πέντ' έξι ρούσικες λέξεις, όσες μου χρειάζουνταν στη δουλειά μου: "Όχι, ναι, ψωμί, νερό, σε αγαπώ, έλα, πόσο;" Μα να που έπιασα φιλίες μ' ένα Ρούσο, φοβερό μπολσεβίκο. Στρωνόμαστε το λοιπόν κάθε βράδυ σε μιαν ταβέρνα στο λιμάνι και κατεβάζαμε κάμποσα καραφάκια βότκα, ερχόμασταν στο κέφι. Κι ως ερχόμασταν στο κέφι, άνοιγε η καρδιά μας· αυτός ήθελε να μου στορήσει, χαρτί και καλαμάρι, τα όσα είδε κι έπαθε στη ρούσικη επανάσταση, κι εγώ πάλι να του ξεμυστηρευτώ το βίο και την πολιτεία μου· μεθύσαμε, βλέπεις, κι είχαμε γίνει αδέρφια.

»Με χερονομίες, τσάτρα πάτρα, συνεννοηθήκαμε· αυτός θ' άρχιζε πρώτος να μιλάει· όταν πια δε θα καταλάβαινα, θα του φώναζα: "Στοπ!"· θα σηκώνουνταν τότε να χορέψει· να χορέψει ό,τι ήθελε να μου πει. Το ίδιο κι εγώ. Ό,τι δεν μπορούσαμε να πούμε με το στόμα, θα το λέγαμε με τα πόδια, με τα χέρια, με την κοιλιά ή με άγριες κραξιές: "Χάι-χάι! Χόπλα! Βίρα!"

»Άρχισε πρώτος ο Ρούσος· πώς άρπαξαν τα τουφέκια, πώς άναψε ο πόλεμος, πώς έφτασαν στο Νοβορωσίσκι... Όταν δεν μπορούσα να καταλάβω τι μου 'λεγε, σήκωνα το χέρι, φώναζα:

"Στοπ!", κι ευτύς ο Ρούσος πετιόταν απάνω και δώστου να χορεύει! Χόρευε σα δαιμονισμένος· κι εγώ κοίταζα τα χέρια του, τα πόδια του, τα στήθια του, τα μάτια του και τα καταλάβαινα όλα: πώς μπήκαν στο Νοβορωσίσκι, πώς σκότωσαν τους αφεντάδες, πώς έκαμαν ρεμούλα στα μαγαζιά, πώς μπήκαν στα σπίτια κι άρπαξαν τις γυναίκες. Στην αρχή έκλαιγαν οι αφιλότιμες, γρατσουνιόνταν, γρατσούνιζαν, μα σιγά σιγά μέρωναν, σφαλνούσαν τα μάτια, σκλήριζαν ευχαριστημένες. Γυναίκες, βλέπεις...

»Κι ύστερα άρχιζα εγώ. Από τα πρώτα λόγια ο Ρούσος, χαχόλος είναι μαθές, δεν παίζει το μυαλό του, φώναζε: "Στοπ!" Άλλο που δεν ήθελα! Πετιόμουν απάνω, παραμέριζα τις καρέκλες και τα τραπέζια, έπιανα το χορό... Ε μωρέ, πού κατάντησαν οι ανθρώποι, φτου να χαθούνε! Αφήκαν τα κορμιά τους και βουβάθηκαν, και μονάχα με το στόμα μιλούνε. Μα τι να πει το στόμα, τι μπορεί να πει το στόμα; Να 'βλεπες του λόγου σου το Ρούσο πώς μ' έτρωγε με το μάτι του, από την κορφή ως τα πόδια, και πώς τα καταλάβαινε όλα! Του δηγήθηκα χορεύοντας τα πάθη μου, τα ταξίδια, πόσες φορές παντρεύτηκα, τι τέχνες έπιασα: νταμαρτζής, μιναδόρος, γυρολόγος, κανατάς, κομιτατζής, σαντουρτζής, στραγαλατζής, γύφτος, λαθρέμπορος· πώς με χώσαν φυλακή, πώς το 'σκασα, πώς έφτασα στη Ρουσία...

»Όλα, όλα τα καταλάβαινε, ας ήταν και χαχόλος. Μιλούσαν τα πόδια μου, τα χέρια μου, μιλούσαν τα μαλλιά μου, τα ρούχα μου. Κι ένας σουγιάς που κρέμουνταν από το ζωνάρι μου, κι αυτός μιλούσε... Κι όταν πια τέλειωνα, ο χαχόλος με αγκάλιαζε, με φιλούσε, ξαναγεμίζαμε τα ποτήρια μας βότκα, κλαίγαμε και γελούσαμε, πεσμένοι ο ένας στην αγκαλιά του άλλου... Και τα ξημερώματα μας χώριζαν και πηγαίναμε σκουντουφλώντας να κοιμηθούμε. Και το βραδάκι πάλι, ξανασμίγαμε.

»Γελάς; Δεν πιστεύεις, αφεντικό; Λες από μέσα σου: "Μωρέ, τι 'ναι αυτά που μου τσαμπουνάει ετούτος ο Σεβάχ Θαλασσινός; Κουβέντα με το χορό γίνεται;" Κι όμως εγώ βάζω το κεφάλι μου, έτσι θα κουβεντιάζουν οι θεοί κι οι διάολοι.

»Μα, βλέπω, νύσταξες. Πολύ ντελικάτος είσαι, δεν αντέχεις. Ε, άιντε να κάμεις νανάκια, κι αύριο πάλι τα λέμε. Έχω ένα σχέδιο, σπουδαίο σχέδιο, αύριο θα σου το πω. Εγώ θα καπνίσω ακόμα ένα τσιγάρο, μπορεί και να βουτήξω το κεφάλι μου στη θάλασσα: άναφα, πρέπει να σβήσω. Καληνύχτα!

Άργησα να κλείσω μάτι. Χαμένη η ζωή μου, συλλογίζουμουν να μπορούσα να 'πιανα ένα σφουγγάρι, να τα σβήσω όλα όσα διάβασα, όσα είδα κι άκουσα, να μπω στο σκολειό του Ζορμπά και ν' αρχίσω τη μεγάλη, την αληθινή αλφαβήτα! Πόσο διαφορετικιά στράτα θα 'παιρνα! Θα γύμναζα τέλεια τις πέντε μου αίστησες, το δέρμα μου αλάκερο, να χαίρεται και να καταλαβαίνει. Θα μάθαινα να τρέχω, να παλεύω, να κολυμπώ, να χιμώ καβάλα, να κάνω κουπί, να οδηγώ αυτοκίνητο, να ρίχνω τουφέκι. Θα γέμιζα σάρκα την ψυχή μου· θα γέμιζα ψυχή τη σάρκα μου· θα φίλιωνα μέσα μου, επιτέλους, τους δυο προαιώνιους ετούτους οχτρούς...

Ανακαθιστός στο στρώμα μου, αναθίβανα τη ζωή μου που πήγαινε χαμένη. Από την ανοιχτή πόρτα διάκρινα θαμπά μέσα στην αστροφεγγιά το Ζορμπά να κάθεται κουκουβιστός σ' ένα βράχο, σαν όρνιο νυχτερινό, και να κοιτάζει τη θάλασσα, και τον ζήλευα. «Αυτός βρήκε την αλήθεια», συλλογίζουμουν, «αυτός είναι ο δρόμος!»

Σε άλλες, πρωτόγονες δημιουργικές εποχές, ο Ζορμπάς θα 'ταν αρχηγός ράτσας, θα πήγαινε μπροστά και θ' άνοιγε με το τσεκούρι δρόμο· ή θα 'ταν ξακουσμένος τροβαδούρος που θα γύριζε τους αρχοντικούς πύργους, και θα κρέμουνταν όλοι, αφεντικά και φαμέγιοι και κυράδες, από τα χοντρά του χείλια... Στην αχάριστη εποχή μας φέρνει βόλτες, λιμασμένος, γύρα από τις μάντρες, σα λύκος· ή ξεπέφτει και γίνεται τζουτζές κάποιου καλαμαρά.

Άξαφνα είδα το Ζορμπά να σηκώνεται. Γδύθηκε, πέταξε τα ρούχα του στα χοχλάδια, έπεσε στη θάλασσα. Κάπου κάπου ξέκρινα στο λιγοστό φεγγάρι την κεφάλα του να προβαίνει από το νερό και πάλι να χάνεται· κάπου κάπου έσερνε μια φωνή, γάβγιζε, χλιμίντριζε, έκανε σαν κόκορας – ξαναγύριζε η ψυχή του πίσω στα ζώα, έτσι που ήταν στην έρημη ετούτη νύχτα ολομόναχη και κολυμπούσε στη θάλασσα...

Σιγά, χωρίς να το καταλάβω, με πήρε ο ύπνος. Και το πρωί, χαράματα, είδα το Ζορμπά να 'ρχεται γελαστός, ξεκούραστος, να με τραβά από τα πόδια.

— Σήκω, αφεντικό, είπε, να σου ξεμολογηθώ το σχέδιό μου. Ακούς;

— Ακούω.

Στρογγυλοστρώθηκε διπλογόνατος χάμω κι άρχισε να μου παρασταίνει πώς να εγκαταστήσει εναέριο σιδερόδρομο, από την κορυφή του βουνού ως το ακρογιάλι, για να κατεβάζουμε τα ξύλα που μας χρειάζουνται για τις γαλαρίες και να πουλούμε τ' αποδέλοιπα για ξυλεία. Είχαμε αποφασίσει να νοικιάσουμε ένα μοναστηριακό δάσο πεύκα, μα κόστιζε πολύ η μεταφορά και μουλάρια δε βρίσκαμε. Ο Ζορμπάς λοιπόν σοφίστηκε να σκαρώσει εναέριο με χοντρό σύρμα, με στύλους, με μακαράδες, να κρεμάει τους κορμούς από την κορυφή του βουνού, κι όσο να πεις κύμινο να σφεντονίζουνται στο ακρογιάλι.

— Σύμφωνοι; με ρώτησε άμα τέλεψε· υπογράφεις;

— Υπογράφω, Ζορμπά· βάλε ομπρός.

Μου άναψε το μαγκάλι, έβαλε το μπρίκι, μου ετοίμασε τον καφέ, έριξε μιαν πατανία στα πόδια μου να μην κρυώνω κι έφυγε ευχαριστημένος.

— Σήμερα, είπε, θα χτυπήσουμε μιαν καινούρια γαλαρία· βρήκα ένα φιλόνι, μαύρο διαμάντι!

Άνοιξα το χερόγραφο του Βούδα, βυθίστηκα κι εγώ στις δικές μου τις γαλαρίες. Δούλευα όλη μέρα, κι όσο δούλευα αλάφρωνα, γλίτωνα, ένιωθα πολύπλοκη μέσα μου συγκίνηση – ανακούφιση, υπερηφάνια κι αηδία. Μα δούλευα συνεπαρμένος, γιατί το 'ξερα πως άμα τελέψω το χερόγραφο ετούτο και το σφραγίσω και το δέσω, θα γίνω ελεύθερος.

Πεινούσα· έφαγα λίγες σταφίδες και μύγδαλα κι ένα κομμάτι ψωμί. Περίμενα το Ζορμπά να 'ρθει και να φέρει όλα τ' αγαθά που φραίνουν τον άνθρωπο – το γάργαρο γέλιο, την καλή κουβέντα, το νόστιμο φαΐ·

Κατά το βράδυ ξεπρόβαλε. Μαγέρεψε, φάγαμε, μα ο νους του έβοσκε αλλού. Γονάτισε χάμω, κάρφωσε ξυλαράκια στο χώμα, τέντωσε ένα σπάγγο, κρέμασε από μικροσκοπικούς γάντζους ένα σπίρτο και προσπαθούσε να βρει τι κλίση να δώσει στο σύρμα για να μη γίνουν όλα σμπαράλια.

— Αν είναι περισσότερη απ' ό,τι πρέπει η κλίση, μου 'ξηγούσε, μας παίρνει ο διάολος· αν είναι λιγότερη, πάλι μας παίρνει ο διάολος. Πρέπει να βρούμε στην τρίχα την κλίση που χρειάζεται· κι αυτό θέλει, αφεντικό, νου και κρασί.

— Κρασί έχουμε μπόλικο, είπα γελώντας· νου όμως;

Ο Ζορμπάς ξέσπασε στα γέλια:

— Κάτι καταλαβαίνεις και του λόγου σου, αφεντικό, είπε και με κοίταξε με τρυφερότητα.

Κάθισε να ξεκουραστεί, άναφε ένα τσιγάρο. Έκαμε πάλι κέφι, λύθηκε η γλώσσα του.

— Να πετύχει ο εναέριος, είπε, να κατεβάσουμε όλο το δάσο, ν' ανοίξουμε εργοστάσιο, να κάνουμε σανίδια, στύλους, καδρόνια, να βγάλουμε λεφτά με την ουρά, να σκαρώσουμε ένα τρικάταρτο καράβι, να πάρουμε τα μάτια μας, να ρίξουμε πέτρα πίσω μας και να γυρίσουμε τον κόσμο!

Έλαμψαν τα μάτια του Ζορμπά· γέμισαν μακρινές γυναίκες, πολιτείες, φωταψίες, σπίτια θεόρατα, μηχανές, βαπόρια.

— Έβγαλα άσπρες τρίχες, αφεντικό, τα δόντια μου αρχίζουν να κουνούν, δεν έχω πια καιρό να χάνω. Του λόγου σου είσαι νέος, μπορείς να κάνεις 'πομονή, εγώ δεν μπορώ. Μα το Θεό, όσο γερνώ κι αγριεύω! Τι κάθουνται και μου λένε εμένα πως τα γεράματα μερώνουν τον άνθρωπο; Πως ξεθυμαίνει, λέει, η σπιρτάδα του ανθρώπου, βλέπει το Χάρο, απλώνει το λαιμό και λέει: «Σφάξε με, αγά, ν' αγιάσω;» Εγώ, όσο γερνώ κι αγριεύω. Δεν το βάζω κάτω, θέλω να φάω τον κόσμο.

Σηκώθηκε, ξεκρέμασε από τον τοίχο το σαντούρι.

—Έλα εδώ, δαίμονα, είπε· τι κάθεσαι στον τοίχο και σωπαίνεις; Σύρε φωνή!

Δε χόρταινα να βλέπω το Ζορμπά με τι προσοχή και τρυφερότητα ξετύλιγε το σαντούρι από τα πανιά που το 'χε τυλιγμένο· σα να καθάριζε σύκο, σα να 'γδυνε γυναίκα.

Απίθωσε το σαντούρι στα γόνατά του, έσκυφε απάνω του, χάδεφε αλαφριά τις κόρδες του – θαρρείς και το συμβουλεύονταν τι σκοπό να τραγουδήσουν, το παρακαλούσε να ξυπνήσει, το καλόπιανε να 'ρθει να κάμει συντροφιά στην ψυχή του, που σεκλέτιζε πια, δε βαστούσε τη μοναξιά. Άρχισε ένα τραγούδι, δεν έβγαινε, το παράτησε, άρχισε άλλο, οι κόρδες σκλήριζαν σα να πονούσαν, σα να μην ήθελαν· ο Ζορμπάς ακούμπησε στον τοίχο, σφούγγιξε τον ιδρώτα που είχε ξαφνικά αναβρύσει στο κούτελό του.

— Δε θέλει... μουρμούρισε, κοιτάζοντας με τρόμο το σαντούρι· δε θέλει...

Το τύλιξε πάλι με προσοχή, σα να 'ταν, λες, θεριό και φοβόταν μη τον δαγκάσει, σηκώθηκε σιγά και το κρέμασε στον τοίχο.

— Δε θέλει... μουρμούρισε πάλι· δε θέλει... Δεν πρέπει να το ζορίζω.

Κάθισε πάλι χάμω, παράχωσε κάστανα στη χόβολη του μαγκαλιού, γέμισε τα ποτήρια μας κρασί. Ήπιε, ξανάπιε, καθάρισε ένα κάστανο, μου το 'δωκε.

— Καταλαβαίνεις τίποτα, αφεντικό; με ρώτησε. Εγώ τα 'χω χαμένα. Όλα έχουν ψυχή, και τα ξύλα κι οι πέτρες και το κρασί που πίνουμε και το χώμα που πατούμε. Όλα, όλα, αφεντικό.

Σήκωσε το ποτήρι.

— Στην υγειά σου!

Το άδειασε, το ξαναγέμισε.

— Την άτιμη τη ζωή! μουρμούρισε. Την άτιμη! Είναι κι αυτή σαν την κυρα-Μπουμπουλίνα.

Γέλασα.

— Άκου με εμένα, αφεντικό, μη γελάς· η ζωή 'ναι σαν την κυρα-Μπουμπουλίνα. Γριά, κι όμως έχει η σκορδόπιστη το χάζι της· ξέρει τέχνες, σου παίρνει το νου. Σφαλνάς τα μάτια και θαρρείς πως αγκαλιάζεις μιαν κοπέλα είκοσι χρονών. Μωρέ, γίνεται είκοσι χρονών, σου λέω, όταν έχεις κέφι και σβήσεις το φως!

»Μα θα μου πεις, είναι μισοσαπημένη, έχει κάμει στη ζωή της σημεία και τέρατα, πέρασε από ναυάρχους, ναυτάκια, φανταράκια, χωριάτες, πραματευτήδες, παπάδες, φαράδες, χωροφύλακες, δασκάλους, ιεροκήρυκες, ειρηνοδίκες – μα τι πάει να πει; Ξεχνάει γρήγορα η πατσαβούρα, δε θυμάται κανένα αγαπητικό, γίνεται, αλήθεια σου λέω, αθώα περιστερά, πρωτόβγαλτη, πιτσουνάκι, και κοκκινίζει, άκου με που σου λέω, κοκκινίζει και τρέμει σα να 'ταν η πρώτη φορά. Μυστήριο είναι η γυναίκα, αφεντικό. Χίλιες φορές να πέσει, χίλιες φορές σηκώνεται παρθένα. Και γιατί; θα μου πεις. Να, γιατί δε θυμάται.

— Ο παπαγάλος όμως θυμάται, Ζορμπά, είπα για να τον πειράξω· φωνάζει πάντα ένα όνομα που δεν είναι το δικό σου. Δε σε δαιμονίζει αυτό; Την ώρα που βρίσκεσαι μαζί της στους εφτά ουρανούς, ν' ακούσεις τον παπαγάλο να φωνάζει: «Καναβάρο! Καναβάρο!», δε σου 'ρχεται να τον αρπάξεις από το λαιμό να τον πνίξεις; Α, επιτέλους, είναι καιρός πια να τον μάθεις να φωνάζει: «Ζορμπά! Ζορμπά!»

— Πωπώ! Παλιές σκουριές! Παλιά πολιτέματα! φώναξε ο Ζορμπάς και βούλωσε τ' αυτιά του με τις χερούκλες του. Να τον πνίξω, λέει; Μα εγώ τρελαίνουμαι να τον ακούω να φωνάζει τ' όνομα αυτό που λες. Τον κρεμά η αθεόφοβη τη νύχτα απάνω από το κρεβάτι, και σου 'χει ο άτιμος ένα μάτι που τρυπάει το σκοτάδι, και μόλις μας δει να βγάζουμε τα μάτια μας αρχίζει τις φωνές: «Καναβάρο! Καναβάρο!»

»Κι εγώ ευτύς, σου ορκίζουμαι, αφεντικό, μα πού να καταλάβεις του λόγου σου, που σ' έχουν φάει τ' αναθεματισμένα

σκορδόπιστος: *που δεν μπορεί κανείς να του έχει εμπιστοσύνη*

τα βιβλία! Σου ορκίζουμαι, νιώθω λουστρίνι στις ποδάρες μου, φτερά στο κεφάλι μου, κάτι γένια μεταξωτά πασαλειμμένα με πατσουλί. "Μπουονγκιόρνο! Μπουενασέρα! Μαγκιάτε μακαρόνι;" Γίνουμαι σωστός Καναβάρο. Ανεβαίνω στη χιλιοτρύπητη ναυαρχίδα μου, και δώστου φωτιά στα καζάνια! Αρχίζει το κανονίδι!

Πήραν τα γέλια το Ζορμπά. Έκλεισε το ζερβό του μάτι, με κοίταξε:

— Να με συμπαθάς, αφεντικό, είπε, μα εγώ μοιάζω του παππού μου, του καπετάν Αλέξη, ο Θεός ν' αγιάσει τα κόκαλά του! Ήταν εκατό χρονώ, κάθουνταν το δειλινό απόξω από το κατώφλι του, για να καμαρώνει τις κοπέλες που πήγαιναν στη βρύση. Μα τα μάτια του είχαν θαμπώσει, δεν ξεχώριζε καλά. Φώναζε λοιπόν τις κοπέλες. «Ποια είσαι, μωρή;» «Το Λενιό του Μαστραντώνη!» «Έλα, μωρή, να σε αγγίξω! Έλα, μωρή, μη φοβάσαι!» Κι η κοπέλα έπνιγε το γέλιο της και ζύγωνε. Κι ο παππούς μου έριχνε την απαλάμη στο πρόσωπο της κορασίδας και το πασπάτευε σουρτά, τρυφερά, λιμασμένα. Κι έτρεχαν τα κλάματά του. «Γιατί κλαις, παππού;» τον ρώτησα μια μέρα. «Ε, είναι, μωρέ παιδί μου, να μην κλαίω, που εγώ πεθαίνω κι αφήνω πίσω μου τόσες όμορφες κοπέλες;»

Ο Ζορμπάς αναστέναξε.

— Ε κακομοίρη παππού, είπε, και πώς σε καταλαβαίνω! Κάθουμαι συχνά και λέω με το νου μου: «Αχ! Αχ! και να 'ταν να πέθαιναν κι όλες οι όμορφες μαζί μου!» Μα αυτές οι σκρόφες θα ζήσουν, θα καλοζήσουν, θ' αγκαλιάζουνται, θα φιλιούνται, κι ο Ζορμπάς θα 'χει γίνει χώμα, να με πατούνε!

Έβγαλε μερικά κάστανα από τη θράκα, τα καθάρισε, σκουντρήξαμε τα ποτήρια μας. Ώρα πολλή πίναμε και μασουλίζαμε ήσυχα ήσυχα, σα δυο μεγάλα κουνέλια, κι ακούγαμε απόξω τη θάλασσα να μουγκρίζει.

VII

Κάμποση ώρα

γύρω από το μαγκάλι οι δυο μας σωπαίναμε. Βεβαιώθηκα πάλι πόσο η ευτυχία είναι πράγμα απλό και λιτοδίαιτο – ένα ποτήρι κρασί, ένα κάστανο, ένα φτωχικό μαγκαλάκι, η βουή της θάλασσας· τίποτα άλλο. Χρειάζεται μονάχα, για να νιώσεις πως όλα τούτα είναι ευτυχία, μια καρδιά απλή και λιτοδίαιτη.

— Πόσες φορές παντρεύτηκες, Ζορμπά; ρώτησα ύστερα από λίγη ώρα.

Είχαμε έρθει κι οι δυο στο κέφι, όχι τόσο από το πολύ κρασί όσο από την πολλή μέσα μας ανομολόγητη ευτυχία. Βαθιά το καταλαβαίναμε κι οι δυο μας, με τον τρόπο τον εδικό του ο καθένας, πως ήμασταν δυο μικρά λιγόζωα έντομα, καλά σοφιλιασμένα απάνω στη φλούδα της γης, κι είχαμε βρει μια βολική γωνιά, δίπλα σ' ένα ακρογιάλι, πίσω από καλάμια, σανίδια και γκαζοτενεκέδες, και στριμωχτήκαμε κοντά κοντά ο ένας στον άλλον, κι είχαμε μπροστά μας πράγματα ευχάριστα και φαγώσιμα, και μέσα μας τη γαλήνη, την αγάπη και την ασφάλεια.

Ο Ζορμπάς δε με άκουσε· ένας Θεός ξέρει σε τι πέλαγα αρμένιζε ο νους του και δεν μπορούσε να τον φτάσει η φωνή μου. Άπλωσα το χέρι, τον άγγιξα.

— Πόσες φορές παντρεύτηκες, Ζορμπά; ξαναρώτησα.

Τινάχτηκε. Άκουσε, κούνησε τη χερούλα του.

— Ου, μου αποκρίθηκε, τι κάθεσαι τώρα κι ανασκαλεύεις!

Άνθρωπος δεν είμαι; Έκαμα κι εγώ τη Μεγάλη Κουταμάρα· έτσι λέω, και να με συμπαθούν όλοι οι παντρεμένοι, το γάμο. Έκαμα λοιπόν τη Μεγάλη Κουταμάρα, παντρεύτηκα.

— Καλά, μα πόσες φορές;

Ο Ζορμπάς έξυσε νευρικά το λαιμό του· συλλογίστηκε μια στιγμή.

— Πόσες φορές; έκαμε τέλος. Τίμια, μια φορά, μια κι όξω· μεσοτίμια, δυο φορές· άτιμα, χίλιες, δυο χιλιάδες, τρεις χιλιάδες, πού να κρατώ τεφτέρι!

— Για λέγε, Ζορμπά! Αύριο είναι Κυριακή, θα ξουριστούμε, θα βάλουμε τα καλά μας, θα πάμε στην κυρα-Μπουμπουλίνα, ζωή και κότα! Δεν έχουμε δουλειά· ας το ρίξουμε λοιπόν όξω απόψε· λέγε!

— Μα τι να πω; Λέγουνται αυτά, αφεντικό; Τα τίμια ζευγαρώματα είναι ανούσια· φαΐ χωρίς πιπέρι. Τι να πω; Φιλί 'ναι αυτό, να σε καμαρώνουν οι άγιοι από το εικονοστάσι και να σου δίνουν την ευκή τους; Εμείς λέμε στο χωριό μας: «Μονάχα το κλεφίμιο κρέας έχει νοστιμιά·» η γυναίκα σου δεν είναι κλεφίμιο κρέας.

»Τ' άτιμα πάλι ζευγαρώματα, πού να τα θυμάσαι! Κρατά ο κόκορας τεφτέρι; Δε βαριέσαι! Και γιατί να κρατά τεφτέρι; Εγώ μια φορά, όταν ήμουν μαθές νέος, είχα τη λόξα, από κάθε γυναίκα που πλάγιαζα, να της παίρνω κι ένα τσουλούφι μαλλιά. Είχα λοιπόν το φαλιδάκι πάντα μαζί μου. Μα στην εκκλησιά να πήγαινα, το φαλιδάκι στην τσέπη. Άνθρωποι είμαστε, δεν ξέρεις τι γίνεται.

»Μάζωνα λοιπόν τα τσουλούφια, μαύρα, ξανθά, καστανά, και με άσπρες τρίχες ακόμα· μάζωνα, μάζωνα, γέμισα ένα μαξιλάρι. Γέμισα ένα μαξιλάρι και το 'βαζα και κοιμόμουν· μα μονάχα το χειμώνα, γιατί το καλοκαίρι με άναβε. Μα σε λίγο καιρό το σιχάθηκα κι αυτό, άρχισε, βλέπεις, να μυρίζει, του 'βαλα φωτιά.

Ο Ζορμπάς γέλασε.

— Αυτά ήταν τα τεφτέρια μου, αφεντικό, είπε· κάηκαν.

Βαρέθηκα, θαρρούσα πως θα 'ταν λίγες, είδα πως δεν έχουν τελειωμό, πέταξα το φαλιδάκι.

— Και τα μεσοτίμια ζευγαρώματα, Ζορμπά;

— Ε, αυτά έχουν το χάζι τους, αποκρίθηκε χιχιρίζοντας. Ε μωρέ γυναίκα Σλάβα, χίλια χρόνια να ζήσεις! Ελευτερία! Δεν έχει: πού ήσουν; γιατί άργησες; πού κοιμήθηκες; Μήτε σε ρωτάει, μήτε τη ρωτάς. Ελευτερία!

Απλοχέρισε στο ποτήρι του, το άδειασε, ξεφλούδισε ένα κάστανο. Μασούλιζε και μιλούσε:

— Τη μια τη λέγανε Σοφίνκα, την άλλη Νούσα. Τη Σοφίνκα τη γνώρισα σ' ένα μεγάλο χωριό, κοντά στο Νοβορωσίσκι. Χειμώνας, χιόνια, πήγαινα για μεταλλείο, περνούσα από το χωριό και στάθηκα· είχε παζάρι τη μέρα εκείνη, κι απ' όλα τα χωριά γύρα είχαν κατέβει γυναίκες και άντρες να πάρουν και να δώσουν. Πείνα μεγάλη, κρύο φοβερό, οι άνθρωποι πουλούσαν ό,τι είχαν και δεν είχαν, ακόμα και τα κονίσματά τους, για ν' αγοράσουν ψωμί.

»Τρογυρνούσα που λες το παζάρι, όπου βλέπω να πηδά από ένα κάρο μια χωριατοπούλα, νταρντάνα, δυο μέτρα μπόι, με μπλάβα μάτια θάλασσα, με κάτι γοφούς, σα φοράδα... Τα σάστισα. "Ε κακομοίρη Ζορμπά", είπα, "χάθηκες!"

»Την πήρα από πίσω, την έτρωγα με τα μάτια, την έτρωγα, μα πού να τη χορτάσω που κουνιούνταν τα καπούλια της σαν τις καμπάνες της Λαμπρής. "Τι ζητάς, μωρέ, μεταλλείο;" έλεγα με το νου μου. "Πού πας και χάνεσαι, ανεμοδούρη; Να το αληθινό μεταλλείο, χώσου με τα μούτρα, άνοιξε γαλαρίες!"

»Στάθηκε η κοπέλα, παζάρεψε, αγόρασε ξύλα, τα σήκωσε –τι μπρατσούκλες ήταν εκείνες, Θε μου!– τα 'ριξε στο κάρο. Αγόρασε λίγο ψωμί, πέντ' έξι καπνιστά φάρια. "Πόσο κάνουν;" ρώτησε "Τόσο". Έβγαλε από το αυτί της το χρυσό της σκουλαρίκι να πλερώσε. Λεφτά δεν είχε, θα 'δινε το σκουλαρίκι. Όπου εγώ γίνηκα μπαρούτι. Ν' αφήσω εγώ μια γυναίκα να δώσει

μεσοτίμια: *όχι και τόσο έντιμα*

τα σκουλαρίκια της, τα μπιχλιμπίδια της, τα μοσκοσάπουνά της, ένα μποτιλάκι λεβάντα... Να τα δώσει κι αυτά, χάνεται ο κόσμος! Είναι σα να μαδήσεις ένα παγόνι. Σου βαστά η καρδιά να μαδήσεις ένα παγόνι; Ποτέ! "Όχι, όχι, όσο ζει ο Ζορμπάς", είπα, "αυτό δε θα γίνει". Άνοιξα το σακούλι μου, πλέρωσα. Ήταν η εποχή που τα ρούβλια είχαν γίνει κουρελόχαρτα· μ' εκατό δραχμές αγόραζες ένα μουλάρι, με δέκα δραχμές μια γυναίκα.
»Πλέρωσα, το λοιπόν. Η νταρντάνα στράφηκε, με κοίταξε. Μου άρπαξε το χέρι να μου το φιλήσει. Μα εγώ το τράβηξα πίσω· τι, για γέρο με πήρε; "Σπασίμπα! Σπασίμπα!" μου φώναζε· που θα πει: "Ευχαριστώ! Ευχαριστώ!" και μ' ένα πήδημα σάλταρε στο κάρο, πήρε τα γκέμια, σήκωσε το καμουτσίκι. "Ζορμπά", είπα τότε, "το νου σου, μωρέ, θα σου φύγει!" Μ' ένα σάλτο βρέθηκα κι εγώ στο κάρο δίπλα της. Δεν είπε τίποτα· μήτε στράφηκε να με δει. Έδωκε μια του αλόγου, κινήσαμε.
»Στο δρόμο κατάλαβε πως την ήθελα γυναίκα. Λίγα ρούσικα ήξερα, μα αυτές οι δουλειές δε θένε πολλά λόγια. Μιλούσαμε με τα μάτια, με τα χέρια, με τα γόνατα. Φτάσαμε, να μην τα πολυλογούμε, στο χωριό, σταθήκαμε απόξω από μιαν ίσμπα. Κατεβήκαμε. Με μια σπρωξιά άνοιξε η κοπέλα την πόρτα, μπήκαμε. Ξεφορτώσαμε στην αυλή τα ξύλα, πήραμε τα φάρια και το ψωμί, μπήκαμε στην κάμαρα. Μια γριούλα κάθουνταν δίπλα στο σβημένο τζάκι, τουρτούριζε. Ήταν κουκουλωμένη με τσουβάλια, με κουρέλια, με προβιές, μα τουρτούριζε. Κρύο, σου λέω, πέφταν τα νύχια σου. Έσκυψα εγώ, έβαλα μπόλικα ξύλα στο τζάκι, άναφα φωτιά. Η γριούλα με κοίταζε και χαμογελούσε. Κάτι της είπε η κόρη της, μα δεν κατάλαβα. Άναφα τη φωτιά· ζεστάθηκε η γριά, ζωντάνεφε.
Η κοπέλα ωστόσο έστρωνε το τραπέζι· έφερε λίγη βότκα, την ήπιαμε. Άναφε το σαμοβάρι, έφτιασε τσάι, καθίσαμε, φάγαμε, δώσαμε και της γριάς. Ύστερα έστρωσε το κρεβάτι· έβαλε καθαρά σεντόνια, άναφε το καντηλάκι μπροστά από το κόνισμα της Παναγίας, έκαμε το σταυρό της. Μου 'καμε ύστερα νόημα, γονατίσαμε κι οι δυο μπροστά από τη γριά, της φιλήσαμε το

χέρι. Κι αυτή απίθωσε τα κοκαλιάρικα χέρια της στα κεφάλια μας και κάτι μουρμούρισε· φαίνεται, μας έδωκε την ευκή της. «Σπασίμπα! Σπασίμπα!» φώναξα εγώ και μ' ένα σάλτο βρεθήκαμε με την νταρντάνα στο κρεβάτι.

Ο Ζορμπάς σώπασε. Σήκωσε το κεφάλι, κοίταξε πέρα, κατά τη θάλασσα.

— Τη λέγανε Σοφίνκα... είπε σε λίγο και σώπασε πάλι.

— Λοιπόν; ρώτησα ανυπόμονος· λοιπόν;

— Δεν έχει λοιπόν! Τι μανία που έχεις, αφεντικό, με τα λοιπόν και τα γιατί! Λέγουνται αυτά, στο Θεό σου; Η γυναίκα είναι μια πηγή δροσερή, σκύβεις, θωράς το πρόσωπό σου, και πίνεις, πίνεις, και τα κόκαλά σου τρίζουν. Κι ύστερα έρχεται ένας άλλος πάλι που διψάει, σκύβει κι αυτός, θωράει το πρόσωπό του και πίνει. Κι ύστερα ένας άλλος... Αυτό θα πει πηγή· αυτό θα πει γυναίκα.

— Κι ύστερα, έφυγες;

— Τι ήθελες να κάμω; Αυτή 'ναι πηγή, είπαμε, εγώ διαβάτης, πήρα πάλι το δρόμο. Έμεινα τρεις μήνες μαζί της, ο Θεός να την έχει καλά, παράπονο δεν έχω. Μα ύστερα από τρεις μήνες, θυμήθηκα πως κίνησα για μεταλλείο. «Σοφίνκα», της είπα ένα πρωί, «εγώ έχω δουλειά· πρέπει να φύγω». «Καλά», είπε η Σοφίνκα, «πήγαινε. Θα σε περιμένω ένα μήνα· αν δεν έρθεις ύστερα από ένα μήνα, είμαι λεύτερη. Είσαι και συ λεύτερος. Στην ευκή του Θεού!» Έφυγα.

— Και γύρισες ύστερα από ένα μήνα;

— Μα είσαι κουτός, αφεντικό, και να με συμπαθάς! φώναξε ο Ζορμπάς. Πού να γυρίσεις! Σε αφήνουν οι αφορεσμένες; Ύστερα από ένα μήνα, στο Κουμπάν, βρήκα τη Νούσα.

— Λέγε! Λέγε!

— Άλλη φορά, αφεντικό. Μην τις μπερδεύουμε τις κακομοίρες! Στην υγειά της Σοφίνκας!

Κατέβασε το κρασί μονορούφι, ακούμπησε στον τοίχο.

— Καλά, είπε, θα σου μιλήσω και για τη Νούσα. Το κεφάλι μου απόψε γέμισε Ρουσία. Μάινα, θα ξεφορτώσω!

Σφούγγιξε τα μουστάκια του, ανασκάλεφε τη θράκα.

— Αυτή λοιπόν, που λες, τη Νούσα, τη γνώρισα σ' ένα χωριό του Κουμπάν. Καλοκαίρι εκεί πέρα. Καρπούζια και πεπόνια βουνά, έσκυβα, έπαιρνα ένα, κανένας δε μου 'λεγε «βρε τι κάνεις αυτού;» Το 'κοβα στη μέση κι έχωνα τη μούρη μου μέσα.

»Όλα μπόλικα εκεί πέρα στον Καύκασο, αφεντικό, όλα χύμα, διαλέγετε και παίρνετε! Κι όχι μονάχα, να πεις, τα πεπόνια και τα καρπούζια, παρά και τα ψάρια και τα βούτυρα κι οι γυναίκες. Περνάς, βλέπεις ένα καρπούζι, το παίρνεις, βλέπεις μια γυναίκα, την παίρνεις. Όχι σαν εδώ, στην Ψωροκώσταινα, που άμα πάρεις κανενός ένα καρπουζόφυλλο σε πάει στα δικαστήρια, κι άμα αγγίξεις μια γυναίκα, φόρα τη μαχαίρα ο αδερφός να σε κάμει κιμά. Μιζέρια, τσιγκουνιά, δικό σου και δικό μου, ου να χαθείτε, ψωριάρηδες! Να πάτε, μωρέ, στη Ρουσία, να δείτε αρχοντιά!

»Πέρασα λοιπόν από το Κουμπάν, είδα μια γυναίκα σ' ένα μποστάνι, μου άρεσε. Πρέπει να ξέρεις, αφεντικό, πως η Σλάβα δεν είναι σαν και τούτες τις φτενές συφεροντολόγες Ρωμιές, που σου πουλούν τον έρωτα με το δράμι και κάνουν ό,τι μπορούν για να σου τον πασάρουν ξίκικο, να σε γελάσουν στο ζύγι· η Σλάβα, αφεντικό, σου τον ζυγιάζει μπόλικα, βαρύ βαρύ· και στον ύπνο και στον έρωτα και στο φαΐ είναι πολύ συγγενής με τα ζώα, πολύ συγγενής με τη γης, δίνει, δίνει μπόλικα, δεν τσιγκουνεύεται, σαν και τούτες τις Ρωμιές, τις φιλικατζίνες! «Πώς σε λένε;» τη ρώτησα. Βλέπεις, με τις γυναίκες είχα μάθει τώρα και λίγα ρούσικα... "Νούσα· και σένα;" "Αλέξη. Πολύ μου αρέσεις, Νούσα". Με κοίταξε καλά καλά, όπως κοιτάζουμε ένα άλογο που θέλουμε ν' αγοράσουμε. "Και συ δε φαίνεσαι αχαμνός", μου κάνει. "Έχεις γερά δόντια, μεγάλα μουστάκια, φαρδιές πλάτες, χοντρά μπράτσα. Μου αρέσεις". Πολλά άλλα πράγματα δεν είπαμε, μήτε κι ήταν ανάγκη. Μάνι μάνι τα συφωνήσαμε· θα πήγαινα σπίτι της το ίδιο βράδυ με τα καλά μου ρούχα. "Έχεις και γούνα;" με ρωτά η Νούσα. "Έχω, μα με τέτοια ζέστη..." "Δεν πειράζει· φέρ' τη για μεγαλείο".

»Ντύθηκα λοιπόν το βράδυ σα γαμπρός, φορτώθηκα στο μπράτσο μου τη γούνα, πήρα κι ένα μπαστούνι που είχα με ασημένια λαβή, πήγα. Μεγάλο σπίτι χωριάτικο, με αυλές, αγελάδες, πατητήρια, φωτιές αναμμένες στην αυλή, καζάνια απάνω στις φωτιές. "Τι βράζετε εδώ;" ρώτησα. "Πετιμέζι από καρπούζια". "Κι εδώ;" "Πετιμέζι από πεπόνια". Μωρέ, τι 'ναι εδώ; είπα με το νου μου. Ακούς εκεί πετιμέζι από πεπόνια και καρπούζια! Γη της επαγγελίας, όξω φτώχεια! Έχε την ευκή μου, Ζορμπά, καλά έπεσες εδώ μέσα· σαν πόντικας σ' ένα τουλούμι τυρί.

»Ανέβηκα τις σκάλες. Κάτι ξύλινες θεόρατες σκάλες που τρίζανε. Στο κεφαλόσκαλο ο πατέρας κι η μάνα της Νούσας ντυμένοι μ' ένα είδος σαλβάρια πράσινα, και κόκκινο ζουνάρι με χοντρές φούντες. Αρχοντάνθρωποι. Άνοιξαν τα μπράτσα, ματς μουτς, αγκαλιάσματα. Γέμισα σάλια. Μου μιλούσαν γρήγορα γρήγορα, δεν καταλάβαινα σκραπ, μα τι πειράζει; Από τη φάτσα τους το 'βλεπα, το κακό μου δεν ήθελαν.

»Μπαίνω μέσα, και τι να δω; Τραπέζια στρωμένα, φορτωμένα σαν τρικάταρτα καράβια. Όλοι οι συγγενείς, γυναίκες κι άντρες, όρθιοι, και μπροστά στέκουνταν η Νούσα, βαμμένη, στολισμένη, ξεστήθωτη, σα γοργόνα του καραβιού. Άστραφτε από ομορφιά και νιάτα· φορούσε ένα κόκκινο μαντίλι στο κεφάλι, κι απάνω στην καρδιά της είχε κεντημένο ένα σφυρί κι ένα δρεπάνι. "Μωρέ αθεόφοβε Ζορμπά", είπα με το νου μου, "ετούτο το κρέας είναι δικό σου; Ετούτο το κορμί θ' αγκαλιάσεις απόφε; Ο Θεός να συχωρέσει τον κύρη και τη μάνα που σε γέννησαν!"

»Πέσαμε με τα μούτρα, γυναίκες κι άντρες, στο φαγοπότι. Τρώγαμε σα χοίροι, πίναμε σα βουβάλια. "Κι ο παπάς;" ρώτησα τον πατέρα της Νούσας, που κάθουνταν δίπλα μου κι έβγαζε αχνούς το κορμί του από το πολύ φαΐ· "πού 'ναι ο παπάς να μας βλοήσει;" "Δεν έχει παπά", μου αποκρίθηκε και με πιτσίλισε πάλι με τα σάλια του, "δεν έχει παπά. Η θρησκεία, όπιο του λαού".

Είπε και σηκώθηκε κορδωμένος, ξέσφιξε το κόκκινο ζωνάρι του, άπλωσε το χέρι να κάμει σιωπή. Κρατούσε ξέχειλο το ποτήρι του και με κοίταζε στα μάτια. Άρχισε να λέει, να λέει, μου 'βγαζε λόγο. Τι έλεγε; Ο Θεός κι η ψυχή του. Βαρέθηκα να στέκουμαι, είχα αρχίσει και να ζαλίζουμαι· κάθισα πάλι. Κάθισα και κόλλησα το γόνατό μου στο γόνατο της Νούσας, δεξά μου.

»Μιλούσε, μιλούσε ο γέρος, ίδρωσε, όλοι ρίχτηκαν και τον αγκάλιασαν για να σωπάσει. Σώπασε. Η Νούσα μου έγνεφε: "Μίλα, ντε, και συ!"

»Σηκώθηκα λοιπόν κι εγώ, έβγαλα λόγο, μισό ρούσικα, μισό ρωμαίικα. Τι είπα; Ανάθεμά με αν ήξερα. Θυμούμαι μονάχα πως στο τέλος το 'χα ρίξει στο κλέφτικο. Είχα αρχίσει χωρίς αιτία κι αφορμή να γκαρίζω:

> Βγήκαν κλέφτες στα βουνά
> για να κλέφουν άλογα!
> Κι άλογα δε βρήκανε
> και τη Νούσα πήρανε!

»Βλέπεις, αφεντικό, το άλλαζα και λίγο, για την περίσταση:

> Και πάνε, πάνε, παν
> (άιντε, μανούλα μου, παν!).
> Αχ Νουσάκι μ',
> αχ Νουσάκι μ',
> βάι!

»Κι ως μούγκρισα: "βάι!" χύθηκα και φίλησα τη Νούσα.

»Αυτό ήταν! Σα να 'δωκα, λες, το σενιάλο που περίμεναν, άλλο που δεν ήθελαν, πετάχτηκαν μερικοί μαγκλαράδες κοκκινογένηδες κι έσβησαν τα φώτα.

»Οι γυναίκες οι παμπόνηρες σκλήριξαν, τάχατε πως τρόμαξαν. Μα γρήγορα, χιχιχί! μέσα στο σκοτάδι, άρχισαν τα γαργαλίσματα και τα γέλια.

»Το τι έγινε, αφεντικό, ένας Θεός το ξέρει. Μα θαρρώ πως μήτε αυτός το 'ξερε, γιατί αν το 'ξερε θα 'ριχνε το αστροπελέκι του να μας κάψει. Άντρες και γυναίκες, μαλλιά κουβάρια, κυλίστηκαν κάτω· έφαχνα να βρω τη Νούσα, μα πού να τη βρω! Βρήκα μιαν άλλη, έβγαλα τα μάτια μου μαζί της.

»Τα ξημερώματα σηκώθηκα να πάρω τη γυναίκα μου να φύγουμε. Σκοτάδι ακόμα, δεν καλόβλεπα. Πιάνω ένα πόδι, το τραβώ, δεν ήταν της Νούσας· πιάνω άλλο, μήτε αυτό! Πιάνω άλλο, μήτε αυτό! Πιάνω άλλο, άλλο, και τέλος πάντων είδα κι έπαθα, βρίσκω το πόδι της Νούσας, το τραβώ, την ξεπλέκω από δυο τρεις νταγλαράδες, που την είχαν πιτακωμένη την κακομοίρα, και την ξυπνώ. "Νούσα", της λέω, "πάμε!" "Μην ξεχάσεις τη γούνα σου!" μου αποκρίθηκε· "πάμε". Φύγαμε.

— Λοιπόν; ρώτησα πάλι βλέποντας το Ζορμπά να σωπαίνει.

— Τι το θες πάλι το λοιπόν; έκαμε ο Ζορμπάς νευριασμένος. Αναστέναξε.

— Έζησα έξι μήνες μαζί της. Από τότε πια, μα το Θεό, δε φοβούμαι τίποτα. Μα τίποτα, σου λέω! Ένα μονάχα: μην τύχει ο διάολος ή ο Θεός και μου σβήσουν από τη θύμησή μου τους έξι αυτούς μήνες. Κατάλαβες; Κατάλαβα, να λες.

Ο Ζορμπάς έκλεισε τα μάτια. Φαίνουνταν πολύ συγκινημένος. Πρώτη φορά τον έβλεπα να πιάνεται τόσο πολύ από μιαν περασμένη στιγμή.

— Τόσο λοιπόν πολύ την αγάπησες τη γυναίκα αυτή; ρώτησα ύστερα από λίγο.

Ο Ζορμπάς άνοιξε τα μάτια.

— Είσαι νέος του λόγου σου, αφεντικό, είσαι νέος, τι καταλαβαίνεις; Άμα βγάλεις κι η αφεντιά σου άσπρες τρίχες, έλα να κουβεντιάσουμε για την ατέλειωτη αυτή υπόθεση...

— Ποιαν ατέλειωτη υπόθεση;

— Τη γυναίκα. Πόσες φορές να σου το πω; Ατέλειωτη υπόθεση είναι η γυναίκα. Τώρα του λόγου σου είσαι σαν τα κοκοράκια που πηδούν μιαν αστραπή τις κότες κι ύστερα φουσκώνουν το λαιμό, ανεβαίνουν στην κοπριά και κράζουν και κοκορεύουνται. Δεν κοιτάζουν την κότα, κοιτάζουν το λειρί τους. Τι μπορούν λοιπόν να καταλάβουν από έρωτα; Τον κακό τους τον καιρό!

Έφτυσε χάμω με καταφρόνια· στράφηκε πέρα, δεν ήθελε να με κοιτάξει.

— Λοιπόν, Ζορμπά, ρώτησα πάλι, κι η Νούσα;

Ο Ζορμπάς, κοιτάζοντας πέρα κατά τη θάλασσα:

— Ένα βράδυ, αποκρίθηκε, γύρισα σπίτι και δεν τη βρήκα. Είχε φύγει. Κάποιος ομορφονιός φαντάρος είχε περάσει τις μέρες εκείνες από το χωριό, έφυγε μαζί του. Πάει! Η καρδιά μου σκίστηκε, έγινε δυο κομμάτια· μα γρήγορα, η άτιμη, ξανακόλλησε. Είδες κάτι χιλιομπαλωμένα πανιά καραβιού, με κόκκινα, κίτρινα, μαύρα μπαλώματα, ραμμένα με χοντρό σπάγγο, που πια δεν ξεσκίζουνται και στις πιο μεγάλες φουρτούνες; Τέτοια η καρδιά μου. Χιλιοτρυπημένη, χιλιομπαλωμένη, αέττητη.

— Και δε θύμωσες με τη Νούσα, Ζορμπά;

— Γιατί να θυμώσω; Ό,τι θες λέγε· η γυναίκα είναι κάτι άλλο, αφεντικό, κάτι άλλο, όχι άνθρωπος. Γιατί να θυμώσω; Είναι ένα πράμα ακατανόητο η γυναίκα, κι όλοι οι νόμοι της πολιτείας και της θρησκείας βρίσκουνται σε λάθος. Δεν πρέπει να φέρνουνται έτσι στη γυναίκα, όχι! Της φέρνουνται πολύ σκληρά, αφεντικό, πολύ άδικα... Εγώ, αν περνούσε από το χέρι μου να βάλω νόμους, θα 'βαζα άλλους για τον άντρα, άλλους για τη γυναίκα. Δέκα, εκατό, χίλιες εντολές για τον άντρα· άντρας είναι, μαθές, σηκώνει. Όμως καμιά για τη γυναίκα. Γιατί, πόσες φορές να σου το πω, αφεντικό; η γυναίκα είναι αδύναμο πλάσμα. Στην υγειά της Νούσας, αφεντικό! Στην υγειά της γυναίκας! Κι ο Θεός να βάλει και σ' εμάς τους άντρες γνώση!

Ήπιε, σήκωσε το χέρι του, το κατέβασε απότομα, σα να κρατούσε μπαλτά.

— Ή να μας βάλει γνώση, είπε, ή να μας κάμει εγχείριση. Αλλιώς, άκου που σου λέω, αφεντικό: είμαστε χαμένοι!

αέττητος: *μεγάλης αντοχής, ακατάλυτος*

VIII

Σήμερα βρέχει

σιγά, απαλά, σμίγει ο ουρανός με τη γη με άπειρη τρυφεράδα. Έρχεται στο νου μου ένα ιντιάνικο ανάγλυφο, από σκούρα γκρίζα πέτρα: ο άντρας έχει ρίξει τα μπράτσα του γύρα από τη γυναίκα και σμίγει μαζί της με τόση απαλάδα κι εγκαρτέρηση, που θαρρείς, έτσι που κι ο καιρός έχει αγλείψει και φάει σχεδόν τα κορμιά, πως βλέπεις δυο έντομα που έσμιξαν κι άρχισε η ψιλή βροχή, βράχηκαν οι φτέρουγές τους, και τα καταπίνει τώρα ήσυχα, λιχούδικα, σφιχταγκαλιασμένα και τα δυο, η γη.

Κάθουμαι μέσα στην παράγκα και κοιτάζω τον κόσμο να θαμπώνει και τη θάλασσα να φωτολαμπυρίζει σταχτοπράσινη. Από τη μιαν άκρα του γιαλού ίσαμε την άλλη, μήτε άνθρωπος, μήτε πανί βάρκας, μήτε πουλί. Από το ανοιχτό παραθυράκι μονάχα μπαίνει η μυρωδιά του χώματος.

Σηκώθηκα, άπλωσα το χέρι στη βροχή, σα ζητιάνος. Κι άξαφνα μου 'ρθε να βάλω τα κλάματα. Μια θλίψη, όχι για μένα, όχι δικιά μου, πιο βαθιά, πιο σκοτεινή, ανέβαινε από τη βρεμένη γη στα σωθικά μου. Ο πανικός. Ο πανικός που θα κυριεύει το ζο που βόσκει ανέγνοιο, και μονομιάς, χωρίς να δει τίποτα, ψυχανεμίζεται ολόγυρά του πως είναι μπλοκαρισμένο και δε γλιτώνει.

Έκαμα να σύρω φωνή, ήξερα πως αυτό θα με αλάφρωνε, μα ντράπηκα.

147

Ο ουρανός όλο και χαμήλωνε· κοίταξα από το παραθυράκι. Τα σύννεφα είχαν σκεπάσει το φήλωμα του λιγνίτη, και το αναγερτό γυναίκειο πρόσωπο βούλιαξε.

Ηδονικές, όλο θλίψη οι ώρες ετούτες της φιλής βροχής, σα να βρέχεται η ψυχή σου η πεταλούδα και βουλιάζει στο χώμα. Έρχουνται στο νου σου όλες οι πικρές θύμησες, οι στερνιασμένες στην καρδιά σου – χωρισμοί από φίλους, χαμόγελα γυναικών που έσβησαν, ελπίδες που μάδησαν σαν πεταλούδες κι αυτές, και τους απόμεινε μονάχα το σκουλήκι· και το σκουλήκι αυτό σούρνεται τώρα στα φύλλα της καρδιάς σου και τα τρώει.

Κι αγάλια, μέσα από τη βροχή και το βρεμένο χώμα, ανέβηκε πάλι στην καρδιά μου ο ξενιτεμένος φίλος, πέρα, στον Καύκασο. Πήρα την πένα, έσκυψα στο χαρτί, άρχισα να μιλώ μαζί του, για να μπορέσω να σκίσω το δίχτυ της βροχής, να ξορκίσω τη θλίψη:

«Αγαπημένε, σου γράφω από ένα έρημο ακρογιάλι της Κρήτης, όπου συφωνήσαμε, η Μοίρα κι εγώ, να μείνω λίγους μήνες για να παίξω. Να παίξω τον κεφαλαιούχο, τον ιδιοχτήτη λιγνιτωρυχείου, τον επιχειρηματία, κι αν πετύχει το παιχνίδι μου, να πω τότε πως δεν έπαιξα, παρά επήρα μια μεγάλη απόφαση κι άλλαξα ζωή.

»Θυμάσαι, όταν έφευγες, μ' έκραξες χαρτοπόντικα. Πεισμάτωσα λοιπόν κι εγώ, αποφάσισα να παρατήσω λίγο καιρό –ή για πάντα;– τα χαρτιά και να ριχτώ στην πράξη. Νοίκιασα ένα βουναλάκι με λιγνίτη, πήρα εργάτες, κασμάδες, φτυάρια, λάμπες ασετυλίνης, κοφίνια, καροτσάκια, άνοιξα γαλαρίες και χώνουμαι μέσα. Έτσι, για το πείσμα σου· κι από χαρτοπόντικας έγινα, σκάβοντας, κάνοντας λαγούμια στη γης, τυφλοπόντικας.

»Ελπίζω να εγκρίνεις την αλλαγή. Συχνά, περιπαίζοντάς με, λες πως είσαι μαθητής μου. Κι εγώ επωφελούμαι, ξέροντας καλά ποιο είναι το χρέος και το κέρδος του αληθινού δασκάλου: να προσπαθήσει να μάθει ό,τι μπορεί από το μαθητή του, να μυριστεί κατά πού τραβά η νιότη και να πλωρίσει κατά κει κι αυτός την ψυχή του. Να πώς, ακολουθώντας τη διδασκαλία του μαθητή μου, έφτασα στην Κρήτη.

»Οι χαρές μου εδώ είναι μεγάλες, γιατί είναι πολύ απλές, καμωμένες από τα αιώνια στοιχεία: ανοιχτός αγέρας, θάλασσα, σιταρένιο ψωμί, και το βράδυ ένας καταπληχτικός Σεβάχ Θαλασσινός, που κάθεται διπλοπόδι μπροστά μου, ανοίγει το στόμα, μιλάει, κι ο κόσμος πλαταίνει. Κάποτε, όταν ο λόγος δεν τον χωράει, πετιέται απάνω, χορεύει· κάποτε, όταν κι ο χορός δεν τον χωράει, παίρνει το σαντούρι του στα γόνατα κι αρχίζει να παίζει.

»Πότε ο σκοπός είναι άγριος και σου 'ρχεται να πλαντάξεις, γιατί καταλαβαίνεις ξαφνικά πως η ζωή σου ήταν ανούσια και κακομοιριασμένη, ανάξια του ανθρώπου· και πότε ο σκοπός είναι θλιβερός, και νιώθεις πως η ζωή περνάει και χύνεται σαν άμμος ανάμεσα από τα δάχτυλά σου και δεν υπάρχει σωτηρία.

»Η ψυχή μου πάει κι έρχεται, από την μιαν άκρη στην άλλη του στήθους, σα σαΐτα, κι υφαίνει. Υφαίνει τους λίγους ετούτους μήνες που θα περάσω στην Κρήτη, κι ο Θεός να με συχωρέσει, μα θαρρώ πως είμαι ευτυχής.

»Ο Κομφούκιος λέει: ″Πολλοί ζητούν την ευτυχία υψηλότερα από τον άνθρωπο· άλλοι χαμηλότερα· μα η ευτυχία είναι στο μπόι του ανθρώπου″. Σωστά. Υπάρχουν τόσες ευτυχίες λοιπόν όσα κι ανθρώπινα μπόγια. Ετούτη είναι, αγαπημένε μου μαθητή και δάσκαλε, η ευτυχία μου τώρα· τη μετρώ, την ξαναμετρώ ανήσυχος, για να μάθω ποιο είναι τώρα το μπόι μου. Γιατί ξέρεις καλά, το μπόι του ανθρώπου δε μένει πάντα το ίδιο.

»Πώς αλλάζει, ανάλογα με το κλίμα, με τη σιωπή, με τη μοναξιά ή τη συντροφιά, η ψυχή του ανθρώπου! Οι άνθρωποι μου φαίνουνται, από τη μοναξιά μου εδώ, όχι σα μερμήγκια, καθώς σίγουρα θα νομίζεις, παρά το εναντίον: σα μεγαθήρια, δεινόσαυροι και φτεροδάχτυλοι, που ζουν σε αγέρα κορεσμένο ανθρακικό οξύ και πηχτή κοσμογονική σαπίλα. Μια ζούγκλα ακατανόητη, ανόητη και θλιβερή. Οι έννοιες "πατρίδα" και "φυλή" που αγαπάς, οι έννοιες "υπερπατρίδα" κι "ανθρωπότητα" που μ' έχουν σαγηνέψει, αποχτούν την ίδια αξία στον παντοδύναμον αγέρα της φθοράς. Νιώθουμε πως είμαστε κουρδισμένοι για να πούμε μερικές συλλαβές, κάποτε ούτε καν συλλαβές, άναρθρες φωνές, ένα α! ένα ου! – κι ύστερα σπάζουμε. Κι οι πιο μεγάλες ιδέες ακόμα, άμα ανοίξεις την κοιλιά τους, βλέπεις πως είναι κούκλες κι αυτές, παραγεμισμένες με πίτουρα, και μέσα στα πίτουρα, πιτήδεια παραχωμένο, ένα τενεκεδένιο ελατήριο.

»Καλά ξέρεις πως οι σκληρότατοι αυτοί στοχασμοί όχι μονάχα δε μου κόβουν τα ήπατα, παρά είναι απαραίτητα προσανάμματα στη μέσα μου φλόγα. Γιατί, καθώς λέει κι ο δάσκαλός μου ο Βούδας, είδα. Κι αφού είδα και συνεννοήθηκα κλείνοντας το μάτι στον αόρατο, γεμάτο κέφι και φαντασία, Σκηνοθέτη, μπορώ πια να παίζω άρτια, δηλαδή με συνοχή και χωρίς λιποψυχία, το ρόλο μου στη γης. Γιατί το ρόλο ετούτον δε μου τον έδωκε μονάχα Αυτός που με κούρδισε, παρά κι από δική μου βούληση αυτοκουρδίστηκα κι εγώ. Γιατί; Γιατί είδα· και συνεργάστηκα κι εγώ στο έργο που παίζω, στη σκηνή του Χατζαϊβάτη Θεού.

»Έτσι, σβαρνίζοντας το μάτι μου στην παγκόσμια σκηνή, σε βλέπω πέρα, στα θρυλικά λημέρια του Καύκασου, να παίζεις και συ και ν' αγωνίζεσαι να σώσεις κάμποσες χιλιάδες ψυχές από τη ράτσα μας που κιντυνεύουν. Ψευτοπρομηθέας, που θα υποφέρεις όμως αληθινά μαρτύρια από τις σκοτεινές δυνάμεις που πολεμάς και σε πολεμούνε, την πείνα, το κρύο, την αρρώστια, το θάνατο. Και συ, θαρρώ, περήφανος ως είσαι, θα χαίρεσαι που οι σκοτεινές δυνάμεις είναι τόσο πολλές κι ακαταγώνιστες· γιατί έτσι η πρόθεσή σου γίνεται πιο ηρωική, όντας σχεδόν ανέλπιδη, κι η εκστρατεία της ψυχής σου αποχτάει τραγικότερο μεγαλείο.

»Την τέτοια ζωή σου τη θεωρείς εσύ, σίγουρα, ευτυχία. Κι αφού τη θεωρείς, είναι. Έκοφες και συ την ευτυχία στα μέτρα του μπογιού σου· και το μπόι σου τώρα, δόξα σοι ο Θεός!

είναι μεγαλύτερο από το δικό μου. Τρανότερη αμοιβή ο καλός δάσκαλος δε θέλει από τούτη: να κάμει μαθητή ανώτερό του.

»Εγώ συχνά ξεχνώ, περγελώ, παραστρατίζω, η πίστη μου είναι μωσαϊκό καμωμένο από απιστίες, μου 'ρχεται κάποτε να πάρω μια μικρή στιγμή και να δώσω αλάκερη τη ζωή μου· μα εσύ κρατάς στέρεα το τιμόνι και δεν ξεχνάς, και στις πιο γλυκές θανάσιμες στιγμές, για πού έβαλες πλώρα.

»Θυμάσαι κάποτε που περνούσαμε οι δυο μας την Ιταλία και γυρίζαμε στην Ελλάδα; Είχαμε πάρει μιαν απόφαση για τον Πόντο που κιντύνευε τότε, θυμάσαι, και πηγαίναμε να την εχτελέσουμε. Σε μια μικρή πολιτεία κατεβήκαμε από το τρένο βιαστικοί, γιατί δεν είχαμε καιρό, μιαν ώρα μονάχα, ωσότου έρθει το άλλο τρένο. Μπήκαμε σ' ένα καταπράσινο φουντωτό πάρκο κοντά στο σταθμό· πλατιόφυλλα δέντρα, μπανάνες, καλάμια με σκούρο μεταλλικό χρώμα, μελίσσια που είχαν πιαστεί από ένα ανθισμένο κλαρί, και το κλαρί έτρεμε, χαρούμενο που βυζαίνουνταν.

»Προχωρούσαμε άλαλοι, συνεπαρμένοι, όπως σε όνειρο. Και να, σ' ένα απογύρισμα του ανθισμένου δρόμου, δυο κοπέλες που περπατούσαν και διάβαζαν. Δε θυμούμαι, όμορφες ήταν ή άσκημες· θυμούμαι μονάχα πως η μια ήταν ξανθή κι η άλλη μελαχρινή και φορούσαν κι οι δυο ανοιξιάτικες μπλούζες.

»Και με την τόλμη, που έχουμε στα ονείρατα, ζυγώσαμε και συ τους είπες γελώντας: "Ό,τι κι αν διαβάζετε, θα μιλήσουμε απάνω σε αυτό και θα χαρούμε!"

»Διάβαζαν Γκόρκι. Κι αρχίσαμε να μιλούμε γρήγορα γρήγορα, γιατί βιαζόμασταν, για τη ζωή, για τη φτώχεια, για την αντάρσια της ψυχής, για τον έρωτα...

»Ποτέ δε θα ξεχάσω τη χαρά μας και την πίκρα. Σα να 'μασταν παλιοί φίλοι, παλιοί αγαπητικοί και με τις δυο ετούτες άγνωστες κοπέλες, σα να 'χαμε ευθύνη για τις ψυχές και τα κορμιά τους και βιαζόμασταν, γιατί σε λίγα λεφτά θα χωρί-ζαμε για πάντα· ο αγέρας ήταν τρικυμισμένος από αρπαγή και θάνατο.

»Το τρένο έφτασε, σφύριξε· τιναχτήκαμε σα να ξυπνού- σαμε, δώσαμε τα χέρια. Πώς να ξεχάσω το σφιχτό ανέλπιδο αγκάλιασμα των χεριών, τα δέκα δάχτυλα που δεν ήθελαν, τα κακόμοιρα, να χωρίσουν! Η μια από τις κοπέλες ήταν κατά- χλωμη, η άλλη γελούσε κι έτρεμε.

»Και σου είπα τότε, θυμούμαι: "Τι θα πει Ελλάδα και χρέος; Να η αλήθεια!" Και συ αποκρίθηκες: "Τίποτα δε θα πει Ελλάδα και χρέος· όμως για το τίποτα αυτό θελημματικά ας χαθούμε!"

»Μα γιατί σου τα γράφω όλα ετούτα; Για να σου πω πως τίποτα από όσα ζήσαμε μαζί, τίποτα δεν ξέχασα. Και για να βρω επιτέλους ευκαιρία να φανερώσω στα γράμματά μου ό,τι ποτέ, από την καλή ή κακή συνήθεια που πήραμε να συγκρα- τιούμαστε, δε στάθηκε βολετό να φανερώσω όταν βρισκόμα- σταν μαζί.

»Τώρα που δεν είσαι μπροστά μου και δε βλέπεις τι έκφραση παίρνει το πρόσωπό μου και δεν κιντυνεύω να φανώ τρυφερός και γελοίος, σου λέω πως σε αγαπώ πολύ».

Τέλεφα το γράμμα, κουβέντιασα με το φίλο μου, αλάφρωσα. Φώναξα το Ζορμπά. Κουκουβισμένος κάτω από ένα βράχο, για να μη βρέχεται, έκανε τις πρόβες του για τον εναέριο.

— Έλα, Ζορμπά, του φώναξα· σήκω, πάμε στο χωριό να σεριανίσουμε.

— Κέφι έχεις, αφεντικό· βρέχει. Δεν πας μοναχός σου;

— Έχω κέφι, δε θέλω να το χάσω· σαν είμαστε μαζί, δε φοβούμαι· έλα.

Γέλασε.

— Χαίρουμαι που έχεις την ανάγκη μου· πάμε!

Έβαλε το κρητικό μάλλινο καποτάκι με τη μυτερή κουκούλα, που του είχα χαρίσει, μπήκαμε στο δρόμο, τσαλαβουτώντας στη λάσπη.

Έβρεχε. Οι κορφές είχαν σκεπαστεί, αγέρας δε φυσούσε, οι πέτρες γυάλιζαν. Το βουναλάκι του λιγνίτη ήταν πλανταγμένο στην καταχνιά· ανθρώπινη θλίψη λες συντύλιγε το γυναίκειο πρόσωπο του λόφου, σα να 'χε λιποθυμήσει κάτω από τη βροχή.

— Η καρδιά του ανθρώπου πιάνεται, είπε ο Ζορμπάς· μην τη συνερίζεσαι, όταν βρέχει.

Έσκυψε στη ρίζα ενός φράχτη, έκοψε τα πρώτα άγρια ζαμπάκια· τα κοίταξε πολλήν ώρα, αχόρταγα, σα να 'βλεπε πρώτη φορά ζαμπάκια, τα μύρισε σφαλνώντας τα μάτια, αναστέναξε και μου τα 'δωκε.

— Να ξέραμε, αφεντικό, είπε, τι λένε οι πέτρες, τα λουλούδια, η βροχή! Μπορεί να φωνάζουν, να μας φωνάζουν, κι εμείς να μην ακούμε. Να, όπως κι εμείς φωνάζουμε κι αυτά δεν ακούνε. Πότε θ' ανοίξουν τ' αυτιά του κόσμου, αφεντικό; Πότε θ' ανοίξουν τα μάτια μας να δούμε; Πότε θ' ανοίξουν οι αγκαλιές μας, πέτρες, λουλούδια και βροχή κι ανθρώποι ν' αγκαλιαστούμε; Τι λες και του λόγου σου, αφεντικό; Τι λένε τα κιτάπια;

— Τον κακό τους τον καιρό! είπα χρησιμοποιώντας την αγαπημένη φράση του Ζορμπά· τον κακό τους τον καιρό. Αυτό λένε· τίποτα άλλο.

Ο Ζορμπάς μου 'πιασε το μπράτσο.

— Να σου πω μιαν ιδέα, αφεντικό, είπε, μα να μη θυμώσεις: να κάμεις ένα σωρό όλα σου τα κιτάπια και να τους βάλεις φωτιά. Τότε, ποιος ξέρει, κουτός δεν είσαι, καλός άνθρωπος είσαι... κάτι θα μπορέσεις και συ να καταλάβεις!

«Σωστά, σωστά!» φώναξα μέσα μου· «σωστά, μα δεν μπορώ!»

Κοντοστάθηκε ο Ζορμπάς, σκέφτηκε· και σε λίγο:

— Εγώ κάτι καταλαβαίνω... είπε.

— Τι; Για λέγε, Ζορμπά!

— Ξέρω κι εγώ; Έτσι μου φαίνεται· κάτι καταλαβαίνω... Μα αν θελήσω να το πω, θα το χαλάσω. Καμιά μέρα, να 'χω κέφι, θα σου το χορέψω.

Πήρε να βρέχει τώρα δυνατά. Φτάναμε στο χωριό. Μικρές κοπελούδες γύριζαν από τη βοσκή τα πρόβατα, οι ζευγάδες

ζαμπάκι: *είδος φυτού, κρίνο ή νάρκισσος*

είχαν ξεζέφει τα βόδια τους, παράτησαν μισαλετρισμένο το χωράφι τους, οι γυναίκες περμάζωναν τα παιδιά τους από τα σοκάκια. Χαρούμενος πανικός είχε κυριέψει το χωριό στην απροσδόκητη μπόρα· οι γυναίκες σκλήριζαν και τα μάτια τους γελούσαν, από τα σφηνωτά γένια των αντρών και τα γερτά μουστάκια κρέμουνταν χοντρές στάλες· το χώμα, οι πέτρες, τα χόρτα μύρισαν.

Τρυπώξαμε μουσκίδι στο καφεκρεοπωλείον η «Αιδώς». Κόσμος πολύς, άλλοι έπαιζαν πρέφα, άλλοι κουβέντιαζαν φωναχτά, σα να βρίσκουνταν σε αντικρινά βουνά. Μπροστά από ένα τραπεζάκι, στο βάθος, απάνω σε σανιδένιο πατάρι, θρόνιαζαν οι προύχοντες του χωριού: ο μπαρμπα-Αναγνώστης, με το άσπρο φαρδομάνικο πουκάμισο, ο Μαυραντώνης, σιωπηλός, αυστηρός, κάπνιζε ναργιλέ, με τα μάτια καρφωμένα χάμω, ο δάσκαλος, μεσοκαιρίτης, ξερακιανός, ακουμπούσε στο χοντρό ραβδί του κι άκουγε με συγκαταβατικό χαμόγελο ένα μαλλιαρό άντρακλα, που είχε γυρίσει, τώρα να, από το Κάστρο και στορούσε τα θάματα της μεγάλης πολιτείας. Ο καφετζής, σκυμμένος από το τεζιάκι του, άκουγε και γελούσε κι είχε και το νου του στα μπρίκια, που ήταν αραδιασμένα στην πυρωμένη χόβολη. Ευτύς ως μας είδε, ο μπαρμπα-Αναγνώστης προσηκώθηκε:

— Κοπιάστε από δω, πατριώτες, είπε· ο Σφακιανονικολής μας δηγάται τα όσα είδε κι έπαθε στο Κάστρο... Έχει το χάζι του, κοπιάστε ν' ακούσετε.

Στράφηκε στον καφετζή:

— Δυο ρακές, Μανολάκη, είπε.

Καθίσαμε. Ο άγριος βοσκάνθρωπος, ως είδε ξένους, μαζώχτηκε· σώπασε.

— Και πήγες δα και στο θέατρο, καπετάν Νικολή; τον ρώτησε ο δάσκαλος, για να τον κάμει να μιλήσει. Πώς σου φάνηκε, μαθές;

τεζιάκι: *μπουφές καφενείου*

Άπλωσε ο Σφακιανονικολής τη χερούκλα του, φούχτωσε την κούπα το κρασί του, το κατέβασε μονοκοπανιάς· πήρε κουράγιο.
— Κι αμέ δεν επήγα; φώναξε· επήγα μαθές. Άκουγα δα κι εγώ Κοτοπούλη και Κοτοπούλη, κι έκαμα ένα βράδυ το σταυρό μου κι είπα: να πάω θέλω, μα την πίστη μου, να πάω θέλω κι εγώ να τηνε δω. Ίντα διάολος μαθές είναι και τηνε λένε Κοτοπούλη!
— Κι ίντα 'δες, μπρε Νικολή; ρώτησε ο μπαρμπα-Αναγνώστης, ίντα 'δες, στο Θεό σου;
— Πράμα δεν είδα, θεόφυχά μου, πράμα! Θέατρο ακούς, και θαρρείς θα πας και θα κάνεις χάζι. Κρίμα τσοι παράδες που 'δωκα. Ήταν ένας καφενές στρογγυλός σαν το αλώνι, τίγκα καρέκλες και καντηλέρια κι ανθρώπους. Τα 'χασα, θάμπωσε το φως μου, δε θωρούσα. «Στο διάολο», είπα, «επαέ μου κάνουνε μάγια, θα φύγω!» Μα μια σουσουράδα με πήρε από τη χέρα. «Πού με πας, μωρή;» της κάνω, μα αυτή με πήγαινε, με πήγαινε κι ύστερα γυρίζει και μου κάνει: «Κάτσε!» Έκατσα. Μπροστά και πίσω μου, δεξά και ζερβά μου, ανθρώποι. Μωρέ, θα πλαντάξω, συλλογίστηκα, θα σκάσω, δεν έχει αέρα! Γυρίζω στο γείτονά μου: «Από πού, μωρέ κουμπαράκι, θα προβάλουν οι περμαντόνες;» τονε ρωτώ. «Να, αποκεί μέσα!» μου κάνει και μου δείχνει έναν μπερντέ. Στύλωσα λοιπόν κι εγώ τα μάτια μου στον μπερντέ.
»Όπου, αλήθεια κιόλα, χτυπάει μια κουδούνα, ανοίγει ο μπερντές και βγαίνει η Κοτοπούλη που λένε. Μα την πίστη μου και δεν ήταν αυτή Κοτοπούλη, αυτή 'τανε γυναίκα. Γυναίκα με τα όλα της. Σουσουράδιζε, σουσουράδιζε απάνω κάτω, απάνω κάτω, κι ύστερα βαρεθήκανε πια οι ανθρώποι, της παίζανε τα κουρταλάκια και μπήκε μέσα.
Οι χωριάτες ξέσπασαν στα χάχανα· ο Σφακιανονικολής αγρίεφε, ντράπηκε· στράφηκε κατά την πόρτα.

θεόφυχά (μου, σου, κ.λπ.): *επιφωνηματική έκφραση ως όρκος για επιβεβαίωση και ενίσχυση της αλήθειας των λεγομένων· μα τον Θεό, αλήθεια, στην ψυχή που θα παραδώσω*
κουρταλάκι: *χειροκρότημα, παλαμάκια*

— Βρέχει! είπε για ν᾽ αλλάξει κουβέντα.

Όλοι στράφηκαν κατά την πόρτα· κι ίσια ίσια, ο διάολος το ᾽καμε και τη στιγμή εκείνη περνούσε τρεχάτη, με ανασηκωμένο το μαύρο της φουστάνι ως τα γόνατα, με τα μαλλιά χυμένα στους ώμους, μια γυναίκα. Στρουμπουλή, κουνιστή, τα ρούχα της κολνούσαν απάνω της και φανέρωναν προκλητικό, τραγανό, σαν ψάρι σπαρταριστό, το κορμί της. Ανατινάχτηκα. Τι θεριό είναι ετούτο; Σαν τίγρισσα μου φάνηκε, ανθρωποφάγα.

Στράφηκε η γυναίκα μια στιγμή κι έριξε σπαθάτη ματιά μέσα στον καφενέ· το πρόσωπό της στραφτάλισε ξαναμμένο, τα μάτια της μπιρμπίλισαν.

— Παναγία μου! μουρμούρισε ένας χνουδομάγουλος νιος, που κάθουνταν κοντά στο τζάμι.

— Ανάθεμά σε, πυρωμένη! βρουχήθηκε ο Μανόλακας ο αγροφύλακας· μας βάζεις φωτιά στα μπατζάκια, κι ύστερα δεν τη σβήνεις.

Ο νιος, που κάθουνταν κοντά στο τζάμι, πήρε να τραγουδάει· στην αρχή σιγά, δισταχτικά, κι ολοένα η φωνή του βραχνοκοκόριζε:

Της χήρας το προσκέφαλο μυρίζει σαν κυδώνι,
και το μυρίστηκα κι εγώ, κι ο νους μου δε μερώνει!

— Σκασμός! φώναξε ο Μαυραντώνης, σηκώνοντας το μαρκούτσι του ναργιλέ του.

Ο νιος λούφαξε. Ένας γέρος με μακριά μαλλιαδούρα έσκυψε στο Μανόλακα τον αγροφύλακα.

— Ο μπάρμπας σου, είπε σιγά, αγρίεψε πάλι· να περνούσε από το χέρι του, θα την έκανε λουρίδες λουρίδες την κακομοίρα· ο Θεός να της γράφει χρόνια!

— Ε γερο-Αντρουλιό, έκαμε ο Μανόλακας, θαρρώ πιάστηκες και του λόγου σου από το φουστάνι της χήρας. Δεν ντρέπεσαι, που είσαι κιόλα καντηλανάφτης;

— Αυτό που σου λέω εγώ, ο Θεός να την έχει καλά! Είδες τα μωρά του χωριού μας που γεννιούνται τον τελευταίο καιρό; Δεν είναι αυτά παιδιά, είναι αγγέλοι. Και γιατί, θαρρείς; Ας είναι καλά η χήρα! Την έχει μαθές όλο το χωριό για πλάνος: σβήνεις το λυχνάρι και θαρρείς δεν αγκαλιάζεις τη γυναίκα σου, παρά τη χήρα. Κι έτσι βγάζει, που λες, όμορφα παιδιά το χωριό μας.

Σώπασε μια στιγμή ο γερο-Αντρουλιός· κι ύστερα από λίγο:

— Χαρά στα μεριά που την αγκαλιάζουν! μουρμούρισε. Ε μωρέ, και να 'μουνα σαν τον Παυλή του Μαυραντώνη, είκοσι χρονών!

— Όπου να 'ναι, θα τον δούμε να ξεπροβάλλει! είπε κάποιος και γέλασε.

Κοίταξαν κατά την πόρτα· έβρεχε με τα τουλούμια, κακάριζαν τα νερά απάνω στις πέτρες, κάπου κάπου αστραπές σπάθιζαν τον αγέρα. Ο Ζορμπάς, σαστισμένος ακόμα από το πέρασμα της χήρας, στράφηκε, μου 'καμε νόημα.

— Δε βρέχει πια, αφεντικό, είπε· πάμε!

Στην πόρτα φάνηκε ένας νιούτσικος, ξυπόλυτος, αναμαλλιάρης, με μεγάλα αλλοπαρμένα μάτια· τέτοιον αγιογραφούν τον Αϊ-Γιάννη το Βαφτιστή, με τα μάτια γιγαντωμένα από την πείνα και την προσευκή.

— Καλώς τον Μιμηθό! φώναξαν μερικοί γελώντας.

Κάθε χωριό έχει τον παλαβό του· κι αν δεν έχει, τον φτιάνει, για να περνά η ώρα του· ο Μιμηθός ήταν ο παλαβός του χωριού.

— Χωριανοί, φώναξε ο Μιμηθός με την τσευδή γυναικίστικη φωνή του· χωριανοί, η χήρα η Σουρμελίνα έχασε την προβατίνα της· όποιος τη βρει, πέντε οκάδες κρασί βρετίκια!

— Έβγα όξω, νεραϊδιάρη! ακούστηκε πάλι η φωνή του Μαυραντώνη· όξω!

Ο Μιμηθός, τρομαγμένος, κουλουριάστηκε στη γωνιά, δίπλα στην πόρτα.

— Κάτσε, μωρέ Μιμηθό, να πιεις μια ρακή να μην πουντιάσεις! είπε ο γερο-Αναγνώστης που τον λυπήθηκε. Τι θ' απογίνει το χωριό μας χωρίς κουζουλό;

Ένας νέος με χλωμά χνουδάτα μάγουλα, με ξέθωρα γαλάζια μάτια, πρόβαλε στην πόρτα. Λαχανιασμένος, τα μαλλιά του κολνούσαν στο κούτελό του κι έσταζαν.

— Καλώς τον Παυλή! φώναξε ο Μανόλακας· καλώς το αξαδερφάκι· κόπιασε στην παρέα μας.

Ο Μαυραντώνης στράφηκε, είδε το γιο του, μάζεφε τα φρύδια. «Γιος μου είναι αυτός;» συλλογίστηκε. «Αυτό το ξεφυσίδι; Ποιανού διαόλου μοιάζει; Μου 'ρχεται να τον αρπάξω από το σβέρκο και να τον σηκωχτυπήσω κάτω, σα χταπόδι!»

Ο Ζορμπάς κάθουνταν στα κάρβουνα. Η χήρα του είχε ανάψει τα μυαλά, δεν τον χωρούσαν πια οι τέσσερεις τοίχοι.

— Πάμε, αφεντικό, πάμε... μου 'λεγε κάθε τόσο· εδώ μέσα θα σκάσουμε!

Και του φαίνουνταν πως είχαν σκορπίσει τα σύννεφα κι είχε προβάλει ο ήλιος. Στράφηκε στον καφετζή:

— Ποια 'ναι αυτή η χήρα; ρώτησε και καμώθηκε τον αδιάφορο.

— Μια φοράδα, αποκρίθηκε ο Κοντομανολιός.

Έβαλε το δάχτυλο στα χείλια κι έδειξε με το μάτι τον Μαυραντώνη, που είχε καρφώσει πάλι το μάτι του στο χώμα.

— Μια φοράδα, ξανάπε· ας μη μιλούμε γι' αυτή, να μην κριματιστούμε.

Ο Μαυραντώνης σηκώθηκε· τύλιξε το μαρκούτσι γύρα από το λαιμό του ναργιλέ.

— Να με συμπαθάτε, είπε· θα πάω σπίτι. Έλα εδώ, Παυλή, ακλούθα!

Πήρε το γιο του, μπήκε μπροστά και χάθηκαν κι οι δυο μέσα στη βροχή. Σηκώθηκε κι ο Μανόλακας, πήγε ξοπίσω τους.

Ο Κοντομανολιός θρονιάστηκε ευτύς στην καρέκλα του Μαυραντώνη.

— Ο έρμος ο Μαυραντώνης θα σκάσει από το κακό του, είπε σιγά, να μην τον ακούσουν τα διπλανά τραπέζια. Μεγάλη φωτιά μπήκε στο σπίτι του. Χτες τον άκουσα, εγώ ο ίδιος, με τ' αυτιά μου, τον Παυλή να του λέει: «Αν δεν την πάρω, θα σκοτωθώ!» Μα αυτή η ξετσιπωμένη δεν τον θέλει· τονε λέει Μύξα.

— Πάμε, αφεντικό, είπε πάλι ο Ζορμπάς, που όσο άκουγε για τη χήρα, κόρωνε.

Τα κοκόρια άρχισαν να λαλούν, η βροχή ξέκοφε λίγο.

— Πάμε, είπα και σηκώθηκα.

Ο Μιμηθός πετάχτηκε από τη γωνιά του, λάκησε ξοπίσω μας.

Οι πέτρες γυάλιζαν, οι πόρτες, μουσκεμένες, είχαν γίνει κατάμαυρες, οι γριούλες είχαν πάρει τα καλαθάκια τους κι έβγαιναν να μαζέφουν σαλιγκάρια.

Ο Μιμηθός με ζύγωσε, μου άγγιξε το μπράτσο:

— Δώσ' μου ένα τσιγαράκι, αφεντικό, είπε, να χαρείς όπου αγαπάς.

Του 'δωκα· άπλωσε το λιγνό, λιοφημένο χέρι:

— Δώσ' μου και φωτιά!

Του 'δωκα, ρούφηξε σύσπλαχνα, έβγαλε τον καπνό από τα ρουθούνια, μισόκλεισε τα μάτια.

— Μπέης! μουρμούρισε ευτυχισμένος.

— Πού πας;

— Στης χήρας το περβόλι. Είπε πως θα μου δώσει να φάω, αν τελαλίσω, λέει, για την προβατίνα της.

Περπατούσαμε βιαστικά. Τα σύννεφα είχαν ανοίξει λίγο, ο ήλιος πρόβαλε. Όλο το χωριό γέλασε, φρεσκοπλυμένο.

— Σου αρέσει η χήρα, Μιμηθό; έκαμε ο Ζορμπάς και το κατωσάγουνό του έμεινε κρεμάμενο.

Ο Μιμηθός χιχίρισε.

— Γιάντα να μη μου αρέσει, κουμπάρε; Δε βγήκα δα κι εγώ από υπόνομο;

— Από υπόνομο; έκαμα απορώντας. Τι θες να πεις, Μιμηθό;

— Να, από κοιλιά μάνας.

Τρόμαξα. Μονάχα ένας Σαιξπήρος, συλλογίστηκα, θα μπορούσε, στις πιο δημιουργικές στιγμές του, να βρει μιαν τόσο ωμή ρεαλιστική έκφραση, που να ξεσκεπάζει όλο το σκοτεινό, βρομερό μυστήριο της γέννας.

Κοίταξα το Μιμηθό· τα μάτια του ήταν μεγάλα, φουσκωμένα, λίγο αλλήθωρα.

— Πώς την περνάς τη μέρα σου, Μιμηθό;

— Πώς να την περνώ; Μπέης! Ξυπνώ το πρωί, τρώγω ένα κομμάτι ψωμί. Κι ύστερα χαμαλίκι, όπου βρω, ό,τι βρω· κάνω θελήματα, κουβαλώ κοπριά, μαζώνω καβαλίνες, έχω κι ένα καλάμι και ψαρεύω. Κάθουμαι στης θειας μου, στης κυρα-Λενιώς της μοιρολοήτρας. Θα την κατέχετε· όλος ο κόσμος την κατέχει. Τη φωτογραφίσανε κιόλα. Σα βραδιάσει, γυρίζω σπίτι, τρώγω ένα σκουτέλι φαΐ, πίνω κρασάκι, αν έχει· αν δεν έχει, νεράκι του Θεού, μπόλικο. Γίνεται η κοιλιά μου τούμπανο. Κι ύστερα, καληνύχτα!

— Και δε θα παντρευτείς και συ, Μιμηθό;

— Εγώ; Κουζουλάθηκα; Τι λες, βρε παιδί; Μπελάδες να βάλω στο κεφάλι μου; Η γυναίκα θέλει παπούτσια! Πού να τα βρω; Να, εγώ περπατώ ξυπόλυτος.

— Και δεν έχεις στιβάνια;

— Πώς δεν έχω; Ένας πέθανε πέρυσι και του τα 'βγαλε η θεια μου η Λενιώ από τα πόδια του. Μα τα βάζω κάθε Λαμπρή και πάω στην εκκλησιά και κάνω χάζι τους παπάδες. Κι ύστερα τα βγάζω, τα περνώ στο λαιμό μου και γυρίζω σπίτι.

— Τι πράμα αγαπάς, Μιμηθό, απ' όλα πιο πολύ στον κόσμο;

— Πρώτα, το ψωμί. Ε, χαρώ το! ζεστό ζεστό, και να 'ναι και σταρένιο! Μωρέ, ας είναι κι από κριθάρι! Ύστερα το κρασί. Ύστερα τον ύπνο.

— Και τη γυναίκα;

— Πφφ! Φάε, πιες και τράβα να κοιμηθείς, σου λέω! Όλα τ' άλλα, σκοτούρες!

— Και τη χήρα;

— Άσ' τηνε στο διάολο, το καλό που σου θέλω!

Έφτυσε τρεις φορές κι έκαμε το σταυρό του.

— Και ξέρεις γράμματα;

— Α μπα! Όταν ήμουνα μικρός, με πήγανε με το ζόρι στο σκολειό· μα γρήγορα έπαθα τύφο κι έγινα κουτός. Κι έτσι γλίτωσα!

Μα ο Ζορμπάς βαριόνταν τις κουβέντες μου, είχε το νου του στη χήρα.

— Αφεντικό... μου 'πε και με πήρε από το μπράτσο.

Στράφηκε στο Μιμηθό:

— Πήγαινε εσύ μπροστά, τον πρόσταξε· έχουμε δικιά μας κουβέντα.

Χαμήλωσε τη φωνή, φαίνουνταν συγκινημένος!

— Αφεντικό, εδώ σε θέλω· μην ντροπιάσεις το αντρικό γένος! Ο Θεοδιάολος σου στέλνει αυτόν τον μεζέ, δόντια έχεις, μην τον αφήσεις! Άπλωσε το χέρι, πάρ' τον! Γιατί μας έφτιασε ο Πλάστης χέρια; Για να πιάνουμε· πιάσε! Έχω δει πολλές γυναίκες στη ζωή μου· μα ετούτη η χήρα ξεθεμελιώνει κάστρα, ανάθεμά τη!

— Δε θέλω μπελάδες! αποκρίθηκα με θυμό.

Θύμωσα, γιατί βαθιά μου είχα κι εγώ λαχταρίσει το παντοδύναμο αυτό κορμί που πέρασε μπροστά μου, σαν αγκρισμένο θεριό, γεμάτο μόσκο.

— Δε θες μπελάδες! έκαμε ο Ζορμπάς με κατάπληξη· αμ τι θες το λοιπόν, αφεντικό;

Δεν αποκρίθηκα.

— Η ζωή 'ναι μπελάς, εξακολούθησε ο Ζορμπάς, ο θάνατος δεν είναι. Ζωντανός άνθρωπος ξέρεις τι θα πει; Ν' αμολάς το ζωνάρι σου και να γυρεύεις καβγά.

Δε μιλούσα. Ήξερα πως ο Ζορμπάς είχε δίκιο, το 'ξερα, μα δεν τολμούσα. Είχε πάρει στραβό δρόμο η ζωή μου, είχα καταντήσει εσωτερικό μονόλογο την επαφή μου με τους ανθρώπους. Είχα τόσο ξεπέσει, που αν ήταν να διαλέξω: να ερωτευτώ μια γυναίκα ή να διαβάσω ένα καλό βιβλίο για τον έρωτα, θα διάλεγα το βιβλίο.

— Μη λογαριάζεις, αφεντικό, εξακολούθησε ο Ζορμπάς, άσε τα νούμερα, σπάσε την άτιμη τη ζυγαριά, σφάλνα το μπακάλικο, σου λέω. Τώρα είναι που θα σώσεις ή θα χαντακώσεις την ψυχή σου. Άκου, αφεντικό, πάρε ένα μαντίλι, δέσε κόμπο δυο τρεις λίρες, μα χρυσές, όχι χαρτιά, αυτά δε θαμπώνουν το μάτι, πέφε τις με το Μιμηθό στη χήρα, παράγγειλέ του τι θα πει: «Χαιρετίσματα, λέει, από τον αφεντικό του κάρβουνου, κι ορίστε το μαντιλάκι. Λίγο πράμα, λέει, και πολλή αγάπη. Και να μη σεκλεντίζεσαι, λέει, για την προβατίνα, και να χαθεί μη σε νοιάζει· εδώ είμαστε εμείς, μη φοβάσai! Σε είδε, λέει, από τον καφενέ να περνάς, σάστισε ο νους του».

»Αυτά. Κι ύστερα ευτύς το άλλο βράδυ –το γοργόν και χάριν έχει– να χτυπήσεις την πόρτα της. Έχασες το δρόμο, θα πεις, σκοτείνιασε· να σου δώσει ένα φανάρι. Ή: σ' έπιασε ξαφνική ζάλη, θα πεις, και θες ένα ποτήρι νερό. Ή, ακόμα καλύτερα: αγοράζεις μιαν άλλη προβατίνα και την πηγαίνεις: «Ορίστε, κυρά μου, να της πεις, την προβατίνα που 'χασες· εγώ τη βρήκα!» Κι η χήρα, άκουσέ με εμένα, αφεντικό, η χήρα θα σου δώσει τα βρετίκια, και θα μπεις –ώχου και να 'μουνα κι εγώ στα καπούλια του αλόγου σου!– θα μπεις, σου λέω, καβαλάρης στην Παράδεισο. Άλλη Παράδεισο, κακομοίρη μου, δεν υπάρχει· μην ακούς τους παπάδες· άλλη Παράδεισο δεν υπάρχει!

Ζυγώναμε πια στο περιβόλι της χήρας, γιατί ο Μιμηθός αναστέναξε κι άρχισε με τη θηλυκιά φωνή του να τραγουδάει τον πόνο του:

Το κάστανο θέλει κρασί και το καρύδι μέλι
και το κοπέλι κοπελιά κι η κοπελιά κοπέλι!

Ο Ζορμπάς άνοιξε το κομπάσο, τα ρουθούνια του έπαιξαν. Στάθηκε, πήρε βαθιάν αναπνοή, με κοίταξε:

— Λοιπόν; έκαμε και περίμενε με λαχτάρα.

— Πάμε! αποκρίθηκα απότομα και γρηγόρεφα το βήμα.

Ο Ζορμπάς κίνησε το κεφάλι, κάτι έγρουξε, μα δεν άκουσα. Σα φτάσαμε στην παράγκα, διπλογονάτισε, ξάπλωσε το σαντούρι απάνω στα γόνατά του, σήκωσε το κεφάλι, βυθισμένος σε συλλογή, σα να ξεδιάλεγε στο νου του τα τραγούδια, κι άρχισε ένα πολύ πικρό παραπονιάρικο σκοπό... Κάπου κάπου έριχνε μια λοξή ματιά και με κοίταζε· ένιωθα

βρετίκια: *αμοιβή που καταβάλλεται σε αυτόν που βρήκε χαμένο αντικείμενο και το παρέδωσε στον κάτοχό του*

πως ό,τι δεν μπορούσε ή δεν ήθελε να μου το πει με τα λόγια, μου το 'λεγε με το σαντούρι. Πως πήγαινε η ζωή μου χαμένη, πως η χήρα κι εγώ είμαστε δυο έντομα, ζούμε ένα δευτερόλεφτο στον ήλιο κι ύστερα φοφούμε αιώνια. Ποτέ πια! Ποτέ πια! Ο Ζορμπάς σηκώθηκε απότομα, κατάλαβε ξαφνικά πως χάνει τον κόπο του. Ακούμπησε στον τοίχο, άναφε ένα τσιγάρο. Κι ύστερα από λίγο:

— Θα σου φανερώσω, αφεντικό, είπε, ένα λόγο που μου 'πε μια μέρα ένας χότζας στη Σαλονίκη, θα σου τον φανερώσω, κι ας πάει χαμένος.

»Εγώ έκανα τότε το γυρολόγο στη Σαλονίκη. Γύριζα τις γειτονιές και πουλούσα κουβαρίστρες, βελόνες, βίους των αγίων, μοσκολίβανο, πιπέρι... Είχα μια φωνή αηδόνι· και πρέπει να ξέρεις, οι γυναίκες πιάνουνται κι από τη φωνή, κι από πού δεν πιάνουνται, οι σκρόφες! Τι γίνεται μέσα στο σπλάχνο τους, ένας διάολος το ξέρει! Μπορεί να 'σαι άσκημος, κουτσός, καμπούρης· μα αν έχεις γλυκιά φωνή και τραγουδάς, παλαβώνουν οι γυναίκες.

»Έκανα λοιπόν το γυρολόγο και περνούσα κι από τουρκομαχαλάδες· και καθώς φαίνεται, μια πλούσια Τουρκάλα πιάστηκε από τη φωνή μου, τα 'χασε. Φώναξε ένα γέρο χότζα, του γέμισε τη φούχτα μετζίτια. "Αμάν", του 'πε, "φώναξε τον γκιαούρη τον πραματευτή να 'ρθει, αμάν! και να τον δω! Δεν νταγιαντίζω!"

»Ο χότζας ήρθε και με βρήκε: "Μωρέ ρωμιόπουλο", μου κάνει, "έλα μαζί μου!" "Δεν έρχουμαι", του λέω, "πού θα με πας;" "Μια χανούμη, μωρέ ρωμιόπουλο, σαν τα κρύα νερά, σε περιμένει στον οντά της, έλα!" Μα εγώ ήξερα πως σκότωναν τους χριστιανούς στους τουρκομαχαλάδες τη νύχτα. "Όχι, δεν έρχουμαι!" του κάνω. "Και δε φοβάσαι το Θεό, γκιαούρη;" "Γιατί να τον φοβηθώ;" "Γιατί, μωρέ ρωμιόπουλο, όποιος μπορεί να σμίξει με μια γυναίκα και δε σμίγει, κάνει μεγάλο κρίμα. Να

νταγιαντίζω: *υπομένω, υποφέρω, αντέχω*

σε φωνάξει, μωρέ, μια γυναίκα στο στρώμα της και να μην πας, χάθηκε η ψυχή σου! Η γυναίκα αυτή θ' αναστενάξει στη μεγάλη κρίση του Θεού, κι ο στεναγμός αυτός της γυναίκας θα σε γκρεμίσει, όποιος και να 'σαι, όσα καλά κι αν έχεις καμωμένα, στην Κόλαση!"

Ο Ζορμπάς στέναξε.

— Αν υπάρχει Κόλαση, θα πάω στην Κόλαση, κι αυτό θα 'ναι η αιτία. Όχι γιατί έκλεφα, σκότωσα, μοίχεφα· όχι, όχι! Αυτά δεν είναι τίποτα· ο Θεός τα σχωρνάει. Μα θα πάω στην Κόλαση, γιατί τη νύχτα εκείνη μια γυναίκα με περίμενε στο στρώμα της κι εγώ δεν πήγα...

Σηκώθηκε, άναφε φωτιά, έβαλε να μαγερέφει. Με λοξοκοίταξε. Χαμογέλασε περιφρονητικά:

— Όσο θες στου κουφού την πόρτα βρόντα! μουρμούρισε, έσκυφε κι άρχισε να φυσάει με θυμό τα βρεμένα ξύλα.

IX

Οι μέρες όλο

και μίκραιναν, το φως έφευγε γρήγορα, πιάνουνταν η καρδιά του ανθρώπου κάθε απομεσήμερο. Ξαναγύριζε η αρχέγονη τρομάρα των προγόνων, που έβλεπαν τους χειμωνιάτικους μήνες τον ήλιο όλο κι ενωρίτερα να σβήνει. «Αύριο θα σβήσει πια ολότελα» λόγιαζαν απελπισμένοι, και ξαγρυπνούσαν όλη νύχτα απάνω στα φιλώματα με αγωνία: θα βγει, δε θα βγει; κι έτρεμαν.

Ο Ζορμπάς τη ζούσε την αγωνία αυτή πιο βαθιά και πιο πρωτόγονα από μένα. Για να γλιτώσει, δεν ξεπρόβαινε από τις γαλαρίες που είχε ανοίξει κάτω από τη γης παρά όταν πια τ᾽ αστέρια είχαν ανάψει στον ουρανό.

Είχε πετύχει κάποιο καλό φιλόνι λιγνίτη, χωρίς πολλή στάχτη, με λίγη υγρασία, με πολλές θερμίδες, κι ο Ζορμπάς ήταν ευχαριστημένος. Γιατί μοναστραπίς μετουσίωνε μέσα του το κέρδος, και το ᾽κανε ταξίδι, γυναίκες και νέες περιπέτειες. Ανυπομονούσε πότε να κερδίσει πολλά, να κάμει πολλά φτερά –έτσι, φτερά, έλεγε τα λεφτά– και να πετάξει. Γι᾽ αυτό ξαγρυπνούσε νύχτες αλάκερες να κάνει πρόβες με το μικροσκοπικό του εναέριο. Να βρει τη σωστή κλίση, να κατεβαίνουν τα ξύλα μαλακά μαλακά, έλεγε, σα να τα κουβαλούσαν αγγέλοι.

Κάποτε πήρε μια μεγάλη κόλλα χαρτί και χρωματιστά μολύβια και ζωγράφισε το βουνό, το δάσο, τον εναέριο, τα ξύλα που κατεβαίνουν κρεμάμενα στο σύρμα, και κάθε ξύλο είχε δεξόζερβά του δυο μεγάλες γαλάζιες φτερούγες. Και στο στρογγυλό λιμανάκι ζωγράφισε μαύρα βαπόρια με πράσινους ναύτες, σαν παπαγαλάκια, και μαούνες που κουβαλούσαν κίτρινους δεντροκορμούς. Και τέσσερεις καλόγεροι στέκουνταν στις τέσσερεις γωνιές, κι από το στόμα τους πετιούνταν τριανταφυλλένιες κορδέλες με κεφαλαία μαύρα γράμματα: «Μέγας είσαι, Κύριε, και θαυμαστά τα έργα σου!»

Τις τελευταίες μέρες ο Ζορμπάς άναβε μάνι μάνι τη φωτιά, μαγέρευε, τρώγαμε, και χάνουνταν κατά το δρόμο του χωριού. Ύστερα από κάμποση ώρα γύριζε πίσω κατσουφιασμένος.

— Πού γύριζες πάλι, Ζορμπά; τον ρωτούσα.

— Μούντζωσ᾽ τα, αφεντικό, έλεγε και άλλαζε κουβέντα.

Ένα βράδυ που γύριζε, με ρώτησε με αγωνία:

— Υπάρχει, δεν υπάρχει Θεός; Τι λες και του λόγου σου, αφεντικό; Κι αν υπάρχει —όλα γίνουνται— πώς τον φαντάζεσαι;

Ανασήκωσα τους ώμους, δεν αποκρίθηκα.

— Εγώ, μη γελάσεις, αφεντικό, φαντάζουμαι το Θεό απαράλλαχτο σαν και μένα. Μονάχα πιο αψηλό, πιο δυνατό, πιο παλαβό· κι αθάνατο. Κάθεται σε μαλακές προβιές χουζουρεμένα, κι η παράγκα του είναι ο ουρανός. Όχι από γκαζοτενεκέδες, σαν τη δικιά μας, παρά από σύννεφα. Κρατάει στο δεξό του χέρι όχι σπαθί, όχι ζυγαριά, αυτά τα εργαλεία είναι για τους φονιάδες και τους μπακάληδες· ο Θεός κρατά ένα μεγάλο σφουγγάρι γεμάτο νερό, σα σύννεφο της βροχής. Δεξά του η Παράδεισο, ζερβά του η Κόλαση. Έρχεται η κακομοίρα η ψυχή, τσίτσιδη, γιατί έχασε το κορμί της και τουρτουρίζει. Ο Θεός την κοιτάζει και γελάει κάτω από τα μουστάκια του· μα καμώνεται τον μπαμπούλα. «Έλα εδώ», της λέει, και χοντραίνει τη φωνή του, «έλα εδώ, καταραμένη!» Και πιάνει την ανάκριση. Πέφτει η ψυχή στα πόδια του Θεού. «Αμάν!» του φωνάζει· «ήμαρτον!» Και δώστου να λέει, να λέει τα κρίματά της. Λέει, λέει, δεν έχουν τελειωμό. Κι ο Θεός βαριέται, χασμουριέται. «Σώπα πια», της φωνάζει, «με ξεκούφανες!» Και φαπ! δίνει μια με το σφουγγάρι και σβήνει όλες τις αμαρτίες. «Ξεκουμπίσου στην Παράδεισο!» της κάνει. «Πέτρο, βάλ' την και τούτη μέσα, την κακομοίρα!»»Γιατί πρέπει να ξέρεις, αφεντικό, ο Θεός είναι άρχοντας μεγάλος· κι αυτό θα πει αρχοντιά: να συχωρνάς!

Τη βραδιά εκείνη, θυμούμαι, όταν μου τ' αράδιασε αυτά ο Ζορμπάς, γέλασα· όμως από τότε η «αρχοντιά» αυτή του Θεού σαρκώνουνταν κι έδενε μέσα μου, πονετικιά, ανοιχτοχέρα και παντοδύναμη.

Ένα άλλο βράδυ που έβρεχε κι ήμασταν ζαρωμένοι στην παράγκα μας και ψήναμε πάλι κάστανα στο μαγκάλι, ο Ζορμπάς στράφηκε, με κοίταξε κάμποση ώρα, σα να 'θελε να ξεσκαλίσει κάποιο μεγάλο μυστήριο. Τέλος, δε βάσταξε:

— Ήθελα να ξέρω, αφεντικό, είπε, τι διάολο βρίσκεις σε μένα και δε με πιάνεις από το αυτί να με πετάξεις όξω! Σου έχω πει πως με λένε και Περονόσπορο, γιατί, όπου πάω, τα κάνω γης Μαδιάμ... Κατά διαόλου θα πάει η δουλειά σου· πέταξέ με όξω, σου λέω!

— Μου αρέσεις, αποκρίθηκα· μη ρωτάς πιο πέρα.

— Μα δεν καταλαβαίνεις, αφεντικό, πως δεν τα 'χω τετρακόσια; Μπορεί να τα 'χω πεντακόσια, μπορεί και τριακόσια, ανάθεμά με αν ξέρω. Μα τετρακόσια δεν τα 'χω, σίγουρα. Ορίστε, για να καταλάβεις: μέρες τώρα, νύχτες τώρα, η χήρα δε με αφήνει να ησυχάσω. Όχι για μένα, όχι, σου ορκίζουμαι. Εγώ, που να την πάρει ο διάολος! το ξέρω θετικά, δε θα την αγγίξω ποτέ· δεν είναι για τα δόντια μου... Μα δε θέλω πάλι και να πάει χαμένη. Δε θέλω να κοιμάται μοναχή. Άδικο πράμα, αφεντικό, δεν το βαστά η καρδιά μου. Και τριγυρίζω τη νύχτα γύρα από το περβόλι της –γι' αυτό και με χάνεις και με ρωτάς πού πάω– ξέρεις γιατί; για να δω αν πηγαίνει, λέει, κανένας και κοιμάται μαζί της, να ησυχάσω.

Γέλασα.

— Μη γελάς, αφεντικό! Αν μια γυναίκα κοιμάται μοναχή,

εμείς, όλοι οι άντρες, φταίμε. Όλοι θα 'χουμε την άλλη μέρα, στην κρίση του Θεού, να δώσουμε λόγο. Ο Θεός όλες τις αμαρτίες τις συχωρνάει, είπαμε, κρατάει σφουγγάρι· ετούτη όμως δεν τη συχωρνάει. Αλίμονο στον άντρα, αφεντικό, που μπορούσε να κοιμηθεί με γυναίκα και δεν το 'καμε· αλίμονο στη γυναίκα που μπορούσε να κοιμηθεί με άντρα και δεν το 'καμε. Θυμήσου τι μου 'λεγε κι ο χότζας.

Σώπασε λίγο· κι έπειτα, ξαφνικά:

— Μπορεί, άμα πεθάνει ένας άνθρωπος, να ξαναγεννηθεί; ρώτησε.

— Δεν το πιστεύω, Ζορμπά.

— Μήτε εγώ. Μα αν μπορούσε, τότε οι άνθρωποι αυτοί που λέμε τώρα, αυτοί που αρνήθηκαν υπηρεσία, οι λιποτάχτες να πούμε, θα ξαναγύριζαν στη γης – ξέρεις πώς; Μουλάρια!

Σώπασε πάλι, σκέφτηκε· άξαφνα τα μάτια του σπίθισαν.

— Ποιος ξέρει, είπε χαρούμενος, μπορεί όλα τα μουλάρια που βλέπουμε σήμερα στον κόσμο, να 'ναι οι άνθρωποι αυτοί, οι κουτεντέδες, που όσο ζούσαν ήταν και δεν ήταν άντρες, ήταν και δεν ήταν γυναίκες. Γι' αυτό κι έγιναν μουλάρια· γι' αυτό κι έχουν τόσο πείσμα και κλοτσούνε. Τι λέει κι η ευγενεία σου, αφεντικό;

— Πως τα 'χεις τριακόσια, Ζορμπά, αποκρίθηκα γελώντας. Σήκω φέρε το σαντούρι!

— Δεν έχει απόψε σαντούρι, αφεντικό, και μη προς κακοφανισμό σου. Μιλώ, μιλώ, λέω κουταμάρες – ξέρεις γιατί; γιατί έχω μεγάλες έγνοιες. Μεγάλες στενοχώριες. Η καινούρια γαλαρία, η αναθεματισμένη, θα μου σκαρώσει δουλειές. Και του λόγου σου μου θες σαντούρι...

Είπε, έβγαλε από τη θράκα τα κάστανα, μου 'δωσε μια φούχτα, γέμισε τα ποτηράκια μας ρακή.

— Ο Θεός να τα φέρει δεξιά! είπα σκουντρώντας.

— Ο Θεός να τα φέρει αριστερά! διόρθωσε ο Ζορμπάς. Ως τώρα, με τα δεξιά, προκοπή δεν είδαμε.

Ήπιε μονομιάς την ογρή φωτιά και ξάπλωσε στο στρώμα του.

— Αύριο, είπε, πρέπει να 'χω πολλή δύναμη· έχω να παλέψω χίλιους δαιμόνους. Καληνύχτα!

Την άλλη μέρα ο Ζορμπάς, πρωί πρωί, χώθηκε μέσα στο λιγνίτη. Είχαν προχωρήσει πια την καινούρια γαλαρία μέσα στο καλό φιλόνι, τα νερά έσταζαν από την οροφή, οι εργάτες τσαλαβουτούσαν στη λάσπη.

Ο Ζορμπάς είχε κουβαλήσει από προχτές κορμούς για να δέσει τη γαλαρία· μα ήταν ανήσυχος· τα ξύλα δεν ήταν όσο έπρεπε χοντρά, και με το άσφαλτό του φυχόρμητο που τον έκανε να ζει άμεσα, σα σώμα του, όλον ετούτον τον υπόγειο λαβύρινθο, ένιωθε πως οι ξυλοδεσιές δεν ήταν σίγουρες κι άκουγε, ανάλαφρα ακόμα, ανάκουστα για τους άλλους τριξίματα, σα ν' αναστέναζε από το βάρος η αρματωσιά της οροφής.

Κι ένα άλλο ακόμα έκαμε σήμερα το Ζορμπά πιο ανήσυχο: τη στιγμή που ετοιμάζουνταν να κατεβεί στη γαλαρία, ο παπάς του χωριού, ο παπα-Στέφανος, περνούσε καβάλα στο μουλάρι του και πήγαινε στο διπλανό γυναίκειο μοναστήρι να μεταλάβει μιαν καλόγρια ετοιμοθάνατη. Ο Ζορμπάς, μόλις τον είδε, πρόλαβε ευτυχώς, πριν του μιλήσει, να φτύσει τρεις φορές στον κόρφο του.

— Καλημέρα, γέροντα! αποκρίθηκε με μισό χείλι στο χαιρετισμό του παπά.

Και σε λίγο, χαμηλόφωνα:

— Πίσω μου σ' έχω, Σατανά!

Ένιωθε όμως πως τα ξόρκια ετούτα δεν ήταν αρκετά να διώξουν τη συφορά, και τρύπωξε ανταρεμένος στην καινούρια γαλαρία.

Βαριά μυρωδιά από λιγνίτη κι ασετυλίνη· οι εργάτες είχαν αρχίσει από προχτές να στερεώνουν τους κορμούς και να δένουν τη γαλαρία.

φυχόρμητο: *παρόρμηση, ένστικτο*

Ο Ζορμπάς καλημέρισε μπρούσκος, κατσούφης, ανασκου-
μπώθηκε κι άρχισε να δουλεύει.

Μια δεκαριά εργάτες βαρούσαν το φιλόνι με τους κασμάδες,
σωριάζουνταν το κάρβουνο στα πόδια τους, άλλοι το φτυάριζαν
και με μικρά χεραμάξια το κουβαλούσαν έξω.

Μια στιγμή ο Ζορμπάς σταμάτησε· έγνεφε και στους εργάτες·
έστησε το αυτί του. Όπως ο καβαλάρης γίνεται ένα με το άλογο,
όπως ο καπετάνιος με το καράβι του, ο Ζορμπάς έσμιγε με τ'
ορυχείο κι ένιωθε τις γαλαρίες να διακλαδίζουνται σα φλέβες
στα σπλάχνα του, κι ό,τι αργούσαν να μαντέφουν οι σκοτεινές
μάζες του βουνού, το φυχανεμίζουνταν πρώτος, με ανθρώπινη
διαύγεια, ο Ζορμπάς.

Είχε τεντώσει λοιπόν την αυτούκλα του, αφουκράζουνταν·
τη στιγμή εκείνη έφτασα κι εγώ. Σα να 'χα κάποιο κακό φυχα-
νέμισμα, σαν κάποιο χέρι να μ' έσπρωξε. Τινάχτηκα από τον
ύπνο, ντύθηκα, πετάχτηκα έξω, δεν ξέρω γιατί και κατά πού,
μα το σώμα αδίσταχτα πήρε το δρόμο κατά το κάρβουνο. Κι
έφτασα ίσια ίσια την ώρα που ο Ζορμπάς, ανήσυχος, τέντωνε
το αυτί του ν' ακούσει.

— Τίποτα... είπε σε λίγο· μου φάνηκε. Τη δουλειά σας, παιδιά!

Στράφηκε, με πήρε το μάτι του, σούφρωσε τα χείλια:

— Πώς από δω πρωί πρωί, αφεντικό;

Ζύγωσε κοντά μου:

— Δεν ανεβαίνεις απάνω να πάρεις τον αέρα σου, αφεντικό;
μου σφύριξε σιγά. Έρχεσαι άλλη μέρα να σεριανίσεις.

— Τι τρέχει, Ζορμπά;

— Τίποτα... Ιδέα μου. Είδα έναν παπά σήμερα πρωί πρωί,
φεύγα!

— Αν υπάρχει κίντυνος, δεν είναι ντροπή να φύγω;

— Είναι, αποκρίθηκε ο Ζορμπάς.

— Θα 'φεύγες εσύ;

— Όχι.

μπρούσκος: *άνθρωπος που είναι απότομος, δύστροπος*

— Λοιπόν;

— Άλλα μέτρα έχω εγώ για το Ζορμπά, έκαμε ξενευρισμένος, κι άλλα για τους άλλους. Μα αφού το κατάλαβες πως είναι ντροπή να φύγεις, μη φύγεις· μείνε.

Πήρε το σφυρί, τεντώθηκε στις μύτες των ποδιών του, κι άρχισε να καρφώνει με χοντρά καρφιά την ξυλοδεσιά της οροφής. Ξεκρέμασα από ένα στύλο μια λάμπα της ασετυλίνης, πήγαινα απάνω κάτω μέσα στη λάσπη, κοίταζα το φιλόνι. Σκούρο καστανό, γυάλιζε· δάση απέραντα βούλιαξαν, εκατομμύρια χρόνια πέρασαν, μασούσε, χώνευε, μετουσίωνε η γης τα παιδιά της. Τα δέντρα έγιναν κάρβουνο, κι ήρθε ο Ζορμπάς και το βρήκε.

Κρέμασα πάλι τη λάμπα στη θέση της, κοίταζα το Ζορμπά να δουλεύει. Δίνουνταν όλος στη δουλειά, δεν είχε τίποτα άλλο στο νου του, γίνουνταν ένα με τη γης, με τον κασμά, με το κάρβουνο. Το σφυρί, τα καρφιά, σα να 'χαν γίνει σώμα του και πάλευε με το ξύλο· πάλευε με το ταβάνι της γαλαρίας που 'κανε κοιλιά· πάλευε με όλο το βουνό, κι ήθελε να του πάρει το κάρβουνο και να φύγει. Ένιωθε ο Ζορμπάς την ύλη με σιγουράδα και τη χτυπούσε αλάθευτα εκεί που ήταν πιο αδύνατη και μπορούσε να νικηθεί. Κι έτσι που τον έβλεπα τώρα μουντζαλωμένο, ολοκάρβουνο, με μονάχα τ' ασπράδια των ματιών του που φέγγριζαν, έλεγα πως είχε καμουφλαριστεί σε κάρβουνο, είχε γίνει κάρβουνο, για να μπορέσει πιο εύκολα να ζυγώσει τον αντίπαλο και να πατήσει το κάστρο του.

— Γεια σου, Ζορμπά! φώναξα άθελά μου.

Μα αυτός μήτε στράφηκε. Πού να κάθεται τώρα αυτός να πιάνει κουβέντες μ' ένα «ανήλιαγο κρέας», που αντίς κασμά κρατούσε στο χέρι του ένα μολυβάκι; Είχε δουλειά, δεν καταδέχουνταν να μιλήσει. «Μη μου μιλάς, όταν δουλεύω», μου 'λεγε ένα βράδυ· «μπορεί και να σπάσω!» «Να σπάσεις, Ζορμπά; γιατί;» «Πάλι ζητάς το γιατί! Σαν το μικρό παιδί. Πώς να σου το ξηγήσω; Είμαι παραδομένος στη δουλειά μου, τεντωμένος από τα νύχια ως την κορφή, γραμμή κατά πάνω στην πέτρα ή

στο κάρβουνο που παλεύω, ή στο σαντούρι. Κι αν με αγγίξεις άξαφνα, αν μου μιλήσεις και με κάμεις να στραφώ, μπορεί και να σπάσω· μα πού να καταλάβεις!»
Κοίταξα το ρολόι· κόντευε δέκα.
— Καιρός να κολατσίσετε, παιδιά, είπα· πέρασε η ώρα.
Μετά χαράς οι εργάτες πέταξαν στη γωνιά τα σύνεργα, σφούγγιξαν τον ιδρώτα, ετοιμάζουνταν να βγουν από τη γαλαρία. Ο Ζορμπάς, παραδομένος στη δουλειά του, δεν είχε ακούσει. Μα κι αν άκουγε, δε θα σκολνούσε.
— Σταθείτε, είπα στους εργάτες, να σας δώσω ένα τσιγάρο.
Έψαξα στις τσέπες να βρω το πακέτο· γύρα μου οι εργάτες περίμεναν. Άξαφνα ο Ζορμπάς τινάχτηκε· κόλλησε το αυτί του στο τοίχωμα της γαλαρίας· στο φως της ασετυλίνης διάκρινα το στόμα του ανοιγμένο σπασμωδικά.
— Τι έπαθες, Ζορμπά; φώναξα.
Μα τη στιγμή εκείνη ανατρίχιασε από πάνω μας αλάκερο το ταβάνι της γαλαρίας.
— Φεύγατε! φώναξε ο Ζορμπάς βραχνιασμένα· φεύγατε!
Χιμήξαμε προς την έξοδο· μα πριν φτάσουμε στην πρώτη ξυλοδεσιά, δεύτερο τρίξιμο ακούστηκε από πάνω μας, πιο δυνατό. Ο Ζορμπάς την ώρα εκείνη ανασήκωνε ένα μεγάλο κορμό, να τον σφηνώσει δυναμάρι σε μια λασκαρισμένη ξυλοδεσιά· αν πρόφταινε, ίσως να κρατιόταν για λίγα δευτερόλεφτα ακόμα το ταβάνι, να προλάβουμε να φύγουμε.
— Φεύγατε! ακούστηκε τώρα απόκουφη η φωνή του Ζορμπά, σα να 'βγαινε από τα σπλάχνα της γης.
Όλοι, με την αναντρία που μας πιάνει συχνά στις κρίσιμες στιγμές, πεταχτήκαμε έξω, χωρίς να γνοιαστούμε για το Ζορμπά. Μα ύστερα από λίγα δευτερόλεφτα, μπόρεσα κι ανασυντάχτηκα, γύρισα πίσω.
— Ζορμπά, φώναξα, Ζορμπά!
Μου είχε φανεί πως φώναξα, έπειτα όμως κατάλαβα πως η

δυναμάρι: *αντιστύλι, υποστήριγμα*

φωνή δε βγήκε από το λαρύγγι μου· ο φόβος είχε πλαντάξει τη φωνή μου.

Ντράπηκα. Έκαμα μια δρασκελιά ακόμα προς τα πίσω, άπλωσα τα χέρια. Ο Ζορμπάς τη στιγμή εκείνη είχε πια στερεώσει το χοντρό δυναμάρι και τινάζουνταν ξεγλιστρώντας με βίαιη κίνηση να φύγει. Μέσα στο μεσοσκόταδο, στη φόρα του, έπεσε απάνω μου. Χωρίς να το θέμε, αγκαλιαστήκαμε.

— Δρόμο! έγρουξε με πνιγμένο λαρύγγι· δρόμο!

Τρέξαμε, φτάσαμε στο φως· οι εργάτες, μαζεμένοι στην μπασιά, αφουκράζουνταν αμίλητοι, κατακίτρινοι.

Τρίτο τρίξιμο ακούστηκε, πιο δυνατό, σαν κορμός δέντρου που τσακίζεται στη μέση. Και μονομιάς μούγκρισμα ξέσπασε κατρακυλιστό, κουνήθηκε το βουνό, η γαλαρία γκρεμίστηκε.

— Μνήστητί μου, Κύριε! μουρμούρισαν οι εργάτες και σταυροκοπήθηκαν.

— Παρατήσατε μέσα τους κασμάδες; φώναξε ο Ζορμπάς με θυμό.

Οι εργάτες σώπαιναν.

— Γιατί δεν τους πήρατε; φώναξε πάλι αγριεμένος. Τα κάματε απάνω σας, παλικαράδες. Κρίμα στα σύνεργα!

— Τους κασμάδες θα κοιτάζουμε τώρα, Ζορμπά; είπα επεμβαίνοντας. Να 'μαστε ευχαριστημένοι που δεν έπαθε κανένας άνθρωπος· ας είσαι καλά, Ζορμπά, όλοι σε σένα χρωστούμε τη ζωή μας.

— Πεινώ! έκαμε ο Ζορμπάς· μου άνοιξε η όρεξη.

Πήρε το μαντίλι του με το κολατσιό, που το 'χε αποθέσει σε μιαν πέτρα, το άνοιξε, έβγαλε ψωμί, ελιές, κρεμμύδια, μια βρασμένη πατάτα, ένα φλασκάκι κρασί.

— Κοπιάστε να φάμε, είπε με γεμάτο στόμα.

Έτρωγε αρπαχτά, σα να του 'χαν απότομα φύγει πολλές δυνάμες κι ήθελε τώρα να ξαναγεμίσει μ' αίμα την καρδιά του.

Έτρωγε σκυφτός, αμίλητος, πήρε το φλασκάκι, ανάγειρε το λαιμό, κακάρισε το κρασί μέσα στο στεγνωμένο λαρύγγι.

Κι οι εργάτες έκαμαν κι αυτοί κουράγιο, άνοιξαν τα

173

ξομπλιαστά ταγάρια κι άρχισαν να τρώνε. Είχαν καθίσει όλοι διπλοπόδι γύρα από το Ζορμπά, έτρωγαν και τον κοίταζαν. Ήθελαν να πέσουν στα πόδια του, να του φιλήσουν τα χέρια, μα ήξεραν πως ήταν παράξενος και κανένας δεν τολμούσε να βάλει χερικό.

Τέλος ο Μιχελής, ο πιο ηλικιωμένος, με χοντρά γκρίζα μουστάκια, πήρε την απόφαση:

— Να 'λειπες, κυρ Αλέξη, είπε, τα παιδιά μας θ' ορφάνευαν.

— Σκασμός! έκαμε ο Ζορμπάς με μπουκωμένο στόμα και κανένας πια δεν τόλμησε να μιλήσει.

174

X

«Ποιος έφτιασε

το δαίδαλο αυτόν της αβεβαιότητας, το ναό της αλαζονείας, τη στάμνα με τις αμαρτίες, το χωράφι το σπαρμένο σκανταλόχορτα, το στόμα της Κόλασης, το πανέρι το ξεχειλισμένο πανουργίες, το φαρμάκι που μοιάζει μέλι, την αλυσίδα που δένει τους θνητούς με τον κόσμο – τη γυναίκα;»

Έγραφα, ξανάγραφα το βουδικό ετούτο τραγούδι, σταυροπόδι χάμω, δίπλα στο αναμμένο μαγκάλι. Μάχουμουν, σωριάζοντας ξόρκια στα ξόρκια, να διώξω από το νου μου ένα κορμί μουσκεμένο από τη βροχή, με κυματιστά καπούλια, που περνούσε όλες τις χειμωνιάτικες ετούτες νύχτες, περνούσε, ξαναπερνούσε μέσα στον αγέρα. Δεν ξέρω πώς, ευτύς μετά το γκρέμισμα της γαλαρίας, όπου κιντύνεφε να κοπεί απότομα η ζωή μου, η χήρα τινάχτηκε μέσα στο αίμα μου, με φώναζε σαν αγκρισμένο θεριό, προσταχτικά και παραπονεμένα.

«Έλα, έλα», φώναζε· «η ζωή 'ναι μια αστραπή, έλα γρήγορα, έλα, έλα να προλάβεις!»

Ήξερα πως ήταν ο Μαρά, το πνέμα του πονηρού, με γυναικείο ορθοκάπουλο κορμί. Πάλευα. Κάθουμουν κι έγραφα το Βούδα, όπως οι άγριοι μέσα στις σπηλιές τους χάραζαν με μια μυτερή πέτρα ή ζωγράφιζαν με μπογιές τα θεριά που τους τριγυρνούσαν πεινασμένα· μάχουνταν κι αυτοί, στορίζοντάς τα, να τα καρφώσουν απάνω στο βράχο, να μη χιμήξουν απάνω τους και τους φάνε.

Από τη μέρα που κιντύνεφα να σκοτωθώ, η χήρα περνούσε ανάερα μέσα στην ερημιά μου, κι έγνεφε κουνώντας ανάλαφρα τα λαγόνια· τη μέρα είχα δύναμη, ήταν ξυπνητός ο νους μου, μπορούσα και την έδιωχνα. Έγραφα με ποια μορφή ήρθε ο πειρασμός του Βούδα, πώς ντύθηκε γυναίκα, πώς ακούμπησε απάνω στα μεριά του τα σκληρά ανασηκωμένα της στήθια. Κι ο Βούδας είδε τον κίντυνο, κήρυξε επιστράτεψη μέσα του, κατατρόπωσε τον πειρασμό. Και τον κατατρόπωνα κι εγώ μαζί του.

Έγραφα, και σε κάθε φράση αλάφρωνα, δυνάμωνα, ένιωθα τον Πειρασμό να φεύγει, κυνηγημένος από το παντοδύναμο ξόρκι, τη λέξη. Πάλευα όσο μπορούσα με γενναιότητα, τη μέρα· μα τη νύχτα ο νους μου ξαρματώνουνταν, οι μέσα πόρτες άνοιγαν κι έμπαινε η χήρα.

Το πρωί ξυπνούσα εξαντλημένος και νικημένος, κι άρχιζε πάλι ο πόλεμος. Κάποτε σήκωνα το κεφάλι· απομεσήμερο, έφευγε κυνηγημένο το φως, πλάκωνε απότομα το σκοτάδι. Μίκραιναν οι μέρες, ζύγωναν τα Χριστούγεννα, παρακολουθούσα το αιώνιο τούτο πάλεμα στον αγέρα, έλεγα: «Δεν είμαι μόνος· μια μεγάλη δύναμη, το φως, παλεύει κι αυτό, νικιέται, νικάει, δεν απελπίζεται· θα νικήσω μαζί του!»

Μου φαίνουνταν, κι αυτό μου 'δινε μεγάλο κουράγιο, πως ακολουθούσα κι εγώ ένα μεγάλο παγκόσμιο ρυθμό, παλεύοντας με τη χήρα. Τούτο το κορμί πήρε, συλλογίζουμουν, η παμπόνηρη ύλη για να υποτάξει γλυκά και να σβήσει τη μέσα μου λεύτερη φλόγα. Έλεγα: «Θεός είναι η ακατάλυτη δύναμη που μεταμορφώνει την ύλη σε πνέμα· κάθε άνθρωπος έχει μέσα του ένα κομμάτι από το θεϊκόν αυτό στρόβιλο, και γι' αυτό κατορθώνει να μετουσιώνει το ψωμί και το νερό και το κρέας και να το κάνει στοχασμό και πράξη. Έχει δίκιο ο Ζορμπάς: "Πες μου τι κάνεις αυτό που τρως και θα σου πω τι είσαι!"»

Μάχουμουν κι εγώ τώρα όλη ετούτη τη σφοδρή λαχτάρα της σάρκας να τη μετουσιώσω σε «Βούδα».

— Τι συλλογιέσαι; σεκλετισμένο σε βλέπω, αφεντικό, μου 'πε ένα βράδυ, παραμονή των Χριστουγέννων, ο Ζορμπάς, που κατάλαβε με τι δαίμονα παλεύω. Έκανα πως δεν άκουσα· μα ο Ζορμπάς δε με άφηνε εύκολα.

— Είσαι νέος, αφεντικό, είπε κι άξαφνα η φωνή του ξέσπασε πικρή και θυμωμένη· είσαι νέος, γερός, τρως και πίνεις καλά, αναπνές καθαρόν αγέρα, μαζεύεις, μαζεύεις δύναμη – τι την κάνεις; Κοιμάσαι μονάχος, κρίμα στη δύναμη! Σήκω, να, απόφε κιόλα, μη χάνεις καιρό, απλός είναι ο κόσμος, αφεντικό – πόσες φορές να σου το πω; μην τον μπερδεύεις!

Είχα μπροστά μου και ξεφύλλιζα τα χερόγραφα του «Βούδα», άκουγα τα λόγια του Ζορμπά, ήξερα πως ανοίγουν ένα μεγάλο σίγουρο δρόμο, φωνές κι αυτά του Μαρά του νου, του παμπόνηρου μαστροπού.

Τον άκουγα αμίλητος, αποφασισμένος ν' αντισταθώ, αργά ξεφυλλίζοντας το χερόγραφο, και σφύριζα για να κρύψω την ταραχή μου. Μα ο Ζορμπάς, όσο μ' έβλεπε να σωπαίνω, κόρωνε:

— Νύχτα των Χριστουγέννων είναι απόφε, πήγαινε γρήγορα να τη βρεις, πριν πάει στην εκκλησιά. Χριστός γεννιέται, αφεντικό, απόφε, κάμε και συ το θάμα σου!

Σηκώθηκα νευριασμένος:

— Φτάνει πια, Ζορμπά, είπα· κάθε άνθρωπος έχει και το δρόμο τον εδικό του, καθώς και κάθε δέντρο. Μάλωσες ποτέ σου τη συκιά γιατί δεν κάνει κεράσια; Σώπα, το λοιπόν! Κοντεύουν μεσάνυχτα, πάμε στην εκκλησιά να δούμε κι εμείς το Χριστό να γεννιέται.

Ο Ζορμπάς έχωσε βαθιά στο κεφάλι το χειμωνιάτικο του σκούφο:

— Καλά, είπε βαριεστισμένος, πάμε. Μα, να το ξέρεις από μένα, πιο πολύ θα 'ταν ευχαριστημένος ο Θεός αν πήγαινες απόφε στης χήρας, σαν τον αρχάγγελο Γαβριήλ. Αν ακολουθούσε, αφεντικό, το δρόμο σου ο Θεός, ποτέ δε θα πήγαινε στη Μαρία, ποτέ δε θα γεννιόταν ο Χριστός. Αν με ρωτήσεις ποιος είναι ο δρόμος του Θεού, θα σου 'λεγα ο δρόμος που πάει στη Μαρία. Μαρία είναι η χήρα.

Σώπασε, περίμενε απάντηση, του κάκου· άνοιξε με δύναμη την πόρτα, βγήκαμε έξω, χτύπησε το ραβδί του στα χαλίκια.

— Ναι, ναι, ξανάπε πεισματωμένος. Μαρία είναι η χήρα!

— Πάμε, είπα, μη φωνάζεις!

Περπατούσαμε γρήγορα μέσα στη χειμωνιάτικη νύχτα, ο ουρανός ήταν εφτακάθαρος, τ' αστέρια έλαμπαν χοντρά, χαμηλά, σαν κρεμάμενες μπουκιές φωτιά. Έμοιαζε η νύχτα, έτσι που περπατούσαμε γιαλό γιαλό, σαν ένα σκοτωμένο θεριό, ξαπλωμένο στην άκρα της θάλασσας.

«Από τη νύχτα ετούτη», συλλογίζουμουν, «το φως, που το 'χε στριμώξει ο χειμώνας, αρχίζει και παίρνει απάνω του. Σα να γεννήθηκε απόψε κι αυτό με το θεϊκό χαριτωμένο βρέφος».

Όλοι οι χωριανοί είχαν στριμωχτεί μέσα στη ζεστή, μυρωδάτη κυψέλη, στην εκκλησιά· μπροστά οι άντρες, πίσω, σταυρό τα χέρια, οι γυναίκες. Ο παπα-Στέφανος, αφηλός, ξερακιανός, ξαγριεμένος από τη σαραντάμερη νηστεία, ντυμένος τα χρυσά του, έτρεχε απάνω κάτω με δρασκελιές, βαρούσε το θυμιατήρι, φώναζε, βιάζουνταν να δει το Χριστό να γεννιέται και να πάει σπίτι του να ριχτεί στη λιπαρή κρεατόσουπα και στα λουκάνικα και στ' απάκια...

Αν έλεγαν: «Σήμερα γεννιέται το φως», δε θα λαχτάριζε η καρδιά του ανθρώπου, δε θα γίνουνταν παραμύθι η ιδέα και δε θα καταχτούσε τον κόσμο· θα 'μενε ένα κανονικό φυσικό φαινόμενο, που δε θ' αναστάτωνε τη φαντασία, δηλαδή την ψυχή μας. Μα το φως που γεννιέται στην καρδιά του χειμώνα έγινε παιδί, το παιδί Θεός, κι είκοσι αιώνες τώρα η ψυχή τον κρατάει στον κόρφο της και τον βυζαίνει...

Λίγο μετά τα μεσάνυχτα η μυστική τελετή πήρε τέλος· γεννήθηκε ο Χριστός, έτρεχαν οι χωριανοί πεινασμένοι, χαρούμενοι, στα σπίτια τους, να φαν και να νιώσουν ως τα βάθη της κοιλιάς τους το μυστήριο της σάρκωσης. Η κοιλιά είναι το γερό θεμέλιο· ψωμί και κρασί και κρέας πρώτα· χωρίς αυτά Θεός δε γίνεται.

Έλαμπαν τώρα τ' αστέρια μεγάλα σαν άγγελοι, ο Ιορδάνης ποταμός χύνουνταν από τη μια μεριά τ' ουρανού ίσαμε την άλλη, ένα πράσινο άστρο καμπάνιζε από πάνω μας σα σμαράγδι. Στέναξα.

Ο Ζορμπάς στράφηκε:

— Πιστεύεις του λόγου σου, αφεντικό, πως ο Θεός έγινε άνθρωπος και γεννήθηκε μέσα στο στάβλο, πιστεύεις ή κοροϊδεύεις τον κόσμο;

— Δύσκολο να σου αποκριθώ, Ζορμπά· μήτε το πιστεύω μήτε δεν το πιστεύω. Εσύ;

— Μα την πίστη μου, τα 'χω κι εγώ χαμένα. Τι να σου πω; Όταν ήμουν πιτσιρίκος, και μου στορούσε η γιαγιά μου παραμύθια, καθόλου δεν τα πίστευα· κι όμως έτρεμα από τη λαχτάρα, γελούσα κι έκλαιγα, σα να πίστευα. Σαν έβγαλα γένια, όλα αυτά τα παραμύθια τα παράτησα και τα κορόιδευα· μα τώρα πάλι στα γεράματα ξεμωράθηκα, αφεντικό, αρχίζω πάλι και τα πιστεύω... Μυστήριο ο άνθρωπος!

Είχαμε πάρει το δρόμο προς τη μαντάμ Ορτάνς, τρέχαμε σαν άλογα πεινασμένα.

— Τετραπέρατοι οι άγιοι Πατέρες! έκαμε ο Ζορμπάς· σε πιάνουν από την κοιλιά, πώς να ξεφύγεις; Να μην τρως, λέει, σαράντα μέρες κρέας, νηστεία· γιατί; Για να λαχταρίσεις το κρέας! Ε τους ταυραμπάδες, όλα τα τερτίπια τα ξέρουν!

Γρηγόρεψε το βήμα:

— Άνοιξε τα κανιά σου, αφεντικό, είπε· η γαλοπούλα θα 'χει γίνει λουκούμι!

Όταν μπήκαμε στην καμαρούλα της κυράς μας με το διπλόφαρδο κρεβάτι, το τραπέζι ήταν στρωμένο με άσπρο τραπεζομάντιλο, η γαλοπούλα άχνιζε ανάσκελα με τα πόδια ανοιχτά κι από το αναμμένο μαγκάλι ανέβαινε γλυκότατη ζέστη.

Κι η μαντάμ Ορτάνς είχε κάμει μπούκλες και φορούσε μια μακριά ξεθωριασμένη τριανταφυλλένια ρόμπα, με φαρδιά μανίκια και ξεφτισμένες δαντέλες· μια πλατιά, δυο δάχτυλα, καναρινιά απόψε κορδέλα της έσφιγγε το ζαρωμένο λαιμό· κι είχε περεχύσει τις μασχάλες της με ανθόνερο. «Πόσο είναι όλα», συλλογίστηκα, «τέλεια συνταιριασμένα απάνω στη γης! Και πόσο καλά η γης είναι συνταιριασμένη με την καρδιά του ανθρώπου! Να τη γριά ετούτη σαντέζα, πέρασε τόσα παλούκια, και τώρα, ξεπεσμένη στο ερημογιάλι ετούτο, συγκεντρώνει στην άθλια εδώ κάμαρα όλη την άγια φροντίδα, τη ζεστασιά και τη νοικοκυροσύνη της γυναίκας».

Το περιποιμένο μπόλικο φαΐ, το αναμμένο μαγκάλι, το καταστόλιστο, σημαιοστόλιστο κορμί, η μυρωδιά του ανθόνερου, όλες ετούτες οι μικρές, τόσο ανθρώπινες, σωματικές χαρές, πόσο απλά και γρήγορα μετουσιώνουνταν σε μεγάλη ψυχική ευφροσύνη!

Μια στιγμή τα μάτια μου βούρκωσαν· σα να μου φάνηκε πως δεν ήμουν παντέρημος τη μεγάλη ετούτη βραδιά, στην άκρα εδώ της θάλασσας, μα έτρεξε να με γνοιαστεί ένα θηλυκό πλάσμα, που αντιπροσώπευε, με τόση αφοσίωση, τρυφερότητα και καρτερία, τη μάνα, την αδερφή, τη γυναίκα. Κι εγώ που θαρρούσα πως δεν είχα ανάγκη από τίποτα, ένιωσα ξαφνικά πως είχα ανάγκη από τα πάντα.

Κι ο Ζορμπάς θα 'νιωθε την ίδια γλυκιά ταραχή, γιατί, μόλις μπήκαμε, χύθηκε κι έσφιξε στην αγκαλιά του τη σημαιοστόλιστη γριά μας τη χιλιαντρούσα.

— Χριστός γεννιέται! φώναξε· χαίρε, γυναικείο φύλο!

Στράφηκε σε μένα γελαστός:

— Είδες τι παμπόνηρο πλάσμα σού είναι η γυναίκα, αφεντικό; Και το Θεό κατάφερε να τον τυλίξει!

Στρωθήκαμε στο τραπέζι, ριχτήκαμε στα φαγιά, ήπιαμε κρασί, χάρηκε η κοιλιά, κουνήθηκε η καρδιά μας. Πήρε πάλι φωτιά ο Ζορμπάς.

— Τρώε και πίνε, μου φώναζε κάθε τόσο, τρώε και πίνε, αφεντικό, σπάσε κέφι, τραγούδησε και συ, μωρέ παιδί, σαν τους τσοπαναραίους: «Δόξα εν υψίστοις!...» Γεννήθηκε ο Χριστός, δεν είναι παίξε γέλασε· σύρε τον αμανέ να σε ακούσει ο Θεός, ν' αναγαλλιάσει κι αυτός ο κακομοίρης· φτάνει τα φαρμάκια που τον ποτίζουμε!

Είχε έρθει στο κέφι, πήρε φόρα.

— Γεννήθηκε ο Χριστός, σοφέ Σολομών, καλαμαρά μου! Μην φιλοκοσκινίζεις: γεννήθηκε, δε γεννήθηκε; Μωρέ, γεννήθηκε, μην είσαι κουτός! Αν πιάσεις φακό να δεις το νερό που πίνουμε, μου 'πε μια μέρα ένας μηχανικός, θα βρεις, λέει, πως το νερό είναι γεμάτο σκουλήκια, μικρά μικρά, που δεν φαίνουνται στο μάτι. Θα δεις τα σκουλήκια και δε θα πιεις. Δε θα πιεις και θα πεθάνεις της δίψας. Σπάσε το φακό, αφεντικό, σπάσε τον, τον άτιμο, ν' αφανιστούν ευτύς τα σκουλήκια, να πιεις νερό να δροσερέψεις!

Στράφηκε στην παρδαλή συντρόφισσά μας, σήκωσε το γεμάτο:

— Εγώ, είπε, κυρα-Παρθένα μου, συναγωνίστρια, θα πιω το ποτήρι ετούτο στην υγειά σου! Έχω δει στη ζωή μου πολλές φιγούρες καραβίσιες· καρφωμένες στην πλώρα, κρατούν τα στήθια τους κι έχουν βαμμένα κατακόκκινα τα μάγουλά τους και τα χείλια. Έχουν γυρίσει όλες τις θάλασσες, έχουν αράξει σε όλα τα λιμάνια, κι όταν πια σαπίσει το καράβι, αυτές ξεμπαρκέρνουν στη στεριά κι ακουμπούν ως το τέλος της ζωής τους σ' έναν τοίχο φαράδικου καφενέ που παν οι καπεταναίοι και πίνουν.

»Κυρα-καπετάνισσα, απόψε που σε βλέπω στο ακρογιάλι ετούτο, τώρα που έφαγα κι ήπια καλά, κι άνοιξαν τα φεγγιά μου, μου φαίνεσαι σα μια φιγούρα μεγάλου καραβιού. Κι εγώ 'μαι το στερνό λιμάνι σου, Μπουμπουλίνα μου, εγώ 'μαι ο καφενές που παν οι καπεταναίοι και πίνουν· έλα, ακούμπησε απάνω μου, μάινα τα πανιά! Πίνω το γεμάτο ετούτο ποτήρι, γοργόνα μου, στην υγειά σου!

Η μαντάμ Ορτάνς, κατασυγκινημένη, έβαλε τα κλάματα κι ακούμπησε στον ώμο του Ζορμπά.

φεγγιά: *τα μάτια*

ΝΙΚΟΣ ΚΑΖΑΝΤΖΑΚΗΣ

— Θα δεις, μου σφύριξε ο Ζορμπάς στο αυτί, με τον καλόν αυτό λόγο, που είπα, θα βρω τον μπελά μου· δε θα με αφήσει η αφιλότιμη να φύγω απόψε. Μα έλα που τις λυπούμαι, τις λυπούμαι, τις κακομοίρες!

— Χριστός γεννιέται! φώναξε δυνατά στη γοργόνα του· στην υγειά μας!

Πέρασε το μπράτσο του από το μπράτσο της μαντάμας, κι ήπιαν κι οι δυο μονορούφι, χεραγκαλιά, το κρασί τους, και κοίταζαν ο ένας τον άλλον με κατάνυξη.

Θα 'ταν κοντά ξημερώματα, όταν έφυγα μόνος από τη ζεστή καμαρούλα κι έπαιρνα το δρόμο του γυρισμού. Το χωριό είχε καλοφάει, καλοπιεί, και τώρα κοιμόταν με κλειστά πορτοπαράθυρα κάτω από τα χοντρά χειμωνιάτικα άστρα.

Έκανε κρύο, η θάλασσα μούγκριζε, το άστρο της Αφροδίτης κρεμάστηκε κατά την ανατολή φιλάρεσκο, όλο χορό και παιχνίδι. Πήγαινα γιαλό γιαλό, έπαιζα με τα κύματα, χιμούσαν να με βρέξουν, ξέφευγα, ήμουν ευτυχής, έλεγα: «Ετούτη είναι η αληθινή ευτυχία· να μην έχεις καμιά φιλοδοξία και να δουλεύεις σκυλίσια, σα να 'χες όλες τις φιλοδοξίες· να ζεις μακριά από τους ανθρώπους και να τους αγαπάς και να μην τους έχεις ανάγκη. Να 'ναι Χριστούγεννα, να φας, να πιεις καλά, κι ύστερα να ξεφύγεις μόνος απ' όλα τα δολώματα, και να 'ναι τ' άστρα από πάνω σου, ζερβά η γης, δεξά η θάλασσα, και να νογάς ξαφνικά πως μέσα στην καρδιά σου η ζωή τέλεφε και το στερνό της τον άθλο κι έγινε παραμύθι».

Έμπαιναν, έβγαιναν οι μέρες, μάχουμουν να κάμω κουράγιο, φώναζα, έπαιζα· μα στα ολόστερνα, σγουρά φυλλοκάρδια ήμουν θλιμμένος. Όλη τη γιορτερή ετούτη βδομάδα σηκώθηκαν οι θύμησες, γέμισαν τα σπλάχνα μουσική κι αγαπημένους ανθρώπους. Ένιωσα πάλι πόσο σωστό το πανάρχαιο παραμύθι, πως η καρδιά του ανθρώπου είναι ένας λάκκος αίμα και πέφτουν απάνω μπρούμυτα οι αγαπημένοι νεκροί και πίνουν

182

το αίμα μας να ζωντανέφουν κι όσο πιο αγαπημένοι είναι, τόσο και περισσότερο αίμα σού πίνουν.

Παραμονή της αρχιχρονιάς. Βουερό τσούρμο χωριατόπουλα, μ' ένα μεγάλο χάρτινο καράβι, ξέπεσε κι ως την παράγκα μας κι άρχισε με φιλές χαρούμενες φωνές τα κάλαντα. Κίνησε ο Αϊ-Βασίλης από την Καισάρεια, λόγιος κι αυτός, με χαρτί και καλαμάρι, κι έφτασε στο λουλακί ετούτο κρητικό ακρογιάλι να πλέξει το εγκώμιο του Ζορμπά, εμένα και της ανύπαρχτης «αρχόντισσας κυρίας».

Άκουγα, άκουγα, δε μιλούσα. Ένιωθα να μαδάει πάλι ένα φύλλο, ένας χρόνος, από την καρδιά μου· έκανα ακόμα ένα βήμα κατά το μαύρο λάκκο.

— Τι έπαθες, αφεντικό; ρώτησε ο Ζορμπάς, που τραγουδούσε με τους πιτσιρίκους και χτυπούσε το νταούλι· τι έπαθες, μωρέ παιδί μου; Εσύ χλώμιασες, γέρασες, αφεντικό. Εγώ σαν απόφε γίνουμαι πάλι μικρό παιδί· ξαναγεννιέμαι σαν το Χριστό. Πώς γεννιέται αυτός κάθε χρόνο; Έτσι κι εγώ.

Ξάπλωσα στο κρεβάτι κι έκλεισα τα μάτια· ήταν απόφε η καρδιά μου αγριεμένη και δεν ήθελα κουβέντα.

Δεν μπορούσα να κοιμηθώ. Σα να 'ταν απόφε να λογοδοτήσω για τις πράξες μου, κι όλη μου η ζωή ανέβηκε γρήγορη, ασυνάρτητη, αβέβαιη, σαν όνειρο, και την κοίταζα απελπισμένος.

Σαν πουπουλένιο σύννεφο, που το δέρνουν ψηλά οι αγέρηδες, άλλαζε η ζωή μου σχήμα, έσμιγε, χώριζε, ξανάσμιγε και μεταμορφώνουνταν – κύκνος, σκύλος, δαίμονας, σκορπιός, χρυσό παγόνι, πίθηκος, κι όλο και ξεφτιούσε το σύννεφο και σκόρπιζε, γεμάτο ουρανοδόξαρο κι αγέρα.

Όλα τα ρωτήματα που είχα θέσει στη ζωή μου έμεναν όχι μονάχα αναπάντητα, παρά όλο και περιπλέκουνταν κι αγρίευαν. Κι οι πιο μεγάλες μου ελπίδες εξευτελίστηκαν κι αυτές, φρονιμεύοντας...

ουρανοδόξαρο: ουράνιο τόξο

Ξημέρωσε. Δεν άνοιγα τα μάτια, πολεμούσα να συγκεντρώσω τη λαχτάρα μου, να διαπεράσω τη στερεωμένη κρούστα του μυαλού και να μπω στο επικίντυνο σκοτεινό κανάλι, που σμίγει την κάθε ανθρώπινη στάλα με το μεγάλο ωκεανό. Βιάζουμουν να σκίσω τον πέπλο και να δω τι μου φέρνει ο καινούριος ετούτος χρόνος...

— Καλημέρα, αφεντικό, χρόνια πολλά!

Η φωνή του Ζορμπά με ξανάριξε απότομα στη γης. Άνοιξα τα μάτια και πρόφτασα το Ζορμπά να σφεντονίζει στο κατώφλι της παράγκας ένα μεγάλο ρόδι. Τα δροσερά ρουμπίνια τινάχτηκαν ως το κρεβάτι μου, μάζεφα μερικά, τα 'φαγα, δροσίστηκε ο λαιμός μου.

— Καλά κέρδητα, αφεντικό, καλή καρδιά, καλές κοπέλες να μας κλέφουνε! φώναξε ο Ζορμπάς όλο κέφι.

Πλύθηκε, ξουρίστηκε, έβαλε τα καλά του – πανταλόνι από πράσινη τσόχα, γκρίζο σακάκι από σαμαροσκούτι, κι ένα κοντογούνι από μεσομαδημένη προβιά κατσίκας· έβαλε το ρούσικο σκούφο του από αστρακάν, έστριφε το μουστάκι:

— Αφεντικό, είπε, εγώ θα πάω να παρουσιαστώ στην εκκλησιά, αντιπρόσωπος της Εταιρείας. Δε συφέρει στο κάρβουνο να μας πάρουν για μασόνους. Τι θα χάσω; Θα περάσει κι η ώρα μου.

Έγειρε το κεφάλι, μου 'κλεισε το μάτι.

— Μπορεί να δω και τη χήρα, μουρμούρισε.

Ο Θεός, το συφέρο της Εταιρείας κι η χήρα είχαν σμίξει αξεδιάλυτα στο νου του Ζορμπά· άκουσα το ανάλαφρό του περπάτημα ν' αλαργαίνει, πετάχτηκα απάνω· τα μάγια είχαν διαλυθεί, κλείστηκε πάλι η ψυχή στην κρεατένια φυλακή της.

Ντύθηκα, πήρα το γιαλό, περπατούσα γρήγορα κι ήμουν χαρούμενος, σα να 'χα γλιτώσει από κανένα κίντυνο ή από

σαμαροσκούτι: *παχύ ύφασμα που τοποθετείται κάτω από το σαμάρι για να προστατεύει τη ράχη του υποζυγίου από την τριβή*

καμιά αμαρτία· σαν ιερόσυλη μου φάνηκε άξαφνα η πρωινή λαχτάρα μου να κατασκοπέψω και να δω, αγέννητο ακόμα, το μελλούμενο.

Θυμήθηκα κάποιο πρωί, που είχα πετύχει σ' ένα πεύκο ένα κουκούλι πεταλούδας, τη στιγμή που έσκαζε το τσόφλι κι ετοιμάζουνταν η μέσα ψυχή να προβάλει. Περίμενα, περίμενα, αργούσε, κι εγώ βιάζουμουν· έσκυψα τότε απάνω της κι άρχισα να τη ζεσταίνω με την ανάσα μου. Τη ζέσταινα ανυπόμονα, και το θάμα άρχισε να ξετυλίγεται μπροστά μου, με γοργό παρά φύση ρυθμό· το τσόφλι άνοιξε όλο, η πεταλούδα πρόβαλε. Μα ποτέ δε θα ξεχάσω τη φρίκη μου: τα φτερά της έμεναν σγουρά, αξεδίπλωτα, όλο της το κορμάκι έτρεμε και μάχουνταν να τα ξετυλίξει, μα δεν μπορούσε· μάχουμουν κι εγώ με την ανάσα μου να τη βοηθήσω. Του κάκου· είχε ανάγκη από υπομονετικό ωρίμασμα και ξετύλιγμα μέσα στον ήλιο, και τώρα πια ήταν αργά· η πνοή μου είχε ζορίσει την πεταλούδα να ξεπροβάλει πριν της ώρας, ζαρωμένη κι εφταμηνίτικη. Βγήκε αμέστωτη, κουνήθηκε απελπισμένη, και σε λίγο πέθανε στην απαλάμη μου.

Το πουπουλένιο κουφάρι αυτό της πεταλούδας θαρρώ πως είναι το μεγαλύτερο βάρος που έχω στη συνείδησή μου. Και να, σήμερα κατάλαβα βαθιά: είναι θανάσιμο αμάρτημα να βιάζεις τους αιώνιους νόμους· έχεις χρέος ν' ακολουθάς τον αθάνατο ρυθμό μ' εμπιστοσύνη.

Κούρνιασα σ' ένα βράχο ν' αφομοιώσω ήσυχα τον πρωτο-χρονιάτικο ετούτον στοχασμό. Α! να μπορούσα, έλεγα, τον καινούριο ετούτο χρόνο, να ρύθμιζα έτσι, χωρίς υστερικές ανυπομονησίες, τη ζωή μου! Η μικρή ετούτη πεταλουδίτσα, που σκότωσα γιατί παραβιάστηκα να την αναστήσω, ας ήταν να πετούσε πάντα μπροστά μου και να μου δείχνει το δρόμο! Κι έτσι μια πεταλούδα, που πρόωρα πέθανε, να βοηθήσει μιαν αδερφή της, μιαν ανθρώπινη ψυχή, να μη βιάζεται και να προφτάσει να ξετυλίξει με αργό ρυθμό τις φτερούγες!

XI

Πετάχτηκα

απάνω χαρούμενος, κρατούσα τον πρωτοχρονιάτικο μπουναμά μου. Κρύος αγέρας, καθαρός ουρανός, η θάλασσα έλαμπε.

Πήρα το δρόμο κατά το χωριό· θα 'χε πια απολύσει η λειτουργιά, προχωρούσα, και περίμενα με παράλογο χτυποκάρδι ποιος θα τύχαινε ο πρώτος άνθρωπος που θα 'βλεπα αρχιχρονιάτικα· ποιος θα 'κανε ποδαρικό στην ψυχή μου. Να 'ταν ένα παιδάκι, έλεγα, με τα πρωτοχρονιάτικα παιχνιδάκια στο χέρι ή ένας γέρος κοτσονάτος, με άσπρο φαρδομάνικο πουκάμισο, που να 'χει τελέψει ακέραιο το χρέος του στη γης! Όσο προχωρούσα και ζύγωνα στο χωριό, τόσο και πλήθαινε η ταραχή μου.

Κι άξαφνα τα γόνατά μου λύγισαν· από το δρόμο του χωριού, κάτω από τις ελιές, κουνιστή, ξαναμμένη, με το μαύρο τσεμπέρι, λαμπαδόχυτη, πρόβαλε η χήρα.

Πήγαινε κυματιστή, σα μαύρη λιόπαρδη, και μου φάνηκε πως ξέχυνε δριμύ μόσκο στον αγέρα. Να μπόρουν να φύγω! συλλογίστηκα. Κάτεχα καλά πως ετούτο το θυμωμένο θεριό δεν έχει έλεος, κι η μόνη νίκη είναι η φυγή. Μα πώς να φύγω; Η χήρα ζύγωνε· έτριζαν τα χαλίκια, σα να περνούσε στρατός· ανατίναξε το κεφάλι, γλίστρησε το τσεμπέρι, φάνηκαν τα μαλλιά της, γυαλιστερά, κορακάτα. Με γοργοβλεφάρισε και χαμογέλασε· το μάτι της είχε άγρια γλύκα. Και γρήγορα γρήγορα ξανατύλιξε το κεφάλι στο τσεμπέρι, σα να ντράπηκε τάχα που φάνηκε το βαθύ μυστικό της γυναίκας – τα μαλλιά της.

Έκαμα να χαιρετήσω, να πω «χρόνια πολλά», μα ο λαιμός μου είχε φράξει, όπως τη μέρα που γκρεμίστηκε η γαλαρία και κιντύνεφε η ζωή μου. Τα καλάμια στο φράχτη του περβολιού της κουνήθηκαν, ο χειμωνιάτικος ήλιος έπεσε απάνω στα χρυσά λεμονοπορτόκαλα με τις μαύρες φυλλωσιές, κι όλο το περβόλι έλαμψε σαν Παράδεισο.

Η χήρα τώρα στάθηκε, άπλωσε το χέρι, έσπρωξε με δύναμη την πόρτα του περβολιού της, άνοιξε. Τη στιγμή εκείνη περνούσα από μπροστά της· γύρισε, με κοίταξε πάλι, τα φρύδια της έπαιξαν.

Αφήκε την πόρτα ανοιχτή και την είδα να χάνεται, κουνώντας τα γοφιά της, πίσω από τις πορτοκαλιές.

Να δρασκελίσω το κατώφλι, να μανταλώσω την πόρτα, να τρέξω πίσω της, να την πάρω από τη μέση, να μην πούμε τίποτα, και να πέσουμε απάνω στο στρωμένο κρεβάτι – αυτό θα πει άντρας! Αυτό θα 'κανε ο παππούς μου, μακάρι και το εγγόνι μου· εγώ στέκουμαι στη μέση και συλλογιέμαι...

— Σε άλλη ζωή, μουρμούρισα πικρά χαμογελώντας, θα φερθώ καλύτερα· τώρα, πάμε!

Χώθηκα στο πράσινο φαράγγι, κι ένιωθα βάρος στην καρδιά, σα να 'χα κάμει θανάσιμη αμαρτία. Γύριζα, γύριζα, έκανε κρύο, τουρτούριζα. Έδιωχνα το κούνημα, το χαμόγελο, τα μάτια, τα στήθια της χήρας, μα αυτά όλο και ξανάρχουνταν – κι έτρεχα σα να με κυνηγούσαν.

Τα δέντρα δεν είχαν ακόμα ανοίξει, μα τα μάτια τους φούσκωναν κιόλα και σπαργούσαν· πίσω από κάθε μάτι ένιωθες συμπυκνωμένους, πιτσακωμένους, έτοιμους να πεταχτούν στο φως, βλαστούς, ανθούς και καρπούς μελωμένους. Πίσω από τις ξερές φλούδες αθόρυβα, κρυφά, μέρα νύχτα, υφαίνουνταν μέσα στο χειμώνα το μέγα θάμα της άνοιξης.

σπαργώ: *είμαι γεμάτος σφρίγος και ζωντάνια*

Άξαφνα έσυρα χαρούμενη φωνή· μπροστά μου, σε μια γούβα, μια γενναία πρωτοπόρα μυγδαλιά είχε ανθίσει· πήγαινε μπροστά απ' όλα τα δέντρα και διαλαλούσε την άνοιξη. Αλάφρωσα. Αυτό ήθελα. Ανάσανα βαθιά την ανάλαφρη πιπεράτη μυρωδιά, αναμέρισα από το δρόμο και πήγα και κάθισα κουκουβιστός κάτω από τ' ανθισμένα κλώνια. Ώρα πολλή, χωρίς να συλλογιέμαι τίποτα, χωρίς καμιάν έγνοια, ευτυχισμένος. Σα να κάθουμουν στην αιωνιότητα, κάτω από ένα δέντρο της Παράδεισος.

Άξαφνα μια αγριοφωνάρα με πέταξε από την Παράδεισο.

— Πού τρύπωξες στο λάκκο, αφεντικό; Έφαγα τον κόσμο να σε γυρεύω· κοντεύει μεσημέρι· πάμε!

— Πού;

— Πού;! Και το ρωτάς; Στην κυρα-Γουρουνοπούλα. Δεν πείνασες; Το γουρουνόπουλο βγήκε από το φούρνο, η μυρωδιά του σπάζει μύτες· πάμε, σου λέω.

Σηκώθηκα· χάδεφα το σκληρό κορμό της μυγδαλιάς, το μυστηριώδη, που μπόρεσε να πετάξει τ' ολάνθιστο ετούτο θάμα. Τραβούσε μπροστά ο Ζορμπάς, σβέλτος, όλο κέφι και πείνα· οι θεμελιακές ανάγκες του ανθρώπου —φαΐ, πιοτό, γυναίκα, χορός— αποκρατούσαν ακόμα αξεθύμαστες στο ζεϊμπέκικο κορμί του. Κρατούσε στο χέρι κάτι τυλιγμένο σε ροζ χαρτί, δεμένο με χρυσό σιρίτι.

— Μπουναμάς; ρώτησα.

Ο Ζορμπάς γέλασε, προσπαθώντας να κρύψει τη συγκίνησή του.

— Ε, να μην παραπονιέται η κακομοίρα! είπε δίχως να στραφεί. Να θυμηθεί περασμένα μεγαλεία... Γυναίκα είναι, δεν είπαμε; Παραπονιάρικο πράμα.

— Φωτογραφία; Η φωτογραφία σου, θεομπαίχτη;

— Θα δεις... Θα δεις, μη βιάζεσαι· το 'φτιασα μόνος μου. Πάμε γρήγορα.

Ήλιος μεσημεριάτικος, χαίρουνταν το κόκαλο του ανθρώπου. Η θάλασσα λιάζουνταν κι αυτή ευτυχισμένη. Πέρα, το μικρό ξερονήσι, περιξομπλιασμένο με ανάλαφρη πάχνη, είχε ανασηκωθεί από τη θάλασσα κι έπλεε.

Φτάναμε στο χωριό· ήρθε κοντά μου ο Ζορμπάς, χαμήλωσε τη φωνή:

— Ξέρεις, αφεντικό, είπε, η λεγάμενη ήταν στην εκκλησιά. Στέκουμουν μπροστά, δίπλα στον φάλτη· όπου μια στιγμή βλέπω το τέμπλο να φωτίζεται· αντιλάμπισε ο Χριστός, η Παναγιά, οι δώδεκα αποστόλοι... «Τι 'ναι ετούτο;» είπα κι έκαμα το σταυρό μου· «ήλιος;» Στράφηκα· ήταν η χήρα.

— Άσε τις κουβέντες, Ζορμπά, φτάνει! είπα κι άνοιξα το βήμα.

Μα ο Ζορμπάς έτρεξε από πίσω μου:

— Την είδα από κοντά, αφεντικό· έχει μιαν ελιά στο μάγουλο, που σου παίρνει το νου. Τι μυστήριο πάλι οι ελιές στο μάγουλο της γυναίκας!

Γούρλωσε πάλι τα μάτια του με κατάπληξη.

— Είδες, αφεντικό; Το πετσί πάει στρωτό· άξαφνα, μια μαύρη πιτσιλιά. Κι όμως, σου παίρνει το νου! Καταλαβαίνεις τίποτα, αφεντικό; Τι λένε τα κιτάπια σου;

— Τον κακό τους τον καιρό!

Ο Ζορμπάς γέλασε ευχαριστημένος.

— Έτσι ντε, είπε· αρχίζεις να καταλαβαίνεις.

Περάσαμε γρήγορα από τον καφενέ, χωρίς να σταθούμε.

Η «αρχόντισσα κυρία» είχε ετοιμάσει στο φούρνο ένα γουρουνόπουλο και μας περίμενε ορθή στο κατώφλι.

Είχε περάσει πάλι στο λαιμό την καναρινιά κορδέλα, κι έτσι που ήταν βαριά παστωμένη με πούδρες, και τα χείλια της πηχτά βυσσινιά, τρόμαζες. Κουνήθηκαν όλες της οι σάρκες μόλις μας είδε και χάρηκαν, έπαιξαν τσαχπίνικα τα ξέθωρα ματάκια της και καρφώθηκαν απάνω στις στριμμένες μουστάκες του Ζορμπά. Κι αυτός, ευτύς ως μανταλώθηκε η ξώπορτα, την πήρε από τη μέση.

— Χρόνια πολλά, Μπουμπουλίνα μου, της είπε· κοίτα τι σου κρατώ!

Και τη φίλησε στο ζαρωμένο παχουλό σβέρκο.

Γαργαλίστηκε η γριά Σειρήνα, μα δεν τα 'χασε· το μάτι της γαρίδα στο δώρο· το άρπαξε, έλυσε το χρυσό σιρίτι, κοίταξε, έσυρε φωνή.

Έσκυψα να δω: Σ' ένα χοντρό χαρτόνι ο θεομπαίχτης ο Ζορμπάς είχε ζωγραφίσει με τέσσερεις διαφορετικές μπογιές –ξανθή, καστανή, γκρίζα και μαύρη– τέσσερα μεγάλα θωρακωτά σημαιοστόλιστα. Η θάλασσα τριανταφυλλιά, και μπροστά από τα θωρακωτά, ξαπλωμένη στα κύματα, κάτασπρη, ολόγυμνη, με ξέπλεκα μαλλιά, με ολόρθα στήθη και με στρουφιχτή ουρά φαριού, αρμένιζε μ' ένα κορδελάκι κίτρινο στο λαιμό, μια γοργόνα. Η μαντάμ Ορτάνς. Κρατούσε τέσσερεις σπάγγους και τραβούσε τα θωρακωτά με την εγγλέζικη, ρούσικη, φραντσέζικη κι ιταλικιά παντιγέρα. Και στην κάθε γωνιά του κάδρου κρέμουνταν κι από μια γενειάδα ξανθιά, καστανιά, γκρίζα και μαύρη καραμπογιά.

Μοναστραπίς η γριά Σειρήνα μπήκε στο νόημα.

— Εγκώ! είπε δείχνοντας τη γοργόνα με καμάρι.

Αναστέναξε.

— Αχ, αχ, ήμουν κι εγώ μια φορά Μεγάλη Δύναμη...

Ξεκρέμασε ένα στρογγυλό καθρεφτάκι που είχε απάνω από το κρεβάτι της, δίπλα στο κλουβί του παπαγάλου, και κρέμασε το έργο του Ζορμπά. Κάτω από τα πηχτά κοκκινάδια, το πρόσωπό της θα 'χε γίνει κάτασπρο.

Ο Ζορμπάς ωστόσο είχε τρυπώξει στην κουζίνα, πεινούσε· έφερε το ταψί με το γουρουνόπουλο, έβαλε μπροστά του μιαν μπουκάλα κρασί, γέμισε τα τρία ποτήρια.

— Κοπιάστε! φώναξε, χτυπώντας τα παλαμάκια. Ν' αρχίσουμε από το θεμέλιο, την κοιλιά· ύστερα, Μπουμπουλίνα μου, πάμε και στα παρακάτω!

Μα ο αγέρας είχε θαμπώσει από τ' αναστενάγματα της γριάς γοργόνας μας. Είχε κι αυτή κάθε αρχιχρονιά τη μικρή της Δευτέρα Παρουσία, θα ζύγιαζε κι αυτή τη ζωή της και θα την έβρισκε χαμένη. Στο μεσομαδημένο ετούτο γυναίκειο κεφάλι, οι πολιτείες, οι άντρες, οι μεταξωτές ρόμπες, οι σαμπάνιες, οι παρφουμαρισμένες γενειάδες θ' ανασταίνουνται, στις επίσημες μέρες, από τα μέσα της μνήματα και θα φωνάζουν.

— Ντεν έκω όρεξη, μουρμούριζε χαδιάρικα· ντεν έκω... ντεν έκω...

Γονάτισε μπροστά από το μαγκάλι, σκάλισε τα πυρωμένα κάρβουνα, τα κρεμάμενα μάγουλά της αντιλάμπισαν. Ένα τσουλούφι κρεμάστηκε από το κούτελό της κι άγγιξε τη φωτιά· μύρισε η κάμαρα με την αναγουλιαστική βρόμα της καμένης τρίχας.

— Ντεν τα φάω... ντεν τα φάω... μουρμούρισε πάλι, βλέποντας πως δεν την προσέχαμε.

Ο Ζορμπάς έσφιξε τη γροθιά του φουρκισμένος· απόμεινε μια στιγμή αναποφάσιστος. Μπορούσε να την αφήσει να μουρμουρίζει όσο θέλει και να ρίχτουμε εμείς στο φαγοπότι· μπορούσε και να γονατίσει μπροστά της, να την αρπάξει στην αγκαλιά του, και μ' ένα καλό λογάκι να την κάμει μέλι γάλα. Τον κοίταζα κι ανάγνωθα στη ρεούμενη έκφραση του ταγαριασμένου μούτρου του τ' αντιμαχόμενα κύματα να περνούνε.

Ξάφνου το πρόσωπο του Ζορμπά σταμάτησε· είχε πάρει απόφαση. Γονάτισε, έπιασε τα γόνατα της Σειρήνας:

— Αν δε φας εσύ, Μπουμπουλίνα μου, είπε με σπαραχτικιά φωνή, ο κόσμος χάνεται. Λυπήσου τον κόσμο, κυρά μου, και φάε το ποδαράκι αυτό του γουρουνόπουλου!

Και της σφήνωσε στο στόμα το τραγανό, όλο βούτυρο, ποδαράκι.

Την πήρε στην αγκαλιά του, τη σήκωσε, τη θρόνιασε στην καρέκλα της, ανάμεσά μας.

— Φάε, είπε, φάε, να μπει ο Αϊ-Βασίλης στο χωριό μας! Αλλιώς, να το ξέρεις, δεν μπαίνει. Θα γυρίσει πίσω στην πατρίδα του, στην Καισάρεια, θα πάρει πίσω το χαρτί και το καλαμάρι, τις βασιλόπιτες, τους μπουναμάδες, τα παιχνιδάκια των παιδιών, το γουρουνόπουλο ετούτο, και θα φύγει. Το λοιπόν, Μπουμπουλινάκι μου, άνοιξε το στοματάκι σου, φάε!

Άπλωσε τα δυο του δάχτυλα και τη γαργάλησε στη μασχάλη.

Κι η γριά Σειρήνα χιχίρισε, σφούγγιξε τα κοκκινισμένα ματάκια της κι άρχισε να γλυκομασουλίζει το ξεροφημένο ποδαράκι... Τη στιγμή εκείνη δυο ερωτεμένοι γάτοι στο δώμα, απάνω από τα κεφάλια μας, άρχισαν να ουρλιάζουν. Ούρλιαζαν με μίσος, λυσσασμένοι, ανέβαιναν, κατέβαιναν οι φωνές τους όλο φοβέρα, και ξάφνου τους ακούγαμε να κυλιούνται μαλλιά κουβάρια στο δώμα και να καταξεσκίζουνται.

— Νιάου-νιάου... έκαμε ο Ζορμπάς, κι έκλεισε το μάτι στη γριά Σειρήνα.

Κι αυτή χαμογέλασε και του 'σφιξε το χέρι κρυφά κάτω από το τραπέζι. Ξέφραξε ο λαιμός της κι άρχισε πια, όλο κέφι, να τρώει.

Ο ήλιος έγειρε, μπήκε από το παραθυράκι, κάθισε στα πόδια της Μπουμπουλίνας. Η μπουκάλα είχε αδειάσει, ο Ζορμπάς είχε ζυγώσει με όρθια μουστάκια αγριόγατου στο «θηλυκό γένος». Κι η μαντάμ Ορτάνς, κουκουβιστή, με το κεφάλι χωμένο στους ώμους, ένιωθε από πάνω της, ανατριχιάζοντας, τη θερμή κρασωμένη ανάσα.

— Τι μυστήριο είναι πάλι και τούτο, αφεντικό; γυρνάει και μου κάνει ο Ζορμπάς. Όλα σε μένα πάνε ανάποδα. Όταν ήμουνα μωρό, μου λένε, έμοιαζα σα γέρος· βαρύς, λιγομίλητος, χοντρή γεροντίστικη φωνή· έμοιαζα, λέει, του παππού μου! Κι όσο φορτώνουμουν χρόνια, τόσο κι αλάφρωνα. Είκοσι χρονών άρχιζα να κάνω τρέλες, μα όχι και πολλές· τις συνηθισμένες. Σαν έγινα σαράντα χρονώ, άρχισα στα γεμάτα να νιώθω τη νιότη μου κι αρμένισα πια στις μεγάλες τρέλες. Και τώρα που πάτησα τα εξήντα –είμαι εξήντα πέντε, αφεντικό, μα αυτό μεταξύ μας– τώρα λοιπόν που πάτησα τα εξήντα, μα την πίστη μου, πώς το ξηγάς, αφεντικό; Ο κόσμος δε με χωράει!

Σήκωσε το ποτήρι, στράφηκε με κατάνυξη στην κυρά του:

— Στην υγειά σου, αρχόντισσα κυρία, είπε μ' επίσημο τόνο· ο Θεός να δώσει να βγάλεις τον καινούριο χρόνο δόντια και φρύδια σα σπαθιά και να κάμεις πάλι ένα δέρμα μάρμαρο, να πετάξεις πια από το λαιμό σου τις άτιμες αυτές κορδελίτσες!

Και να σηκώσει, λέει, πάλι επανάσταση η Κρήτη και να 'ρθουν πάλι, Μπουμπουλίνα μου, οι τέσσερεις Μεγάλες Δυνάμες, με τους στόλους τους, κι ο κάθε στόλος να 'χει το «νάβρακό» του, και κάθε «νάβρακος» τα γένια του, σγουρά και μυρωδάτα. Και να πεταχτείς πάλι εσύ, γοργόνα μου, από τα κύματα και ν' αρχίσεις –αμάν, χαθήκαμε!– το τραγούδι. Κι όλοι οι στόλοι να τσακιστούν στους δυο στρογγυλούς ετούτους άγριους βράχους! Είπε, κι άπλωσε τη χερούκλα του στα φλασκιασμένα ντάντουλα στήθια της μαντάμας.

Είχε πάλι ανάφει ο Ζορμπάς, βράχνιασε η φωνή του από το πάθος. Κάποτε είχα δει στον κινηματογράφο έναν Τούρκο πασά να διασκεδάζει στα καμπαρέ του Παρισιού· κρατούσε στα γόνατά του μιαν ξανθούλα μιντινέτα· κι ο πασάς άναβε, κόρωνε, κι έβλεπες ν' ανασηκώνεται σιγά σιγά η φούντα του φεσιού του, ν' ακινητεί, στην αρχή, οριζόντια κι ύστερα να παίρνει φόρα και να στέκεται ολόρθη στον αγέρα.

— Γιατί γελάς, αφεντικό; με ρώτησε ο Ζορμπάς.

Μα η μαντάμα είχε ακόμα το νου της στα λόγια του Ζορμπά.

— Αχ, έκαμε, γίνουνται αυτά, Ζορμπά μου; Πάνε τα νιάτα!

Ο Ζορμπάς ζύγωσε πιο κοντά, οι δυο καρέκλες κόλλησαν.

— Άκου να σου πω, Μπουμπουλίνα μου, είπε, προσπαθώντας να ξεκουμπώσει και το τρίτο, το κρίσιμο κουμπί της μπλούζας της· άκου να σου πω ένα μεγάλο δώρο που θα σου κάμω: Βγήκε ένας καινούριος γιατρός που κάνει θάματα. Σου δίνει ένα γιατρικό, στάλες είναι, σκονάκια είναι, θα σε γελάσω, και γίνεσαι πάλι είκοσι χρονών, το πολύ είκοσι πέντε. Σώπα εσύ, κυρα-Μπουμπουλίνα μου, κι εγώ θα σου παραγγείλω στην Ευρώπη...

Η γριά Σειρήνα μας τινάχτηκε· φέγγρισε, ανάμεσα από τις αριές τρίχες του κεφαλιού της, γυαλιστερό, κοκκινωπό, το δέρμα.

— Αλήθεια; φώναξε· αλήθεια;

ντάντουλος: *που είναι μαλακός και χαλαρός*
μιντινέτα: *γυναίκα ελαφρών ηθών*

Έριξε τα ντάντουλα παχουλά μπράτσα της στο λαιμό του Ζορμπά:

— Αν είναι, Ζορμπά μου, γουργούρισε και τρίβουνταν απάνω του, αν είναι στάλες, να μου παραγγείλεις μια νταμιζάνα· κι αν πάλι είναι σκονάκια...

— Ένα τσουβάλι! έκαμε ο Ζορμπάς και ξεκούμπωσε το τρίτο κουμπί.

Οι γάτοι, που είχαν μια στιγμή σωπάσει, άρχισαν πάλι να ουρλιάζουν· η μια φωνή θρηνούσε και παρακάλαε, μα η άλλη αρνιόταν και φοβέριζε...

Η κυρά μας χασμουρήθηκε, τα μάτια της γλάρωσαν.

— Ακούς τους γάτους; Δεν ντρέπουνται... μουρμούρισε και κάθισε στα γόνατα του Ζορμπά.

Έγειρε στο λαιμό του κι αναστέναξε· είχε πιει περίσσιο κρασί και τα μάτια της βούρκωσαν.

— Τι συλλογιέσαι, Μπουμπουλίνα μου, και τα ματάκια σου βούρκωσαν; έκαμε ο Ζορμπάς και γέμισε η φούχτα του στήθος.

— Την Αλεξάντρεια... μουρμούρισε η πολυτάξιδη γοργόνα κλαφουρίζοντας· την Αλεξάντρεια... το Μπερούτι... την Πόλη... Τουρκαλάδες, Αραπάδες, σερμπέτια, χρυσά πασουμάκια, φέσια.

Αναστέναξε πάλι.

— Όταν ο Αλή-μπέης έμενε μαζί μου τη νύχτα —τι μουστάκια ήταν αυτά, τι φρύδια, τι μπράτσα!— πλέρωνε κι έπαιζαν ως τα ξημερώματα στην αυλή μου τα τούμπανα κι οι ζουρνάδες. Κι οι γειτόνισσες σκύλιαζαν από το κακό τους κι έλεγαν: «Ο Αλή-μπέης είναι πάλι με τη μαντάμα...»

»Κι ύστερα, στην Πόλη, ο Σουλεϊμάν-πασάς δε με άφηνε την Παρασκευή να βγω σεριάνι, μην τύχει και με δει ο Σουλτάνος, που πήγαινε στο τζαμί, και σαστίσει από την ομορφιά μου και με πάρει στο χαρέμι του... Κι όταν έφευγε το πρωί από το σπίτι μου, έβαζε τρεις Αραπάδες στην πόρτα μου, να μη ζυγώσει αρσενικός... Αχ, αχ, Σουλεϊμάνη μου!

Πήρε το μαντιλάκι της και το δάγκανε, σούριζε σα νερο-χελώνα.

195

Ο Ζορμπάς την ξεφόρτωσε στη διπλανή καρέκλα και σηκώθηκε φουρκισμένος· πήγε δυο τρεις φορές απάνω κάτω, φυσούσε κι αυτός, η κάμαρα μίκρανε, άρπαξε τη μαγκούρα του, πετάχτηκε στην αυλή, ακούμπησε την ανεμόσκαλα στον τοίχο και τον είδα ν' ανεβαίνει δυο δυο τα σκαλοπάτια.

— Ποιον πας να δείρεις, Ζορμπά; φώναξα· τον Σουλεϊμάν πασά;

— Ανάθεμά τους για γάτες· δε με αφήνουν ήσυχο! Και μ' ένα σάλτο πήδηξε στο δώμα.

Η μαντάμ Ορτάνς, μεθυσμένη, αναμαλλιασμένη, είχε κλείσει τώρα τα πολυφιλημένα μάτια, κι ο ύπνος την είχε σηκώσει και την πήγαινε στις μεγάλες πολιτείες της Ανατολής – στα κλειστά περιβόλια, στα σκοτεινά χαρέμια, στους σεβνταλήδες πασάδες. Κι ύστερα την περνούσε από τις θάλασσες, κι ονειρεύουνταν πως φάρευε κι είχε ρίξει, λέει, τέσσερεις πετονιές, κι είχε πιάσει, λέει, τέσσερα μεγάλα θωρακωτά...

Ήσυχη, δροσολουσμένη από τη θάλασσα, η γριά Σειρήνα στον ύπνο της χαμογελούσε.

Ο Ζορμπάς μπήκε μέσα κουνώντας τη μαγκούρα.

— Κοιμάται; έκαμε βλέποντας τη μαντάμα· κοιμάται η σκρόφα;

— Ναι, αποκρίθηκα, την πήρε ο Βορονώφ που ξανανιώνει τους γέρους, Ζορμπά-πασά μου, ο ύπνος· τώρα αυτή είναι είκοσι χρονών και σεριανίζει στην Αλεξάντρεια, στο Μπερούτι...

— Να χαθεί, η παλιοβρόμα! μουρμούρισε ο Ζορμπάς κι έφτυσε χάμω· για κοίτα πώς χαμογελάει! Πάμε να φύγουμε, αφεντικό!

Έβαλε το σκούφο του, άνοιξε την πόρτα.

— Να το σκάσουμε έτσι και να την αφήσουμε ολομόναχη, είπα, δεν είναι ντροπή;

— Δεν είναι ολομόναχη, έγρουξε ο Ζορμπάς, είναι με το Σουλεϊμάν-πασά, δεν τη βλέπεις; Βρίσκεται στους εφτά ουρανούς το βρομοθήλυκο, πάμε!

Βγήκαμε έξω στον κρύον αγέρα· το φεγγάρι αρμένιζε ήσυχο στον κατευτυχισμένο ουρανό.

— Γυναίκες! έκαμε ο Ζορμπάς με ανδία, φτου! Μα δε φταίτε εσείς, φταίμε εμείς, οι σερσέμηδες, οι κοκορόμυαλοι, οι Σουλεϊμάνηδες κι οι Ζορμπάδες!

Και σε λίγο:

— Μήτε εμείς δε φταίμε, ένας μονάχα φταίει, ένας μονάχα, ο Μεγάλος Σερσέμης και Κοκορόμυαλος, ο Μεγάλος Σουλεϊμάνης και Ζορμπάς... ξέρεις ποιος!

— Αν υπάρχει, είπα· μα αν δεν υπάρχει;

— Τότε, μούντζωσ' τα!

Κάμποση ώρα πηγαίναμε γρήγορα, δε μιλούσαμε. Ο Ζορμπάς ήταν βυθισμένος σε άγριους λογισμούς, γιατί κάθε τόσο χτυπούσε με το ραβδί του τις πέτρες κι έφτυνε.

Άξαφνα στράφηκε:

— Ο Θεός ν' αγιάσει τα κόκαλα του παππού μου, είπε. Ήξερε αυτός από γυναίκες, γιατί κι αυτός τις αγαπούσε πολύ ο μακαρίτης και του 'χαν φήσει το φάρι στα χείλια. «Να 'χεις την ευκή μου, Αλέξη», μου 'λεγε, «βάρδα από γυναίκες! Όταν έβγαλε ο Θεός –ανάθεμα την ώρα!– την πλάτη από τον Αδάμ για να πλάσει τη γυναίκα, ο διάολος γίνηκε φίδι, και χαπ! άρπαξε την πλάτη και πάει... Χύθηκε ο Θεός, τον έπιασε, μα του γλίστρηξε κι απόμειναν στα χέρια του μονάχα τα κέρατά του. "Η καλή νοικοκυρά", είπε ο Θεός, "με το κουτάλι γνέθει· με τα κέρατα του διάολου θα φτιάσω κι εγώ τη γυναίκα". Την έφτιασε, και μας πήρε ο διάολος, Αλέξη μου. Όπου κι αν αγγίξεις τη γυναίκα, είναι κέρατο του διάολου, βάρδα, παιδί μου! Αυτή έκλεφε και τα μήλα της Παράδεισος, τα 'βαλε στον κόρφο της, και τώρα πάει κι έρχεται και σεριανίζει και καμαρώνει, κακό χρόνο να 'χει! Έφαες από τα μήλα αυτά; Χάθηκες· δεν έφαες; Χάθηκες πάλι. Τι να σε συβουλέψω, μωρέ παιδί μου; Κάνε ό,τι θες!» Αυτά μου 'λεγε ο συχωρεμένος ο παππούς μου, μα εγώ πού να βάλω γνώση! Πήρα κι εγώ τον εδικό του δρόμο, πήγα κατά διαόλου!

Περνούσαμε με βίαση το χωριό· ανήσυχο, ανησυχαστικό

φεγγάρι, σα να μέθυσες και βγήκες έξω να περπατήσεις κι ο
κόσμος άλλαξε. Οι δρόμοι έγιναν ποτάμια γάλα, οι λάκκοι ξεχεί-
λισαν ασβέστη, χιόνισαν τα βουνά. Τα χέρια σου, το πρόσωπο,
ο λαιμός, φωσφόριζαν σαν την κοιλιά της λαμπηδόνας. Σαν
ένα γκόλφι στρογγυλό, ξωτικό, κρέμουνταν στα στήθια σου
το φεγγάρι...

Περπατούσαμε γοργά γοργά, σαν άλογα, κι έτσι πιωμένοι
που ήμασταν, νιώθαμε ανάλαφρο το κορμί μας, σα να πετού-
σαμε. Στο κοιμισμένο χωριό πίσω μας τα σκυλιά είχαν ανέβει
στα δώματα και γάβριζαν θρηνητικά, με τα μάτια καρφωμένα
στο φεγγάρι· και σου 'ρχουνταν, χωρίς αιτία, να σηκώσεις και
συ το λαιμό και ν' αρχίσεις το θρήνο.

Περνούσαμε τώρα από το περβόλι της χήρας. Ο Ζορμπάς
στάθηκε· τον είχε ζαλίσει το κρασί, το φαΐ, το φεγγάρι. Σήκωσε
το λαιμό κι άρχισε με τη γαϊδουροφωνάρα του μιαν ξετσίπωτη
μαντινάδα, που τη στιγμή εκείνη, θαρρώ, ξαναμμένος όπως
ήταν, την είχε ταιριάσει στο μυαλό του:

Χαρώ το το κορμάκι σου απ' τα μισά και κάτω·
βάνει το χέλι ζωντανό, και μονομιάς φοφά το!

— Άλλο κέρατο του διαόλου και τούτη! είπε· πάμε, αφεντικό!
Κόντευε πια να ξημερώσει, όταν φτάσαμε στην παράγκα.
Εγώ έπεσα στο κρεβάτι εξαντλημένος· ο Ζορμπάς πλύθηκε,
άναψε το καμινέτο, έκαμε καφέ. Κάθισε χάμω διπλοπόδι
μπροστά από την πόρτα, άναψε ένα τσιγάρο και κάπνιζε
ήρεμος, με τον κορμό ολόρθο, ακίνητο, και κοίταζε τη θάλασσα.
Το πρόσωπό του ήταν σοβαρό και συγκεντρωμένο· έμοιαζε με
μια γιαπωνέζικη ζωγραφιά που αγαπούσα: ασκητής κάθεται
διπλοπόδι, τυλιγμένος σε πορτοκαλί ράσο, το πρόσωπό του
λάμπει, σκληρό, φιλί σκαλισμένο ξύλο, μαυρισμένο από τις
βροχές, και κοιτάζει με αλύγιστο λαιμό, χαμογελώντας, χωρίς
τρόμο, μπροστά του την κατάμαυρη νύχτα...

Κοίταζα στο φεγγαρόφωτο το Ζορμπά, και καμάρωνα με

τι παλικαριά κι απλότητα σοφίλιαζε με τον κόσμο, πώς σώμα και ψυχή ήταν ένα, κι όλα, γυναίκες, ψωμί, μυαλό, ύπνος, αρμόδεναν με τη σάρκα του άμεσα, χαρούμενα, και γίνουνταν Ζορμπάς. Ποτέ δεν είχα δει μια τόσο φιλική ανταπόκριση ανθρώπου και σύμπαντου.

Έγερνε πια στη δύση του το φεγγάρι· ολοστρόγγυλο, χλωμοπράσινο· άφραστη γλύκα χύθηκε στη θάλασσα.

Πέταξε ο Ζορμπάς το τσιγάρο του, άπλωσε το χέρι, ανασκάλεφε σ' ένα καλάθι, έβγαλε σπάγγους, καρούλια, ξυλαράκια, άναψε το λύχνο κι άρχισε να κάνει πρόβες του εναέριου. Σκυμμένος απάνω από το πρωτόγονο παιχνιδάκι του, ήταν πελαγωμένος σε δύσκολους σίγουρα υπολογισμούς, γιατί κάθε τόσο έξυνε με μανία το κεφάλι του και βλαστημούσε.

Κι άξαφνα, ολομεμιάς, βαριεστισμένος, έδωκε με την πατούσα του μιαν κλοτσιά στον εναέριο και τον γκρέμισε κάτω.

XII

Με πήρε

ο ύπνος. Όταν ξύπνησα, ο Ζορμπάς είχε φύγει. Έκανε κρύο, δεν είχα καθόλου κέφι να σηκωθώ, άπλωσα το χέρι σ' ένα μικρό ράφι από πάνω μου, πήρα ένα βιβλίο που αγαπούσα κι είχα κουβαλήσει μαζί μου, τα τραγούδια του Μαλλαρμέ. Διάβασα αργά, σκορπιστά, το 'κλεισα, το ξανάνοιξα, το πέταξα. Όλα ετούτα μου φάνηκαν, για πρώτη φορά σήμερα, χωρίς αίμα, χωρίς μυρωδιά κι ουσία ανθρώπου· γαλάζιες ξεβαμμένες, αδειανές λέξεις στον αγέρα. Αποσταγμένο πεντακάθαρο νερό, χωρίς μικρόβια μα και χωρίς θρεφτικές ουσίες· χωρίς ζωή.

Όπως στις ξεθυμασμένες θρησκείες οι θεοί καταντούν ποιητικά μοτίβα, ξόμπλια για να στολίζουν την ανθρώπινη μοναξιά και τους τοίχους, όμοια και τούτη η ποίηση. Η θολή λαχτάρα της καρδιάς, η γεμάτη χώμα και σπόρους, έχει καταντήσει στείρο νοητικό παιχνίδι κι αρχιτεχνονική του αγέρα.

Άνοιξα πάλι το βιβλίο, ξαναδιάβασα. Γιατί, τόσα χρόνια, τα τραγούδια αυτά με είχαν συνεπάρει; Καθαρή ποίηση! Η ζωή να γίνει παιχνίδι διάφανο, ανάλαφρο, που να μην τη βαραίνει μήτε ένας κόμπος αίμα. Χωριάτικο, άξεστο, ακάθαρτο είναι το ανθρώπινο στοιχείο –ο έρωτας, η σάρκα, η κραυγή– ας γίνει αφηρημένη ιδέα, και μέσα στην υφικάμινο του νου, από αλχημεία σε αλχημεία, να εξαϋλωθεί και να σκορπίσει!

Πώς ετούτα όλα, που τόσο με είχαν μαυλίσει, μου φάνηκαν

σήμερα το πρωί υψηλές τσαρλατάνικες σκοινοβασίες! Πάντα, στο τέλος κάθε πολιτισμού, όμοια τελειώνει, σε ταχυδα-χτυλουργικά, πολύ μαστορικά παιχνίδια –καθαρή ποίηση, καθαρή μουσική, καθαρή νόηση– η αγωνία του ανθρώπου. Του στερνού ανθρώπου, που αρφάνεψε από κάθε πίστη και πλάνη, που δεν περιμένει πια τίποτα, δε φοβάται πια τίποτα, όλο του το χώμα κατάντησε πνέμα και το πνέμα δεν έχει πια πού να ρίξει τις ρίζες του να βυζάξει και να θραφεί... Άδειασε ο άνθρωπος, μήτε σπέρμα πια, μήτε κόπρο, μήτε αίμα. Όλα τα πράματα κατάντησαν λέξες, όλες οι λέξες μουσικά παιχνι-δίσματα, και τώρα κάθεται ο στερνός άνθρωπος στην άκρα της ερημιάς του κι αποσυνθέτει τη μουσική σε βουβές μαθη-ματικές αναλογίες.

Τινάχτηκα. Ο Βούδας είναι ο στερνός άνθρωπος! φώναξα. Αυτό είναι το φοβερό μυστικό του νόημα. Ο Βούδας είναι η «καθαρή» ψυχή που 'χει αδειάσει, δεν έχει μέσα του τίποτα, είναι το Τίποτα. «Αδειάζετε τα σπλάχνα, αδειάζετε το νου, αδειάζετε την καρδιά σας!» φωνάζει· όπου πατήσει το πόδι του, νερό πια δε βγαίνει, χόρτο δε φυτρώνει, παιδί δε γεννιέται. Πρέπει, συλλογίστηκα, με παρομοίωσες και μαγικόν αχό να τον πολιορκήσω, να τον μαυλίσω, να τον κάμω να ξεκορμίσει από το σπλάχνο μου, να ρίξω απάνω του το δίχτυ τις λέξες, να τον πιάσω, να λυτρωθώ!

Το να γράφω το Βούδα έπαυε πια να 'ναι φιλολογικό παιχνίδι· ήταν αγώνας με μια μεγάλη καταλυτική δύναμη μέσα μου, αγώνας με το μεγάλο τ' Όχι, που έτρωγε την καρδιά μου – κι από τον αγώνα αυτόν κρέμουνταν η ζωή μου.

Πήρα το χερόγραφο χαρούμενος, είχα βρει τώρα την καρδιά, ήξερα τώρα πια πού να χτυπήσω! Ο Βούδας είναι ο στερνός άνθρωπος, εμείς είμαστε ακόμα στην αρχή, δε φάγαμε, δεν ήπιαμε, δε φιλήσαμε αρκετά, δε ζήσαμε ακόμα· πρόωρα μας ήρθε ο ντελικάτος ετούτος ξεθυμασμένος γέρος, ας ξεκουμπι-στεί να φύγει!

Έτσι φώναζα μέσα μου, κι άρχισα να γράφω. Δεν ήταν αυτό

τώρα πια γράφιμο, ήταν πόλεμος, κυνήγι ανήλεο, πολιορκία και ξόρκι να ξεπροβάλει το θεριό από τη μονιά του. Μαγική ιεροπραξία, αλήθεια, είναι η τέχνη, σκοτεινές ανθρωποχτόνες δυνάμες κατοικούν στα σωθικά μας, αποτρόπαιες ορμές να σκοτώσουμε, να γκρεμίσουμε, να μισήσουμε, ν' ατιμάσουμε· κι έρχεται η τέχνη με το γλυκό σουραύλι και μας λυτρώνει.

Έγραφα, πάλευα όλη μέρα. Το βράδυ είχα πια εξαντληθεί· μα, ήμουν σίγουρος, είχα προχωρέσει, είχα κυριέψει σήμερα κάμποσα υψώματα. Ανυπομονούσα να 'ρθει ο Ζορμπάς, να φάω, να κοιμηθώ, να πάρω καινούρια δύναμη και να ξαναρχίσω χαράματα τη μάχη.

Λυχνανάμματα έφτασε ο Ζορμπάς· το πρόσωπό του έλαμπε: «Βρήκε κι αυτός, βρήκε!» είπα με το νου μου και περίμενα.

Είχα βαριεστήσει και του 'χα δηλώσει προχτές θυμωμένος: — Τα λεφτά τελειώνουν, Ζορμπά, ό,τι είναι να γίνει, να γίνει γρήγορα! Να βάλουμε μπροστά τον εναέριο· αν δεν πετύχει το κάρβουνο, να πιαστούμε από την ξυλεία. Αλλιώς είμαστε χαμένοι.

Ο Ζορμπάς έξυσε το κεφάλι.

— Τα λεφτά τελειώνουν, αφεντικό; Κακό αυτό!

— Πάνε, τα φάγαμε, Ζορμπά· κάμε το λογαριασμό σου. Πώς πάνε οι πρόβες του εναέριου; Ακόμα;

Ο Ζορμπάς κατέβασε το κεφάλι· δεν αποκρίθηκε. Είχε ντροπιαστεί, θα το 'βαλε μέσα του πείσμα να νικήσει, και να, απόψε το πρόσωπό του έλαμπε.

— Βρήκα, αφεντικό! φώναξε από μακριά. Βρήκα τη σωστή κλίση· γλιστρούσε, ξεγλιστρούσε η άτιμη, μα την έπιασα!

— Βάλε λοιπόν ομπρός γρήγορα! Φωτιά στα τόπια, Ζορμπά! Τι χρειάζεσαι;

— Αύριο πρωί πρωί πρέπει να φύγω για το Κάστρο, να φωνίσω τα χρειαζούμενα υλικά – χοντρό ατσαλένιο σκοινί,

μονιά: *τόπος κατοικίας, διαμονή· φωλιά άγριου ζώου*

μακαράδες, κουζινέτα, καρφιά, γάντζους... θα πάω και θα 'ρθω σαν πουλί.

Άναφε σβέλτα τη φωτιά, μαγέρεφε, φάγαμε, ήπιαμε, με περίσσια όρεξη· κι οι δυο είχαμε καλά δουλέψει σήμερα. Το πρωί συνόδεφα το Ζορμπά ως το χωριό. Κουβεντιάζαμε φρόνιμα, πραχτικά, για τις δουλειές του λιγνίτη· σ' έναν κατήφορο ο Ζορμπάς σκόνταφε σε μιαν πέτρα, κι η πέτρα άρχισε να κατρακυλάει και να φεύγει. Ο Ζορμπάς στάθηκε ξαφνιασμένος σα να 'βλεπε πρώτη φορά στη ζωή του ένα τόσο καταπληχτικό θέαμα· στράφηκε, με κοίταξε, και στα μάτια του διέκρινα ανάλαφρο τρόμο.

— Το 'χεις προσέξει, αφεντικό; μου είπε τέλος· οι πέτρες στον κατήφορο ζωντανεύουν!

Δε μίλησα, μα η χαρά μου ήταν πολλή. Όμοια οι μεγάλοι οραματιστές, όμοια οι μεγάλοι ποιητές, βλέπουν τα πάντα για πρώτη φορά. Κάθε πρωί βλέπουν μπροστά τους καινούριο κόσμο· δε βλέπουν καινούριο κόσμο, τον δημιουργούν.

Ο κόσμος ήταν για το Ζορμπά, όπως και για τους πρώτους ανθρώπους, όραμα πηχτό, τ' αστέρια τον άγγιζαν, η θάλασσα σπούσε στα μελίγγια του, ζούσε, χωρίς την παραμορφωτική μεσολάβηση του λογικού, τα χώματα, τα νερά, τα ζώα, το Θεό.

Η μαντάμ Ορτάνς είχε ειδοποιηθεί και μας περίμενε στο κατώφλι. Βαμμένη, καλαφατισμένη με πούδρα, ανήσυχη. Είχε καταστολιστεί σαν καφέ αμάν το Σαββατόβραδο· το μουλάρι ήταν έτοιμο απόξω από την πόρτα, πήδηξε ο Ζορμπάς, άρπαξε το χαλινάρι. Ζύγωσε η γριά μας Σειρήνα δειλά και ακούμπησε το παχουλό χεράκι της στο στήθος του μουλαριού, σα να 'θελε να σταματήσει τον καλό της να μη φύγει.

— Ζορμπά... γουργούρισε κι ανασηκώθηκε στ' ακρανύχια· Ζορμπά...

Ο Ζορμπάς έστριφε πέρα το πρόσωπο· δεν του άρεσαν έτσι, μέσα στο δρόμο, τα ερωτικά σαλιαρίσματα. Η κακόμοιρη

μακαράς: *τροχαλία, καρούλι*

η μαντάμα είδε τη ματιά του Ζορμπά, τρόμαξε· μα το χέρι της ακουμπούσε ακόμα, όλο ικεσία, στο στήθος του μουλαριού.
— Τι θες; έκαμε ο Ζορμπάς νευριασμένος.
— Ζορμπά, μουρμούρισε παρακλητικά, φρόνιμα... μη με ξεχάσεις, Ζορμπά· φρόνιμα...
Ο Ζορμπάς τίναξε το χαλινάρι, χωρίς να δώσει απάντηση· το μουλάρι πήρε δρόμο.
— Στο καλό, Ζορμπά! φώναξα. Τρεις μέρες, τ' ακούς; Όχι παραπάνω!
Στράφηκε, κούνησε τη χερούκλα του· η γριά Σειρήνα έκλαιγε κι έσκαβαν τα δάκρυά της αυλάκια μέσα στην πούδρα.
— Έχεις το λόγο μου, αφεντικό! Καλή αντάμωση!
Και χάθηκε μέσα στις ελιές. Έκλαιγε η μαντάμ Ορτάνς, έκλαιγε και κοίταζε κάπου κάπου ν' αστράφτει και να σβήνει μέσα από τ' ασημένια φύλλα χαρούμενη η κόκκινη πατανία που του 'χε στρώσει η κακόμοιρη για να κάθεται ο καλός της αναπαμένα. Σε λίγο είχε εξαφανιστεί κι αυτή· κοίταξε γύρα της η μαντάμ Ορτάνς, κι ο κόσμος είχε αδειάσει.

Δε γύρισα πίσω στο ακρογιάλι· πήρα αφηλά κατά το βουνό. Πριν πιάσω το ανηφορικό μονοπάτι, άκουσα τρουμπέτα· ο αγροτικός διανομέας μηνούσε στο χωριό τον ερχομό του.
— Αφεντικό! μου φώναξε κουνώντας το χέρι.
Ζύγωσε, μου 'δωσε ένα πακέτο εφημερίδες, περιοδικά και δυο γράμματα. Το ένα το έκρυψα αμέσως στην τσέπη, να το διαβάσω το βράδυ, όταν τελέψει η μέρα και γλυκάνει ο νους· ήξερα ποιος μου 'γραφε κι ήθελα ν' αναβάλω, για να κρατήσει περισσότερο, τη χαρά μου.
Το άλλο γράμμα το γνώρισα από το νευρικό κοφτό γράφιμο κι από τα ξωτικά απάνω του γραμματόσημα· μου το 'στελνε ένας παλιός συμμαθητής, ο Καραγιάννης, από την Αφρική, από ένα βουνό κοντά στην Ταγκανίκα.
Αλλόκοτος, απότομος, μαυριδερός, με κάτασπρα κοφτερά δόντια· ένα σκυλόδοντό του πρόβαινε έξω, σαν κάπρου. Δε

μιλούσε ποτέ, φώναζε· δε συζητούσε, μάλωνε. Είχε φύγει από την πατρίδα του την Κρήτη, όπου ήταν καθηγητής της θεολογίας, πολύ νέος, με το ράσο. Τα 'χε φήσει με μια μαθήτριά του, τους είχαν πιάσει μια μέρα στα χωράφια να φιλιούνται, τους γιουχάισαν. Την ίδια μέρα πέταξε ο καθηγητής τα ράσα, μπήκε στο βαπόρι. Πήγε στην Αφρική, σ' ένα συγγενή του, ρίχτηκε στη δουλειά, άνοιξε εργοστάσιο να φτιάνει σκοινιά, έκαμε παράδες. Κάπου κάπου μου 'γραφε και με καλούσε να πάω να μείνω μαζί του έξι μήνες. Ως άνοιγα κάθε του γράμμα και πριν ακόμα το διαβάσω, ένιωθα έναν άνεμο ορμητικό να ξεχύνεται από τις μπόλικες πάντα, ραμμένες με σπάγγο, σελίδες του και ν' αναστατώνει τα μαλλιά μου. Κι όλο κι έπαιρνα την απόφαση να πάω στην Αφρική να τον δω, κι όλο και δεν πήγαινα.

Αναμέρισα από το μονοπάτι, κάθισα σε μια πέτρα, διάβασα:

«Πότε λοιπόν, ελλαδίτικο στρείδι, θα πάρεις πια την απόφαση και θα 'ρθεις; Κατάντησες, θαρρώ, και του λόγου σου Ρωμιός και κυλιέσαι στους καφενέδες. Και δεν είναι μονάχα, και μη θαρρείς, καφενέδες οι καφενέδες· είναι και τα βιβλία κι οι συνήθειες κι οι περίφημες ιδεολογίες. Σήμερα είναι Κυριακή, δουλειά δεν έχω, βρίσκουμαι στο σπίτι στο χτήμα μου και σε συλλογιέμαι. Ο ήλιος καίει καμίνι. Στάλα βροχή. Βροχές εδώ, κατακλυσμός, Απρίλη, Μάη, Ιούνη.

»Είμαι ολομόναχος, έτσι μου αρέσει. Είναι κάμποσοι Ρωμιοί εδώ, μα δε θέλω να τους βλέπω. Τους σιχαίνουμαι. Κι εδώ ακόμα, Ελλαδίτες, ανάθεμά σας, μας κουβαλήσατε τη λέπρα σας, τ' άτιμα τα κομματικά· αυτά τρώνε το Ρωμιό. Ο τζόγος ακόμα τον τρώει, η αγραμματοσύνη του κι η σάρκα.

»Μισώ τους Ευρωπαίους, γι' αυτό και γυρίζω εδώ στα βουνά του Βασαμπά. Μισώ τους Ευρωπαίους, μα περισσότερο απ' όλους μισώ τους Ρωμιούς και το ρωμαίικο. Δε θα ξαναπατήσω το πόδι μου στην Ελλάδα σας. Εδώ θα ψοφήσω, έβαλα κιόλα και μου 'καναν τον τάφο μου απόξω από το σπίτι μου, στο έρημο βουνό. Έβαλα και την ταφόπετρα και χάραξα απάνω μονάχος μου με χοντρά κεφαλαία γράμματα:

ΕΝΘΑΔΕ ΚΕΙΤΕΤΑΙ ΕΝΑΣ ΡΩΜΙΟΣ ΠΟΥ ΣΙΧΑΙΝΕΤΑΙ ΤΟΥΣ ΡΩΜΙΟΥΣ

»Ξεκαρδίζουμαι στα γέλια, φτύνω, βλαστημώ, κλαίω όταν συλλογίζουμαι την Ελλάδα. Για να μη βλέπω το Ρωμιό και το ρωμαίικο έφυγα για πάντα από την πατρίδα· ήρθα εδώ, έφερα εδώ τη μοίρα μου –δε μ' έφερε η μοίρα μου, ο άνθρωπος κάνει ό,τι θέλει!– έφερα εδώ τη μοίρα μου και δούλεψα σαν το σκυλί και δουλεύω. Ποτάμια ιδρώτα έχυσα και χύνω. Μάχουμαι με το χώμα, με τον αγέρα, με τη βροχή, με τους εργάτες, μαύρους και κόκκινους.

»Καμιά χαρά δεν έχω· μια μονάχα: να δουλεύω. Σωματικά και πνεματικά· καλύτερα όμως σωματικά. Μου αρέσει να κουράζουμαι, να ιδρώνω, ν' ακούω τα κόκαλά μου να τρίζουν. Το χρήμα το μισώ, το πετώ, το σπαταλώ όπου κι όπως μου καπνίσει· δεν είμαι δούλος του παρά· ο παράς είναι δούλος μου. Εγώ είμαι, τιμή μου! δούλος της δουλειάς. Κόβω ξύλα, έχω κοντράτο με τους Εγγλέζους· φτιάνω σκοινί, τώρα φυτεύω και μπαμπάκι. Έχω πολλούς εργάτες, μαύρους και κόκκινους και μαυροκόκκινους. Κοπρόσκυλα. Μοιρολάτρες. Ακάθαρτοι, φεύτες, πόρνοι. Χτες βράδυ πιάστηκαν δυο φυλές από τους μαύρους μου: οι Βαγιάοι και οι Βαγγόνοι, για μια γυναίκα. Για μιαν πόρνη. Το φιλότιμο, βλέπεις· το ίδιο με το δικό σας, ω Ρωμιοί! Βρισίδι, ξύλο με ρόπαλα, έσπασαν τα κεφάλια τους. Έτρεξαν οι γυναίκες τη νύχτα και με ξύπνησαν σκληρίζοντας, να τους δικάσω. Θύμωσα, τους έστειλα στο διάολο, ύστερα στην εγγλέζικη αστυνομία. Μα αυτοί έμειναν όλη νύχτα απόξω από την πόρτα μου κι ούρλιαζαν. Τα ξημερώματα κατέβηκα και τους δίκασα.

»Αύριο, Δευτέρα, πρωί πρωί, θ' ανέβω στα βουνά του Βασαμπά, στα πυκνά δάση, στα κρύα νερά, στην αιώνια πρασινάδα... Ε, πότε θα ξεκολλήσεις και συ, Ρωμιέ, από τη Βαβυλώνα, "τη μητέρα των πορνών και των βδελυγμάτων της γης", την Ευρώπη; Πότε θα 'ρθεις ν' ανέβουμε μαζί τ' αμόλευτα βουνά ετούτα;

»Έχω ένα παιδί από μια μαύρη. Είναι θηλυκό. Τη μάνα του την έδιωξα. Με κεράτωνε φανερά, μέρα μεσημέρι, κάτω από κάθε πράσινο δέντρο· βαρέθηκα λοιπόν και την έδιωξα. Μα το παιδί το κράτησα, είναι δυο χρονών. Περπατάει, αρχίζει και μιλάει, το μαθαίνω ρωμαίικα, η πρώτη φράση που του 'μαθα: "Φτου σου, ρωμιοσύνη! Φτου σου, ρωμιοσύνη!"

»Μου μοιάζει το αφιλότιμο· μονάχα η μύτη της φαρδιά, πλακουτσωτή, είναι της μάνας της. Την αγαπώ, μα όπως αγαπούμε τη γάτα μας και το σκύλο μας. Σα ζωάκι. Έλα να κάμεις και συ από καμιά Βασαμπά ένα αγόρι, να τα παντρέ-φουμε!»

Άφησα ανοιχτό το γράμμα πάνω στα γόνατά μου· άστραφε πάλι μέσα μου η λαχτάρα να φύγω· όχι από ανάγκη φυγής· καλά είμαι στο ακρογιάλι ετούτο, με χωρά άνετα, τίποτα δε μου λείπει· μα με τρώει η έγνοια ετούτη: να δω, ν' αγγίξω όσο μπορώ περισσότερη γη και θάλασσα, προτού να πεθάνω.

Σηκώθηκα. Μετάνιωσα, δεν τράβηξα πάνω στο βουνό, κατηφόρισα στ' ακρογιάλι μου. Ένιωθα στην πάνω θέση του σακακιού μου το άλλο γράμμα και δεν κρατιούμουν. Αρκετά βάσταξε, έλεγα η γλυκιά, μαρτυρική πρόγεφη της χαράς.

Έφτασα στην παράγκα, άναφα φωτιά, έκαμα τσάι, έφαγα ψωμί, βούτυρο, μέλι, πορτοκάλια. Γδύθηκα, ξάπλωσα στο κρεβάτι, άνοιξα το γράμμα:

«Δάσκαλέ μου και νεοφώτιστε μαθητή μου, χαίρε!

»Πολλή δουλειά εδώ και δύσκολη, δόξα σοι ο "Θεός". Μαντρίζω την επικίντυνη λέξη μέσα στα εισαγωγικά (όπως ένα θεριό μέσα στα κάγκελα), για να μη θυμώσεις ευτύς ανοίγοντας το γράμμα. Δύσκολη λοιπόν δουλειά εδώ, δόξα σοι ο "Θεός"!

Μισό εκατομμύριο Έλληνες κιντυνεύουν στη Νότια Ρουσία και στον Αντικαύκασο. Πολλοί από αυτούς μιλούν μονάχα τούρκικα ή ρούσικα, η καρδιά τους όμως μιλάει με φανατισμό ρωμαίικα. Είναι αίμα δικό μας· φτάνει να τους δεις –τα μάτια τους πώς λάμπουν αρπαχτικά, τα χείλια τους πώς χαμογελούν παμπόνηρα και φιλήδονα, και πώς κατάφεραν να γίνουν αφεντάδες και να 'χουν στη δούλεψή τους μουζίκους– για να καταλάβεις πως είναι βέροι απόγονοι του αγαπημένου σου Οδυσσέα· θα τους αγαπήσεις τότε και δε θα τους αφήσεις να χαθούν.

»Γιατί κιντυνεύουν να χαθούν. Έχασαν ό,τι είχαν και δεν είχαν, πεινούν· από τη μια μεριά τους κυνηγούν οι μπολσεβίκοι, από την άλλη οι Κούρδοι. Στριμώχτηκαν από παντού σε μερικές πολιτείες της Γεωργίας και της Αρμενίας, πρόσφυγες· δεν υπάρχουν τρόφιμα, ρούχα, φάρμακα, μαζεύουνται στα λιμάνια, αγναντεύουν με αγωνία αν έρχουνται ελληνικά βαπόρια να τους πάρουν, να γυρίσουν στη μάνα τους, την Ελλάδα. Ένα κομμάτι της ράτσας μας, δάσκαλέ μου, δηλαδή ένα κομμάτι από την ψυχή μας, κυριεύτηκε από πανικό.

»Αν τους αφήσουμε στην τύχη τους, θα χαθούν. Χρειάζεται πολλή αγάπη, πολύ μυαλό, ενθουσιασμός κι οργάνωση –οι δυο αυτές αρετές που τόσο αγαπάς όταν είναι ενωμένες– για να μπορέσουμε να τους σώσουμε και να τους μεταφυτέψουμε στα λεύτερα χώματά μας, εκεί που περισσότερο συφέρει στη ράτσα μας – ψηλά στα σύνορα της Μακεδονίας, πέρα στα σύνορα της Θράκης. Είναι ανάγκη. Έτσι μονάχα θα σωθούν εκατοντάδες χιλιάδες ελληνικές ψυχές, και θα σωθούμε κι εμείς μαζί τους. Γιατί, από τη στιγμή που έφτασα εδώ, χάραξα, ακολουθώντας τη διδασκαλία σου, έναν κύκλο, κι αυτόν τον ονόμασα: χρέος μου. Κι είπα: αν αλάκερο τον κύκλο αυτόν τον σώσω, σώθηκα· αν δεν τον σώσω, χάθηκα. Και μέσα στον κύκλον αυτόν είναι οι 500.000 ετούτοι Έλληνες.

»Τρέχω χώρες και χωριά, συγκεντρώνω τους Έλληνες, κάνω υπομνήματα, τηλεγραφώ, μάχουμαι να πείσω τους επίσημους να στείλουν βαπόρια, τρόφιμα, ρούχα, φάρμακα και να φέρουν όλες ετούτες τις ψυχές στην Ελλάδα. Αν το ν' αγωνίζουμαι με τόσο πείσμα είναι ευτυχία, είμαι ευτυχής. Δεν ξέρω αν, όπως λες, έκοφα την ευτυχία μου στα μέτρα του μπογιού μου· μακάρι, γιατί τότε το μπόι μου θα 'ταν μεγάλο. Προτιμώ όμως να παρατραβήξω το μπόι μου ίσια με αυτό που θεωρώ ευτυχία μου, δηλαδή ίσια με τα πιο ακρινά σύνορα της Ελλάδας. Μα ας μην κάνω θεωρίες· του λόγου σου είσαι ξαπλωμένος στο κρητικό ακρογιάλι σου, ακούς τη θάλασσα και το σαντούρι, έχεις καιρό, εγώ δεν έχω. Η ενέργεια με τρώει, και χαίρουμαι· η πράξη, η πράξη, άλλη λύτρωση δεν υπάρχει. Στην αρχή ήταν η πράξη – και στο τέλος.

»Τώρα η σκέψη μου είναι πολύ απλή, μονοκόμματη: Λέω: ετούτοι οι Πόντιοι κι οι Καυκάσιοι, οι χωριάτες του Καρς κι οι έμποροι κι εμποράκοι της Τιφλίδας, του Βατούμ, του Νοβορωσίσκ, του Ροστόβ, της Οντέσας, της Κριμαίας, είναι δικοί μας, αίμα μας, έχουν κι αυτοί σαν κι εμάς μέσα τους πρωτεύουσα την Πόλη. Έχουμε όλοι τον ίδιο αρχηγό· εσύ τον λες Οδυσσέα, άλλοι Κωνσταντίνο Παλαιολόγο, όχι αυτόν που σκοτώθηκε, παρά τον άλλο, τον μαρμαρωμένο του παραμυθιού. Εγώ, με την άδειά σου, τον αρχηγό αυτόν της ράτσας μας τον λέω Ακρίτα. Η λέξη αυτή μου αρέσει πιο πολύ, είναι πιο αυστηρή και πολεμόχαρη, γιατί ευτύς ως την ακούσεις τινάζεται μέσα σου πάνοπλος ο αιώνιος Έλληνας, που μάχεται ακατάπαυτα στις άκρες, στα σύνορα. Στα κάθε σύνορα – εθνικά, πνεματικά, ψυχικά. Κι αν πεις και Διγενής, ακόμα πιο βαθιά στοράς τη ράτσα μας, την εξαίσια σύνθεση Ανατολής και Δύσης.

»Βρίσκουμαι τώρα στο Καρς, όπου πήγα να μαζέψω απ' όλα τα χωριά γύρα τους Έλληνες· την ίδια μέρα που έφτασα, οι Κούρδοι είχαν πιάσει απέξω από το Καρς έναν παπά μας κι ένα δάσκαλο και τους πετάλωσαν σα μουλάρια. Τρομαγμένοι όλοι μαζώχτηκαν στο σπίτι όπου έστησα τα λημέρια μου· ακούμε όλο και πιο κοντά τα κανόνια των Κούρδων που ζυγώνουν. Όλοι έχουν καρφωμένα τα μάτια τους απάνω μου, σα να 'χω εγώ τη δύναμη να τους σώσω.

»Ήταν να φύγω αύριο για την Τιφλίδα, μα τώρα, μπροστά στον κίντυνο, ντρέπουμαι να φύγω. Μένω λοιπόν. Δε λέω πως δε φοβούμαι· φοβούμαι, μα ντρέπουμαι. Το ίδιο δε θα 'κανε κι ο "Πολεμιστής" του Ρέμπραντ; Θα 'μενε· μένω λοιπόν κι εγώ. Αν μπουν οι Κούρδοι, είναι φυσικό και δίκιο εμένα να πρωτοπεταλώσουν. Τέτοιο μουλαρίσιο τέλος του μαθητή σου, δάσκαλέ μου, σίγουρα δεν το περίμενες.

»Ύστερα από πολλή ρωμαίικη λογομαχία, πήραμε την απόφαση να συναχτούν απόψε οι Έλληνες όλοι, με τα μουλάρια τους, με τ' άλογα, με τα βόδια τους, με τα πρόβατα, με τις γυναίκες και τα παιδιά τους, και ξημερώματα, όλοι μαζί, θα κινήσουμε κατά βορρά· και θα πηγαίνω μπροστά, μπροσταρόκριος.

»Πατριαρχική μετανάστεφη λαού, μέσα από οροσειρές και πεδιάδες με θρυλικά ονόματα. Κι εγώ θα 'μαι ένα είδος Μωυσή –Ψευτομωυσή– που θα οδηγώ τον εκλεχτό λαό προς τη Γη της Απαγγελίας, όπως τη λες την Ελλάδα. Έπρεπε βέβαια, για να 'μαι στο ύφος της Μωσαϊκής αποστολής μου και να μη σε ντροπιάζω, να πετάξω τις κομφές μου γκέτες, που τόσο τις κοροϊδεύεις, και να τυλιχτώ τουσλούκια από προβιές· και να 'χω μακριά, τρικυμισμένα, γεμάτα λίγδα γένια και, το σπουδαιότερο, δυο κέρατα. Μα δυστυχώς δε θα σου κάμω το χατίρι· πιο εύκολα μπορείς να με κάμεις ν' αλλάξω ψυχή παρά ντύσιμο· φορώ γκέτες, είμαι ξουρισμένος σα γουλί κι είμαι ανύπαντρος.

»Αγαπημένε δάσκαλε, ελπίζω να λάβεις το γράμμα μου ετούτο, που ίσως να 'ναι και το στερνό μου. Κανένας δεν ξέρει. Δεν έχω εμπιστοσύνη στις μυστικές δυνάμεις που προστατεύουν τάχα τους ανθρώπους. Πιστεύω στις τυφλές δυνάμεις που χτυπούν δεξά, ζερβά, χωρίς κακία, χωρίς σκοπό, και σκοτώνουν όποιον λάχει κοντά τους. Αν φύγω από τη γης (λέω "φύγω" για να μην πω τη λέξη την κυριολεχτική και τρομάξεις, τρομάξω κι εγώ), αν φύγω λοιπόν από τη γης, τότε έχε

τουσλούκι και τουζλούκι: *είδος περισκελίδας, μάλλινο παντελόνι*

γεια, αγαπημένε δάσκαλε! Ντρέπουμαι να το πω, μα πρέπει, συμπάθησέ με: κι εγώ σε αγάπησα πολύ».

Κι από κάτω, με μολύβι, βιαστικά:

«Υ.Γ. Τη συμφωνία που κλείσαμε στο βαπόρι, όταν έφευγα, δεν την ξεχνώ· αν είναι να "φύγω", θα σε ειδοποιήσω, να το ξέρεις, όπου κι αν βρίσκεσαι, και μην τρομάξεις».

XIII

Πέρασαν

τρεις μέρες, πέρασαν τέσσερεις, πέρασαν πέντε, ο Ζορμπάς δε φαίνουνταν.

Πάνω στις έξι μέρες έλαβα ένα πολυσέλιδο γράμμα από το Κάστρο, μιαν πανταχούσα. Ήταν γραμμένο σε μυρωδάτο χαρτί ροζ κι είχε ζωγραφισμένη στην άκρα μιαν καρδιά τρυπημένη πέρα ως πέρα με βέλος.

Το φύλαξα με προσοχή, και το αντιγράφω με τις σκόρπιες εδώ κι εκεί ελληνικούρες του· έβαλα σε τάξη μονάχα τη χαριτωμένη του ανορθογραφία. Ο Ζορμπάς κρατούσε την πένα σα σκεπάρνι, τη βαρούσε με δύναμη, και γι᾽ αυτό σε πολλά μέρη το χαρτί ήταν σκισμένο κι αλλού πιτσιλισμένο με μελάνι.

«Αγαπημένο αφεντικό, κύριε κεφαλαιούχε!

»Πρώτον έρχομαι να ερωτήσω διά το αίσιον της υγείας σας, δεύτερον και ημείς καλώς υγιαίνομεν, δόξα τω Θεώ.

»Εγώ προ πολλού αντελήφθην ότι δεν ήρθα στον κόσμο άλογο ή βόδι· μόνο τα ζώα ζουν διά να τρώγουν. Διά ν᾽ αποφύγω την άνωθεν κατηγορία, δημιουργώ μέρα και νύχτα δουλειές, κιντυνεύω το φωμί μου για μια ιδέα, αναποδογυρίζω τις παροιμίες και λέω: κάλλιο δέκα και καρτέρει παρά πέντε και στο χέρι.

»Πολλοί είναι πατριώτες με το αζήμίωτό τους· εγώ δεν είμαι

πατριώτης, κι ας ζημιώνουμαι· πολλοί πιστεύουν στην Παράδεισο κι έχουν δεμένο το γάιδαρό τους· εγώ δεν έχω γάιδαρο, είμαι λεύτερος και δε φοβούμαι την Κόλαση, όπου να φοφήσει ο γάιδαρός μου· ούτε ελπίζω στην Παράδεισο, όπου να φάει τριφύλλι. Είμαι αγράμματος, δεν ξέρω να τα λέω, μα του λόγου σου, αφεντικό, με καταλαβαίνεις.

»Πολλοί φοβήθηκαν τη ματαιότητα· εγώ τη νίκησα. Πολλοί σκέφτουνται· εγώ δεν έχω ανάγκη να σκέφτουμαι. Δε χαίρουμαι για το καλό μήτε λυπούμαι για το κακό· αν μάθω πήραν την Πόλη οι Έλληνες, είναι το ίδιο για μένα αν πάρουν την Αθήνα οι Τούρκοι.

»Από αυτά που σου γράφω, αν καταλαβαίνεις πως έφτασε η ηλικία μου στη γεροντική, γράφε μού το. Εγώ γυρίζω στα μαγαζιά του Κάστρου ν' αγοράσω σύρμα για τον εναέριό μας και γελώ. "Γιατί γελάς, κουμπάρε;" με ρωτούν. Μα πού να τους δώσω λογαριασμό! Εγώ γελώ, γιατί ξαφνικά, την ώρα που απλώνω το χέρι να δω αν είναι καλό το σύρμα, συλλογιέμαι τι είναι ο άνθρωπος και γιατί ήρθε στον κόσμο και τι χρησιμεύει... Εγώ νομίζω σε τίποτα. Όλα είναι το ίδιο· αν έχω γυναίκα ή αν δεν έχω, αν είμαι τίμιος ή άτιμος, αν είμαι μπέης ή βαστάζος· μονάχα αν είμαι ζωντανός ή πεθαμένος έχει διαφορά. Αν με πάρει ο διάολος ή ο Θεός (τι να σου πω, αφεντικό; θαρρώ το ίδιο κάνει), θα φοφήσω, θα γίνω βρομερό κουφάρι, θα βρομίσω τον κόσμο και θ' αναγκαστεί ο κόσμος αυτός να με παραχώσει, να μην πάθει από ασφυξία.

»Και τώρα που ήρθε η κουβέντα, θα σε ρωτήσω, αφεντικό, ένα πράμα που φοβούμαι –άλλο δε φοβούμαι– και δε με αφήνει μέρα νύχτα να ησυχάσω: με φοβίζουν, αφεντικό, τα γερατιά, ξορκισμένα να 'ναι! Ο θάνατος δεν είναι τίποτα, ένα φφφ! και σβήνει το κερί· μα τα γερατιά είναι μεγάλη ντροπή.

»Πολύ μεγάλη ντροπή το θεωρώ να μολογήσω πως είμαι γέρος, και κάνω ό,τι μπορώ να μην το πάρει χαμπάρι κανένας πως γέρασα· πηδώ, χορεύω, πονούνε τα νεφρά μου, μα χορεύω· πίνω, μου 'ρχεται ζάλη, γυρίζει ο κόσμος, μα εγώ στέκουμαι ντούρος, τάχατε πως δε ζαλίστηκα. Ιδρώνω, βουτώ στη θάλασσα, κρυολογούμαι, θέλω να βήξω, γκουχ! γκουχ! και ν' αλαφρώσω, μα ντρέπουμαι, αφεντικό, γυρίζω πίσω το βήχα με το ζόρι – και γι' αυτό, με άκουσες ποτέ να βήξω; Ποτέ! Κι όχι να πεις σαν είναι κι άλλοι μπροστά παρά και σαν είμαι μονάχος. Ντρέπουμαι το Ζορμπά, αφεντικό, τι να σου πω; Τον ντρέπουμαι!

»Μια φορά γνώρισα στο Αγιονόρος –πήγα κι εκεί, που να 'σπαζα το ποδάρι μου!– έναν καλόγερο, τον πάτερ Λαυρέντιο, από τη Χιο. Αυτός ο ερίφης θαρρούσε πως είχε ένα διάολο μέσα του, και του 'χε βγάλει κιόλας όνομα· τον έλεγε Χότζα. "Ο Χότζας θέλει να φάει κρέας Μεγάλη Παρασκευή", μούγκριζε ο κακομοίρης ο Λαυρέντιος και χτυπούσε το κεφάλι του στο κατώφλι της εκκλησιάς· "ο Χότζας θέλει να κοιμηθεί με γυναίκα, ο Χότζας θέλει να σκοτώσει το γούμενο. Ο Χότζας, ο Χότζας, όχι εγώ!" Και δώστου να χτυπάει το κούτελό του στην πέτρα.

»Έτσι έχω κι εγώ, αφεντικό, ένα διάολο μέσα μου και τονε λέω Ζορμπά. Ο απομέσα Ζορμπάς δε θέλει να γεράσει, όχι, δε θέλει, όχι, δε γέρασε, είναι δράκος, έχει κορακάτα μαλλιά, τριάντα δυο (αριθμός 32) δόντια κι ένα γαρούφαλο στο αυτί. Μα ο απόξω Ζορμπάς έκαμε νερά ο κακομοίρης, έβγαλε άσπρα μαλλιά, ζάρωσε, σούφρωσε, πέφτουν τα δόντια του, κι η αυτούκλα του γέμισε άσπρες γεροντικές γαϊδουρότριχες.

»Τι να κάμω, αφεντικό; Ως πότε θα παλεύουν οι δυο Ζορμπάδες; Ποιος θα νικήσει στο τέλος; Αν ψοφήσω γρήγορα, πάει καλά, έχω εμπιστοσύνη· μα αν ζήσω ακόμα πολύ, χάθηκα· χάθηκα, αφεντικό, θα 'ρθει μέρα που θα εξευτελιστώ. Θα χάσω τη λευτεριά μου, θα με διατάζει η νύφη μου και η κόρη μου να προσέχω ένα κουτσούβελο, ένα τέρας, το παιδάκι τους, να μην καεί, να μην πέσει, να μη λερωθεί· κι αν λερωθεί, να καθίσω εγώ, φτου! να το παστρέψω!

»Τα ίδια θα πάθεις και του λόγου σου, αφεντικό, κι ας είσαι νέος, έχε το νου σου! Γι' αυτό, άκου τι σου λέω, ακλούθα το δρόμο που βαδίζω, άλλη σωτηρία δεν υπάρχει, να γυρίζουμε τα βουνά, να βγάλουμε κάρβουνο, χαλκό, σίδερο, λευκόλιθο, να κερδίσουμε πολλά, να μας φοβούνται οι συγγενείς, να μας αγλείφουν οι φίλοι, να μας βγάζουν το καπέλο οι νοικοκυραίοι. Αν δεν το πετύχουμε αυτό, καλύτερα θάνατος, αφεντικό, από λύκους, από αρκούδες, απ' ό,τι θεριό βρεθεί μπροστά μας, χαλάλι του! Γι' αυτό έπεφε ο Θεός τα θεριά στον κόσμο· να τρώνε μερικούς σαν και μας, να μην εξευτελιστούμε».

Εδώ είχε ζωγραφίσει ο Ζορμπάς με κάτι χρωματιστά μολύβια έναν άνθρωπο, αψηλό, κοκαλιάρη, να τρέχει κάτω από πράσινα δέντρα, και πίσω του εφτά κόκκινοι λύκοι να τον κυνηγούν κι από κάτω με χοντρά γράμματα: «Ο Ζορμπάς και τα εφτά αμαρτήματα».

Κι εξακολουθούσε:

«Από το γράμμα μου θαρρώ πως θα καταλάβεις πόσο δυστυχής άνθρωπος είμαι· μόνο μαζί σου έχω λίγη ελπίδα όταν σου μιλώ, ν' αλαφρώσω από την υποχονδρία μου. Γιατί είσαι κι η ευγενεία σου σαν και μένα, μα δεν το ξέρεις· έχεις και συ το διάολο μέσα σου, μα δεν ξέρεις ακόμα πώς τονε λένε. Κι επειδή δεν ξέρεις πώς τονε λένε, πλαντάς· βάφτισέ τον, αφεντικό, ν' αλαφρώσεις.

»Έλεγα λοιπόν πόσο είμαι δυστυχής· όλη η εξυπνάδα μου τη βλέπω φανερά πως είναι βλακεία και τίποτα άλλο· κι όμως έχει στιγμές, βαδίζω κάτι μέρες με διαλογισμούς μεγάλου ανθρώπου, κι αν μπορούσα να εχτελέσω ό,τι διατάξει ο απομέσα Ζορμπάς, θ' απορούσε ο κόσμος!

»Επειδή δεν έχω συμβόλαιο προθεσμίας με τη ζωή μου, λασκάρω το φρένο όταν φτάσω στην πιο επικίντυνη κλίση. Ο βίος κάθε ανθρώπου είναι μια γραμμή με ανήφορο και κατήφορο, και πορεύεται κάθε γνωστικός με φρένο· μα εγώ, εδώ 'ναι η αξία μου, αφεντικό, έχω πετάξει από πολύν καιρό το φρένο μου, γιατί δε με φοβίζουν οι καραμπόλες· καραμπόλες λέμε εμείς οι εργάτες τον εκτροχιασμό. Ανάθεμά με, αν βάζω προσοχή στις καραμπόλες που κάνω· νύχτα μέρα τρέχω τροχάδην, κάνω το κέφι μου, κι ας τσακιστώ, να γίνω τρίψαλα.

Τι έχω να χάσω; Τίποτες. Τάχα μου αν πορεύουμαι φρόνιμα, δε θα τσακιστώ; Θα τσακιστώ· φωτιά στα τόπια, το λοιπόν!

»Τώρα εσύ γελάς με μένα, αφεντικό, μα εγώ σου γράφω τις ανοησίες μου ή, ας πούμε, τις σκέψες μου ή τις αδυναμίες μου –μα το Θεό, τι διαφορά έχουν και τα τρία αυτά, δεν καταλαβαίνω– σου γράφω, και γέλα, αν δε βαριέσαι. Κι εγώ γελώ που γελάς – κι έτσι το γέλιο στον κόσμο δεν έχει τελειωμό. Κάθε άνθρωπος έχει την τρέλα του· μα η μεγαλύτερη τρέλα, είναι, θαρρώ, να μην έχεις τρέλα.

»Εγώ σπουδάζω το λοιπόν εδώ στο Κάστρο την τρέλα μου και σου τα γράφω όλα τα καθέκαστα, γιατί θέλω να ζητήσω τη συμβουλή σου. Είσαι νέος ακόμα, αφεντικό, είναι αλήθεια· μα έχεις διαβάσει γέρικες σοφίες κι έγινες, με το συμπάθειο, λιγάκι γέρος· θέλω λοιπόν τη συμβουλή σου.

»Λοιπόν, εγώ νομίζω πως ο κάθε άνθρωπος βγάζει μιαν ξεχωριστή μυρωδιά: δεν την καταλαβαίνουμε, γιατί μπερδεύουνται οι μυρωδιές, δεν ξέρουμε ποια 'ναι δική σου και ποια δική μου· καταλαβαίνουμε μονάχα πως ο αγέρας βγάζει μια βρόμα, και τηνε λένε ανθρωπίλα. Άλλοι την ανασαίνουν σα λεβάντα· εμένα μου 'ρχεται να κάμω εμετό. Ας είναι, αυτό είναι άλλο τροπάρι.

»Ήθελα να πω, και λίγο έλειφε πάλι να χάσω το φρένο, πως οι αφιλότιμες οι γυναίκες έχουν ογρή μύτη, σαν τις σκύλες, και παίρνουν ευτύς μυρωδιά ποιος άντρας τις λαχταρίζει και ποιος τις σιχαίνεται. Γι' αυτό, σε όποια πολιτεία κι αν περπάτησα, και τώρα ακόμα, κι ας είμαι και γέρος κι ασκημομούρης και κακοφορεμένος, δύο τρεις γυναίκες θα τρέξουν πάντα ξοπίσω μου. Πήραν, βλέπεις, τον ντορό μου οι σκύλες οι λαγωνιάρες, ο Θεός να τις έχει καλά!

»Την πρώτη μέρα λοιπόν που 'φτασα με το καλό στο Κάστρο, ήταν βράδυ, σούρουπο. Έτρεξα αμέσως στα μαγαζιά, μα 'ταν κλειστά, πήγα σ' ένα χάνι, έβαλα το μουλάρι μου κι έφαγε, έφαγα κι εγώ, πλύθηκα, άναφα το τσιγαράκι μου και βγήκα να κάμω μια βόλτα. Δε γνώριζα ψυχή στην πολιτεία, δε με γνώριζε ψυχή, ήμουν λεύτερος. Μπορούσα να σφυρίξω στο δρόμο, να γελώ, να μιλώ μοναχός μου, αγόρασα πασατέμπο, έτρωγα, έφτυνα, σεριάνιζα. Άναφαν τα φανάρια, οι άντρες έπιναν το ούζο τους, οι κοκόνες γύριζαν στα σπίτια τους, μύριζε ο αγέρας από πούδρα και μοσκοσάπουνο και σουβλάκια μεζέδες. "Ε μωρέ Ζορμπά", έλεγα, "κι ως πότε θα ζεις, μωρέ, και θ' ανοιγοκλειούν τα ρουθούνια σου; Λίγον καιρό ακόμα, κακομοίρη, θα μυρίζεσαι τον αγέρα, πάρε βαθιάν ανάσα!"

»Έπαιρνα βαθιάν ανάσα και περπατούσα πάνω κάτω στη μεγάλη πλατεία, την ξέρεις. Όπου ακούω ξαφνικά τραγούδια, χορούς, ντέφι, αμανέδες. Τρουλώνω τ' αυτιά, τρέχω κατά τον αχό· ήταν ένα καφέ αμάν, άλλο που δεν ήθελα, μπαίνω μέσα. Στρώθηκα σ' ένα τραπεζάκι, μπροστά μπροστά. Γιατί να ντραπώ; Είπαμε, ψυχή δε με γνώριζε, λεύτερος!

»Μια γκρανκάσα χόρευε στο πάλκο, ανέβαζε, κατέβαζε τα φουστάνια της, μα εγώ δεν έβαζα προσοχή. Παράγγειλα μια μποτίλια μπίρα, και να σου κι έρχεται και θρονιάζεται δίπλα μου μια μικρούλα, νοστιμούλα, μαυροτσούκαλο, βαμμένη με το μυστρί.

» — Επιτρέπεται, παππούλη; μου κάνει και γελούσε.

»Εγώ άναφα· μου 'ρθε να την αρπάξω από το καρύδι του λαιμού, το νιάνιαρο! Μα βάσταξα, λυπήθηκα το θηλυκό γένος, φώναξα το γκαρσόνι:

» — Δυο σαμπάνιες! πρόσταξα.

»(Να με συμπαθάς, αφεντικό, ξόδεφα λεφτά δικά σου, μα η προσβολή ήταν μεγάλη, έπρεπε να μην ντροπιαστώ, να μην ντροπιαστείς και του λόγου σου, αφεντικό, έπρεπε να σου κάμω αυτό το κουτσούβελο να γονατίσει μπροστά μας. Έπρεπε. Και δε θα με άφηνες, σε ξέρω εγώ, έτσι, ανυπεράσπιστο, στη δύσκολη ετούτη ώρα. Δυο σαμπάνιες, λοιπόν, γκαρσόν!)

»Ήρθαν οι σαμπάνιες, παράγγειλα και γλυκά, διατάζω κι

γκρανκάσα: *(μειωτικά για άνθρωπο, ιδίως για γυναίκα) ηλικιωμένος και μεγαλόσωμος*

άλλες σαμπάνιες. Πέρασε ένας με γιασεμί, αγόρασα όλο το πανέρι, το άδειασα στην ποδιά της.

»Πίναμε, πίναμε, μα σου ορκίζουμαι, αφεντικό, ούτε την άγγιξα. Ξέρω τη δουλειά μου· όταν ήμουνα νέος, το πρώτο πράμα που 'κανα ήταν ν' αγγίζω· τώρα που γέρασα, το πρώτο πράμα που κάνω είναι να ξοδεύω. Να 'μαι γαλαντόμος, να πετώ τα λεφτά· παλαβώνουν οι γυναίκες με τέτοια φερσίματα, παλαβώνουν οι μπερμπάντισσες, και καμπούρης να 'σαι και γέρος, σαράβαλο και Μπερτόδουλος, όλα τα ξεχνούν. Τίποτα δε βλέπουν, οι βρόμες· μονάχα το χέρι που σκορπίζει τα λεφτά.

»Ξόδευα λοιπόν, ας είσαι καλά κι ο Θεός να σου τα πληθαίνει, αφεντικό, ξόδευα, κι η λεγάμενη δεν είχε πια ξεκολλημό από κοντά μου. Με ζύγωνε σιγά σιγά, ακουμπούσε το γονατάκι της στα ξερά μου· μα εγώ μάρμαρο, κι ας έλιωνα από μέσα μου. Αυτό διασλίζει τις γυναίκες, και να το ξέρεις, αν σου τύχει περίσταση. Να νιώθουν πως μέσα σου καίγεσαι κι όμως να μην απλώνεις χέρι.

»Τέλος πάντων, να μη σου τα πολυλογώ, έφτασαν τα μεσάνυχτα, πέρασαν· έσβησαν λίγα λίγα τα φώτα, σφαλνούσε το καφέ αμάν. Έβγαλα ένα μάτσο χιλιάρικα, πλέρωσα, έδωκα κι ένα γενναίο ρεγάλο στο γκαρσόνι.

Η μικρούλα κρεμάστηκε απάνω μου.

» — Πώς σε λένε; με ρωτάει με λιγωμένη φωνούλα.

» — Παππούλη! αποκρίθηκα πικαρισμένος.

»Το άτιμο το θηλυκό με τσίμπησε δυνατά:

» —Έλα... μου 'πε και μου 'παιξε το μάτι.

»Πήρα το χεράκι του και το 'σφιξα με νόημα.

» — Πάμε, μικρό μου... αποκρίθηκα, κι η φωνή μου είχε βραχνιάσει.

»Τα επίλοιπα τα καταλαβαίνεις. Βγάλαμε τα μάτια μας. Κι ύστερα μας πήρε ο ύπνος. Όταν ξύπνησα, θα 'ταν πια μεσημέρι. Κοίταξα γύρω μου, και τι να δω; Μια καμαρούλα παστρικιά παστρικιά, πολυθρόνες, ένα λαβομάνο, σαπούνια, μποτίλιες, μποτιλάκια, καθρέφτες, καθρεφτάκια... Στους τοίχους κρέμουνταν φουστάνια παρδαλά και πλήθος φωτογραφίες – ναύτες, αξιωματικοί, καπεταναίοι, χωροφύλακες, χορεύτρες, γυναίκες ντυμένες μονάχα με δυο πασουμάκια. Και πλάι μου, στο κρεβάτι, ζεστό, μυρωδάτο, ξεμαλλιασμένο, το θηλυκό γένος.

»"Ε Ζορμπά", μουρμούρισα κι έκλεισα τα μάτια, "μπήκες ζωντανός στην Παράδεισο· καλά 'ναι εδώ, μην το κουνήσεις!"

»Κάθε άνθρωπος, σου το 'πα κι άλλη φορά, αφεντικό, έχει και την Παράδεισό του· του λόγου σου η Παράδεισο θα 'ναι γεμάτη βιβλία και μεγάλες νταμιζάνες μελάνι· αλλουνού γεμάτη βαρέλια κρασί, ούζο, κονιάκ· αλλουνού στοίβες εγγλέζικες λίρες· η δικιά μου εμένα Παράδεισο είναι ετούτη: μια μικρή μυρωδάτη καμαρούλα με παρδαλά φουστάνια και μοσκοσάπουνα κι ένα διπλόφαρδο κρεβάτι με σούστες, και δίπλα μου το θηλυκό γένος.

»Αμαρτία ξεμολογημένη, αμαρτία δε λογιέται· όλη μέρα δεν ξεμύτισα όξω. Πού να πάω; Τι να κάμω; Δε βαριέσαι· καλά ήμουν εδώ. Παράγγειλα στο καλύτερο μαγέρικο και μας έφεραν ένα δίσκο φαγιά, όλα δυναμωτικά: μαύρο χαβιαράκι, μπριζόλες, ψάρια, φρούτα μπόλικα, κανταΐφι. Ξαναβγάλαμε τα μάτια μας, ξανακοιμηθήκαμε· ξυπνήσαμε το βραδάκι, ντυθήκαμε, την πήρα αλαμπρατσέτα και πήγαμε στο καφέ αμάν να δουλέψει.

»Να μη σου τα πολυλογώ και σε ζαλίζω, αφεντικό, αυτό το δρομολόγιο εξακολουθεί ακόμα. Μα μη στενοχωριέσαι· κοιτάζω και τις δουλειές μας. Κάπου κάπου βγαίνω και μια βόλτα στα μαγαζιά, ρίχνω μια ματιά, θ' αγοράσω το σύρμα, θα πάρω ό,τι μας χρειάζεται, να μένεις ήσυχος. Τι μια μέρα πρωτύτερα, μια μέρα ή μια βδομάδα υστερότερα; Η γάτα, λέει, από τη βιάση της κάνει στραβά τα γατάκια της· μη βιάζεσαι λοιπόν. Για καλό δικό σου, περιμένω να ξεφράξουν τα μάτια μου, να κατασταλάξει ο νους μου, να μη μας γελάσουν. Το σύρμα πρέπει να 'ναι καλό, πρώτης, γιατί αλλιώς πάμε χαμένοι· κάμε το λοιπόν υπομονή, έχε εμπιστοσύνη σε μένα.

»Και να μη σεκλεντίζεσαι καθόλου για το μούτσουνό μου· με θρέφουν οι περιπέτειες, σε λίγες μέρες έγινα είκοσι χρονών.

Έχω τόση δύναμη, που θα μου φυτρώσουν, θαρρώ, καινούρια δόντια· πονούσαν, θυμάσαι, τα νεφρά μου, τώρα έγινα περδίκι· κάθε πρωί κοιτάζω τον καθρέφτη κι απορώ πως δεν έχουν γίνει ακόμα τα μαλλιά μου καραμπογιά.

»Μα γιατί, θα πεις, σου τα γράφω όλα ετούτα; Εγώ, μάθε, σ' έχω ως πνεματικό μου και δεν ντρέπουμαι να σου ξομολογηθώ όλες μου τις αμαρτίες· και ξέρεις γιατί; Έτσι μου φαίνεται, πεντάρα δε δίνεις αν κάνω καλά ή κακά. Κρατάς ένα βρεμένο σφουγγάρι και συ σαν το Θεό, και πλατς, πλουτς, όλα, καλά, κακά, τα σβήνεις. Γι' αυτό έχω το θάρρος και σου τα λέω· άκουσε, το λοιπόν:

»Είμαι άνω κάτω, πάει να μου φύγει το τσερβέλο· σε παρακαλώ, ευτύς ως λάβεις το γράμμα μου ετούτο, πιάσε την πένα κι απάντησέ μου· ωσότου να λάβω απόκριση θα κάθουμαι στα κάρβουνα. Εγώ νομίζω πως τώρα και πολλά χρόνια δεν είμαι πια γραμμένος στο θεϊκό κατάστιχο, μα μήτε και στου διαόλου· μόνο στο κατάστιχο το δικό σου είμαι γραμμένος, δεν έχω λοιπόν άλλον ν' αναφερθώ παρά στην ευγενεία σου, δώσε λοιπόν ακρόαση. Ορίστε τι τρέχει:

»Χτες ήταν εδώ κοντά στο Κάστρο πανηγύρι, ο διάολος να με πάρει δεν ξέρω ποιανού αγίου. Η Λόλα –ξέχασα αλήθεια να σου κάμω τη σύσταση, Λόλα τη λένε– μου κάνει:

» — Παππούλη (με λέει ακόμα παππούλη, μα χαδευτικά), παππούλη, εγώ θέλω να πάω στο πανηγύρι.

» — Να πας, της λέω, γιαγιάκα μου, να πας.

» — Μα εγώ θέλω να πάω μαζί σου.

» — Εγώ δεν πάω, βαριέμαι· πήγαινε εσύ.

» — Ε, τότε δεν πάω μήτε εγώ.

»Γούρλωσα τα μάτια.

» — Δεν πας; Γιατί; Δε θες;

» — Αν έρθεις και συ, θέλω· αν δεν έρθεις, δε θέλω.

» — Μα γιατί; Δεν είσαι λεύτερος άνθρωπος;

» — Όχι, δεν είμαι.

» — Δε θες να 'σαι λεύτερη;

» — Δε θέλω!

»Τι να σου πω, αφεντικό; Μου 'ρθε να κρεπάρω.

» — Δε θες να 'σαι λεύτερη; φώναξα.

» — Όχι, δε θέλω! Δε θέλω! Δε θέλω!

»Αφεντικό, σου γράφω από την κάμαρα της Λόλας, στο χαρτί της Λόλας, δώσε προσοχή, σε παρακαλώ: Εγώ νομίζω πως άνθρωπος είναι αυτός που θέλει να 'ναι λεύτερος· η γυναίκα δε θέλει να 'ναι λεύτερη· είναι λοιπόν η γυναίκα άνθρωπος;

»Σε παρακαλώ, απάντησέ μου αμέσως. Σε φιλικοασπάζομαι,

»Εγώ, ο Αλέξης Ζορμπάς».

Άμα 'ποδιάβασα το γράμμα του Ζορμπά, κάμποση ώρα έμεινα αναποφάσιστος. Δεν ήξερα, να θυμώσω, να γελάσω, ή να καμαρώσω τον πρωτόγονο αυτόν άνθρωπο που, ξεπερνώντας την κρούστα της ζωής —τη λογική, την ηθική, την τιμιότητα— φτάνει στην ουσία. Όλες οι μικρές αρετές, οι τόσο χρήσιμες, του λείπουν, και του απόμεινε μονάχα μια άβολη αβόλευτη, επικίντυνη αρετή, που τον σπρώχνει ακαταμάχητα στο ακρότατο σύνορο, στην άβυσσο.

Ο αγράμματος αυτός εργάτης, που όταν γράφει σπάζει τις πένες από την ανυπόμονη φόρα, είναι κυριεμένος, σαν τους πρώτους ανθρώπους που ξέφυγαν από τους πιθήκους ή σαν τους μεγάλους φιλοσόφους, από τα θεμελιακά προβλήματα της ζωής και τα ζει σαν άμεσες επείγουσες ανάγκες. Όπως το παιδί, βλέπει κι αυτός τα πάντα για πρώτη φορά, κι όλο ξαφνιάζεται και ρωτάει, κι όλα του φαίνουνται θάμα, και κάθε πρωί που ανοίγει τα μάτια του και βλέπει τα δέντρα, τη θάλασσα, τις πέτρες, ένα πουλί, μένει με το στόμα ολάνοιχτο. Τι 'ναι το θάμα ετούτο; φωνάζει. Τι θα πει δέντρο, θάλασσα, πέτρα, πουλί;

Μια μέρα, θυμούμαι, που οδεύαμε προς το χωριό, συναντήσαμε κάποιο γεροντάκι που καβαλίκευε ένα μουλάρι. Ο Ζορμπάς γούρλωσε τα στρογγυλά του μάτια και κοίταξε το μουλάρι. Και τόση φαίνεται θα 'ταν η φλόγα κι η σφοδρότητα της ματιάς του, που ο χωρικός φώναξε τρομαγμένος:

— Για όνομα του Θεού, κουμπάρε, μη μου το ματιάσεις!
Κι έκαμε το σταυρό του.
Στράφηκα στο Ζορμπά:
— Τι του 'καμες του γέρου και φωνάζει;
— Εγώ; Τι να του κάμω; Κοίταξα το μουλάρι· δε σου κάνει και σένα εντύπωση, αφεντικό;
— Τι;
— Να, πως υπάρχουν στον κόσμο μουλάρια.
Μιαν άλλη μέρα πάλι που ήμουν ξαπλωμένος στο γιαλό και διάβαζα, ο Ζορμπάς ήρθε, κάθισε αντίκρα μου διπλοπόδι, έβαλε το σαντούρι απάνω στα γόνατά του κι άρχισε να παίζει. Σήκωσα τα μάτια, τον κοίταζα. Σιγά σιγά το πρόσωπό του άλλαζε, άγρια χαρά τον κυρίεψε, αλλόκοτη έξαρση, ανατίναξε το μακρουλό καταζαρωμένο λαιμό του κι άρχισε το τραγούδι.

Σκοποί μακεδονίτικοι, κλέφτικα τραγούδια, φωνές άγριες, το ανθρώπινο λαρύγγι ξαναγύριζε σε προανθρώπινα χρόνια, όπου η κραυγή ήταν μια αφηλή σύνθεση και συμπύκνωνε ό,τι σήμερα λέμε μουσική, ποίηση και πάθος. «Αχ! βαχ!» φώναζε από το σπλάχνο του ο Ζορμπάς, κι όλη η φτενή κρούστα που λέμε πολιτισμό ράγιζε, και πηδούσε από μέσα το αθάνατο θεριό, ο μαλλιαρός θεός, ο τρομερός Γορίλλας.

Λιγνίτες, ζημιές και κέρδη, Μπουμπουλίνες, όλα αφανίζουνταν. Η κραυγή τα συνέπαιρνε όλα, δεν είχαμε πια ανάγκη από τίποτα· ακίνητοι κι οι δυο στο έρημο ακρογιάλι της Κρήτης, κρατούσαμε στα στήθια μας απάνω όλη την πίκρα και τη γλύκα της ζωής, πίκρα και γλύκα δεν υπήρχαν, ο ήλιος κουνιούνταν, έφτασε η νύχτα, χόρευε η Μεγάλη Αρκούδα γύρα από τον ακίνητο άξονα τ' ουρανού, ανέβαινε το φεγγάρι και κοίταζε τρομαγμένο δυο μικρά ζούφια να τραγουδούν απάνω στον άμμο και να μη φοβούνται κανένα.

— Μωρέ, θεριό είναι ο άνθρωπος, είπε ξαφνικά ο Ζορμπάς, ξαγριωμένος από το πολύ τραγούδι· παράτα τα κιτάπια, δεν ντρέπεσαι; Θεριό είναι ο άνθρωπος, τα θεριά δε διαβάζουν!
Σώπασε λίγο, γέλασε:

— Ξέρεις, είπε, πώς έπλασε ο Θεός τον άνθρωπο; Ξέρεις τι λόγια πρωτόπε το θεριό αυτό, ο άνθρωπος, στο Θεό;

— Όχι· πώς θες να ξέρω; Δεν ήμουν εκεί.

— Εγώ ήμουν! φώναξε ο Ζορμπάς και τα μάτια του άστραφαν.

— Πες μας λοιπόν!

Κι άρχισε ο Ζορμπάς, μισό αλλοπαρμένος, μισό κοροϊδεύοντας, να μυθοπλάθει τη δημιουργία του ανθρώπου:

— Άκουσε λοιπόν, αφεντικό! Ο Θεός ξύπνησε ένα πρωί διαολισμένος. «Τι Θεός είμαι εγώ», είπε, «να μην έχω ανθρώπους να με λιβανίζουν και να με βλαστημούν, να περνά η ώρα μου; Βαρέθηκα πια να ζω ολομόναχος σαν τον μπούφο. Φτου!» Έφτυσε στις απαλάμες του, ανασκουμπώθηκε, έβαλε τα γυαλιά του. Πήρε μια φούχτα χώμα, το 'φτυσε, το 'καμε λάσπη, το μάλαξε καλά καλά κι έκαμε ένα ανθρωπάκι και το 'βαλε στον ήλιο. Μετά εφτά μέρες το 'βγαλε· είχε φηθεί. Το κοίταξε ο Θεός, γέλασε:

» — Να με πάρει ο διάολος, είπε, μα αυτός είναι όρθιος χοίρος. Άλλο ήθελα, άλλο βγήκε. Την έπαθα, πάει!

»Τον άρπαξε από το σβέρκο, του 'δωκε μιαν κλοτσιά:

— Άιντε, τράβα· κάμε κι άλλα γουρουνάκια, δικιά σου η γης· δρόμο! Εν, δυο, μαρς!

»Αυτός όμως, μάτια μου, δεν ήταν χοίρος· φορούσε ρεπούμπλικα, μιαν πατατούκα αναριχτή στις πλάτες, πανταλόνι με τσάκιση και τσαρούχια με κόκκινη φούντα. Είχε και στη μέση –ο διάολος θα του τον έδωκε– ένα ακονισμένο λάζο που έγραφε απάνω: "Θα σε φάω!"

»Ήταν ο άνθρωπος· άπλωσε ο Θεός το χέρι του, να του το φιλήσει· μα ο άνθρωπος έστριφε το μουστάκι του κι είπε:

» — Κάμε, ωρέ γέρο, τόπο να περάσω!

Ο Ζορμπάς σταμάτησε βλέποντάς με να ξεκαρδίζουμαι στα γέλια. Κατσούφιασε.

— Μη γελάς, μου κάνει, έτσι έγινε!

λάζο: *είδος μικρού μαχαιριού, στιλέτο, σουγιάς*

224

— Μα πώς το ξέρεις;

— Έτσι έγινε, σου λέω· έτσι θα 'κανα εγώ αν ήμουν Αδάμ. Βάζω το κεφάλι μου, έτσι θα 'καμε κι ο Αδάμ. Και μην ακούς αυτά που λεν τα κιτάπια· εμένα ν' ακούς! Άπλωσε τη χερούκλα, χωρίς να περιμένει απάντηση, κι άρχισε πάλι το σαντούρι.

Κρατούσα ακόμα το μυρωδάτο γράμμα του Ζορμπά, με τη ζωγραφιστή σαϊτολαβωμένη καρδιά, κι αναθίβανα όλες τις μέρες που πέρασα μαζί του, γεμάτες ανθρώπινη ουσία. Ο καιρός είχε πάρει, πλάι στο Ζορμπά, καινούρια γέφη· δεν ήταν πια μαθηματική διαδοχή από γεγονότα μήτε φιλοσοφικό μέσα μου άλυτο πρόβλημα· ήταν ζεστός, φιλοκοσκινισμένος άμμος, και τον ένιωθα να φεύγει τρυφερά, γαργαλιστά μέσα από τα δάχτυλά μου.

— Ας είναι καλά ο Ζορμπάς, φιθύρισα, αυτός έδωκε σώμα αγαπημένο και θερμό στις αφηρημένες έννοιες μέσα μου που τουρτούριζαν. Όταν λείπει, αρχίζω πάλι να κρυώνω.

Πήρα χαρτί, φώναξα έναν εργάτη, έστειλα τηλεγράφημα βιαστικό:

«Έλα αμέσως».

XIV

Σαββάτο δειλινό,

πρώτη του Μάρτη. Ήμουν ακουμπισμένος σ' ένα βράχο, μπροστά στη θάλασσα, κι έγραφα. Είχα δει σήμερα το πρώτο χελιδόνι, ήμουν χαρούμενος, έτρεχε το ξόρκι του Βούδα στο χαρτί ανεμπόδιστα, το πάλεμα μαζί του είχε γλυκάνει, δε βιάζουμουν πια, ήμουν σίγουρος για τη λύτρωση.

Άξαφνα ακούω πατημασιές στα χοχλάδια· σήκωσα το κεφάλι. Ξέκρινα να κατρακυλάει, γιαλό γιαλό, καταστολισμένη φρεγάδα, ξαναμμένη, λαχανιασμένη, η γριά Σειρήνα μας. Φαίνουνταν ανήσυχη.

— Έκει γκράμμα; φώναξε με αγωνία.

— Έκει! αποκρίθηκα γελώντας και σηκώθηκα να την υποδεχτώ. Πολλά χαιρετίσματα, λέει, σε θυμάται μέρα νύχτα και δεν μπορεί να φάει, λέει, δεν μπορεί να κοιμηθεί, δε βαστάει το χωρισμό σου.

— Άλλο ντε λέει;

Τη λυπήθηκα· έβγαλα από την τσέπη μου το γράμμα, έκανα πως διάβαζα. Η γριά Σειρήνα άνοιγε το φαφούτικο στόμα, μεσοκαμνυούσε τα ματάκια κι αφουκράζουνταν βαλαντωμένη.

Έκανα πως διάβαζα, τα μπέρδευα, καμώνουμουν πως δεν έβγαζα τα γράμματα: «Χτες είχα πάει, αφεντικό, σ' ένα μαγέρικο να φάω. Πεινούσα. Όπου βλέπω και μπαίνει μέσα μια κοπέλα πεντάμορφη, νεράιδα αληθινή. Θε μου, πώς έμοιαζε της Μπουμπουλίνας μου! Κι ευτύς τα μάτια μου έτρεξαν βρύσες, έφραξε ο λαιμός μου, πού να καταπιώ! Σηκώθηκα, πλέρωσα, έφυγα. Κι εγώ που σπάνια θυμούμαι τους αγίους, τόσο μ' έχει χτυπήσει ο σεβντάς, αφεντικό, που έτρεξα στην εκκλησιά του Αγίου Μηνά και του άναφα μια λαμπάδα.

» "Αϊ-Μηνά μου, προσευκήθηκα, δώσε να λάβω καλά μαντάτα από τον άγγελο που αγαπώ. Δώσε γρήγορα να σμίξουν οι φτερούγες μας!" »

— Χιχιχί! έκαμε η μαντάμ Ορτάνς κι άναφε το πρόσωπό της.

— Γιατί γελάς, κυρά μου; ρώτησα και στάθηκα να πάρω ανάσα και να σκαρώσω στο νου μου κι άλλες φευτιές. Γιατί γελάς; Εμένα μου 'ρχουνται κλάματα.

— Να 'ξερες... να 'ξερες... γουργούρισε χιχιρίζοντας.

— Τι;

— Φτερούγες, λέει ο αθεόφοβος, τα πόδια. Έτσι τα λέει, όταν 'πομένουμε μονάχοι. Να σμίξουν, λέει, οι φτερούγες μας... Χιχιχί!

— Κι άκου ακόμα παρακάτω, κυρά μου, να σαστίσεις...

Γύρισα τη σελίδα, έκανα πάλι πως διάβαζα:

«Σήμερα πάλι περνούσα από ένα κουρείο· τη στιγμή εκείνη έχυνε απόξω ο μπαρμπέρης τη λεκάνη με τις σαπουνάδες· ο δρόμος μοσκομύρισε. Κι εγώ πάλι θυμήθηκα την Μπουμπουλίνα μου και με πήραν τα κλάματα. Δεν μπορώ πια, αφεντικό, να βρίσκουμαι μακριά της. Θα παλαβώσω. Να, κατάντησα και ριμαδόρος· προχτές που δεν μπορούσα να κοιμηθώ, κάθισα και της ταίριαζα ένα τραγουδάκι· σε παρακαλώ να της το διαβάσεις, να δει τι υποφέρω:

Άχου και ν' ανταμώναμε σ' ένα στενό τα δυο μας,
και το στενό να 'ναι πλατύ, να βάνει τον καημό μας!
Κομμάτια κι αν με κάμουνε, κιμά κι αν με μαλάξουν,
πάλι τα κοκαλάκια μου απάνω σου θ' αράξουν!

Η μαντάμ Ορτάνς, με μισοκλεισμένα, γλαρωμένα μάτια, άκουγε, άκουγε βαλαντωμένη. Έβγαλε και την κορδελίτσα από το λαιμό, την έπνιγε, κι αμόλησε λεύτερες τις ζάρες. Σώπαινε, χαμογελούσε. Ένιωθες, ο νους της αρμένιζε, χαρούμενος, ευτυχισμένος, μακριά, μακριά, στα χαμένα νερά.

Μάρτης, δροσερό χορτάρι, κόκκινα, κίτρινα, μοβ λουλουδάκια, διάφανα νερά, κι απάνω τους ζευγάρωναν, κελαηδώντας, άσπρα και μαύρα κοπάδια κύκνοι· άσπρες οι θηλυκές, μαύροι οι αρσενικοί, με πορφυρά ανοιγμένα ραμφιά. Έβγαιναν στραφταλίζοντας οι πράσινες σμέρνες από το νερό, έσμιγαν με μεγάλα γαλάζια φίδια. Η μαντάμ Ορτάνς είχε γίνει πάλι δεκατέσσερων χρονών, χόρευε απάνω σε ανατολίτικα χαλιά στην Αλεξάντρεια, στο Μπερούτι, στη Σμύρνη, στην Πόλη κι ύστερα σε γυαλιστερά καραβίσια παρκέτα στην Κρήτη... Τα μπέρδευε, δε θυμόταν. Όλα της φάνταζαν ένα, τα στήθια της στέκουνταν όρθια, έτριζαν τ' ακρογιάλια.

Κι έξαφνα, εκεί που χόρευε, γέμισε ο γιαλός καράβια, με μαλαματένιες πλώρες, με πολύχρωμες τέντες στην πρύμνα, με μεταξωτές μπαντιέρες. Κι έβγαιναν από τα καράβια, έβγαιναν πασάδες με χρυσές όρθιες φούντες στα κόκκινα φέσια, γέροι μπέηδες προσκυνητές, με ακριβά ταξίματα στα χέρια, κι αμούστακα θλιμμένα μπεγόπουλα. Έβγαιναν ναύαρχοι με γυαλιστερά τρικαντά, και ναυτάκια με κατακάθαρες τραχηλιές και φαρδιά τρικυμισμένα πανταλόνια. Έβγαιναν Κρητικόπουλα με γαλάζιες τσόχινες φουφούλες και κίτρινα στιβάνια, μαύρα μαντίλια στα μαλλιά. Έβγαινε, ολοστερνός, κι ο Ζορμπάς, πανύψηλος, λιγνεμένος από τον έρωτα, μ' ένα χοντρό αρραβώνα στο δάχτυλο και με στεφάνι λεμονανθούς στα φαρά μαλλιά του...

Έβγαιναν από τα καράβια όλοι οι άντρες που γνώρισε στην πολυσύχναστη ζωή της, όλοι, όλοι, δεν έλειπε ούτε ένας· κι ο γερο-βαρκάρης ακόμα, ο φαφούτης, ο καμπούρης, που την πήγε μια μέρα σεριάνι στης Πόλης τα νερά κι είχε βραδιάσει και κανένας δεν τους έβλεπε... Όλοι, όλοι έβγαιναν, και πίσω τους δώστου κι έσμιγαν οι σμέρνες, τα φίδια, οι κύκνοι.

Έβγαιναν οι άντρες κι έσμιγαν μαζί της, όλοι αρμαθιά, σαν τα ερωτεμένα φίδια την άνοιξη, που σταφυλιάζουν, όλα μαζί, όρθια, και σουρίζουν στις πέτρες. Και στη μέση της αρμαθιάς, κάτασπρη, ολόγυμνη, μουσκίδι στον ιδρώτα, με μεσανοιγμένα χείλια, με κοφτερά δοντάκια, ακίνητη, αχόρταγη, ορθόστηθη, σούριζε η μαντάμ Ορτάνς, δεκατέσσερων χρονών, τριάντα, σαράντα, εξήντα... Τίποτα δε χάθηκε, κανένας αγαπητικός δεν πέθανε, στα μαραμένα στήθια της όλοι ανασταίνουνται πάνοπλοι. Σα να 'ναι βαθιά τρικάταρτη φρεγάδα η μαντάμ Ορτάνς, κι όλοι οι αγαπητικοί –σαράντα πέντε τώρα χρόνια που δουλεύει– σκαρφάλωσαν απάνω της, στ' αμπάρια, στην κουπαστή, στα ξάρτια, κι αρμενίζει, χιλιοτρυπημένη, χιλιοκαλαφατισμένη, και τραβάει στο μακροπόθητο λιμάνι – το γάμο. Κι ο Ζορμπάς παίρνει χίλια πρόσωπα, τούρκικα, φράγκικα, αρμένικα, αράπικα, ρωμαίικα, κι αγκαλιάζοντάς τον η μαντάμ Ορτάνς αγκαλιάζει αλάκερη την ιερή απέραντη λιτανεία...

Η γριά Σειρήνα πήρε κάβο ξαφνικά πως σταμάτησα, κόπηκε απότομα τ' όραμά της, άνοιξε τα βαριοφορτωμένα βλέφαρα:

— Τίποτα άλλο ντε λέει; μουρμούρισε με παράπονο, γλείφοντας λιχούδικα τα χείλια.

— Τι άλλο θες, μαντάμ Ορτάνς; Μα δε βλέπεις; Όλο το γράμμα για σένα μονάχα μιλάει. Να, κοίταξε, τέσσερεις κόλλες. Κι έχει και μιαν καρδιά, να, εδώ στη γωνιά, ο ίδιος ο Ζορμπάς τη ζωγράφισε, λέει, με το χέρι του. Κοίταξε, τη διαπερνάει, πέρα ως πέρα, μια σαΐτα, ο έρωτας. Κι από κάτω, κοίτα, δυο περιστέρια που φιλιούνται· κι απάνω στα φτερά τους, με μικρά μικρά γραμματάκια που δε φαίνουνται, είναι γραμμένα αγκαλιαστά δυο ονόματα με κόκκινο μελάνι: Ορτάνς-Ζορμπάς.

Δεν υπήρχαν μήτε περιστέρια μήτε γράμματα· μα τα ματάκια της γριάς Σειρήνας μας είχαν αποβασιλέψει γλαρωμένα κι έβλεπαν ό,τι λαχτάριζαν.

— Τίποτα άλλο; Τίποτα άλλο; ξαναρώτησε ανικανοποίητη.

Όλα ετούτα καλά κι άγια –φτερούγες, μπαρμπέρικες σαπουνάδες, περιστεράκια– όμορφα λόγια ετούτα κι αγέρας· μα το πραχτικό μυαλό της γυναίκας ζητούσε κάτι άλλο, πιο χεροπιαστό, πιο σίγουρο. Πόσες φορές τα 'χε ακούσει στη ζωή της τα παχιά αυτά λόγια! Τι κατάλαβε; Ύστερα από τόσα χρόνια που δούλεψε, είχε απομείνει έρημη στους πέντε δρόμους.

— Τίποτα άλλο; μουρμούρισε πάλι παραπονιάρικα· τίποτα άλλο; Με κοίταξε στα μάτια σαν κυνηγημένη λαφίνα· τη λυπήθηκα.

— Λέει και κάτι άλλο, πολύ πολύ σπουδαίο, μαντάμ Ορτάνς, είπα· γι' αυτό το αφήκα και τελευταίο.

— Για να δούμε... έκαμε ξεφυχισμένη.

— Γράφει πως ευτύς ως γυρίσει, θα πέσει, λέει, στα πόδια σου, να σε παρακαλέσει, με τα δάκρυα στα μάτια, να στεφανωθείτε. Δε βαστάει πια. Θέλει να σε κάμει, λέει, γυναικούλα του, μαντάμ Ορτάνς Ζορμπά, να μη χωριστείτε ποτέ...

Τώρα πια τα ξινισμένα ματάκια άρχισαν να τρέχουν. Να η χαρά η μεγάλη, να το λιμάνι, να ο καημός όλης της ζωής! Να ησυχάσει, να ξαπλωθεί σ' ένα τίμιο κρεβάτι, φτάνει πια!

Σκούπισε τα μάτια.

— Καλά, είπε με αρχοντικιά συγκατάβαση, δέχουμαι. Μα να του γράφεις, παρακαλώ, πως εδώ στο χωριό δεν υπάρχουν στέφανα γάμου· να τα φέρει από το Κάστρο. Να φέρει και δυο άσπρες λαμπάδες με ροζ κορδέλες. Να φέρει και κουφέτα από τα καλά, με μύγδαλο. Και να μου κρατάει και μιαν άσπρη νυφιάτικη τουαλέτα, μεταξωτές κάλτσες και γοβάκια μεταξωτά. Σεντόνια έχουμε, να του γράφεις, και να μη φέρει. Έχουμε και κρεβάτι.

Ταχτοποίησε τις παραγγελιές της, έβαλε κιόλα τον άντρα της να κουβαλάει. Σηκώθηκε· είχε πάρει ξαφνικά μεγαλόπρεπο αγέρα παντρεμένης.

— Έχω κάτι να σου προτείνω, σοβαρό, είπε και σταμάτησε συγκινημένη.

— Λέγε, μαντάμ Ζορμπά· στις διαταγές σου.

— Ο Ζορμπάς κι εγώ σε συμπαθούμε· είσαι κι ανοιχτοχέρης, δε θα μας ντροπιάσεις. Μπαίνεις κουμπάρος;

Τινάχτηκα. Είχαμε κάποτε στο πατρικό σπίτι μιαν υπηρέτρια,

τη γριά Διαμάντω, απάνω από εξήντα χρονώ, γεροντοκόρη. Μισοπαλαβωμένη από την παρθενιά, νευρικιά, σταφιδιασμένη, χωρίς στήθος, μουστακαλίνα. Αγάπησε το Μήτσο, το μπακαλόπουλο της γειτονιάς, ένα λιγδερό, καλοθρεμμένο, αμούστακο χωριατόπουλο.

— Πότε θα με πάρεις; τον ρωτούσε κάθε Κυριακή. Πάρε με! Πώς μπορείς και βαστάς εσύ; Εγώ δε βαστώ!

— Κι εγώ δε βαστώ, της απαντούσε ο παμπόνηρος μπακάλης, που την καλόπιανε για να την έχει πελάτισσα· κι εγώ δε βαστώ, Διαμάντω μου, μα κάνε ακόμα λίγη υπομονή. Κάνε υπομονή, όσο να βγάλω κι εγώ μουστάκι.

Έτσι περνούσαν τα χρόνια κι η γριά Διαμάντω έκανε υπομονή. Τα νεύρα της κάλμαραν, οι κεφαλόπονοι λιγόστεψαν, το πικραμένο αφίλητο χείλι της γέλασε. Κι έπλενε καλύτερα τα ρούχα, έσπαζε λιγότερα πιάτα και δεν τσούκνωνε πια το φαΐ.

— Μπαίνεις κουμπάρος, αφεντικάκι; με ρώτησε κρυφά ένα βράδυ.

— Μπαίνω, Διαμάντω, της αποκρίθηκα κι ο λαιμός μου πιάστηκε από την πίκρα.

Η κουμπαριά αυτή με είχε ποτίσει πολύ φαρμάκι, και να γιατί, γρικώντας τώρα πάλι τη μαντάμ Ορτάνς, τινάχτηκα.

— Μπαίνω, αποκρίθηκα· τιμή μου, μαντάμ Ορτάνς...

— Λέγε με κουμπάρα πια, όταν είμαστε μόνοι... είπε και χαμογέλασε με καμάρι.

Σηκώθηκε. Διόρθωσε τα τσουλούφια που ξεπρόβαιναν από το καπελίνο της, έγλειφε τα χείλια.

— Καληνύχτα, κουμπάρε! είπε. Καληνύχτα, και με το καλό να τον δεχτούμε...

Την έβλεπα ν' απομακρύνεται κουνιστή, τσακίζοντας τη γέρικη μέση με κοριτσίστικο νάζι· πετούσε από τη χαρά της· και τα παλιά στραβοπατημένα της γοβάκια έκαναν μικρές, βαθιές γουβίτσες στον άμμο.

Δεν είχε ακόμα στρίψει τον κάβο, κι άγριες φωνές και κλάματα ακούστηκαν στο ακρογιάλι.

Πετάχτηκα απάνω, έτρεξα· πέρα, στον άλλο κάβο, γυναίκες σκλήριζαν, σα να 'σερναν μοιρολόι· ανέβηκα σ' ένα βράχο, βίγλισα· από το χωριό ξεκινούσαν άντρες και γυναίκες κι έτρεχαν, πίσω τους τα σκυλιά γάβγιζαν, δυο τρεις καβαλάρηδες χιμούσαν μπροστά, κι ανέβαινε πυκνό σύννεφο ο κουρνιαχτός.

«Κάποιο δυστύχημα», συλλογίστηκα, και κατηφόρισα βιαστικά προς τον κάβο.

Ολοένα ακούγουνταν και πιο δυνατά η βουή· ο ήλιος είχε βασιλέψει, δυο τρία ανοιξιάτικα τριανταφυλλένια συννεφάκια είχαν ακινητήσει στον ουρανό. Η συκιά της Αρχοντοπούλας είχε πετάξει καινούρια πράσινα φύλλα.

Άξαφνα η μαντάμ Ορτάνς κύλησε μπροστά μου· γύριζε πίσω ξεμαλλιασμένη, λαχανιασμένη, και το ένα γοβάκι τής είχε φύγει. Το βαστούσε στο χέρι κι έτρεχε κι έκλαιγε.

— Κουμπάρε... Κουμπάρε... μου φώναξε και τρέκλισε να πέσει απάνω μου.

Την αναστύλωσα.

— Γιατί κλαις, κουμπάρα;

Και τη βόηθησα να βάλει το ξεπατωμένο της γοβάκι.

— Φοβούμαι... φοβούμαι...

— Τι;

— Ο θάνατος.

Είχε μυριστεί την οσμή του θανάτου στον αγέρα και τρόμαξε. Την πήρα από το πλαδαρό μπράτσο, μα το γέρικο κορμί αντιστέκουνταν κι έτρεμε.

— Ντεν τέλω... ντεν τέλω... σκλήριζε.

Φοβόταν η δύστυχη να ζυγώσει σε μια περιοχή όπου είχε πατήσει ο θάνατος. Να μην τη δει ο Χάρος και τη θυμηθεί... Όπως όλοι οι γέροι, προσπαθούσε κι η κακόμοιρη Σειρήνα μας να κρυφτεί στο χορτάρι της γης, να γίνει πράσινη· να κρυφτεί στο χώμα, να γίνει σκούρα καφετιά, να μην μπορεί ο Χάρος να την ξεχωρίσει. Είχε ζαρώσει το κεφάλι μέσα στους παχουλούς καμπουριασμένους ώμους της· έτρεμε.

Σούρθηκε σε μιαν ελιά, άνοιξε το μπαλωμένο παλτουδάκι της.

— Σκέπασέ με, κουμπάρε, είπε· σκέπασέ με και πήγαινε.

— Κρυώνεις;

— Κρυώνω, σκέπασέ με.

Τη σκέπασα, όσο μπορούσα πιο πιτήδεια, να μην ξεχωρίζει από το χώμα, κι έφυγα.

Ζύγωνα πια τον κάβο· ξέκρινα τώρα καθαρά τα μοιρολόγια. Ο Μιμηθός πέρασε από μπροστά μου τρεχάτος.

— Τι 'ναι, Μιμηθό; φώναξα.

— Πνίγηκε! Πνίγηκε! μου αποκρίθηκε χωρίς να σταματήσει. Πνίγηκε!

— Ποιος;

— Ο Παυλής του Μαυραντώνη!

— Γιατί;

— Η χήρα...

Η φωνή χάθηκε μέσα στο σύθρηνο. Έτσι ανάερα που στάθηκε η λέξη, γέμισε ο σκοτεινός αγέρας από το σπαρταριστό, επικίντυνο κορμί της χήρας.

Είχα φτάσει τους βράχους όπου ήταν μαζεμένο το χωριό. Οι άντρες στέκουνταν αμίλητοι, ξεσκούφωτοι, οι γυναίκες με κατεβασμένα τα τσεμπέρια στους ώμους συρομαδιούνταν και σκλήριζαν, κι απάνω στα χαλίκια ξαπλωμένο ένα φουσκωμένο κατάμπλαβο κορμί. Ο γερο-Μαυραντώνης στέκουνταν από πάνω του ακίνητος και το θωρούσε· με το δεξό του χέρι ακουμπούσε στο ραβδί του κι έσκυβε· με το ζερβό του φούχτωνε τα φαρά, στριφτά γένια του.

— Ανάθεμά σε, χήρα! ακούστηκε ξάφνου μια στριγκιά φωνή. Από το Θεό να το 'βρεις!

Μια γυναίκα ανατινάχτηκε από χάμω, στράφηκε στους άντρες:

— Δε βρίσκεται, μωρέ, στο χωριό μας ένας άντρας, να τη σφάξει στα γόνατά του απάνω σαν αρνί; Φτου σας!

Κι έφτυσε στους άντρες που την κοίταζαν αμίλητοι.

Ο Κοντομανολιός, ο καφετζής, πετάχτηκε:

— Μη μας ντροπιάζεις, Ντελνκατερίνα, φώναξε· μη μας ντροπιάζεις, κι έχει καλούς άντρες το χωριό μας και θα το δεις! Δε βάσταξα:

— Ντροπή, παιδιά! φώναξα· τι φταίει η γυναίκα; Έτσι ήταν το γραφτό του. Φοβηθείτε το Θεό!

Μα κανένας δεν απηλογήθηκε.

Ο Μανόλακας, ο εξάδερφος του πνιμένου με το θεόρατο κορμί, έσκυψε, άρπαξε στην αγκαλιά του το κουφάρι του πνιμένου και τράβηξε μπροστά, κατά το χωριό. Οι γυναίκες σκλήριζαν και τσαγκρουνομαδιούνταν, κι ως είδαν το κουφάρι να το παίρνουν, χύθηκαν να γαντζώσουν απάνω του· μα ο γερο-Μαυραντώνης άπλωσε το ραβδί του, τις αναμέρισε και μπήκε μπροστά. Και πίσω του ακλουθούσαν μοιρολογώντας οι γυναίκες, πιο πίσω, αμίλητοι, οι άντρες.

Χάθηκαν μέσα στο σούρουπο, ακούστηκε πάλι η σιγανή αναπνοή της θάλασσας. Κοίταξα γύρα· είχα απομείνει μόνος.

— Ας γυρίσω πίσω, είπα· μπόλικο φαρμάκι είχε, δόξα σοι ο Θεός! και τούτη η μέρα.

Πήρα το μονοπάτι, συλλογισμένος· στο μεσόφωτο ξέκρινα τον μπαρμπα-Αναγνώστη που στέκουνταν ακόμα σε μιαν πέτρα· είχε ακουμπήσει το πιγούνι του στο αψηλό ραβδί του και κοίταζε τη θάλασσα.

Του φώναξα, δεν άκουσε· ζύγωσα, με είδε, κούνησε το κεφάλι:

— Παντέρμε κόσμε! μουρμούρισε. Κρίμα στα νιάτα! Μα δεν μπορούσε ο μαυροσκότεινος να βαστάξει τον καημό, έπεσε στη θάλασσα και πνίγηκε. Γλίτωσε.

— Γλίτωσε;

— Γλίτωσε, παιδί μου, γλίτωσε. Τι να την κάμει, μαθές, τη ζωή; Αν έπαιρνε τη χήρα, γρήγορα θ' άρχιζαν οι γκρίνιες, μπορεί κι οι ντροπές. Γιατί 'ναι σαν τη φοράδα, η πυρωμένη· χλιμιντρίζει άμα δει άντρα. Αν πάλι δεν την έπαιρνε, θα το 'χε μαράζι σε όλη του τη ζωή, γιατί θα θαρρούσε πως έχασε κανένα μεγάλο κελεπούρι. Μπρος γκρεμνός και πίσω ρέμα.

— Μη λες τα λόγια αυτά, μπαρμπα-Αναγνώστη· κόβεις τα ήπατα του ανθρώπου.

— Μωρέ, μη φοβάσαι· ποιος τ' ακούει; Κι αν τ' ακούσει, ποιος τα πιστεύει. Να, στάθηκε από μένα πιο τυχερός άνθρωπος; Είχα χωράφια, αμπέλια, λιόφυτα κι ένα σπίτι δίπατο, ήμουνα νοικοκύρης· η γυναίκα μου βγήκε καλή, υπάκουη κι αρσενικογεννούσα· δε σήκωσε ποτέ μάτια να με δει καταπρόσωπα, και βγήκαν καλά τα παιδιά μου· παράπονο δεν έχω. Έκαμα κι αγγόνια· τι άλλο θέλω; Έριξα βαθιές ρίζες. Κι όμως, να 'τανε να ξαναγεννηθώ, θα περνούσα κι εγώ μιαν πέτρα από το λαιμό μου, σαν τον Παυλή, και θα 'πεφτα στη θάλασσα. Βαριά 'ναι η ζωή, μαθές, κι η πιο τυχερή, βαριά 'ναι, ανάθεμά τη!

— Μα τι σου λείπει, μπαρμπα-Αναγνώστη; Γιατί αναστενάζεις;

— Τίποτα δε μου λείπει, σου λέω! Μα κάθου τώρα η αφεντιά σου ν' αναρωτάς την καρδιά του ανθρώπου!

Σώπασε μια στιγμή· κοίταξε πάλι τη θάλασσα που άρχισε να σκοτεινιάζει:

— Καλά έκαμες, μωρέ Παυλή! φώναξε και σήκωσε το ραβδί του· άσε τις γυναίκες να σκληρίζουν, γυναίκες είναι, μυαλό δεν έχουν. Εσύ γλίτωσες· το ξέρει ο κύρης σου, και γι' αυτό, είδες; δε βγάζει άχνα.

Έριξε μια ματιά στον ουρανό και γύρα στα βουνά που χάνουνταν τώρα στο σκοτάδι.

— Νύχτωσε, είπε, πάω.

Κοντοστάθηκε, σα να μετάνιωσε για τα όσα ξέφυγαν από τα χείλια του· σα να 'χε προδώσει κάποιο μεγάλο μυστικό και τώρα πολεμούσε να το πάρει πίσω.

Έβαλε το αποξεραμένο χέρι του στον ώμο μου:

— Νέος είσαι, μου 'πε χαμογελώντας, μην ακούς τους γέρους. Αν άκουγε ο κόσμος τους γέρους, γρήγορα θα ρήμαζε. Αν σου λάχει καμιά χήρα στη στράτα σου, όρτσα καταπάνω της! Παντρέφου, κάμε παιδιά, μη δειλιάς· τα βάσανα 'ναι για τους λεβέντες!

Έφτασα στο ακρογιάλι μου, άναφα φωτιά κι ετοίμασα το

βραδινό τσάι. Ήμουν κουρασμένος, πεινασμένος, και τώρα που ξεκουράζουμουν κι έτρωγα, ένιωθα μιαν ευτυχία βαθύτερη από τον άνθρωπο, ζωώδικη, αιώνια.

Άξαφνα ο Μιμηθός πρόβαλε το φτενό λειφό κεφάλι του από το παραθυράκι· με κοίταξε κουκουβισμένο μπροστά από τη φωτιά να τρώγω και χαμογέλασε πονηρά.

— Τι θες, Μιμηθό;

— Σου φέρνω, αφεντικό, ένα χαιρετισμό από τη χήρα· ένα καλαθάκι πορτοκάλια. Τα τελευταία, λέει, από το περβόλι της.

— Από τη χήρα; έκαμα ταραγμένος. Και γιατί μου τα στέλνει;

— Για τον καλό, λέει, το λόγο που 'πες απόψε στους χωριανούς.

— Ποιον καλό λόγο;

— Κατέχω δα κι εγώ; Αυτό μου 'πε, αυτό σου λέω!

Άδειασε χύμα τα πορτοκάλια απάνω στο κρεβάτι· όλη η παράγκα μοσκομύρισε.

— Να 'ναι καλά, να της πεις, για το πεσκέσι της και να 'χει το νου της! Να 'χει το νου της, να μην ξεμυτίσει στο χωριό, ακούς; Να κάθεται σπίτι της, όσο να περάσει κάμποσος καιρός, να ξεχαστεί το κακό. Κατάλαβες, Μιμηθό;

— Τίποτα άλλο, αφεντικό;

— Τίποτα άλλο, πήγαινε.

Ο Μιμηθός μου 'κλεισε το μάτι.

— Τίποτα άλλο;

— Φεύγα!

Έφυγε. Καθάρισα ένα πορτοκάλι, ζουμερό, γλυκό σα μέλι· ξάπλωσα, με πήρε ο ύπνος κι όλη τη νύχτα σεριάνιζα κάτω από πορτοκαλιές, και φυσούσε ζεστός αγέρας, κι ήταν ανοιχτό και φουντωμένο το στήθος μου, κι είχα ένα κλαρί βασιλικό στο αυτί. Κι ήμουν είκοσι χρονώ χωριατόπουλο, και πήγαινα απάνω κάτω στο περιβόλι με τις πορτοκαλιές, και σφύριζα και περίμενα... Ποιον περίμενα, δεν ξέρω· μα η καρδιά μου πήγαινε να σπάσει από τη χαρά· έστριβα το μουστάκι μου κι άκουγα, λέει, όλη νύχτα, πίσω από τις πορτοκαλιές, τη θάλασσα να αναστενάζει, σα γυναίκα.

XV

Νοτιάς

δυνατός σήμερα, καυτερός, από τις αντικρινές αμμούδες της Αραπιάς. Σύννεφα φιλή άμμο στροβιλίζουνταν στον αγέρα κι έμπαινε στα λαρύγγια και στα σπλάχνα του ανθρώπου. Τα δόντια τσαχάλιζαν, τα μάτια καίγουνταν, μαντάλωνες παράθυρα και πόρτες για να φας ένα κομμάτι ψωμί χωρίς να πασπαλιστεί με άμμο. Κουφόβραση. Με είχε συνεπάρει και μένα, τις καταθλιπτικές μέρες της φουσκοδεντριάς, η δυσφορία της άνοιξης. Μια κομμάρα, μια ταραχή στο στήθος, ένα μερμήδισμα σε όλο το κορμί, μια λαχτάρα –λαχτάρα ή θύμηση;– για μιαν άλλη, απλή, μεγάλη ευτυχία. Την ίδια ηδονή, τον ίδιο πόνο, στις φουσκοδεντρίτισσες ετούτες μέρες, σίγουρα θα νιώθουν κι οι φασκιωμένες κάμπιες, νογώντας στις πλάτες τους ν᾽ ανοίγουν σα δυο πληγές οι δυο φτερούγες.

Πήρα το πετρομονοπάτι του βουνού, να περπατήσω τρεις ώρες, ως τη μικρή μινωική πολιτεία, που ᾽χε ξεπροβάλει από τα χώματα, ύστερα από τρεις, τέσσερεις χιλιάδες χρόνια και ξαναζεσταίνουνταν στον αγαπημένο της ήλιο της Κρήτης. Ίσως, έλεγα, να κουραστώ περπατώντας και ν᾽ αλαφρώσω από την ανοιξιάτικη θλίφη.

τσαλαχώ και τσαχαλίζω: κροταλίζω

239

Πέτρες γκρίζες, σιδερόπετρες, γύμνια όλο φως, τα βουνά όπως μου αρέσουν, χωρίς καλόβολες ρομαντικές πρασινάδες. Μια κουκουβάγια, τυφλωμένη από το περίσσιο φως, με τα κίτρινα καταστρόγγυλα μάτια, κούρνιαζε σε μιαν πέτρα, σοβαρή, χαριτωμένη, όλο μυστήριο. Πατούσα ανάλαφρα μη με ακούσει· μα 'ταν όλο αυτί, τρόμαξε, κουφοπέταξε, ανάμεσα στις πέτρες και χάθηκε. Μύριζε ο αγέρας θυμάρι· οι αγκαραθιές είχαν κιόλα πετάξει, ανάμεσα στ' αγκάθια τους, τα πρώτα τρυφερά κίτρινα λουλούδια τους.

Όταν έφτασα στη μικρή ερειπωμένη πολιτεία, ξαφνιάστηκα, θα 'ταν μεσημέρι, το φως έπεφτε κάθετο κι έπνιγε τα χαλάσματα. Σε παλιές ρημαγμένες πολιτείες η ώρα ετούτη είναι επικίντυνη. Ο αγέρας είναι γεμάτος φωνές και πνέματα. Ένα κλαρί να τρίξει, μια σαύρα να σουρθεί, ένα σύννεφο να περάσει να ρίξει τον ίσκιο του – σε κυριεύει πανικός. Κάθε σπιθαμή γης που πατάς, και μνήμα – κι οι πεθαμένοι φωνάζουν.

Αγάλια αγάλια, μέσα στο πολύ φως, το μάτι συνήθιζε. Διέκρινα τώρα μέσα στις πέτρες ετούτες το χέρι του ανθρώπου: δυο φαρδιοί δρόμοι στρωμένοι με γυφόπετρες, δεξόζερβά τους σοκάκια στενά, στρουφιχτά, μια στρογγυλή πλατεία, η αγορά, και δίπλα ευτύς, με δημοκρατικιά συγκατάβαση, το παλάτι του βασιλιά, με τις διπλές κολόνες, με τις φαρδιές πέτρινες σκάλες, με τις στενόμακρες αποθήκες.

Και στην καρδιά της πολιτείας, εκεί που οι πέτρες χάμω είναι οι πιο φαγωμένες από τα πόδια των ανθρώπων, το ιερό της Μεγάλης θεάς, με τ' ανοιχτά ξέχειλα στήθια και τα ιερά φίδια στα μπράτσα.

Και παντού, μικροσκοπικά μαγαζάκια κι εργαστήρια – λιοτριβειά, χαλκιδιά, μαραγκούδικα, σταμνάδικα. Περίτεχνη, καλά ασφαλισμένη, νοικοκυρεμένη μερμηγκοφωλιά, και τα μερμήγκια έχουν φύγει τώρα και χιλιάδες χρόνια. Σ' ένα αργαστήρι κάποιος τεχνίτης σκάλιζε σε πολύφλεβη πέτρα ένα λαγήνι,

---

αγκαραθιά: *θάμνος με άγρια φύλλα*

λαμπρό έργο τέχνης· μα δεν πρόλαβε να το ξετελέψει. Κι η σμίλα έπεσε από τα χέρια του τεχνίτη και βρέθηκε, ύστερα από χιλιάδες χρόνια, δίπλα στο μεσοξετελεμένο έργο.

Τα αιώνια, περιττά, ηλίθια ρωτήματα: γιατί; Προς τι; – ανεβαίνουν πάλι και φαρμακώνουν την καρδιά σου· αυτό το μεσοξετελεμένο λαγήνι, όπου απάνω του έχει σπάσει, εκεί που πετούσε χαρούμενη και σίγουρη, η ορμή του τεχνίτη, σε ποτίζει φαρμάκι.

Ένα βοσκόπουλο ξάφνου, ηλιοκαμένο, μαυρογόνατο, μ' ένα κροσσωτό μαντίλι σαρίκι στα σγουρά μαλλιά, ορθώθηκε απάνω σε μιαν πέτρα, δίπλα στο γκρεμισμένο παλάτι.

— Ε κουμπάρε, κουμπαράκι! μου φώναξε.

Ήθελα ν' απομείνω μόνος· έκαμα πως δεν άκουσα.

Μα το βοσκόπουλο γέλασε περιπαιχτικά:

— Ε, κάνεις δα πως δεν ακούς! Ε κουμπάρε, έχεις ένα τσιγαράκι; Δώσ' μου, γιατί εδώ στην ερημιά σεκλεντίζω.

Με τόσο πάθος απόσυρε την τελευταία λέξη, που η καρδιά μου το πόνεσε.

Τσιγάρο· δεν είχα, έβγαλα να του δώσω λεφτά. Μα το βοσκόπουλο θύμωσε.

— Στο διάολο οι παράδες! φώναξε. Τι να τους κάμω; Εγώ, σου λέω, σεκλεντίζω, δώσ' μου ένα τσιγάρο!

— Δεν έχω, έκαμα απελπισμένος, δεν έχω!

— Δεν έχεις! φώναξε φρενιασμένο το βοσκόπουλο και χτύπησε δυνατά τις πέτρες με την αγκλίτσα του. Δεν έχεις! Αμ τι έχεις στις τσέπες σου και φουσκώνουν;

— Ένα βιβλίο, ένα μαντίλι, χαρτί, μολύβι, ένα σουγιά, αποκρίθηκα, βγάζοντας ένα ένα ό,τι είχα στην τσέπη μου. Να σου χαρίσω το σουγιά;

— Έχω· απ' όλα έχω. Και ψωμί και τυρί κι ελιές και μαχαίρι και σουβλί και πετσί για τα στιβάνια μου κι ένα φλασκί νερό, απ' όλα! Απ' όλα! Μα τσιγάρο δεν έχω· πράμα δεν έχω! Κι ίντα γυρεύεις του λόγου σου στα χαλάσματα;

— Θωρώ τ' αρχαία.

— Κι ίντα καταλαβαίνεις;

— Πράμα!

— Πράμα κι εγώ. Αυτοί πεθάνανε, εμείς ζούμε· άε στο καλό! Σα να 'ταν το στοιχειό του τόπου και μ' έδιωχνε.

— Φεύγω, είπα υπακούοντας.

Πήρα γρήγορα πίσω το μονοπάτι, μια στιγμή στράφηκα κι είδα το σεκλεντισμένο βοσκόπουλο όρθιο ακόμα στην πέτρα, και τα σγουρά του ξεπετιούνταν από μαύρο μαντίλι, ανέμιζαν στο δυνατό νοτιά. Από το κούτελό του ως τα πόδια κυλούσε το φως, σα να χύνουνταν απάνω σε προύντζινο εφηβικό άγαλμα. Είχε τώρα περασμένο το βοσκοράβδι του στους ώμους και σφύριζε.

Πήρα άλλο δρόμο, άρχισα να κατεβαίνω κατά το περιγιάλι. Περνούσαν από πάνω μου ζεστές αράπικες πνοές και μυρωδιές από κοντινά περβόλια· το χώμα μύριζε, η θάλασσα γελούσε, ο ουρανός ήταν γαλάζιος, γυαλιστερός σαν ατσάλι.

Ο χειμώνας ζαρώνει το κορμί και την ψυχή μας· κι έρχεται τώρα η ζέστα και φαρδαίνει το στήθος. Κι ως πήγαινα, πήρε το αυτί μου βραχνές κραξιές στον ουρανό· σήκωσα το κεφάλι κι είδα πάλι το εξαίσιο θέαμα που από τα παιδικάτα αναστάτωνε την καρδιά μου: τους γερανούς παραταγμένους, όμοια στρατός, να ξαναγυρίζουν από τις θερμές χώρες και να κουβαλούν, όπως θέλει η φαντασία, τα χελιδόνια στις φτερούγες τους και στις βαθιές κουφάλες του κοκαλιάρικου κορμιού τους.

Η ρυθμική ανακύκλωση του καιρού, ο τροχός του κόσμου που γυρίζει, τα τέσσερα πρόσωπα της γης, που το ένα ύστερα από το άλλο φωτίζουνται από τον ήλιο, η ζωή που φεύγει και φεύγουμε μαζί της, γέμισε πάλι ταραχή το στήθος μου. Αντιλάλησε πάλι μέσα μου, με τη φωνή του γερανού, η φοβερή προειδοποίηση πως η ζωή ετούτη είναι μοναδική για τον κάθε άνθρωπο, άλλη δεν έχει, ό,τι μπορείς να το χαρείς, εδώ θα το χαρείς, περνάει γρήγορα και δε θα σου ξαναδοθεί, στην αιωνιότητα, άλλη ευκαιρία.

Ένας νους που ακούει την ανήλεη —και τόσο γεμάτη έλεος— αγγελία ετούτη, παίρνει την απόφαση να νικήσει τις αθλιότητες και τις αδυναμίες του, να νικήσει την τεμπελιά και τις μάταιες μεγάλες ελπίδες και να πιαστεί αλάκερος από το κάθε δευτερόλεφτο που φεύγει για πάντα.

Μεγάλα πρότυπα ανεβαίνουν στη μνήμη σου, βλέπεις καθαρά πως είσαι τιποτένιος, πως χάνεται η ζωή σου σε μικρές χαρές, σε μικρές θλίψες, σε ανάξιες κουβέντες. Φωνάζεις: «Ντροπή! Ντροπή!» κι αιματώνεις τα χείλια.

Οι γερανοί πέρασαν από τον ουρανό, χάθηκαν κατά βορρά, μα κράζουν ακόμα βραχνά και πετούν ακατάπαυτα από το ένα μελίγγι σου στο άλλο.

Έφτασα στη θάλασσα, περπατούσα γιαλό γιαλό με βιάση. Δύσκολο να περπατάς ολομόναχος στην άκρα της θάλασσας· κάθε κύμα, κάθε πουλί στον ουρανό φωνάζει και σου θυμίζει το χρέος. Όταν πηγαίνεις με άλλους, γελάς και κουβεντιάζεις, συζητάς, σηκώνεται θόρυβος, δεν ακούς τι λένε τα κύματα και τα πουλιά· μπορεί και να μη λένε τότε τίποτα. Σε κοιτάζουν να περνάς μέσα σε άθλιες φωνές και φλυαρίες και βουβαίνουνται.

Ξάπλωσα στα χοχλάδια, έκλεισα τα μάτια. «Τι 'ναι λοιπόν η ψυχή», συλλογίζουμουν, «και τι κρυφή ανταπόκριση ανάμεσά της κι ανάμεσα στη θάλασσα, στα σύννεφα, στις μυρωδιές; Σα να 'ναι λες κι αυτή θάλασσα και σύννεφο και μυρωδιά...»

Σηκώθηκα, κίνησα πάλι, είχα πάρει απόφαση. Ποιαν; Δεν ήξερα.

Άξαφνα ακούω φωνή πίσω μου:

— Για πού με το καλό, αφεντικό; Για το μοναστήρι;

Στράφηκα· ένας γέρος κοτσονάτος, κοντοπίθαρος, χωρίς ραβδί, με μαύρο στριφτό μαντίλι στα μαλλιά, μου κουνούσε χαμογελώντας το χέρι. Τ' αχνάρια του ακολουθούσε η γριά του, και πίσω της η κόρη, μαυριδερή, αγριωτάτα, με άσπρη μπολίδα.

— Για το μοναστήρι; ξαναρώτησε ο γέρος.

Κι ολομεμιάς ένιωσα πως είχα πάρει την απόφαση κατά κει· μήνες τώρα ήθελα να πάω στο μικρό γυναίκειο μοναστηράκι πλάι στη θάλασσα και δεν το αποφάσιζα· τώρα, ξαφνικά, το σώμα μου είχε πάρει την απόφαση.

— Για το μοναστήρι, αποκρίθηκα· ν' ακούσω τους Χαιρετισμούς της Παναγίας.

— Βοήθειά σου η χάρη Της!

Γρηγόρεφε το βήμα, μ' έφτασε.

— Του λόγου σου είσαι η εταιρεία, που λένε, για το κάρβουνο;

— Εγώ.

— Ε, η Παναγία να σου δίνει καλά κέρδητα. Κάνεις καλό στον τόπο· δίνεις ψωμί σε φτωχούς φαμελίτες, να 'σαι καλά!

Και σε λίγο ο φίνος γέρος, που θα 'χε μυριστεί πως οι δουλειές πήγαιναν κατά διαόλου, πρόστεσε παρηγορητικά:

— Και τίποτα να μην κερδίσεις, παιδί μου, έννοια σου! Πάλι κερδεμένος θα βγεις· η ψυχή σου θα πάει στην Παράδεισο...

— Αυτό θέλω κι εγώ, παππούλη.

— Εγώ γράμματα πολλά δεν κατέχω· μια φορά όμως άκουσα στην εκκλησιά ένα λόγο του Χριστού, κι αυτός ο λόγος τυπώθηκε στο μυαλό μου και πια δε βγαίνει: να ξεπουλήσεις, λέει, ό,τι έχεις και δεν έχεις και ν' αγοράσεις το Μεγάλο μαργαριτάρι. Και ποιο 'ναι το Μεγάλο μαργαριτάρι; Η σωτηρία της ψυχής, παιδί μου. Η ευγενεία σου, αφεντικό, πας για το Μεγάλο μαργαριτάρι.

Το Μεγάλο μαργαριτάρι! Πόσες φορές δεν έλαμψε στο νου μου, μέσα στο σκοτάδι, σαν ένα μεγάλο δάκρυο;

Προχωρούσαμε, οι δυο άντρες μπροστά, οι γυναίκες, σταυρό τα χέρια, πίσω. Κάπου κάπου πετούσαμε και μιαν κουβέντα – για τις ελιές αν θα δέσουν τον ανθό τους, αν θα βρέξει να πήξουν τα κριθάρια. Και φαίνεται θα πεινούσαμε κι οι δυο, γιατί φέραμε γρήγορα την κουβέντα στα φαγιά και δε θέλαμε πια να την αλλάξουμε.

— Και ποιο 'ναι το καλύτερό σου φαΐ; παππούλη;

— Όλα, όλα, παιδί μου. Είναι μεγάλη αμαρτία να λέμε: Ετούτο το φαΐ είναι καλό, εκείνο κακό!

— Γιατί; Δεν μπορούμε να διαλέξουμε;

— Όχι, μαθές, δεν μπορούμε.

— Μα γιατί;

— Γιατί υπάρχουν άνθρωποι που πεινούνε.

Σώπασα ντροπιασμένος. Ποτέ δεν είχε μπορέσει η καρδιά μου να φτάσει σε τόση ευγένεια και συμπόνια.

Το καμπανάκι του μοναστηριού ακούστηκε χαρούμενο, σκερτσόζικο, σα γυναίκειο γέλιο.

Ο γέρος έκαμε το σταυρό του:

— Βοήθειά μας η Μεγαλόχαρη η Σφαμένη! μουρμούρισε. Έχει μια μαχαιριά στο λαιμό και τρέχει αίμα. Στον καιρό των κουρσάρων...

Κι άρχισε ο γέρος να ξομπλιάζει τα παθήματα της Παναγιάς, σα να 'ταν γυναίκα αληθινή, προσφυγοπούλα κατατρεμένη, και τη μαχαίρωσαν οι άπιστοι Αγαρηνοί, κι ήρθε κλαίγοντας πέρα από την Ανατολή, με το παιδί της.

— Μια φορά το χρόνο τρέχει αληθινό αίμα, ζεστό, από την πληγή της. Θυμούμαι, μια φορά στο πανηγύρι της, ήμουν εγώ τότε αμούστακο παλικάρι, κατεβήκαμε απ' όλα γύρα τα κοντοχώρια να προσκυνήσουμε τη χάρη της. Ήταν δεκαπεντά-γουστος· ξαπλώσαμε, οι άντρες, να κοιμηθούμε στην αυλή· οι γυναίκες μέσα. Όπου εγώ, στον ύπνο μου, μέγας είσαι, Κύριε! γρικώ την Παναγιά να φωνάζει. Πετιούμαι απάνω, τρέχω στο κόνισμά της, απλώνω το χέρι στο λαιμό της και τι να δω; Τα δαχτύλια μου γέμισαν αίματα...

Ο γέρος σταυροκοπήθηκε· στράφηκε πίσω, είδε τις γυναίκες, τις πόνεσε:

— Ε γυναίκες, φώναξε, κουράγιο, φτάνουμε!

Χαμήλωσε τη φωνή του:

— Ήμουν ανύπαντρος ακόμα· έπεσα τα μπρούμυτα, προσκύ-νησα τη χάρη της και πήρα την απόφαση να παρατήσω τον φεύτη ετούτον κόσμο και να καλογερέψω...

Γέλασε.

— Γιατί γελάς, παππούλη;

— Είναι να μη γελώ, παιδί μου; Όπου την ίδια μέρα στο πανηγύρι ο Σατανάς ντύθηκε γυναίκα και στάθηκε ομπρός μου· ήταν η αφεντιά της!

Και μου 'δειξε, χωρίς να στραφεί, αναγυρνώντας τον αντι-
δάχτυλά του πίσω, τη γριά που μας ακολουθούσε αμίλητη.
— Μην τη βλέπεις τώρα, είπε, που σιχαίνεσαι να την αγγίξεις.
Τότες, ήταν η σκορδόπιστη σπαρταριστή σαν το φάρι. Ήταν η
Γαϊτανόφρυδη, με τ' όνομα. Τώρα, ε παντέρμε κόσμε! πού 'ναι
τα φρύδια της; Πάνε στο διάολο, μάδησαν!
Μια στιγμή, πίσω μας, η γριά έγρουξε, σα δεμένο δαγκα-
νιάρικο σκυλί· μα δεν έβγαλε άχνα.
— Να το μοναστήρι! έκαμε ο γέρος απλώνοντας το χέρι.
Στην άκρα της θάλασσας, σφηνωμένο ανάμεσα σε δυο
μεγάλους βράχους, το μικρό μοναστηράκι γυάλισε κάτασπρο.
Στη μέση ο τρούλος της εκκλησιάς, φρεσκογαλαχτωμένος με
ασβέστη, καταστρόγγυλος, μικρός, έμοιαζε με στήθος γυναίκειο·
γύρα από την εκκλησιά πέντ' έξι κελιά με γαλαζοβαμμένες
πόρτες, και στην αυλή τρία λαμπαδωτά μεγάλα κυπαρίσσια·
και στο φράχτη γύρα, χοντρές φαραοσυκιές ανθισμένες.
Γοργώσαμε το βήμα, μελωδικές φαλμουδίες ακούστηκαν
από το ανοιχτό παραθυράκι του ιερού, ο αρμυρός αγέρας
μύρισε μοσκολίβανο. Η δοξαρωτή ξώπορτα ορθάνοιχτη, το περι-
αύλι απλώνουνταν κατακάθαρο, στρωμένο με άσπρα και μαύρα
χοχλάδια του γιαλού. Δεξόζερβα, σύντοιχα, σειρές γλάστρες
με δυόσμο, μαντζουράνα και βασιλικό.

Ησυχία, γλύκα, ο ήλιος βασίλευε κι οι ασβεστωμένοι τοίχοι
ρόδισαν. Η εκκλησούλα, ζεστή, μεσοφωτισμένη, μύριζε κερί·
άντρες και γυναίκες σάλευαν μέσα στους καπνούς του λιβανιού
και πέντ' έξι καλόγριες, σφιχτοτυλιμένες στα μαύρα τους ράσα,
έφελναν με γλυκές φιλές φωνές το «Κύριε των Δυνάμεων». Κι
όλο κι έκαναν μετάνοιες κι ακούγουνταν το φρουφρούρισμα
του ράσου, σα να 'ταν θρος φτερούγες.
Είχα χρόνια ν' ακούσω τους Χαιρετισμούς. Ύστερα από την
ανταρσία της πρώτης νιότης, προσπερνούσα με καταφρόνια
και θυμό από τις εκκλησίες· με τον καιρό γλύκανα. Κάπου
κάπου πήγαινα στις θεμελιακές γιορτές, στα Χριστούγεννα, στις

αγρυπνιές, στην Ανάσταση· και χαίρουμουν ν' ανασταίνεται
το παιδί που 'χε παραπομείνει μέσα μου. Οι άγριοι πιστεύουν
πως όταν το μουσικό όργανο ξεπέσει από τη θρησκευτική του
αποστολή και ξεθυμάνει, βγάζει αρμονικό λάλο. Τέτοια αισθη-
τική χαρά είχε καταντήσει μέσα μου η θρησκεία.

Στάθηκα σε μια γωνιά, ακούμπησα στο γυαλιστερό στασίδι,
που το 'χαν κάμει φίλντισι από το πολύ τρίψιμο τα χέρια των
πιστών, κι άκουγα από τα βάθη του καιρού να 'ρχουνται οι
βυζαντινές μελωδίες: «Χαῖρε, ὕφος δυσανάβατον ἀνθρωπίνοις
λογισμοῖς· χαῖρε, βάθος δυσθεώρητον καὶ ἀγγέλων ὀφθαλμοῖς...
Χαῖρε, Νύμφη ἀνύμφευτε...»

Κι έπεφταν κάτω πίστομα οι καλόγριες και φρουφρούριζαν
πάλι τα ράσα τους, σα φτερούγες.

Οι στιγμές περνούσαν σαν άγγελοι με μοσχολιβάνιστα
φτερά, κρατώντας κρίνα κλειστά, και φέλναν τα κάλλη της
Μαρίας. Ο ήλιος βασίλεφε, έπεσαν τα μουχρώματα χνου-
δωτά και γαλάζια. Δε θυμούμαι πώς βρεθήκαμε όξω στην
αυλή κι είχα απομείνει μόνος με τη γριά γουμένισσα και δυο
νιούτσικες καλόγριες κάτω από το πιο μεγάλο κυπαρίσσι. Κι
ήρθε το γλυκό του κουταλιού, το δροσερό νερό, η γαληνή
κουβέντα...

Μιλήσαμε για τα θάματα της Παναγιάς, για το λιγνίτη, για
τις όρνιθες που αρχίζουν τώρα την άνοιξη να γεννούν, για
την αδελφή Ευδοξία που σεληνιάζεται. Πέφτει στις πλάκες της
εκκλησιάς και σπαράζει σαν το φάρι· βγάζει αφρούς, βλαστη-
μάει και σκίζει τα ρούχα της...

— Είναι τριάντα πέντε χρονών, πρόστεσε η γουμένισσα
στενάζοντας, καταραμένη ηλικία, δύσκολες ώρες, η χάρη της
θα τη βοηθήσει και θα γιάνει. Ύστερα από δέκα, δεκαπέντε
χρόνια, θα γιάνει...

— Δέκα, δεκαπέντε χρόνια... μουρμούρισα στενάζοντας.

— Τι 'ναι δέκα, δεκαπέντε χρόνια, είπε η γουμένισσα με
αυστηρότητα· δε συλλογιέσαι την αιωνιότητα;

Δε μίλησα· ήξερα πως αιωνιότητα είναι η κάθε στιγμή που

περνάει· φίλησα το χέρι της γουμένισσας, ασπροπαχουλό, λιβανισμένο, κι έφυγα.

Είχε βραδιάσει. Δυο τρία κοράκια γύριζαν βιαστικά στις κούρνιες τους, έβγαιναν από τις κουφάλες των δέντρων οι κουκουβάγιες για να φαν, έβγαιναν από τη γης τα σαλιγκάρια, οι κάμπιες, τα σκουλήκια, τα ποντίκια, για να φαγωθούν από τις κουκουβάγιες.

Το μυστικό φίδι, που δαγκάνει την ουρά του, μ' έζωσε· γεννά η γης και τρώει τα παιδιά της, τα ξαναγεννάει, τα ξανατρώει. Τέλειος κύκλος.

Έπαιξα το μάτι γύρα μου· το σκοτάδι είχε πέσει, ερημιά. Κι οι τελευταίοι χωριάτες είχαν φύγει, κανένας δε μ' έβλεπε. Ξυπολύθηκα, βούτηξα τα πόδια μου στη θάλασσα, κυλίστηκα στην αμμούδα. Ανάγκη με κυρίεφε ν' αγγίξω, με γυμνό κορμί, τις πέτρες, το νερό, τον αγέρα. Η λέξη της γουμένισσας «αιωνιότητα» μ' είχε αγριέψει, έπεσε απάνω μου σα θελιά που πιάνουν τ' αμέρωτα άλογα. Τινάχτηκα να ξεφύγω· ν' αγγίξω, χωρίς ρούχα, στήθος με στήθος, τη γης, τη θάλασσα, και να νιώσω με σιγουράδα πως τ' αγαπημένα ετούτα εφήμερα υπάρχουν.

«Εσύ υπάρχεις, εσύ μονάχα», φώναζα από μέσα μου, «ω πέτρα και χώμα και νερό και αγέρα· κι εγώ 'μαι, ω Γης, ο στερνογέννητος ο γιος σου και κρατώ το βυζί σου και βυζαίνω και δεν το αφήνω. Με αφήνεις και ζω μονάχα μια στιγμή, μα γίνεται η στιγμή βυζί και βυζαίνω».

Σα να κιντύνεφα να γκρεμιστώ μέσα στην ανθρωποφάγα ετούτη λέξη «αιωνιότητα» αναστορήθηκα με πόση λαχτάρα άλλοτε −πότε; πέρυσι ακόμα− έσκυβα απάνω της και σφαλνούσα τα μάτια, με ανοιχτά τα χέρια, να πέσω.

Όταν ήμουν στην Α' του Δημοτικού είχαμε στο β' μέρος του Αλφαβηταρίου για ανάγνωσμα ένα παραμύθι: Ένα παιδάκι είχε πέσει, λέει, σ' ένα πηγάδι κι εκεί βρήκε μιαν πεντάμορφη πολιτεία − βαθιά περιβόλια, θυμούμαι, μέλι, ρυζόγαλο, παιχνιδάκια... Συλλάβιζα, και κάθε συλλαβή με βύθιζε και πιο βαθιά στο παραμύθι. Κι ένα μεσημέρι, γυρίζοντας από το σκολειό, μπήκα τρέχοντας σπίτι, έσκυφα στο πηγάδι της αυλής μας, κάτω από την κληματαριά, και κοίταζα, συνεπαρμένος, το μαύρο γυαλιστερό πρόσωπο του νερού. Και μου φάνηκε πως είδα την πεντάμορφη πολιτεία, σπίτια και δρόμους και παιδιά και μιαν κληματαριά φορτωμένη σταφύλια. Δεν κρατήθηκα πια· κρέμασα κάτω το κεφάλι, άπλωνα τα χέρια μου κι έδινα κιόλα κλοτσιά στη γης, να πάρω φόρα να πέσω. Μα τη στιγμή εκείνη η μητέρα μου με πήρε το μάτι της, έσυρε φωνή, έτρεξε, κι ίσια ίσια που πρόλαβε να με αρπάξει από τη μέση...

Όταν ήμουν μικρό παιδί, κιντύνεφα να πέσω στο πηγάδι· όταν μεγάλωσα, κιντύνεφα να πέσω στη λέξη «αιωνιότητα»· και σε κάμποσες άλλες λέξες ακόμα: «έρωτας», «ελπίδα», «πατρίδα», «Θεός». Κάθε χρόνο μου φαίνουνταν πως γλίτωνα, και προχωρούσα. Δεν προχωρούσα· άλλαζα μονάχα λέξη, κι αυτό το 'λεγα λυτρωμό. Και τώρα τελευταία, δυο αλάκερα χρόνια, κρέμουμαι απάνω από τη λέξη: «Βούδας».

Μα, ας είναι καλά ο Ζορμπάς, ετούτο είναι το στερνό πηγάδι, η στερνή λέξη, και θα γλιτώσω πια για πάντα. Για πάντα; Έτσι ακατάπαυτα λέμε.

Τινάχτηκα. Όλο μου το σώμα, από τη φτέρνα ως το μυαλό, ήταν ευτυχισμένο. Γδύθηκα, έπεσα στη θάλασσα, γελούσαν τα κύματα, γελούσα κι εγώ μαζί τους, παίζαμε. Κι όταν κουράστηκα και βγήκα όξω και στέγνωξα στο νυχτερινόν αγέρα και πήρα με ανάλαφρες δρασκελιές το δρόμο, μου φάνηκε πως είχα γλιτώσει από ένα μεγάλο κίντυνο, κι είχα πάλι αρπαχτεί σφιχτά από το βυζί της Μάνας και βύζαινα.

XVI

Ως αντίκρισα

το ακρογιάλι του λιγνίτη, στάθηκα απότομα· μέσα στην παράγκα είδα φως. «Θα 'ρθε ο Ζορμπάς!» συλλογίστηκα χαρούμενος.

Έκανα να τρέξω, μα κρατήθηκα. «Πρέπει να κρύψω τη χαρά μου», είπα· «πρέπει να φανώ θυμωμένος και ν' αρχίσω τα μαλώματα. Τον έστειλα για βιαστικές δουλειές, κι αυτός σκόρπισε τα λεφτά, έμπλεξε με σαντέζες, αργοπόρησε δώδεκα μέρες. Πρέπει να καμωθώ το θυμωμένο, πρέπει...»

Κίνησα με αργά βήματα, για να 'χω καιρό να θυμώσω. Προσπαθούσα να ερεθίσω τον εαυτό μου, μάζευα τα φρύδια, έσφιγγα τις γροθιές, έκανα όλες τις χειρονομίες του θυμωμένου για να θυμώσω. Μα δε θύμωσα. Όσο ζύγωνα, κι η χαρά μου πλήθαινε.

Ζύγωσα με την άκρα των ποδιών, κοίταξα από το φωτισμένο παραθυράκι· ο Ζορμπάς ήταν γονατισμένος κάτω, είχε ανάψει το καμινέτο κι έψηνε καφέ. Η καρδιά μου έλιωσε· φώναξα:

— Ζορμπά!

Μεμιάς η πόρτα άνοιξε, ο Ζορμπάς ξυπόλυτος, χωρίς πουκά-μισο, πετάχτηκε όξω· τέντωσε το λαιμό στο σκοτάδι, με πήρε το μάτι του, άνοιξε την αγκαλιά, μα ευτύς κρατήθηκε και κρέμασε κάτω τα μπράτσα.

— Καλώς σε βρήκα, αφεντικό! είπε δισταχτικά και στάθηκε μπροστά μου με κρεμασμένα μούτρα.

Προσπάθησα να κάμω βαριά τη φωνή μου:
— Καλώς μας κόπιασες! είπα περγελαχτά. Μη ζυγώνεις·
μυρίζεις μοσκοσάπουνο.
— Και να 'ξερες πόσο πλύθηκα, αφεντικό, μουρμούρισε·
τρίφτηκα, ξύστρισα το διαολόπετσό μου πρι να παρουσιαστώ
μπροστά σου! Να, μια ώρα πλένουμουν. Μα η αναθεματισμένη
αυτή μυρωδιά... Μα τι θα κάμει; Δεν είναι η πρώτη φορά - θα
βγει, θέλει δε θέλει.
— Πάμε μέσα, είπα.
Ένιωθα πως δεν μπορούσα πια, θα μ' έπαιρναν τα γέλια.
Μπήκαμε· μύριζε η παράγκα μυρωδιές, πούδρες, σαπούνια,
γυναικίλα.
— Κι αυτά τα μασκαραλίκια τι 'ναι, δε μου λες; φώναξα
βλέποντας αραδιασμένα απάνω σ' ένα κασόνι τσαντάκια,
μοσκοσάπουνα, κάλτσες γυναικείες, ένα κόκκινο ομπρελίνο,
δυο μποτιλάκια μυρωδιά.
— Δώρα... μουρμούρισε ο Ζορμπάς με σκυμμένο το κεφάλι.
— Δώρα;! έκαμα προσπαθώντας ν' αγριέφω· δώρα;
— Δώρα, αφεντικό, μη θυμώσεις· για την καημένη την
Μπουμπουλίνα... Λαμπρή ζυγώνει, άνθρωπος είναι κι αυτή.
Κατάφερα να κρατήσω τα γέλια.
— Το σπουδαιότερο δεν της έφερες... είπα.
— Ποιο;
— Τα στέφανα.
Και του διηγήθηκα τι 'χα σκαρώσει στην ερωτοχτυπημένη
γοργόνα.
Ο Ζορμπάς έξυσε το κεφάλι, σκέφτηκε λίγο.
— Δεν έκαμες καλά, αφεντικό, είπε τέλος· δεν έκαμες καλά,
και να με συμπαθάς. Τέτοια χωρατά, αφεντικό... Η γυναίκα είναι
αδύνατο πλάσμα, ντελικάτο, πόσες φορές θα σου το πω; Ένα
φαρφουρένιο βάζο. Θέλει μεγάλη προσοχή, αφεντικό.
Ντράπηκα. Το 'χα κι εγώ μετανιώσει· μα 'ταν πολύ αργά.
Άλλαξα κουβέντα.
— Και το σύρμα; ρώτησα. Τα εργαλεία;

—Όλα, όλα τα 'φερα, έγνοια σου! Κι η πίτα αλάκερη και το σκυλί χορτάτο. Εναέριος σιδερόδρομος, Λόλα, Μπουμπουλίνα, Αφεντικό – όλα εν τάξει!

Κατέβασε από τη φωτιά το μπρίκι, γέμισε το φλιτζάνι μου, μου 'δωκε σουσαμωτά κουλουράκια που 'χε φέρει και μελένιο χαλβά, που 'ξερε πόσο τον αγαπώ.

— Σου κρατώ ένα μεγάλο κουτί χαλβά δώρο! μου 'πε με τρυφερότητα· δε σε ξέχασα. Να, πήρα και για τον παπαγάλο μια σακούλα αράπικα φιστίκια. Κανένα δεν ξέχασα. Τα 'χω, σου λέω, πεντακόσια.

Έφαγα κουλουράκια και χαλβά, ήπια τον καφέ, διπλοπόδι κάτω, κι ο Ζορμπάς έπινε κι αυτός το καφεδάκι του, κάπνιζε, με κοίταζε, και τα μάτια του με μαύλιζαν σαν του φιδιού.

—Έλυσες το μεγάλο πρόβλημα που σε τυραννούσε, γερο-κολασμένε; τον ρώτησα μαλακώνοντας τη φωνή μου.

— Ποιο πρόβλημα, αφεντικό;

— Αν η γυναίκα είναι ή δεν είναι άνθρωπος.

— Ουουου! πάει αυτό! αποκρίθηκε ο Ζορμπάς κουνώντας τη χερούκλα. Άνθρωπος είναι κι αυτή, άνθρωπος σαν και μας – και χειρότερη! Μια στιγμή βλέπει τη σακούλα σου και ζαλί-ζεται, κολνάει πάνω σου, χάνει τη λευτεριά της και χαίρεται που τη χάνει· γιατί, βλέπεις, πίσω γυαλίζει η σακούλα σου. Μα γρήγορα... Άσ' τα στ' ανάθεμα, αφεντικό!

Σηκώθηκε, πέταξε από το παραθυράκι το τσιγάρο.

— Τώρα αντρίστικες κουβέντες, είπε. Μεγάλη Βδομάδα ζυγώνει, φέραμε το σύρμα, καιρός ν' ανέβουμε στο μοναστήρι, να βρούμε τους ταυραμπάδες, να υπογράφουμε τα χαρτιά για το δάσος... Πρι να δουν τον εναέριο και πάρουν τα μυαλά τους αγέρα, κατάλαβες; Ο καιρός περνάει, αφεντικό, δεν είναι σωστά πράματα αυτά να τεμπελεύουμε, πρέπει πια να βγάλουμε πράμα, να 'ρθουν βαπόρια να φορτώσουν, ν' απαντήσουμε τα έξοδα... Αυτό το ταξίδι του Κάστρου κόστισε πολύ· ο διάολος, βλέπεις...

Σώπασε· τον λυπήθηκα. Ήτανε σαν παιδί που 'καμε αταξίες

και τώρα δεν ξέρει πώς να τα μπαλώσει. Και τρέμει η καρδούλα του.

«Ντροπή σου», φώναζα στον εαυτό μου, «αφήνουν μιαν τέτοια ψυχή να τρέμει; Σήκω απάνω, πού θα βρεις ποτέ σου άλλο Ζορμπά. Σήκω απάνω, πάρε το σφουγγάρι και σβήσε!»

— Ζορμπά, φώναξα ξεσπώντας, άσε το διάολο, δεν τον έχουμε ανάγκη! Περασμένα ξεχασμένα. Πιάσε το σαντούρι! Άπλωσε τα χέρια, σα να 'θελε πάλι να με αγκαλιάσει· μα τα 'κλεισε ευτύς, και με μια δρασκελιά έφτασε στον τοίχο κι ανατανύστηκε να ξεκρεμάσει το σαντούρι. Ως ζύγωσε στο φως του λυχναριού, ξέκρινα τα μαλλιά του: μαύρα, καραμπογιά.

— Βρε θεομπαίχτη, φώναξα, τι μαλλιά είναι αυτά; Πού τα βρήκες;

Ο Ζορμπάς γέλασε.

— Τα 'βαφα, αφεντικό, τα 'βαφα, τα γρουσούζικα...

— Γιατί;

— Να, από φιλότιμο. Μια μέρα πήγαινα με τη Λόλα και την κρατούσα από το χέρι. Όχι δηλαδή... να, έτσι, άκρα άκρα! Όπου ένα μπαστάρδικο, ένας πιτσιρίκος τόσος δα, μας παίρνει από πίσω. «Ρε γέρο», φώναζε το αναθεματισμένο, «ρε γέρο, πού την πας την εγγονή σου;»

Η καημένη η Λόλα ντράπηκε, ντράπηκα κι εγώ. Και για να μην την κάνω να ντρέπεται, πήγα την ίδια βραδιά στον μπαρμπέρη και τα 'βαφα.

Γέλασα. Ο Ζορμπάς με κοίταξε με σοβαρότητα.

— Σου φαίνεται αστείο, αφεντικό; Κι όμως άκουσε να δεις τι μυστήριο που 'ναι ο άνθρωπος. Από τη μέρα που τα 'βαφα, έγινα άλλος άνθρωπος. Θαρρείς κι εγώ ο ίδιος το πίστεφα, πως έχω μαύρα μαλλιά −ξεχνάει, βλέπεις, εύκολα ο άνθρωπος ό,τι δεν τον συμφέρει− και μα τον Θεό, πλήθυνε η δύναμή μου. Το κατάλαβε κι η Λόλα. Και μια σουβλιά που 'χα εδώ στα νεφρά,

---

ανατανύζω, -ουμαι: εκτείνω, τεντώνω κάτι, τεντώνομαι

τη θυμάσαι; πάει κι αυτή! Δεν το πιστεύεις· αυτά, βλέπεις, δεν τα γράφουν τα χαρτιά σου...

Γέλασε ειρωνικά, μα το μετάνιωσε αμέσως:

— Να με συμπαθάς, είπε. Εγώ το μόνο βιβλίο που διάβασα στη ζωή μου είναι ο Μπερτόδουλος· δεν είδα μεγάλη ωφέλεια.

Ξεκρέμασε το σαντούρι, το 'γδυσε πάλι τρυφερά, ήσυχα.

— Πάμε όξω, είπε. Εδώ στους τέσσερεις τοίχους δε χωράει το σαντούρι· θεριό 'ναι, θέλει απλοχωριά.

Βγήκαμε όξω. Τ' αστέρια τσακμάκιζαν στον ουρανό. Ο Ιορδάνης ποταμός χύνουνταν από τη μιαν άκρα τ' ουρανού ως την άλλη. Η θάλασσα χόχλαζε.

Καθίσαμε διπλοπόδι στα χοχλάδια· τα κύματα έγλειφαν τις πατούσες μας.

— Η φτώχεια θέλει καλοπέραση, είπε ο Ζορμπάς. Αμ τι; Θαρρεί πως θα μας βάλει κάτω; Έλα εδώ, σαντούρι!

— Ένα μακεδονίτικο σκοπό, της πατρίδας σου, Ζορμπά! είπα.

— Ένα κρητικό, της πατρίδας σου! έκαμε ο Ζορμπάς· θα σου τραγουδήσω μια μαντινάδα που μου την έμαθαν στο Κάστρο· από τη μέρα που την έμαθα, άλλαξε η ζωή μου.

Σκέφτηκε λίγο:

— Όχι, δεν άλλαξε, είπε· μα τώρα καταλαβαίνω πως είχα δίκιο.

Άπλωσε τα χοντροδάχτυλά του στο σαντούρι, σήκωσε το λαιμό. Η φωνή του, άγρια, βραχνή, όλο ντέρτι, τρικύμισε στον αγέρα:

Σαν τη λογιάσεις μια δουλειά, όρτσα και μη φοβάσαι·
αμόλα τη τη νιότη σου και μην τηνε λυπάσαι!

Σκόρπισαν οι έγνοιες, πήραν δρόμο οι ταπεινές σκουτούρες, βρήκε η ψυχή την κορυφή της. Λόλα, λιγνίτης, εναέριος, «αιωνιότητα», έγνοιες μικρές, έγνοιες μεγάλες, όλα γίνηκαν

τσακμακίζω *και* τσακουματίζω: *ανάβω τσακμάκι, σπιθίζω*

γαλάζιος καπνός, σκόρπισαν, κι απόμεινε μονάχα ένα ατσαλένιο πουλί, η ψυχή του ανθρώπου, που κελαηδούσε.
— Χαλάλι σου, Ζορμπά! φώναξα, όταν τέλειωσε ο πέρφανος σκοπός· χαλάλι σου ό,τι έκαμες – η σαντέζα, τα μαλλιά που 'βαφες, τα λεφτά που 'φαες, όλα, όλα! Τραγούδησε πάλι! Σήκωσε το λιγνό, όλο κουφάλες λαιμό:

Όρτσα, διάλε την πίστη του, κι όπου το βγάλει η βράση·
γιά που θα σιάσει μια δουλειά, γιά που θα 'σοχαλάσει!

Μια δεκαριά εργάτες, που κοιμόνταν απόξω από το λιγνίτη, άκουσαν τις μαντινάδες· σηκώθηκαν, κατηφόρισαν κλεφτάτα και κουκούβισαν γύρα μας. Άκουγαν τον αγαπημένο τους σκοπό και τα πόδια τους μερμήδιζαν.

Κι άξαφνα δεν μπόρεσαν πια να κρατηθούν, τινάχτηκαν από το σκοτάδι, μισόγυμνοι όπως ήταν, αναμαλλιάρηδες, με τις φουσκωμένες φουφούλες τους, έβαλαν στη μέση το Ζορμπά με το σαντούρι και στέλιωσαν άγριο χορό απάνω στα χοντρά χαλίκια.

Κι εγώ τους κοίταζα συνεπαρμένος, αμίλητος, και συλλογιούμουν:
«Αυτό 'ναι το αληθινό φιλόνι που ζητούσα· άλλο δε θέλω».

Την άλλη μέρα, αξημέρωτα, αντηχούσαν οι γαλαρίες από τους κασμάδες και τις φωνές του Ζορμπά. Οι εργάτες δούλευαν με λύσσα· μονάχα ο Ζορμπάς μπορούσε να τους συνεπάρει· μαζί του η δουλειά γίνουνταν κρασί, τραγούδι, έρωτας, και μεθούσαν. Ζωντάνευε ο κόσμος στα χέρια του, οι πέτρες, το κάρβουνο, τα ξύλα, οι εργάτες, έπαιρναν το ρυθμό του, πόλεμος ξεσπούσε μέσα στις γαλαρίες, κάτω από το άσπρο φως της ασετυλίνης, κι ο Ζορμπάς τραβούσε μπροστά και πάλευε στήθος με στήθος. Έδινε όνομα στην κάθε γαλαρία και το κάθε φιλόνι, έδινε πρόσωπο στις απρόσωπες δυνάμεις κι έτσι δεν μπορούσαν πια να του ξεφύγουν.

«Άμα ξέρω εγώ», έλεγε, «πως αυτή 'ναι η γαλαρία "Κανα-βάρο" (έτσι είχε βαφτίσει την πρώτη γαλαρία), πού θα μου πάει; Την ξέρω με τ' όνομά της, δεν κοτάει να μου σκαρώσει καμιά βρομοδουλειά. Μήτε η "Γουμένισσα" μήτε η "Στραβο-κάνα" μήτε η "Κατρουλού". Τις ξέρω», σου λέω, «μια μια, με τ' όνομά τους».

Είχα σήμερα γλιστρήσει μέσα στη γαλαρία, χωρίς να με πάρει το μάτι του.

— Βίρα! Βίρα! φώναζε στους εργάτες· ομπρός, παιδιά, να φάμε το βουνό! Άνθρωποι είμαστε, μεγάλα θεριά, ο Θεός μάς βλέπει και τον πιάνει τρομάρα. Εσείς Κρητικοί, εγώ Μακεδόνας, θα φάμε το βουνό, δε θα μας φάει! Την Τουρκιά, μωρέ, τη φάγαμε, και το βουναλάκι αυτό θα φοβηθούμε; Βίρα!

Κάποιος ζύγωσε τρεχάτος το Ζορμπά· στο φως της ασετυ-λίνης ξέκρινα το φτενό μούτρο του Μιμηθού.

— Ζορμπά, έκαμε με την τσευδή φωνή του, Ζορμπά...

Μα αυτός στράφηκε, είδε το Μιμηθό, κατάλαβε· σήκωσε τη χερούκλα:

— Φεύγα! Ξεκουμπίσου!

— Έρχουμαι από τη μαντάμα... άρχισε ο αλαφρόϊσκιωτος.

— Φεύγα, σου λέω! Έχουμε δουλειά!

Ο Μιμηθός το 'βαλε στα πόδια· ο Ζορμπάς έφτυσε νευρια-σμένος.

— Η μέρα είναι για τη δουλειά, είπε· η μέρα είναι άντρας. Η νύχτα είναι για το γλέντι· η νύχτα είναι γυναίκα. Μην τα μπερδεύουμε!

Πετάχτηκα τότε.

— Παιδιά, είπα, είναι μεσημέρι· καιρός να σκολάσετε για φαΐ.

Ο Ζορμπάς στράφηκε, με είδε, ζάρωσε τα μούτρα:

— Με την άδειά σου, αφεντικό, άσε μας. Πήγαινε να γιοματί-σεις του λόγου σου. Χάσαμε δώδεκα μέρες, πρέπει να βγάλουμε τη ζημιά· καλή όρεξη!

Βγήκα από τη γαλαρία, κατέβηκα στο γιαλό· άνοιξα το βιβλίο που κρατούσα, πεινούσα, ξέχασα την πείνα. «Νταμάρι είναι κι η σκέφη», συλλογίστηκα, «βίρα!», και βυθίστηκα στις μεγάλες γαλαρίες του μυαλού.

Ανησυχαστικό βιβλίο – για τα χιονοσκέπαστα βουνά του Θιβέτ, τα μυστηριώδη μοναστήρια, τους σιωπηλούς καλόγερους με τα κίτρινα ράσα, που συγκεντρώνοντας τη θέλησή τους αναγκάζουν τον αιθέρα να πάρει το σχήμα της πεθυμιάς τους. Αφηλές κορυφές, αγέρας πυκνοκατοικημένος από πνέματα, δε φτάνει ως εκεί πάνω το μάταιο βουβούνισμα του κόσμου. Ο μεγάλος ασκητής παίρνει τους μαθητές του, αγόρια δεκάξι, δεκαοχτώ χρονών και τους πηγαίνει μεσάνυχτα σε μιαν παγωμένη λίμνη του βουνού. Γδύνουνται, σπάζουν το κρούσταλλο, βουτούν τα ρούχα τους στο παγωμένο νερό, τα φορούν έπειτα και τα στεγνώνουν απάνω στη σάρκα τους. Τα ξαναβουτούν, τα ξαναστεγνώνουν, εφτά φορές. Κι έπειτα γυρίζουν στο μοναστήρι για τον όρθρο.

Ανεβαίνουν σε μια κορυφή, πέντε έξι χιλιάδες μέτρα ύψος. Κάθουνται ήσυχα, αναπνέουν βαθιά, ρυθμικά, με το απανωκόρμι γυμνό και δεν κρυώνουν. Κρατούν ένα τάσι παγωμένο νερό στις φούχτες τους, το κοιτάζουν, συγκεντρώνουνται, ρίχνουν απάνω στο κρουσταλλιασμένο νερό τη δύναμή τους, και το νερό βράζει· και φτιάνουν το τσάι τους.

Ο μεγάλος ασκητής μαζεύει γύρα του τους μαθητές, φωνάζει:

«Όποιος δεν έχει μέσα του την πηγή της ευτυχίας, αλίμονό του!

»Όποιος θέλει ν' αρέσει στους άλλους, αλίμονό του!

»Όποιος δε νιώθει πως η ζωή ετούτη κι η άλλη είναι ένα, αλίμονό του!»

Είχε νυχτώσει πια, δεν έβλεπα να διαβάζω· έκλεισα το βιβλίο, κοίταζα τη θάλασσα. «Πρέπει», συλλογίζουμουν, «πρέπει να γλιτώσω απ' όλους τους εφιάλτες – βούδες, θεούς, πατρίδες, ιδέες... Όποιος δε γλιτώσει», φώναζα, «από βούδες, θεούς, πατρίδες, ιδέες, αλίμονό του!»

Απότομα η θάλασσα είχε γίνει μαύρη· το αμέστωτο φεγγαρό-
πουλο κατρακυλούσε στη δύση του· μακριά, από τα περβόλια,
σκυλιά ούρλιαζαν θλιμμένα κι όλο το φαράγγι γάβγιζε.
Πρόβαλε ο Ζορμπάς μουντζαλωμένος, καταλασπωμένος,
το πουκάμισό του κρέμουνταν κουρέλια.
Κουκούβισε δίπλα μου.
— Καλά πήγε η μέρα σήμερα, είπε ευχαριστημένος· δουλέ-
ψαμε.
Άκουσα τα λόγια του Ζορμπά χωρίς να τα καταλάβω· ο νους
μου ήταν ακόμα σε μακρινά μυστικά κατσάβραχα.
— Τι συλλογιέσαι, αφεντικό; Ο νους σου αρμενίζει αλάργα.
Περιμάζεφα το νου μου, γύρισα· κοίταξα το σύντροφό μου,
κούνησα το κεφάλι.
— Ζορμπά, αποκρίθηκα, εσύ θαρρείς πως είσαι ένας φοβερός
και τρομερός Σεβάχ Θαλασσινός που γύρισες τον κόσμο και
κοκορεύεσαι. Και δεν είδες τίποτα, τίποτα, δυστυχισμένε! Μήτ'
εγώ. Ο κόσμος είναι πολύ πιο μεγάλος απ' ό,τι θαρρούμε.
Ταξιδεύουμε, ταξιδεύουμε, κι ακόμα δεν ξεμυτίσαμε από το
κατώφλι του σπιτιού μας.
Ο Ζορμπάς σούφρωσε τα χείλια· δε μίλησε. Έγρουξε μονάχα
σαν το πιστό σκυλί που το δέρνουν.
— Υπάρχουν βουνά, εξακολούθησα, θεόρατα, θεοκατοίκητα,
γεμάτα μοναστήρια. Και μέσα στα μοναστήρια αυτά ζουν καλό-
γεροι με κίτρινα ράσα, κάθουνται διπλοπόδι ένα μήνα, δυο
μήνες, έξι μήνες και συλλογίζουνται ένα και μόνο πράμα. Ένα,
το ακούς; Όχι δυο· ένα! Δε συλλογίζουνται σαν κι εμάς γυναίκα
και λιγνίτη, βιβλίο και λιγνίτη, συγκεντρώνουν, Ζορμπά, το νου
τους σ' ένα και μόνο πράμα· και κάνουν θάματα. Έτσι γίνου-
νται τα θάματα. Είδες, Ζορμπά, όταν βάλεις ένα φακό στον
ήλιο και μαζέφεις τις αχτίδες του σ' ένα και μόνο σημείο; Το
σημείο αυτό σε λίγο παίρνει φωτιά· γιατί; Γιατί η δύναμη του
ήλιου δε σκόρπισε, μαζώχτηκε όλη επάνω του. Όμοια κι ο νους
του ανθρώπου· κάνεις θάματα, αν ρίξεις το νου σου σ' ένα και
μόνο πράμα. Καταλαβαίνεις, Ζορμπά;

Η αναπνοή του Ζορμπά είχε πιαστεί· μια στιγμή τινάχτηκε σα να 'θελε να φύγει. Μα κρατήθηκε.

— Λέγε! έγρουξε με πνιγμένη φωνή.

Μα ευτύς, πετάχτηκε απάνω ολόρθος.

— Σώπα! Σώπα! φώναξε· τι μου τα λες αυτά, αφεντικό; Τι μου φαρμακώνεις την καρδιά; Καλά ήμουν εδώ, τι με σκουντάς; Πεινούσα και μου 'ριξε ο Θεός κι ο διάολος (ανάθεμά με αν τους ξεχωρίζω) ένα κόκαλο και το 'γλειφα. Κουνούσα την ουρά μου, του φώναξα: «Ευχαριστώ! Ευχαριστώ!» Και τώρα...

Χτύπησε το ποδάρι του στις πέτρες, μου γύρισε την πλάτη· έκαμε να τραβήξει κατά την παράγκα· μα έβραζε ακόμα μέσα του, στάθηκε.

— Πφφ! χαρά στο κόκαλο που μου πέταξε ο Θεοδιάολος! μούγκρισε. Μια παλιοσαντέζα! Μια παλιομαούνα!

Έπιασε μια φούχτα χαλίκια, τα πέταξε στη θάλασσα.

— Μα ποιος είναι αυτός, φώναξε, ποιος είναι αυτός που μας πετάει τα κόκαλα;

Περίμενε λίγο, και μην ακούγοντας να του αποκρίνουμαι, φούρκισε.

— Δε μιλάς, αφεντικό; Αν ξέρεις, πες μου να ξέρω κι εγώ τ' όνομά του, κι έγνοια σου, σου τονε συγυρίζω. Μα έτσι, στα κουτουρού, κατά πού να ρίχτω; Θα σπάσω τα μούτρα μου.

— Πεινώ, είπα· πιάσε να μαγερέφεις· να φάμε πρώτα!

— Δεν αντέχουμε μια βραδιά να μη φάμε, αφεντικό; Εγώ είχα έναν μπάρμπα καλόγερο κι έτρωγε όλη τη βδομάδα νερό μονάχα κι αλάτι· την Κυριακή και τις μεγάλες γιορτές έριχνε και λίγο πίτουρο. Κι έζησε εκατόν είκοσι χρόνια.

— Έζησε εκατόν είκοσι χρόνια, Ζορμπά, γιατί πίστευε· είχε βρει το θεό του, είχε δέσει το γάιδαρό του, δεν είχε καμιάν έγνοια. Μα εμείς Ζορμπά, δεν έχουμε θεό να μας θρέφει· άναφε λοιπόν φωτιά, έχουμε λίγα πετρόψαρα· κάμε μια σούπα ζεστή, πηχτή, με μπόλικο κρεμμύδι και πιπέρι, όπως μας αρέσει. Κι ύστερα βλέπουμε.

— Τι θα δούμε; έκαμε ο Ζορμπάς διαολισμένος. Άμα θα φάμε και θα χορτάσουμε, θα ξεχάσουμε.

— Αυτό θέλω· γι' αυτό έχει αξία το φαΐ... Άιντε γεια σου, φτιάσε μας μια φαρόσουπα, Ζορμπά, να μην κρεπάρει ο νους μας!

Μα ο Ζορμπάς δεν κουνούσε· στέκουνταν ακίνητος και με κοίταζε.

— Άκου να σου πω, αφεντικό, είπε, ξέρω τι σκοπούς έχεις. Τώρα να, που μου μιλούσες, άστραφε το μυαλό μου, είδα!

— Τι σκοπούς έχω, Ζορμπά; ρώτησα γελώντας.

— Θες να χτίσεις και του λόγου σου ένα μοναστήρι, να βάλεις μέσα, αντί καλόγερους, μερικούς σαν και την αφεντιά σου, καλαμαράδες· να διαβάζουν και να γράφουν μέρα νύχτα και να βγάζετε από το στόμα σας, σα μερικούς αγίους που βλέπουμε στις ζωγραφιές, τυπωμένες κορδέλες. Ε, το βρήκα;

Έσκυφα το κεφάλι πικραμένος. Παλιά, νεανικά ονείρατα, μεγάλα φτερά που μάδησαν, αφέλειες, ευγένειες, αφηλές επιθυμίες... Να ιδρύσουμε ένα πνεματικό κοινόβιο, να κλειστούμε μέσα μια δεκαριά σύντροφοι –μουσικοί, ζωγράφοι, ποιητές...– να δουλεύουμε όλη τη μέρα, να συναντιούμαστε μονάχα το βράδυ, να μιλούμε... Είχα τότε κιόλα συντάξει τον κανονισμό του κοινόβιου. Είχα βρει και το χτίριο· στον Αϊ-Γιάννη τον Κυνηγό, σ' ένα διάσελο του Υμηττού...

— Το βρήκα! έκαμε ο Ζορμπάς ευχαριστημένος, βλέποντάς με να ξεροκοκκινίζω και να σωπαίνω.

— Το βρήκες, Ζορμπά, αποκρίθηκα, κρύβοντας τη συγκίνησή μου.

— Τότε, λοιπόν, μια χάρη σου ζητώ, άγιε Καθηγούμενε: Στο μοναστήρι αυτό να με βάλεις πορτιέρη, για να κάνω κοντραμπάντο. Να μπάζω κάπου κάπου στο μοναστήρι κάτι αλλόκοτα πράματα – γυναίκες, μπουζούκια, νταμιζάνες ούζο, φητά γουρουνάκια... Να μην πάει όλη η ζωή χαμένη στις παρλαπίπες!

Γέλασε και δρόμωσε βιαστικός προς την παράγκα· έτρεξα ξοπίσω του. Καθάρισε τα ψάρια αμίλητος· έφερα κι εγώ ξύλα, άναφα φωτιά. Έγινε η σούπα, πιάσαμε τα κουτάλια, τρώγαμε από το τσουκάλι.

Κανένας δε μιλούσε· είχαμε να φάμε όλη μέρα, τρώγαμε με βουλιμία κι οι δυο. Ήπιαμε κρασί, ήρθαμε στο κέφι· άνοιξε το στόμα του ο Ζορμπάς:

— Έχει γούστο, λέει, αφεντικό, να ξεπροβάλει τώρα η Μπουμπουλίνα – καλή της ώρα, μα ξορκισμένη να 'ναι! Αυτή μονάχα λείπει. Και να σου πω, μεταξύ μας, αφεντικό, την πεθύμησα, που να την πάρει ο διάολος!

— Δε ρωτάς τώρα ποιος σου πετάει το κόκαλο αυτό;

— Τι σε μέλλει, αφεντικό; Ψύλλους στ' άχερα. Το κόκαλο κοίτα, άσε το χέρι που το ρίχνει. Είναι νόστιμο; Έχει λίγο κρεατάκι; Αυτό 'ναι το ζήτημα· όλα τ' άλλα...

— Έκαμε το φαΐ το θάμα του! είπα χτυπώντας τον ώμο του Ζορμπά. Ησύχασε το κορμί που πεινούσε; Ησύχασε κι η ψυχή μου που ρωτούσε... Φέρε το σαντούρι!

Μα τη στιγμή που σηκώνουνταν ο Ζορμπάς, ακούστηκαν βιαστικά, βαριά βηματάκια στα χοχλάδια. Τα μαλλιαρά ρουθούνια του Ζορμπά έπαιξαν.

— Με τη φωνή κι ο γάιδαρος! είπε σιγά και χτύπησε τα χέρια στα μεριά του. Έρχεται! Μυρίστηκε Ζορμπά η σκύλα, πήρε τον ντορό κι έρχεται.

— Εγώ φεύγω, είπα και σηκώθηκα· βαριέμαι. Θα πάω να κάμω μια βόλτα· βγάλτε τα μάτια σας.

— Καληνύχτα, αφεντικό!

— Και μην ξεχνάς, Ζορμπά· της έταξες γάμο, μη με βγάλεις φεύτη.

Ο Ζορμπάς αναστέναξε:

— Ακόμα θα παντρεύουμαι, αφεντικό; Βαρέθηκα πια.

Η μυρωδιά του μοσκοσάπουνου ζύγωνε.

— Κουράγιο, Ζορμπά!

Έφυγα βιαστικός· άκουγα κιόλας απόξω το λαχάνιασμα της γριάς Σειρήνας.

XVII

Την άλλη μέρα,

ξημερώματα, με τίναξε από τον ύπνο η φωνή του Ζορμπά.

— Τι έπαθες πρωί πρωί, του κάνω, γιατί φωνάζεις;

— Δεν είναι αυτή δουλειά, αφεντικό, είπε, γεμίζοντας με τρόφιμα το ταγάρι του. Έφερα δυο μουλάρια, σήκω να πάμε στο μοναστήρι να υπογράφουμε τα χαρτιά, να βάλουμε μπροστά τον εναέριο. Ένα πράμα φοβάται το λιοντάρι: την ψείρα. Θα μας φάνε οι ψείρες, αφεντικό!

— Γιατί λες ψείρα την καημένη την Μπουμπουλίνα; είπα γελώντας.

Μα ο Ζορμπάς καμώθηκε τον κουφό.

— Πάμε, είπε, πρι να φηλώσει ο ήλιος.

Είχα πεθυμήσει ν’ ανέβω βουνό, να μυρίσω πεύκο· καβαλήσαμε, πήραμε τον ανήφορο. Σταθήκαμε λίγο στο λιγνίτη, ο Ζορμπάς έδωσε στους εργάτες τις παραγγελίες του: να χτυπήσουν τη «Γουμένισσα», ν’ ανοίξουν το αυλάκι στην «Κατρουλού» να πάρουν τα νερά...

Έλαμπε η μέρα αχάραγο διαμάντι. Όσο ανεβαίναμε, ανέβαινε κι η ψυχή, καθάριζε. Δοκίμαζα πάλι τι ψυχικήν αξία έχει η λαγαράδα του αγέρα, η αλαφράδα της αναπνοής, το πλάτος του ορίζοντα. Θαρρείς κι είναι η ψυχή ένα αγρίμι, με πλεμόνια και ρουθούνια, έχει ανάγκη από πολύ οξυγόνο και πλαντάει μέσα στη σκόνη και στις πολλές αναπνοές...

Ο ήλιος είχε φιλώσει όταν μπήκαμε μέσα στο δάσο τα πεύκα. Μυρωδιά από μέλι, το αγεράκι φυσούσε από πάνω μας και φρουφρούριζε σα θάλασσα.

Ο Ζορμπάς σε όλη τη διαδρομή παρακολουθούσε την κλίση του βουνού, κάρφωνε με το νου του σε κάθε λίγα μέτρα στύλους, σήκωνε τα μάτια κι έβλεπε κιόλα το σύρμα να γυαλίζει στον ήλιο και να κατεβαίνει γραμμή ως το ακρογιάλι· κι απάνω κρεμάμενοι οι λιανισμένοι δεντροκορμοί σβούριζαν, σαΐτες.

Έτριβε τα χέρια του:

— Καλή δουλειά, έλεγε, μάλαμα. Θα βγάλουμε λίρα με τη σέσουλα και θα κάμουμε αυτό που είπαμε.

Τον κοίταξα ξαφνιασμένος.

— Ε, κάνεις δα πως το ξέχασες! Προτού να χτίσουμε το μοναστήρι μας, να τραβήξουμε για το μεγάλο βουνό, πώς το λένε; Θήβα.

— Θιβέτ, Ζορμπά, Θιβέτ... Μα οι δυο μας. Εκεί ο τόπος δε σηκώνει γυναίκες.

— Και ποιος σου μιλάει για γυναίκες; Καλές είναι οι κακο-μοίρες, καλές, μην τις αποπαίρνεις, όταν ο άντρας τυχαίνει να μην έχει μια δουλειάν αντρίκεια – να βγάζει κάρβουνα, να πατάει κάστρα, να μιλάει με το Θεό. Τι να κάμει τότε για να μη σκάσει; Πίνει κρασί, παίζει ζάρια, αγκαλιάζει γυναίκες. Και περιμένει. Περιμένει να 'ρθει η ώρα του – αν έρθει.

Σώπασε κάμποση ώρα.

— Αν έρθει! ξανάπε αγριεμένος· γιατί μπορεί και να μην έρθει ποτέ της.

Και σε λίγο:

— Δεν μπορώ πια, αφεντικό, είπε, δεν μπορώ· ή η γης πρέπει να μεγαλώσει ή εγώ να μικράνω· αλλιώς είμαι χαμένος.

Ένας καλόγερος πρόβαλε από τα πεύκα· κοκκινοτρίχης, κιτρινιάρης, με ανασκουμπωμένο το ράσο, μαύρο τρουλωτό σκούφο. Κρατούσε μια σιδερένια βέργα, χτυπούσε τη γης και

λιανίζω, μτχ. λιανισμένος: κομματιάζω, κόβω

πήγαινε με φόρα. Ως μας είδε, στάθηκε· σήκωσε το σιδερένιο ραβδί:

— Πού πάτε, ευλογημένοι; ρώτησε.

— Στο μοναστήρι, αποκρίθηκε ο Ζορμπάς, να προσκυνήσουμε.

— Γυρίστε πίσω, χριστιανοί! φώναξε ο καλόγερος και το φουσκωτό γαλάζιο του μάτι κοκκίνισε. Γυρίστε πίσω, το καλό που σας θέλω! Δεν είναι αυτός κήπος της Παναγίας, είναι το περιβόλι του Σατανά. Φτώχεια, υποταγή, παρθενία, ο στέφανος, λέει, του μοναχού! Ψευτιές! Ψευτιές! Γυρίστε πίσω, σας λέω· παράς, σπανά και ποιος θα γίνει γούμενος – να η Αγία Τριάδα τους!

— Αυτός είναι γλέντι, αφεντικό, στράφηκε ο Ζορμπάς και μου σφύριξε καταχαρούμενος.

Έσκυψε στον καλόγερο:

— Πώς σε λένε, γέροντα; ρώτησε. Και για πού το 'βαλες, με το καλό;

— Ζαχαρία με λένε· πήρα το ταγάρι μου και φεύγω. Φεύγω, φεύγω, δεν μπορώ πια. Χάρισέ μου τ' όνομά σου, πατριώτη.

— Καναβάρο.

— Δεν μπορώ πια, αδελφέ Καναβάρο. Όλη νύχτα ο Χριστός μουγκρίζει και δε με αφήνει να κοιμηθώ· μουγκρίζω κι εγώ μαζί του, κι ο γούμενος –στο πυρ το εξώτερον!– σήμερα πρωί πρωί με φώναξε: «Ε Ζαχαρία», μου είπε, «δεν αφήνεις τους αδελφούς να κοιμηθούν· θα σε διώξω!» «Εγώ δεν τους αφήνω να κοιμηθούν», του κάνω, «εγώ ή ο Χριστός; Αυτός μουγκρίζει». Σήκωσε την ηγουμενική του πατερίτσα ο αντίχριστος και να, να, κοιτάχτε!

Έβγαλε το σκούφο του και φάνηκε ένας γρόμπος πηγμένο αίμα στα μαλλιά του.

— Τίναξα κι εγώ τον κουρνιαχτό από τα πόδια μου και πήρα δρόμο.

— Έλα πίσω στο μοναστήρι μαζί μας, είπε ο Ζορμπάς, κι εγώ θα σε φιλιώσω με το γούμενο. Έλα να μας κάνεις και συντροφιά, να μας δείχνεις και το δρόμο· ο Θεός σ' έστειλε.

Ο καλόγερος συλλογίστηκε μια στιγμή· το μάτι του άστραφε.
— Τι θα μου δώσετε; είπε τέλος.
— Τι θες;
— Μια οκά μπακαλιάρο και μια μποτίλια κονιάκ.
Έσκυψε ο Ζορμπάς και τον κοίταξε:
— Μήπως έχεις κανένα διάολο μέσα σου, Ζαχαρία;
Ο καλόγερος τινάχτηκε:
— Πώς το ξέρεις; ρώτησε με κατάπληξη.
— Έρχουμαι από το Αγιονόρος, αποκρίθηκε ο Ζορμπάς· κάτι ξέρω.
Ο καλόγερος έσκυψε το κεφάλι· μόλις ακούγουνταν η φωνή του:
— Ναι, μουρμούρισε, έχω.
— Και θέλει μπακαλιάρο και κονιάκ, ε;
— Ναι, θέλει ο τρισκατάρατος!
— Σύμφωνοι, το λοιπόν! Καπνίζει κιόλα;
Ο Ζορμπάς του πέταξε ένα τσιγάρο· ο καλόγερος το άρπαξε λιμαχτά.
— Καπνίζει, καπνίζει, ανάθεμά τον! είπε, έβγαλε από τον κόρφο του μιαν τσακμακόπετρα με φιτίλι, άναψε και ρούφηξε με όλα του τα πλεμόνια.
— Στ' όνομα του Χριστού! είπε, σήκωσε το σιδερένιο ραβδί, έκαμε μεταβολή και μπήκε μπροστά.
— Και πώς τονε λένε το διάολο που 'χεις μέσα σου; ρώτησε ο Ζορμπάς και μου 'παιξε το μάτι.
— Ιωσήφ, αποκρίθηκε ο καλόγερος χωρίς να στραφεί.
Η συντροφιά αυτή του μεσοπάλαβου καλόγερου δε μου άρεσε· το σακατεμένο μυαλό, όπως και το σακατεμένο κορμί, μου προκαλεί ανάκατα αντιπάθεια, συμπόνια, κι αηδία. Μα δε μιλούσα· άφηνα το Ζορμπά να κάνει ό,τι θέλει.
Ο καθαρός αέρας μας άνοιξε την όρεξη, πεινάσαμε· στρωθήκαμε κάτω από ένα θεόρατο πεύκο, ανοίξαμε το ταγάρι· ο καλόγερος έσκυψε λαίμαργα να δει τι έχουμε μέσα.
— Ε, ε, φώναξε ο Ζορμπάς, μην ξερογλείφεσαι, πάτερ

Ζαχαρία! Μεγάλη Δευτέρα σήμερα· εμείς είμαστε μασόνοι, θα φάμε κρεατάκι, ένα κοτόπουλο, ο Θεός να μας συχωρέσει. Έχουμε όμως και χαλβά κι ελιές για την αγιοσύνη σου, ορίστε! Ο καλόγερος χάιδεφε τα λιγδερά γένια του.

— Εγώ, είπε με συντριβή, εγώ, ο Ζαχαρίας, νηστεύω· θα φάω ελιές και ψωμί, θα πιω και νεράκι... Μα ο Ιωσήφ, διάολος είναι, δε νηστεύει· θα φάει κι αυτός κρεατάκι, αδελφοί μου, και θα πιει κρασί από τη φλάσκα σας, ο αναθεματισμένος!

Έκαμε το σταυρό του, έφαε αρπαχτά ψωμί, ελιές, χαλβά, σκουπίστηκε με την παλάμη, ήπιε νερό. Έκαμε πάλι το σταυρό του, σα ν' απόφαε.

— Τώρα, είπε, η σειρά του τρισκατάρατου του Ιωσήφ... Και ρίχτηκε στο κοτόπουλο.

— Φάε, αναθεματισμένε, μουρμούριζε αγριεμένος κι άρπαζε μεγάλες μπουκιές· φάε! φάε!

— Μπράβο, καλόγερε! έκαμε ο Ζορμπάς ενθουσιασμένος· το 'χεις, βλέπω, δίπορτο.

Στράφηκε σε μένα.

— Πώς σου φαίνεται, αφεντικό;

— Σου μοιάζει, αποκρίθηκα γελώντας.

Έδωκε ο Ζορμπάς στον καλόγερο τη φλάσκα το κρασί.

— Ιωσήφ, ρούφα!

— Πιες, αναθεματισμένε! έκαμε ο καλόγερος, άρπαξε τη φλάσκα και την κόλλησε στο στόμα του.

Έκαιγε ο ήλιος πολύ, σουρθήκαμε πιο βαθιά στον ίσκιο. Ο καλόγερος μύριζε ξινή ιδρωτίλα και λιβάνι· αναλίγωνε μέσα στο λιοπύρι κι ο Ζορμπάς τον τράβηξε στον ίσκιο, να μην πολυμυρίζει.

— Πώς έγινες καλόγερος; τον ρώτησε ο Ζορμπάς που 'χε φάει καλά κι ήθελε κουβέντα.

Ο καλόγερος χαχάνισε:

— Θαρρείς από αγιότητα; Καθόλου. Από φτώχεια, αδελφέ

αναλιγώνω: *αισθάνομαι απότομα προσωρινή εξάντληση*

μου, από φτώχεια. Δεν είχα να φάω και συλλογίστηκα: Ας πάω στο μοναστήρι, να μην φοφήσω της πείνας!

— Κι είσαι ευχαριστημένος;

— Δόξα σοι ο Θεός! Συχνά αναστενάζω, μα μην ακούς· δεν αναστενάζω για τη γης – αυτή την έχ..., με συγχωρείτε, και κάθε μέρα τη χ... Μα αναστενάζω για τα επουράνια. Λέω αστεία, κάνω τούμπες, οι καλόγεροι με βλέπουν και γελούνε· όλοι μου λένε πως έχω τα εφτά δαιμόνια και με βρίζουν· μα εγώ λέω: «Δε γίνεται, ο Θεός αγαπάει το γέλιο. Έλα μέσα, φασουλή μου, θα μου πει την άλλη μέρα, έλα να με κάνεις να γελάσω!» Κι έτσι, μαθές, θα μπω κι εγώ στην Παράδεισο, σαν καραγκιόζης.

— Μωρέ, θαρρώ πως τα 'χεις τετρακόσια! είπε ο Ζορμπάς και σηκώθηκε απάνω. Πάμε, μη βραδιαστούμε!

Μπήκε πάλι ο καλόγερος μπροστά και μας άνοιγε το δρόμο. Ανέβαινα το βουνό και μου φαίνουνταν πως ανηφόριζα ψυχικά μέσα μου τοπία, μετατοπίζουμουν από χαμηλές έγνοιες σε πιο αφηλές, από βολικά καμπίσια δόγματα σε απόγκρεμες θεωρίες.

Άξαφνα ο καλόγερος σταμάτησε:

— Η Παναγία η Εγδικήτρα! είπε και μας έδειξε ένα μικρό ξωκλήσι, με στρογγυλό χαριτωμένο κουμπέ.

Έπεσε κάτω, έκαμε το σταυρό του.

Πέζεφα, μπήκα στο δροσερό κουβούκλι. Σε μιαν κόχη του τοίχου ένα παλιό κόνισμα, μαυρισμένο από τους καπνούς, φορτωμένο ασημένια ταξίματα· μπροστά του άναβε ακοίμητο ένα ασημένιο καντήλι.

Κοίταξα το κόνισμα με προσοχή. Άγρια πολεμικιά Παναγία, με στέρεο λαιμό, με αυστηρό ανήσυχο μάτι παρθένας· και στο χέρι της δεν κρατούσε άγιο βρέφος παρά ένα μακρύ ολόρθο κοντάρι.

— Αλίμονο σε όποιον πειράξει το μοναστήρι! είπε ο καλόγερος με κατάνυξη· χύνεται απάνω του και τον τρυπάει με το

κουμπές: *θόλος, τρούλος*

κοντάρι που κρατάει. Στον παλιό καιρό βγήκαν οι Αλτζερίνοι κι έκαψαν το μοναστήρι· μα στάσου να δεις τι έπαθαν, οι καταραμένοι: την ώρα που έφευγαν πια και περνούσαν απόξω από το ξωκλήσι ετούτο, η χάρη της δίνει μια, πετιέται από το κόνισμα και χύνεται όξω· και δώστου με το κοντάρι της, χτύπα χτύπα, τους σκότωσε όλους. Ο παππούς μου θυμούνταν τα κόκαλά τους που έπιαναν το δάσο· κι από τότε την είπαν Παναγία Εγδικήτρα· πρωτύτερα την έλεγαν Ελεούσα.

— Και γιατί δεν έκαμε το θάμα της, πάτερ Ζαχαρία, πρι να κάψουν το μοναστήρι; ρώτησε ο Ζορμπάς.

— Βουλαί του Υψίστου! αποκρίθηκε ο καλόγερος και σταυροκοπήθηκε τρεις φορές.

— Μωρέ Ύψιστος! μουρμούρισε ο Ζορμπάς και καβαλίκεψε πάλι· πάμε!

Ύστερα από λίγη ώρα, σ' ένα πλάτωμα του βουνού, τριγυρισμένο από αψηλά βράχια, μέσα στα πεύκα, απλώθηκε το μεγάλο μοναστήρι της Παναγιάς. Ήσυχο, γελαστό, ξεμοναχεμένο από τον κόσμο, μέσα στην πράσινη αψηλή γούβα, σοφά αρμονίζοντας την ευγένεια της κορυφής και τη γλύκα του κάμπου, το μοναστήρι αυτό μου φάνταξε εξαίσια καλοδιαλεγμένο καταφύγι της ανθρώπινης περισυλλογής.

Εδώ θα μπορούσε, στοχάζουμουν, μια πρόσχαρη νηφάλια ψυχή να δώσει στη θρησκευτική ανάταση το μπόι του ανθρώπου· ούτε απότομη υπεράνθρωπη κορυφή ούτε φιλήδονος τεμπέλικος κάμπος, ό,τι χρειάζεται, όσο χρειάζεται να υφωθεί η ψυχή χωρίς να χάσει την ανθρώπινη γλύκα της. Δεν πλάθει, έλεγα, ένα τέτοιο τοπίο μήτε ήρωες μήτε χοίρους· πλάθει άρτιους ανθρώπους.

Τέλεια θα ταίριαζε εδώ ένας χαριτωμένος ναός της αρχαίας Ελλάδας κι ένας χαρούμενος μουσουλμανικός τεκές· ο Θεός θα κατεβαίνει εδώ με την απλή ανθρώπινή του περιβολή, θα περπατάει, γυμνοπόδης απάνω στην ανοιξιάτικη χλόη και θα κουβεντιάζει ήσυχα με τους ανθρώπους.

— Τι θάμα, τι μοναξιά, τι ευδαιμονία! μουρμούρισα.

Πεζέψαμε, περάσαμε τη δοξαρωτή πόρτα, ανεβήκαμε στο αρχονταρίκι, ήρθε ο δίσκος με ρακή, γλυκό, καφέ· έφτασε ο αρχοντάρης, μας κύκλωσαν οι καλόγεροι, άρχισαν οι κουβέντες. Μάτια πονηρά, χείλια αχόρταγα, γένια, μουστάκια, μασκάλες που μύριζαν βαρβατίλα.

— Δε φέρατε καμιά εφημερίδα; ρώτησε ο αρχοντάρης.

— Εφημερίδα; έκαμα παραξενεμένος· τι να την κάμετε εδώ;

— Μια εφημερίδα, αδελφέ, να δούμε τι γίνεται ο κόσμος! φώναξαν δυο τρεις καλόγεροι αγαναχτισμένοι.

Γαντζωμένοι στα ξύλινα κάγκελα του μπαλκονιού, κράζουν σαν κοράκια. Μιλούν για την Αγγλία, τη Ρουσία, για το Βενιζέλο, το βασιλιά, με πάθος. Ο κόσμος τους ξόρισε, δεν ξόρισαν αυτοί τον κόσμο. Τα μάτια τους είναι γεμάτα πολιτείες, μαγαζιά, γυναίκες, εφημερίδες...

Ένας παχύς μαλλιαρός καλόγερος σηκώθηκε μουσουνίζοντας.

— Έχω, μου 'καμε, κάτι να σου δείξω, να μου πεις και του λόγου σου τη γνώμη σου· πάω να το φέρω.

Προχώρεσε με τα κοντά τριχωτά χέρια στην κοιλιά, σερνάμενος στις μάλλινες παντούφλες του και χάθηκε από την πόρτα.

Οι καλόγεροι χιχίρισαν με κακία.

— Ο πάτερ Δομέτιος, είπε ο αρχοντάρης, θα φέρει πάλι την πήλινη καλόγριά του. Ο Σατανάς τού την παράχωσε στη γη, και μια μέρα που ο Δομέτιος σκάλιζε τον κήπο, τη βρήκε. Την έμπασε στο κελί του, κι από τότε ο βλογημένος έχασε τον ύπνο του. Κοντεύει να χάσει και το μυαλό του.

Ο Ζορμπάς σηκώθηκε· πλαντούσε.

— Ήρθαμε να δούμε τον άγιο ηγούμενο, είπε· να υπογράφουμε χαρτιά...

— Ο άγιος ηγούμενος, αποκρίθηκε ο αρχοντάρης, λείπει, πήγε το πρωί στο μετόχι· κάνε υπομονή.

αρχοντάρης: *μοναχός που είναι υπεύθυνος για την υποδοχή, περιποίηση και φιλοξενία των μοναχών*
μουσουνίζω *και* **μουθουνίζω:** *αναπνέω με θόρυβο ή μιλώ με τα ρουθούνια*

Ο πάτερ Δομέτιος πρόβαλε κρατώντας όρθιες, σμιχτές τις δυο του φούχτες, σα να κρατούσε το άγιο Δισκοπότηρο.

— Αυτό είναι! είπε κι άνοιξε με προσοχή τις φούχτες.

Ζύγωσα· μια μικρούλα ταναγραία χαμογελούσε φιλάρεσκη, μισόγυμνη, μέσα στις λιπαρές καλογερίστικες παλάμες· με το ένα χέρι, που της είχε απομείνει, κρατούσε το κεφάλι.

— Για να δείχνει το κεφάλι, είπε ο Δομέτιος, πάει να πει πως έχει μέσα κανένα πολύτιμο πετράδι· διαμάντι μπορεί, ή μαργαριτάρι. Τι λέει η ευγενεία σου;

— Εγώ λέω, πετάχτηκε ένας φαρμακομύτης καλόγερος, πως έχει κεφαλόπονο.

Μα ο χοντρός Δομέτιος, με τρεμάμενα τραγίσια χείλια, αγκομαχώντας, με κοίταζε και περίμενε.

— Λέω να το σπάσω, είπε, να το σπάσω να δω. Δεν μπορώ πια να κοιμηθώ... Αν έχει μέσα κανένα διαμάντι;

Κοίταζα τη χαριτωμένη κοπέλα με τα μικρούλικα σφιχτά στηθάκια, ξορισμένη εδώ μέσα στα λιβάνια, στους σταυρωμένους θεούς, που αναθεματίζουν τη σάρκα, τη χαρά και το φίλημα.

Α! να μπορούσα να τη γλίτωνα!

Ο Ζορμπάς πήρε το πήλινο αγαλματάκι, πασπάτεψε το λιγνό, χυτό γυναίκειο σώμα, κοντοστάθηκαν οι ρώγες των δαχτυλιών του στ' όρθιο στήθος:

— Μα δε βλέπεις, γέροντά μου, είπε, πως είναι ο Σατανάς; Νάτος, ο ίδιος, ο απαράλλαχτος. Έννοια σου, τον ξέρω εγώ το θεοσκοτωμένο καλά· κοίταξε το στήθος του, πάτερ Δομέτιε, στρογγυλό, σφιχτό, δροσερό· τέτοιο είναι, γέροντά μου, το στήθος του διαόλου!

Ένα όμορφο καλογεράκι πρόβαλε στο κατώφλι· ο ήλιος φώτισε τα χρυσά του μαλλιά και το στρογγυλό χνουδάτο του πρόσωπο.

Ο κιτρινιάρης καλόγερος έπαιξε το μάτι του αρχοντάρη· χαμογέλασαν κι οι δυο πονηρά.

— Πάτερ Δομέτιε, είπαν, ο υποταχτικός σου ο Γαβριήλ.

Φούχτωσε ευτύς ο καλόγερος την πήλινη γυναικούλα και

τράβηξε ολοκούβαρος κατά την πόρτα· το καλογεράκι πήγαινε ομπρός αμίλητο και κουνιστό και χάθηκαν κι οι δυο στο μακρύ, ετοιμόρροπο χαγιάτι.

Έγνεφα του Ζορμπά, βγήκαμε στην αυλή. Ζέστα γλυκιά, μια πορτοκαλιά στη μέση της αυλής είχε ανθίσει και μοσκοβολούσε τον αγέρα. Δίπλα της, από ένα αρχαίο κριαρίσιο μαρμάρινο κεφάλι, έτρεχε κελαρύζοντας το νερό. Έβαλα το κεφάλι μου από κάτω, δροσέρεφα.

— Μωρέ, τι 'ναι ετούτοι εδώ; έκαμε ο Ζορμπάς με αναγούλα. Μήτε άντρες, μήτε γυναίκες· μουλάρια. Φτου να χαθούνε!

Βούτηξε κι αυτός το κεφάλι του στο κρύο νερό, γέλασε:

— Φτου να χαθούνε! ξανάπε. Καθένας τους έχει μέσα του κι ένα διάολο· άλλος θέλει γυναίκα, άλλος μπακαλιάρο, άλλος παράδες, άλλος εφημερίδες... Ου τους χαζούς! Δεν κατεβαίνουν στον κόσμο, να τα χορτάσουν όλα αυτά, να καθαρίσει το μυαλό τους!

Άναφε ένα τσιγάρο, κάθισε στο πεζούλι της ανθισμένης πορτοκαλιάς.

— Εγώ, είπε, όταν λαχταρώ ένα πράμα, ξέρεις τι κάνω; Τρώγω, τρώγω, όσο να το μπουχτίσω, να γλιτώσω, να μην το συλλογιέμαι πια. Ή να το συλλογιέμαι με αναγούλα. Μια φορά, όταν ήμουν παιδί, για να δεις, είχα μανία με τα κεράσια. Λεφτά δεν είχα, αγόραζα λίγα λίγα, τα 'τρωγα, τα λαχταρούσα ακόμα... Μέρα νύχτα κεράσια συλλογίζουμουν, τα σάλια μου έτρεχαν, μαρτύριο! Όπου μια μέρα θύμωσα, ντράπηκα, ξέρω κι εγώ; Είδα πως τα κεράσια μ' έκαναν ό,τι ήθελαν, με ρεζίλευαν. Τι σκαρφίζουμαι λοιπόν; Σηκώνουμαι τη νύχτα σιγά σιγά, φάχνω τις τσέπες του πατέρα μου, βρίσκω ένα ασημένιο μετζίτι, το κλέφτω. Πρωί πρωί σηκώνουμαι, πάω σ' ένα περιβόλι, αγοράζω ένα καλάθι κεράσια. Καθίζω σ' ένα λάκκο, αρχίζω και τρώγω. Έφαγα, έφαγα, πρήστηκα, μ' έπιασε το στομάχι μου, έκαμα εμετό. Έκαμα εμετό, αφεντικό, κι από τότε γλίτωσα από τα κεράσια· μήτε να τα ξαναδώ στα μάτια μου. Γίνηκα λεύτερος άνθρωπος. Έβλεπα πια τα κεράσια κι έλεγα: Δε σας έχω ανάγκη!

Το ίδιο έκαμα και με το κρασί, το ίδιο και με το τσιγάρο. Πίνω ακόμα, καπνίζω ακόμα· μα τη στιγμή που θέλω, χαπ! το κόβω με το μαχαίρι. Το πάθος δε μ' έχει κυριέψει. Το ίδιο και με την πατρίδα. Λαχτάρισα, μπούχτισα, έκαμα εμετό, γλίτωσα.

— Και με τις γυναίκες; ρώτησα γελώντας.

— Θα 'ρθει κι η σειρά τους, ανάθεμά τες, θα 'ρθει! Μα σα θα γίνω εβδομήντα χρονών.

Σκέφτηκε μια στιγμή, του φάνηκε λίγο:

— Ογδόντα χρονών, διόρθωσε. Γελάς του λόγου σου, αφεντικό, μα δεν πα να γελάς! Έτσι λευτερώνεται ο άνθρωπος, άκου με μένα, έτσι λευτερώνεται – σα χαροκόπος κι όχι σαν καλόγερος. Μωρέ, πώς θα λυτρωθείς από το διάολο, αν δε γίνεις διάολος και μισός;

Ο Δομέτιος πρόβαλε στην αυλή αγκομαχώντας. Πίσω του το ξανθό καλογεράκι.

— Σαν άγγελος θυμωμένος... μουρμούρισε ο Ζορμπάς καμαρώνοντας την εφηβική αγριάδα του και χάρη.

Ζύγωναν στην πέτρινη σκάλα που 'φερνε στ' απάνω κελιά· ο Δομέτιος στράφηκε, κοίταξε το καλογεράκι, κάτι του 'πε· το καλογεράκι τίναξε το κεφάλι ψηλά, σα ν' αρνιόταν. Μα ευτύς έσκυψε με υποταγή. Πήρε το γέρο αγκαλιά από τη μέση κι ανέβηκαν τη σκάλα.

— Κατάλαβες; μου 'πε ο Ζορμπάς. Κατάλαβες; Σόδομα και Γόμορρα!

Δυο καλόγεροι πρόβαλαν έπαιξαν το μάτι ο ένας του αλλού, κάτι φιθύρισαν και γέλασαν.

— Τι κακία! έγρουξε ο Ζορμπάς. Κόρακας κοράκου μάτι δε βγάζει· καλόγερος όμως καλογέρου, το βγάζει. Για κοίτα τους· να βγάλουν τα μάτια η μια της άλλης.

— Ο ένας του άλλου... διόρθωσα γελώντας.

— Μωρέ, το ίδιο κάνει εδώ, μη χαλνάς τη ζαχαρένια σου! Μουλάρια, σου λέω, αφεντικό. Μπορείς να πεις, κατά το κέφι που 'χεις, και Γαβρίλης και Γαβρίλα· Δομέτιος και Δομετία. Να φύγουμε, αφεντικό, να υπογράφουμε τα χαρτιά και να φύγουμε γρήγορα·

εδώ, μα το Θεό, μπορείς να σιχαθείς και τον άντρα και τη γυναίκα.
Χαμήλωσε τη φωνή:
— Κι έχω κι ένα σχέδιο... είπε.
— Καμιάν παλαβομάρα πάλι, Ζορμπά... Για λέγε!
Ο Ζορμπάς σήκωσε τους ώμους:
— Πού να σου το πω, αφεντικό! Του λόγου σου είσαι, και
να με συμπαθάς, τίμιος άνθρωπος. Μη στάξει και μη βρέξει.
Να βρεις έναν φύλλο όξω από το πάπλωμά σου το χειμώνα, θα
τον βάλεις μέσα, να μην κρυώνει. Πού να καταλάβει η αφεντιά
σου έναν μπερμπάντη σαν και μένα! Εγώ, να βρω έναν φύλλο,
τσακ! τον σπάζω· να βρω ένα αρνί, χαπ! το σφάζω, το περνώ
στη σούβλα και το γλεντώ με τους φίλους. Μα θα μου πεις:
Δεν είναι δικό σου· το παραδέχουμαι. Μα άσε, αδερφέ, να το
φάμε πρώτα κι ύστερα κουβεντιάζουμε και συζητούμε με την
ησυχία μας περί δικό σου και δικό μου. Και θα λες του λόγου
σου, και θα λες, και θα λες, κι εγώ θα ξεπασουλίζω μ' ένα
ξυλάκι τα δόντια μου.
Η αυλή αντιλάλησε από τα γέλια του. Ο Ζαχαρίας πρόβαλε
τρομαγμένος· έβαλε το δάχτυλο στο στόμα, ζύγωσε νυχοπατώντας:
— Σουτ, έκαμε, μη γελάτε! Να, εκεί απάνω, πίσω από το
ανοιχτό παραθυράκι, εργάζεται ο Μητροπολίτης. Είναι η Βιβλιο-
θήκη· γράφει. Γράφει όλη μέρα.
— Ίσια ίσια που σε ήθελα, πάτερ Ιωσήφ! έκαμε ο Ζορμπάς
κι άρπαξε τον καλόγερο από το μπράτσο. Πάμε στο κελί σου
να κουβεντιάσουμε.
Στράφηκε σε μένα:
— Του λόγου σου, αφεντικό, πήγαινε ωστόσο να σεριανί-
σεις την εκκλησιά και τα παλιά κονίσματα. Εγώ θα περιμένω
το γούμενο· όπου να 'ναι, θα 'ρθει. Μην ανακατευτείς και τα
κάμεις θάλασσα! Άσε με μένα· έχω το σχέδιό μου.
Έσκυψε στο αυτί μου:
— Θα πάρουμε το δάσο μεσοτιμής... είπε. Μη μιλάς!
Κι έφυγε βιαστικός, κρατώντας το μεσοπάλαβο καλόγερο
από τη μασκάλη.

274

XVIII

Δρασκέλισα

το κατώφλι της εκκλησιάς και βυθίστηκα στο δροσερό μυρω-
δάτο μεσόφωτο.

Ερημιά, τ' ασημένια καντήλια γυάλιζαν αχνά, το σκαλισμένο
τέμπλο έπιανε όλο το βάθος, χρυσή κληματαριά φορτωμένη
σταφύλια, σύρριζα οι τοίχοι ήταν στολισμένοι με μισοσβημένες
τοιχογραφίες: άγριοι ασκητές, θεοφόροι Πατέρες, τα Πάθη του
Χριστού, αγγέλοι σγουρομάλληδες με φαρδιές ξεβαμμένες
κορδέλες στα μαλλιά.

Αφηλά, στο νάρθηκα, η Παναγιά με ανοιχτά τα χέρια,
δεόμενη. Βαριά ασημένια καντήλα άναβε μπροστά της και
το τρεμάμενο φως άγλειφε απαλά, χαϊδευτικά, το μακρουλό,
πολυβασανισμένο πρόσωπο. Δε θα ξεχάσω ποτέ τα πικραμένα
μάτια, το σγουρό δαχτυλιδένιο στόμα, το δυνατό, θεληματά
ρικο πιγούνι. Ετούτη είναι η τέλεια ικανοποιημένη, έλεγα, η
τέλεια, και στον πιο μαρτυρικό πόνο της, ευχαριστημένη Μάνα·
γιατί νιώθει πως βγήκε από τα εφήμερα σπλάχνα της κάτι το
αθάνατο...

Όταν ξεπόρτισα από την εκκλησιά, ο ήλιος βασίλευε. Κάθισα
στο πεζούλι της πορτοκαλιάς, ευτυχισμένος· ο τρούλος της
εκκλησιάς ρόδιζε σα να ξημέρωνε· οι καλόγεροι, αποτραβηγ
μένοι στα κελιά τους, αναπαύουνταν· τη νύχτα θα 'χαν αγρύ
πνια κι έπρεπε να πάρουν δύναμη· ο Χριστός θα κινούσε απόφε

ν' ανεβαίνει το Γολγοθά του, κι έπρεπε να 'χουν ανάκαρα ν' ανεβαίνουν μαζί του. Δυο μαύρες γουρούνες με πλήθος τριαντα- φυλλένιους μαστούς ύπνωναν κιόλα κάτω από μια χαρουπιά· τα περιστέρια απάνω στα δώματα έκαναν έρωτα.

Ως πότε θα ζω, συλλογίζουμουν, και θα χαίρουμαι τη γλύκα ετούτη της γης, του αγέρα, της σιωπής και τη μυρωδιά της ανθισμένης πορτοκαλιάς; Ένα κόνισμα του αγίου Βάκχου, που 'χα δει μέσα στην εκκλησιά, είχε ξεχειλίσει την καρδιά μου ευδαιμονία. Ό,τι βαθύτατα με συγκινεί: η ενότητα, η συνέ- χεια της προσπάθειας, ο ειρμός της λαχτάρας, ξεσκεπάστηκε πάλι μπροστά μου· ας είναι καλά το μικρό ετούτο χαριτωμένο κόνισμα του χριστιανού αγίου με τα εφηβικά σγουρά μαλλιά, που κρέμουνται γύρω από το μέτωπό του σα μαύρα τσαμπιά. Έλληνας Διόνυσος κι άγιος Βάκχος έσμιγαν, είχαν το ίδιο πρόσωπο· κάτω από τ' αμπελόφυλλα και τα ράσα τρικύμιζε το ίδιο λαχταριστό ηλιοκαμένο κορμί – η Ελλάδα.

Ο Ζορμπάς πρόβαλε στην αυλή.

— Ήρθε ο γούμενος, μου 'πε πεταχτά, κάτι είπαμε, φέρνει αντίσταση, δε βγαίνουν, λέει, τα φαλτικά, θέλει παραπάνω, μα θα τα καταφέρω.

— Τι αντίσταση; Δεν είχαμε μείνει σύμφωνοι;

— Μην ανακατεύεσαι, αφεντικό, αμάν! ικέτεφε ο Ζορμπάς. Θα μας κάμεις χαλάστρες. Ορίστε τώρα, μιλάς για την παλιά συμφωνία· αυτή πάει! Μη μαζεύεις τα φρύδια, πάει, σου λέω! Θα το πάρουμε το δάσο μεσοτιμής.

— Μα τι 'ναι αυτά που σκαρώνεις, Ζορμπά;

— Άσε, δουλειά δική μου· θα λαδώσω τον τροχό και θα κυλήσει· κατάλαβες;

— Μα γιατί; Δεν καταλαβαίνω.

— Γιατί έκαμα παραπανίσια έξοδα στο Κάστρο, ορίστε! Γιατί μου 'φαε, δηλαδή σου 'φαε, η Λόλα κάμποσα χιλιάρικα. Θαρρείς πως το ξέχασα; Έχω φιλότιμο, τι θαρρείς; Μύγα δε θέλω να καθίσει στο σπαθί μου. Ξόδεφα, πλερώνω· έκαμα το λογα- ριασμό: Εφτά χιλιάδες κόστισε η Λόλα· θα τα ξεπέσω από το δάσο. Θα πλερώσει για τη Λόλα ο γούμενος, το μοναστήρι, η Παναγιά. Αυτό 'ναι το σχέδιο – σου αρέσει;

— Καθόλου. Τι φταίει η Παναγιά για τις δικές σου τις ασωτίες;

— Φταίει και παραφταίει μάλιστα. Αυτή έκαμε το γιο της, το Θεό· ο Θεός έκαμε εμένα και μου 'δωκε τα εργαλεία που ξέρεις· κι αυτά τ' αναθεματισμένα τα εργαλεία με κάνουν κι όπου δω το θηλυκό γένος να ζαλίζουμαι και ν' ανοίγω το πουγγί μου. Κατάλαβες; Φταίει λοιπόν, και παραφταίει η χάρη της· ας πλερώσει!

— Δε μου αρέσουν αυτά, Ζορμπά.

— Αυτό είναι άλλο ζήτημα, αφεντικό. Ας γλιτώσουμε εμείς τις εφτά χιλιαδούλες κι ύστερα συζητούμε. «Κάμε, γιε μου, τη δουλειά σου – κι ύστερα 'μαι πάλι θεια σου». Ξέρεις το τραγούδι;

Ο χοντρόκωλος αρχοντάρης φάνηκε:

— Κοπιάστε, είπε, με μελωμένη παπαδίστικη φωνή, η τράπεζα είναι έτοιμη.

Κατεβήκαμε στην τράπεζα, μεγάλο μακρινάρι με πάγκους και στενόμακρα τραπέζια. Μύριζε ταγκό λάδι και ξινίλα. Ο Μυστικός Δείπνος, μισοσβημένη τοιχογραφία, στο βάθος. Οι έντεκα πιστοί Μαθητές κοπαδιαστά στριμωγμένοι γύρα από το Χριστό, κι απέναντι, με την πλάτη γυρισμένη στο θεατή, ολομόναχος, ο κοκκινογένης με το ανώμαλο μέτωπο, με την αϊτίσια μύτη, ο Ιούδας· κι ο Χριστός αυτόν μονάχα κοιτούσε.

Ο αρχοντάρης κάθισε· δεξά του εγώ, ζερβά του ο Ζορμπάς.

— Σαρακοστή, είπε, και να μας συμπαθάτε· μήτε λάδι μήτε και κρασί, κι ας είστε κι οδοιπόροι. Καλώς ορίσατε!

Κάναμε το σταυρό μας, απλοχερίσαμε αμίλητοι στις ελιές, στα χλωρά κρεμμύδια, στον ταραμά, στα βρεχτοκούκια. Μασουλίζαμε κι οι τρεις αργά, ανόρεξα.

— Τέτοια είναι η ζωή η επίγεια, είπε ο αρχοντάρης· σαρακοστή. Μα ας κάνουμε υπομονή, έρχεται η Ανάσταση με το αρνί· έρχεται η βασιλεία των ουρανών.

Έβηξα· ο Ζορμπάς μου πάτησε το πόδι, σα να μου 'λεγε: Σώπα!

— Είδα τον πάτερ Ζαχαρία... είπε ο Ζορμπάς για ν' αλλάξει κουβέντα.

Ο αρχοντάρης αλαφιάστηκε:

— Μήπως σου 'πε τίποτα ο δαιμονισμένος; ρώτησε με ανησυχία. Έχει μέσα του τα εφτά δαιμόνια, μην τον ακούτε! Είναι ακάθαρτη η ψυχή του και βλέπει ακαθαρσίες.

Η καμπάνα της αγρύπνιας χτύπησε λυπητερά. Ο αρχοντάρης έκαμε το σταυρό του, σηκώθηκε.

— Εγώ πηγαίνω, είπε. Άρχισαν τα Πάθη του Χριστού· πάμε να σταυρωθούμε μαζί του. Μα για απόψε εσείς μπορείτε ν' αναπαυτείτε, είστε από το δρόμο· αύριο όμως, στον όρθρο...

— Άτιμοι! μουρμούρισε ο Ζορμπάς μέσα από τα δόντια του, μόλις έφυγε ο καλόγερος. Άτιμοι, φεύτες, ανθρωπομούλαρα, μουλαρανθρώποι!

— Τι έπαθες, Ζορμπά; Μπας και σου 'πε τίποτα ο Ζαχαρίας;

— Άσ' τα, αφεντικό, άσ' τα στο διάολο! Ε, κι αν δεν υπογράφουν, θα τους χορέψω στο ταψί!

Πήγαμε στο κελί, όπου μας είχαν στρώσει· στη γωνιά ένα παλιό κόνισμα: η Παναγιά, κι ακουμπούσε σφιχτά το μάγουλό της στο μάγουλο του γιου της· τα μεγάλα μάτια της ήταν γεμάτα δάκρυα.

Κούνησε ο Ζορμπάς την κεφάλα του:

— Ξέρεις, αφεντικό, γιατί κλαίει;

— Όχι.

— Γιατί βλέπει· να 'μουν εγώ αγιογράφος, θα ζωγράφιζα την Παναγιά χωρίς μάτια, χωρίς αυτιά, χωρίς μύτη· γιατί τη λυπούμαι.

Πέσαμε στα ξερά στρωσίδια μας. Τα δοκάρια μύριζαν κυπαρίσσι, από το ανοιχτό παραθυράκι έμπαινε, φορτωμένο μυρωδιές, το ανοιξιάτικο αγεράκι. Κάπου κάπου από την αυλή έρχουνταν, απανωτές πνοές, οι πένθιμες μελωδίες· ένα αηδόνι απόξω από το παράθυρο πήρε να κελαηδάει, κι ύστερα, πιο πέρα, ένα άλλο, κι ένα άλλο· ξεχείλισε έρωτα η νύχτα.

Δεν μπορούσα να κοιμηθώ· έσμιξε το κελαηδητό του αηδονιού με το θρήνο του Χριστού και μάχουμουν ανάμεσα από τις ανθισμένες πορτοκαλιές ν' ανηφορίσω το Γολγοθά, ακολουθώντας μεγάλες στάλες αίμα. Μέσα στη γαλάζια ανοιξιάτικη νύχτα έβλεπα τον κρύο σπειρωτόν ιδρώτα του Χριστού που πάχνιζε το κορμί του, τα χέρια του, πώς τα 'παιζε, σα να παρακαλούσε, σα να ζητιάνευε... Οι Γαλιλαίοι που έτρεχαν ξοπίσω του φώναζαν: «Ωσαννά! Ωσαννά!», κρατούσαν βάγια και άπλωναν χάμω τα ρούχα τους για να πατήσει. Κοίταζε τους αγαπημένους του, κανένας δε μάντευε τίποτα: μονάχα αυτός ήξερε πως πήγαινε να πεθάνει. Κάτω από τ' άστρα, κλαίγοντας, σιωπώντας, παρηγορούσε την ανθρώπινη καρδιά του που έτρεμε: «Σαν το σιτάρι, καρδιά μου, πρέπει να κατέβεις στη γη και να πεθάνεις. Μην τρέμεις. Αλλιώς, πώς θα γίνεις αστάχυ, καρδιά μου, και πώς θα θρέφεις τους ανθρώπους που πεθαίνουν της πείνας;»

Μα μέσα του η ανθρώπινη καρδιά έτρεμε, έτρεμε, και δεν ήθελε να πεθάνει...

Σιγά σιγά, το δάσο γύρα από το μοναστήρι ξεχείλισε αηδόνι. Ανέβαινε από τα υγρά φυλλώματα το τραγούδι, όλο έρωτα και περιπάθεια· και μαζί του έπαιζε, έκλαιγε, φούσκωνε, ξεχείλιζε και το στήθος του ανθρώπου.

Κι έτσι, χωρίς να καταλάβω πώς, με τα Πάθη του Χριστού, με το κελάδημα του αηδονιού, μπήκα στον ύπνο, όπως θα μπαίνει κι η ψυχή στην Παράδεισο.

Καλά καλά δε θα 'χα κοιμηθεί μιαν ώρα και τινάχτηκα τρομαγμένος:

— Ζορμπά, φώναξα, άκουσες; Μια πιστολιά!

Μα ο Ζορμπάς ήταν κιόλας ανακαθισμένος στο στρώμα του και κάπνιζε.

— Μη χαλνάς τη ζαχαρένια σου, αφεντικό, είπε πολεμώντας να κρατήσει την οργή του· άσ' τους να βγάλουν τα μάτια τους.

Φωνές ξέσπασαν στο διάδρομο, βαριές παντούφλες σούρνουνταν, πόρτες ανοιγόκλειναν, κάποιος μακριά βογκούσε, σα να λαβώθηκε.

Πήδηξα από το στρώμα, άνοιξα την πόρτα. Ένας γέρος ξερακιανός πετάχτηκε μπροστά μου· φορούσε άσπρο μυτερό σκουφί και άσπρη πουκαμίσα ως τα γόνατα.
— Ποιος είσαι;
— Μητροπολίτης... αποκρίθηκε κι η φωνή του έτρεμε.
Παρά λίγο να γελούσα· χρυσά άμφια, μίτρα, πατερίτσα, πολύχρωμα φεύτικα πετράδια. Πρώτη φορά έβλεπα μητροπολίτη με τα νυχτικά του.
— Τι 'ταν η πιστολιά;
— Δεν ξέρω... δεν ξέρω... μουρμούρισε και μ' έσπρωχνε προς τα πίσω.
Ο Ζορμπάς από το στρώμα του γέλασε:
— Σ' έπιασε τρέμουλο, γεροντάκι; έκαμε. Έμπα μέσα, κακομοίρη. Δεν είμαστε καλόγεροι, μη φοβάσαι.
— Ζορμπά, είπα σιγά, μη μιλάς έτσι· είναι μητροπολίτης!
— Μωρέ, με τα νυχτικά του κανένας δεν είναι μητροπολίτης. Έμπα μέσα, σου λέω!
Κατέβηκε, τον πήρε από το μπράτσο, τον τράβηξε μέσα· έκλεισε την πόρτα. Έβγαλε από το ταγάρι μιαν μποτίλια ρακή, γέμισε ένα ποτηράκι.
— Πιες, γέροντα, του κάνει, να στερεωθεί η περδικούλα σου.
Ήπιε το γεροντάκι τη ρακή, συνήφερε. Κάθισε στο στρώμα μου, ακούμπησε στον τοίχο.
— Σεβασμιώτατε, είπα, τι 'ταν η πιστολιά;
— Δεν ξέρω, παιδί μου... Δούλευα ως τα μεσάνυχτα κι είχα πέσει να κοιμηθώ· όπου ακούω, δίπλα, από το κελί του πάτερ Δομέτιου...
— Αχάα! έκαμε ο Ζορμπάς· μωρέ, είχες δίκιο, Ζαχαρία!
Ο μητροπολίτης έσκυψε το κεφάλι:
— Θα 'ταν κανένας κλέφτης... μουρμούρισε.
Το σούσουρο στο διάδρομο είχε πάψει, το μοναστήρι βούλιαξε πάλι στη σιωπή. Ο μητροπολίτης με κοίταξε με τ' αγαθά φοβισμένα μάτια του ικετευτικά:
— Νυστάζεις, παιδί μου; με ρώτησε.

280

Ένιωσα, δεν ήθελε να φύγει και ν' απομείνει πάλι στο κελί του ολομόναχος· φοβόταν.

— Όχι, αποκρίθηκα, δε νυστάζω· μείνετε.

Πιάσαμε κουβέντα· ο Ζορμπάς, ακουμπισμένος στο μαξιλάρι του, ασκοφυσούσε και κάπνιζε.

— Φαίνεσαι μορφωμένος νέος, μου κάνει το γεροντάκι· δόξα σοι ο Θεός. Εδώ δε βρίσκω ανθρώπους να μιλήσω. Έχω τρεις θεωρίες που γλυκαίνουν τη ζωή μου· θα 'θελα να σου τις ανακοινώσω.

Δεν περίμενε απάντησή μου· άρχισε:

— Η πρώτη μου θεωρία, είπε, είναι ετούτη: Τα σχήματα που 'χουν τα λουλούδια επηρεάζουν το χρώμα τους· το χρώμα τους επηρεάζει τις ιδιότητές τους· έτσι το κάθε λουλούδι έχει και διαφορετικά επίδραση στο σώμα, κι επομένως και στην ψυχή. Γι' αυτό πολύ πρέπει να προσέχουμε όταν περπατούμε σε ανθισμένο κάμπο.

Σώπασε, σα να περίμενε τη γνώμη μου. Έβλεπα το γεροντάκι να σεριανίζει μέσα στον ανθισμένο κάμπο και να κοιτάζει χάμω, με κρυφήν ανατριχίλα, τα λουλούδια· το σχήμα, το χρώμα τους – κι έτρεμε: όλος ο κάμπος την άνοιξη γέμιζε πνέματα...

— Ετούτη είναι η δεύτερη θεωρία: Κάθε ιδέα που 'χει πραγματική επίδραση έχει και πραγματική υπόσταση. Υπάρχει· δεν τριγυρίζει, άσαρκο φάντασμα, τον αγέρα· Έχει αληθινό σώμα – μάτια, στόμα, πόδια, κοιλιά... Είναι άντρας ή γυναίκα· κυνηγάει τους άντρες ή τις γυναίκες... Γι' αυτό λέει και το Βαγγέλιο: «Ὁ Λόγος σάρξ ἐγένετο...»

Με κοίταξε πάλι με αγωνία.

— Η τρίτη θεωρία, είπε βιαστικά, μην μπορώντας να βαστάξει τη σιωπή μου, είναι ετούτη: Αιωνιότητα υπάρχει και μέσα στην εφήμερη ζωή μας· μα 'ναι πολύ δύσκολο να τη βρούμε μόνοι μας· μας παραπλανούν οι εφήμερες έγνοιες. Μονάχα λίγοι, οι πιο εκλεχτοί, κατορθώνουν να ζουν, και στην εφήμερη ετούτη ζωή, την αιωνιότητα. Οι άλλοι θα χάνουνταν· τους λυπήθηκε λοιπόν ο Θεός και τους έστειλε τη θρησκεία – κι έτσι και το πλήθος μπορεί να ζήσει την αιωνιότητα.

Ο μητροπολίτης μίλησε, αλάφρωσε. Σήκωσε τ' ατσίνουρα ματάκια του, με κοίταξε χαμογελαστός. Σα να 'λεγε: «Να, αυτό έχω, αυτό σου δίνω».Ένιωθα με συγκίνηση να μου προσφέρει έτσι, ολόκαρδα, μόλις με γνώρισε, τους καρπούς όλης του της ζωής.

Τα μάτια του έτρεχαν.

— Πώς σου φαίνουνται οι θεωρίες μου; ρώτησε και μου πήρε στις δυο του φούχτες το χέρι μου.

Με κοίταξε, σα να πρόσμενε να μάθει από την απάντησή μου αν πήγε ή όχι η ζωή του χαμένη.

Έτρεμε, μα εγώ ήξερα πως απάνω από την αλήθεια στέκεται ένα άλλο χρέος του ανθρώπου, πολύ μεγαλύτερο.

— Μπορούν να σώσουν οι θεωρίες αυτές, γέροντά μου, αποκρίθηκα, πολλές ψυχές.

Το πρόσωπο του μητροπολίτη έλαμψε· όλη του η ζωή δικαιώθηκε.

— Ευχαριστώ, παιδί μου, ψιθύρισε και μου 'σφιξε το χέρι τρυφερά.

Πετάχτηκε ο Ζορμπάς τότε από τη γωνιά του.

— Εγώ έχω μιαν τέταρτη θεωρία, είπε, και να με συμπαθάς.

Τον κοίταξα ανήσυχος· ο μητροπολίτης στράφηκε:

— Λέγε, παιδί μου, καλή και βλογημένη· ποια θεωρία;

— Πως δυο και δυο κάνουν τέσσερα! είπε ο Ζορμπάς με σοβαρότητα.

Ο μητροπολίτης τον κοίταξε σαστισμένος.

— Και μιαν πέμπτη θεωρία, γέροντά μου, εξακολούθησε ο Ζορμπάς: Πως δυο και δυο δεν κάνουν τέσσερα· διαλέγετε και παίρνετε!

— Δεν καταλαβαίνω... μουρμούρισε ο μητροπολίτης και με κοίταξε, σα να μου ζητούσε βοήθεια.

— Μήτε εγώ! έκαμε ο Ζορμπάς σκώντας στα γέλια.

Στράφηκα στο σαστισμένο γεροντάκι, άλλαξα κουβέντα:

— Και σε τι μελέτες καταγίνεστε εδώ στο μοναστήρι;
— Αντιγράφω τους κώδικας της μονής, παιδί μου· κι αυτές τις μέρες καταγράφω όλα τα επίθετα που η Εκκλησία μας στόλισε την Παρθένα Μαρία.
Αναστέναξε.
— Γέρασα, είπε, δεν μπορώ να κάμω τίποτα άλλο. Αλαφρώνω καταγράφοντας όλα τα στολίδια ετούτα της Παναγίας και ξεχνώ τις αθλιότητες του κόσμου.
Ακούμπησε στο μαξιλάρι κι άρχισε μουρμουριστά, σα να παραμιλούσε:
— «Ρόδον το Αμάραντον, Γη Αγαθή, Άμπελος, Πηγή, Ποταμός, Βρύση που τρέχει τα θάματα, Σκάλα τ' Ουρανού, Γέφυρα, Φρεγάδα, Λιμάνι, Κλειδί της Παράδεισος, Αυγή, Λαμπάδα, Αστραπή, Πύρινος Στύλος, Υπέρμαχος Στρατηγός, Ασάλευτος Πύργος, Τείχος Απόρθητον, Σκέπη, Καταφυγή, Παρηγορία, Χαρά, Ραβδί για τους τυφλούς, Μάνα για τα ορφανά, Τράπεζα, Τροφή, Ειρήνη, Γαλήνη, Μυρωδιά, Ευωχία, Μέλι και Γάλα...»
— Παραμιλάει ο κακομοίρης... έκαμε σιγά ο Ζορμπάς· ας του ρίξω ένα σκέπασμα να μην πουντιάσει...
Κατέβηκε, του 'ριξε μιαν πατανία, του διόρθωσε το μαξιλάρι.
— Εβδομήντα εφτά λογιών είναι η τρέλα, είχα ακουστά, είπε· μα μ' ετούτη εδώ γίνηκαν εβδομήντα οχτώ.
Ποδιαφωτούσε πια. Το ξύλινο σήμαντρο ακούστηκε στην αυλή. Έγειρα από το παραθυράκι και είδα ένα λιγνό καλόγερο, με μακριά μαύρη σκέπη στο κεφάλι, να σαλεύει αργά γύρα στην αυλή και να χτυπάει με σφυράκι ένα μακρουλό μελωδικότατο ξύλο. Όλο γλύκα, αρμονία κι επίκληση η φωνή του σήμαντρου χύθηκε στον πρωινόν αγέρα. Το αηδόνι είχε σωπάσει και τα πρώτα πουλιά μέσα στα δέντρα άρχιζαν δειλά να τιτυβίζουν.
Σκυμμένος στο παραθυράκι αφουκράζουμουν γοητεμένος την υποβλητικιά μελωδία του σήμαντρου και συλλογίζουμουν πως ένας αφηλός ρυθμός ζωής μπορεί να ξεπέσει, διατρώντας,

ποδιαφωτίζω *και* ποδιαφωτώ: *αρχίζει να φωτίζει, να ξημερώνει*

283

αδειανή πια, όλη την επιβλητικιά, γεμάτη ευγένεια εξωτερικιά του φόρμα. Φεύγει η ψυχή, μα αφήνει ανέγγιχτο το καβούκι της, που τόσους αιώνες, σαν τ' όστρακο, το οικοδομούσε περίπλοκο, αφηλό, για να τη χωρέσει.

Τέτοια αδειασμένα όστρακα είναι, στοχάζουμουν, οι εξαίσιοι καθεδρικοί ναοί που συναντάς στις πολυθόρυβες, άπιστες πια πολιτείες· προϊστορικά τέρατα που απόμεινε μονάχα ο σκελετός τους, φαγωμένος από τις βροχές κι από τους ήλιους.

Κάποιος χτύπησε την πόρτα του κελιού μας· η λιπαρή φωνή του αρχοντάρη ακούστηκε:

— Σηκωθείτε για τον όρθρο, αδελφοί!

Ο Ζορμπάς πετάχτηκε αγριεμένος:

— Τι 'ταν η πιστολιά;

Περίμενε λίγο· σιωπή. Ο καλόγερος θα στέκουνταν ακόμα απόξω από την πόρτα, γιατί δεν ακούστηκαν τα βήματά του να φεύγουν. Ο Ζορμπάς άναφε:

— Τι 'ταν η πιστολιά, μωρέ καλόγερε; ξαναφώναξε.

Τα βήματα ακούστηκαν βιαστικά ν' απομακρύνουνται. Μ' ένα σάλτο ο Ζορμπάς βρέθηκε στην πόρτα, την άνοιξε:

— Φτου, μασκαράδες! έκαμε κι έφτυσε κατά τον καλόγερο που 'φευγε. Παπάδες, καλόγεροι, καλόγριες, επίτροποι, καντηλανάφτες, φτου!

— Να φύγουμε, είπα· εδώ μυρίζει αίμα.

— Να 'ταν μονάχα αίμα! έγρουξε ο Ζορμπάς. Πήγαινε του λόγου σου, αφεντικό, στον όρθρο, αν σου κάνει κέφι· εγώ θα ξεσκαλίσω και θα μάθω.

— Να φύγουμε! είπα πάλι· και συ, κάμε μου τη χάρη να μη φυτρώνεις όπου δε σε σπέρνουν.

— Μα ίσια ίσια εκεί θέλω να φυτρώνω, αφεντικό!

Σκέφτηκε λίγο, χαμογέλασε πονηρά:

— Ο διάολος, είπε, μεγάλη η χάρη του! θαρρώ πως τα φέρνει βολικά. Ξέρεις, αφεντικό, πόσο μπορεί να κοστίσει η πιστολιά αυτή στο μοναστήρι; Εφτά χιλιάρικα!

Κατεβήκαμε στην αυλή. Μυρωδιά από ανθισμένα δέντρα,

γλύκα, ευτυχία μεγάλη· ο Ζαχαρίας μας παραμόνευε, έτρεξε, άρπαξε το Ζορμπά από το μπράτσο.

— Αδελφέ Καναβάρο, μουρμούρισε τρέμοντας, έλα να φύγουμε!

— Τι 'ταν η πιστολιά; Σκότωσαν κανένα; Μωρέ καλόγερε, μίλα μη σε πνίξω!

Το κατωσάγουνο του καλόγερου έτρεμε. Κοίταξε γύρα· έρημη η αυλή, τα κελιά σφαληχτά, από την ανοιγμένη εκκλησιά ξεχύνουνταν κύματα κύματα η μελωδία.

— Ακολουθάτε με κι οι δυο... μουρμούρισε. Σόδομα και Γόμορρα!

Γλιστρήσαμε σύντοιχα, περάσαμε την αυλή, βγήκαμε έξω από τον περίβολο.

Ένα λιθοπέτι μακριά από το μοναστήρι ήταν το κοιμητήριο· μπήκαμε μέσα.

Δρασκελίσαμε τους τάφους, ο Ζαχαρίας έσπρωξε την πορτούλα του μικρού παρεκκλησιού, μπήκε· μπήκαμε μαζί του. Στη μέση, απάνω σε μιαν ψάθα, ένα κορμί ήταν ξαπλωμένο, τυλιγμένο σε ράσο.

Ένα κερί άναβε στο κεφάλι του, ένα άλλο στα πόδια του. Έσκυψα απάνω στο νεκρό· ξεσκέπασα το πρόσωπό του.

— Το καλογεράκι! μουρμούρισα ανατριχιάζοντας· το ξανθό καλογεράκι του Δομέτιου!

Στην πόρτα του ιερού άστραφτε με ορθές φτερούγες, με γυμνωμένο σπαθί, με κόκκινα σαντάλια, ο αρχάγγελος Μιχαήλ.

— Αρχάγγελε Μιχαήλ! φώναξε ο καλόγερος, ρίξε φωτιά, κάφε τους! Αρχάγγελε Μιχαήλ, δώσε μιαν κλοτσιά, πετάξου από το τέμπλο. Δεν άκουσες την πιστολιά;

— Ποιος τον σκότωσε; Ποιος; Ο Δομέτιος; Μίλα, μωρέ τραγογένη!

Ο καλόγερος ξέφυγε από το χέρι του Ζορμπά, έπεσε μπρού-

λιθοπέτι: *απόσταση από το σημείο που ρίχνει κάποιος την πέτρα έως το σημείο που πέφτει η πέτρα* μυτα στα πόδια του αρχάγγελου· έμεινε κάμποση ώρα ακίνητος, με ανασηκωμένο το κεφάλι, με ανοιχτό το στόμα, σα ν' αφουκράζουνταν.

Άξαφνα τινάχτηκε απάνω χαρούμενος.

— Θα τους κάψω! είπε αποφασιστικά· κουνήθηκε ο αρχάγγελος, μου 'γνεφε!

Έκαμε το σταυρό του.

— Δόξα σοι ο Θεός, είπε, αλάφρωσα!

Ο Ζορμπάς άρπαξε πάλι τον καλόγερο από τη μασκάλη.

— Έλα εδώ, Ιωσήφ, πάμε, και να κάνεις ό,τι σου λέω.

Στράφηκε σε μένα:

— Δώσ' μου εμένα τα λεφτά, αφεντικό· θα υπογράφω εγώ τα χαρτιά. Εδώ 'ναι λύκοι, του λόγου σου είσαι αρνάκι, θα σε φάνε· άσε με εμένα. Έγνοια σου, τους κρατώ τους ταυραμπάδες στο χέρι· το μεσημέρι φεύγουμε με το δάσο στην τσέπη. Πάμε, μωρέ Ζαχαρία!

Γλίστρηξαν κλεφτάτα οι δυο τους κατά το μοναστήρι· εγώ τράβηξα πέρα, κατά τα πεύκα.

Είχε φιλώσει ο ήλιος, έλαμπαν ο ουρανός κι η γης, τρεμόπαιζε η δροσούλα στα φύλλα. Ένα κοτσύφι πέταξε μπροστά μου, κάθισε σ' ένα κλαρί αγριαχλαδιάς, κούνησε τη μακριά ουρά του, άνοιξε το ραμφί, με κοίταξε και σφύριξε δυο τρεις φορές περιπαιχτικά.

Μέσα από τα πεύκα διέκρινα στο περιαύλι τους καλόγερους να βγαίνουν παραταγμένοι, σκυφτοί, με κατάμαυρα πέπλα στους ώμους. Ο όρθρος τέλεφε, πήγαιναν τώρα στην Τράπεζα.

«Τι κρίμα», συλλογίστηκα, «μια τέτοια αυστηρότητα κι ευγένεια, να μην έχει πια ψυχή».

Ήμουν κουρασμένος, αγρυπνισμένος, ξάπλωσα στα χόρτα· μύριζαν οι αμαραθιές, οι ασπάλαθοι, τα σκίνα, οι φασκομηλιές· βουβούνιζαν πεινασμένα τα έντομα, τρύπωναν σε αγριολούλουδα και τρυγούσαν το μέλι. Πέρα τα βουνά έλαμπαν διάφανα, καταγάλανα, έμοιαζαν σαν καπνός τρικυμιστός μέσα στο λιοπύρι...

Έκλεισα τα μάτια γαληνεμένος. Ανάερη χαρά με συνεπήρε – σα να ’ταν όλη ετούτη γύρα μου η χλωρασιά Παράδεισο, σα να ’ταν ο Θεός όλη ετούτη η δροσιά, η αλαφράδα, η νηφάλια μέθη. Αλλάζει πρόσωπα ο Θεός, και χαρά στον που μπορεί να τον ξεκρίνει πίσω από την κάθε μάσκα. Πότε είναι ποτήρι δροσερό νερό, πότε ένας γιος που χορεύει στα γόνατά μας, πότε μια γυναίκα τσαχπίνα και πότε ένας μικρός πρωινός περίπατος.

Σιγά σιγά, όλα γύρα μου λαγάριζαν, αλάφρωναν, γίνουνταν, χωρίς ν’ αλλάξουν, όνειρο· ύπνος και ξύπνος έπαιρναν το ίδιο πρόσωπο, κοιμόμουν κι ονειρεύουμουν την πραγματικότητα, ευτυχισμένος. Γη και Παράδεισο είχαν γίνει ένα. Σαν άγριο λουλούδι με μια χοντρή στάλα μέλι στην καρδιά του μου φάνηκε η ζωή, κι η ψυχή μου άγρια μέλισσα και τρυγούσε.

Άξαφνα πετάχτηκα από τη γλύκα· άκουσα βήματα πίσω μου και σιγανές κουβέντες, και μια φωνή χαρούμενη:

— Αφεντικό, πάμε!

Ο Ζορμπάς στέκουνταν μπροστά μου και τα μάτια του έλαμπαν σατανικά.

— Φεύγουμε; έκαμα με ανακούφιση· τέλειωσαν όλα;

— Όλα! έκαμε ο Ζορμπάς, χτυπώντας την απάνω τσέπη του σακακιού του· εδώ έχω το δάσο. Καλορίζικο! Κι ορίστε και τα εφτά χιλιάρικα που μας έφαε η Λόλα!

Έβγαλε από τον κόρφο του ένα πάκο χαρτονομίσματα.

— Πάρ’ τα, είπε, ξέχρωσα, δε σε ντρέπουμαι πια. Εδώ μέσα είναι κι οι κάλτσες, τα τσαντάκια, οι μυρωδιές και τ’ ομπρελίνο της κυρα-Μπουμπουλίνας. Και τα φιστίκια του παπαγάλου· κι ο χαλβάς ακόμα που σου χάρισα.

— Χάρισμά σου, Ζορμπά, είπα· ν’ ανάφεις μια λαμπάδα του μπογιού σου στην Παναγία που την αδίκησες.

Ο Ζορμπάς στράφηκε πίσω του· ο πάτερ Ζαχαρίας πρόβαινε με το πρασινισμένο ολολάδωτο ράσο του, με τα ξεπατωμένα

χλωρασιά και χλωροσιά: *πρασινάδα, χλόη*

του στιβάνια· τραβούσε από το χαλινάρι τα δυο μουλάρια. Ο Ζορμπάς του 'δειξε το πάκο τα εκατοστάρικα.

— Να τα μοιραστούμε, πάτερ Ιωσήφ, είπε· ν' αγοράσεις εκατό οκάδες μπακαλιάρο, να φας, κακομοίρη, να φας, να ξεπατωθείς, να κάμεις εμετό, να γλιτώσεις! Έλα, άνοιξε τη φούχτα! Άρπαξε ο καλόγερος τα λιγδιασμένα χαρτιά, τα 'κρυφε στον κόρφο του.

— Θ' αγοράσω πετρέλαιο... είπε.

Ο Ζορμπάς χαμήλωσε τη φωνή του· έσκυφε στ' αυτί του καλόγερου:

— Να 'ναι νύχτα, είπε, να κοιμούνται· να φυσάει αγέρας δυνατός... Θα περεχύσεις τους τοίχους από τις τέσσερεις γωνιές· να βουτήξεις κουρέλια, πατσαβούρες, στουπί, ό,τι βρεις, στο πετρέλαιο και να τους βάλεις φωτιά... Κατάλαβες;

Ο καλόγερος έτρεμε.

— Μην τρέμεις, μωρέ καλόγερε, δε σου 'δωκε διαταγή ο αρχάγγελος; Πετρέλαιο κι άγιος ο Θεός! Έχε γεια! Καβαλήσαμε· έριξα στερνή ματιά στο μοναστήρι.

— Κι έμαθες, Ζορμπά... ρώτησα.

— Για την πιστολιά; Μη χαλνάς, σου λέω, το συκώτι σου, αφεντικό. Έχει δίκιο ο Ζαχαρίας: Σόδομα και Γόμορρα! Ο Δομέτιος σκότωσε τ' όμορφο καλογεράκι.

— Ο Δομέτιος! Γιατί;

— Μην ξεφαχνίζεις, αφεντικό, σου λέω· βρόμα και δυσωδία. Στράφηκε κατά το μοναστήρι. Οι καλόγεροι έβγαιναν τώρα από την Τράπεζα, κλειδώνονταν στα κελιά τους.

— Την κατάρα σας να 'χω, άγιοι πατέρες! φώναξε.

XIX

Ο πρώτος

άνθρωπος που συναντήσαμε ξεπεζεύοντας, νύχτα πια, στο ακρογιάλι μας, ήταν η Μπουμπουλίνα μας· ένα κουβάρι μπροστά από την παράγκα. Όταν ανάψαμε το λυχνάρι κι είδα το πρόσωπό της, τρόμαξα.

— Τι έπαθες, μαντάμ Ορτάνς; Είσαι άρρωστη;

Από τη στιγμή που γυάλισε στο νου της η μεγάλη ελπίδα, ο γάμος, η γριά Σειρήνα μας είχε χάσει όλη την ακατανόμαστη, ύποπτη γοητεία της. Μάχουνταν να σβήσει όλα τα περασμένα, να πετάξει από πάνω της τα φανταχτερά φτερά που 'χε στολιστεί μαδώντας πασάδες, μπέηδες, ναυάρχους... Λαχτάριζε να γίνει σοβαρή, νοικοκυρεμένη καλιακούδα. Τίμια γυναίκα. Δε βάφουνταν πια, δε στολίζουνταν, δεν πλένουνταν· μύριζε.

Ο Ζορμπάς δε μιλούσε· έστριβε το φρεσκοβαμμένο του μουστάκι, νευρικός. Έσκυψε, άναψε το καμινέτο, έβαλε το μπρίκι για τον καφέ.

— Άσπλαχνε! ακούστηκε ξαφνικά η βραχνή φωνή της γριάς σαντέζας.

Ο Ζορμπάς σήκωσε το κεφάλι, την κοίταξε· τα μάτια του γλύκαναν. Δεν μπορούσε ποτέ ν' ακούσει γυναίκα να του φωνάζει παρακλητικά και να μη γίνει άνω κάτω· ένα δάκρυ γυναίκας μπορούσε να τον πνίξει.

Δε μίλησε· έβαλε τον καφέ και τη ζάχαρη, ανακάτεφε.

289

— Γιατί με αφήνεις τόσο καιρό αστεφάνωτη; γουργούρισε η γριά Σειρήνα. Δεν έχω πια μούτρα να προβάλω στο χωριό. Έχασα την τιμή μου! Έχασα την τιμή μου! Θα σκοτωθώ! Είχα ξαπλώσει κουρασμένος στο στρώμα κι ακουμπισμένος στο μαξιλάρι μου· γεύουμουν αχόρταγα την κωμική τούτη σπαραχτική σκηνή.

Η μαντάμ Ορτάνς είχε ζυγώσει τώρα στο Ζορμπά και του άγγιζε τα γόνατα.

— Γιατί δεν έφερες τα στέφανα; τον ρώτησε σπαραχτικά.

Ο Ζορμπάς ένιωσε το παχουλό χέρι της Μπουμπουλίνας να τρέμει απάνω στο γόνατό του. Ήταν, το γόνατο αυτό, το τελευταίο στέρεο μέρος της γης, απ' όπου πιάνουνταν η χιλιοναυαγημένη να σωθεί.

Το κάτεχε καλά ο Ζορμπάς κι η καρδιά του μαλάκωσε. Μα πάλι δε μίλησε· σέρβιρε τον καφέ σε τρία φλιτζάνια.

— Γιατί δεν έφερες τα στέφανα, Ζορμπά μου; ξανακούστηκε η σπαραχτικιά φωνή.

— Δεν έχουν στο Κάστρο καλά, αποκρίθηκε ο Ζορμπάς. Έδωκε στον καθένα το φλιτζάνι του και κουκούβισε στη γωνιά.

— Έγραφα στην Αθήνα, ξακολούθησε, να μας στείλουν από τα καλά· έγραφα και για άσπρες λαμπάδες και για κουφέτα παραγεμισμένα με σοκολάτα και με καβουρδισμένο μύγδαλο...

Όσο μιλούσε, έπαιρνε φωτιά η φαντασία του· τα μάτια του σπίθιζαν, κι όπως ο ποιητής στην πυρωμένη στιγμή της δημιουργίας, σάλευε κι ο Ζορμπάς σ' έναν αφηλόν αγέρα όπου φευτιά κι αλήθεια σμίγουν κι αναγνωρίζουνται αδερφάδες. Ξεκουράζουνταν τώρα έτσι κουκουβισμένος, ρουφούσε βροντερά τον καφέ του, άναφε ένα τσιγάρο· η μέρα είχε πάει καλά, είχε το δάσο στην τσέπη του, ήταν ευχαριστημένος. Πήρε φόρα:

— Ο γάμος μας, Μπουμπουλίνα μου, πρέπει να χαλάσει κόσμο. Να δεις τι νυφικό σου 'χω παραγγείλει! Γι' αυτό έμεινα και τόσες μέρες στο Κάστρο, αγάπη μου. Έφερα δυο μεγάλες ράφτρες από την Αθήνα· κι είπα: Η γυναίκα που παίρνω δεν έχει το ταίρι της, Ανατολή και Δύση! Ήταν η βασίλισσα σε τέσσερεις Δυνάμες, τώρα χήρεψε, οι Δυνάμες πέθαναν και καταδέχεται να με πάρει. Θέλω λοιπόν και το νυφικό της να μην έχει το ταίρι του· όλο μετάξι και μαργαριτάρι, και να κρεμάσετε στο γυροπόδι του χρυσές πούλιες, και να βάλετε στο στήθος το δεξό τον ήλιο, στο στήθος το ζερβό το φεγγάρι! «Μα θα θαμπωθούν όσοι το δουν!» φώναξαν οι ράφτρες· «θα πάθουν τα μάτια τους!» «Ας πάθουν!» είπα εγώ· «η αγάπη μου ας είναι καλά!»

Η μαντάμ Ορτάνς, ακουμπισμένη στον τοίχο, άκουγε. Πηχτό, όλο σάρκα χαμόγελο είχε ξεχυθεί στο πλαδαρό ζαρωμένο της προσωπάκι, κι η ροζ κορδελίτσα της στο λαιμό πήγαινε να σπάσει.

— Θέλω κάτι να σου πω στο αυτί... μουρμούρισε κοιτάζοντας με λιγωμένα μάτια το Ζορμπά.

Ο Ζορμπάς μου 'κλεισε το μάτι, έσκυψε.

— Σου 'φερα απόψε κάτι, του φιθύρισε η μελλόνυφη, τρυπώνοντας τη γλωσσίτσα της στη μαλλιαρή του αυτούκλα.

Έβγαλε από τον κόρφο της ένα μαντιλάκι με τη μιαν άκρα δεμένη κόμπο· το 'δωκε στο Ζορμπά.

Ο Ζορμπάς έπιασε με τα δυο του δάχτυλα το μαντιλάκι και το απίθωσε στο δεξό του γόνατο κι ύστερα στράφηκε προς τα έξω και κοίταζε τη θάλασσα.

— Δε λύνεις τον κόμπο, Ζορμπά; είπε. Δε βιάζεσαι, καημένε, καθόλου;

— Να πιω πρώτας το καφεδάκι μου, αποκρίθηκε. Να καπνίσω το τσιγαράκι μου. Τον έχω λύσει, ξέρω τι έχει μέσα.

— Λύσε τον κόμπο. Λύσε τον κόμπο... ικέτευε η Σειρήνα.

— Να καπνίσω πρώτας το τσιγαράκι μου, είπα!

Και με κοίταξε επιτιμητικά, σα να μου 'λεγε: «Εσύ τα φταις!»

Κάπνιζε αργά, φυσούσε από τα ρουθούνια του τον καπνό, κοίταζε τη θάλασσα.

— Αύριο θα 'χουμε σοροκάδα, είπε· γύρισε ο καιρός. Τα δέντρα θα φουσκώσουν, τα στήθια των κοριτσιών θα φουσκώσουν, δε θα χωρούνε πια στις μπλούζες τους... Η άνοιξη, η μπαγαπόντισσα, εφεύρεση του Σατανά!

Σώπασε· κι ύστερα από λίγο:

— Ό,τι καλό έχει ο κόσμος ετούτος είναι εφεύρεση του Σατανά. Η όμορφη γυναίκα, η άνοιξη, το κρασί, αυτά έκαμε ο Σατανάς· κι ο Θεός έκαμε τους καλόγερους, τις νηστείες, το φασκόμηλο, τις άσκημες γυναίκες, φτου να χαθούνε!

Είπε κι έριξε άγρια ματιά στην κακόμοιρη μαντάμα, που 'χε ζαρώσει τώρα στη γωνιά και τον άκουγε.

— Ζορμπά... Ζορμπά... ικέτευε κάθε τόσο.

Μα αυτός άναφε καινούριο τσιγάρο και κοίταζε τη θάλασσα.

— Την άνοιξη, είπε, βασιλεύει ο Σατανάς· οι ζώνες λασκάρουν, τα μπολκάκια ξεκουμπώνουνται, οι γριές αναστενάζουν... Ε κυρα-Μπουμπουλίνα, κάτω τα ξερά σου!

— Ζορμπά... Ζορμπά... ικέτεφε πάλι η μαντάμα, έσκυψε, πήρε το μαντιλάκι και το σφήνωσε στη φούχτα του Ζορμπά.

Κι αυτός πέταξε το τσιγάρο, άρπαξε τον κόμπο, τον έλυσε· και τώρα κρατούσε την απαλάμη του ανοιχτή και κοίταζε.

— Τι 'ναι αυτά, κυρα-Μπουμπουλίνα; είπε με αηδία.

— Δαχτυλίδια... δαχτυλιδάκια, χρυσό μου... Αρραβώνες... μουρμούρισε η γριά Σειρήνα τρέμοντας. Είναι ο κουμπάρος εδώ, ας είναι καλά, η βραδιά 'ναι ωραία, σοροκάδα, ο Θεός μας βλέπει, ν' αρραβωνιαστούμε, Ζορμπά μου!

Ο Ζορμπάς πότε κοίταζε εμένα, πότε τη μαντάμ Ορτάνς, πότε τα δαχτυλίδια. Πολλοί δαίμονοι πάλευαν μέσα του κι ακόμα κανένας απ' όλους δε νικούσε· η δύστυχη γυναίκα τον κοίταζε με τρόμο.

— Ζορμπά μου... Ζορμπά μου... γουργούριζε.

Κι εγώ είχα τώρα ανασκωθεί στο κρεβάτι και περίμενα· ποιον τάχα απ' όλους τους δρόμους θα διάλεγε ο Ζορμπάς;

Άξαφνα τίναξε το κεφάλι, πήρε απόφαση. Το πρόσωπό του έλαμφε· χτύπησε τις απαλάμες, πετάχτηκε απάνω.

— Πάμε όξω! φώναξε· κάτω από τ' αστέρια, να μας βλέπει ο Θεός! Κουμπάρε, πάρε τα δαχτυλίδια· ξέρεις να φέλνεις;

292

—Όχι, αποκρίθηκα κι είχα κιόλα πεταχτεί κάτω και βοηθούσα τη μαντάμα ν' ανασηκωθεί.

— Ξέρω εγώ· ξέχασα να σου πω, έκαμα κι αναγνώστης· ακολουθούσα τον παπά στους γάμους, στα βαφτίσια, στις κηδείες, έμαθα τα τροπάρια απόξω κι ανακατωτά. Έλα, Μπουμπουλίνα μου, έλα, πάπια μου, κουνήσου, έλα, φρεγάδα της Φραγκιάς, στάσου δεξά μου! Απ' όλους τους δαιμόνους του Ζορμπά, το παιχνιδιάρικο, καλόκαρδο δαιμόνιο είχε πάλι απόψε νικήσει. Λυπήθηκε ο Ζορμπάς τη γερασμένη σαντέζα, είχε ραΐσει η καρδιά του όταν είδε το θολό μπαγιατεμένο μάτι της να στυλώνεται απάνω του με τόση αγωνία.

«Στο διάολο», μουρμούρισε παίρνοντας την απόφαση· «μπορώ να κάμω ακόμα μια χαρά στο θηλυκό γένος· ας την κάμω!»

Πετάχτηκε στο ακρογιάλι, πήρε χεραγκαλιά τη μαντάμα, μου 'δωκε τα δαχτυλίδια, στράφηκε κατά τη θάλασσα κι άρχισε να φέλνει: «Εὐλογητὸς ὁ Θεὸς ἡμῶν πάντοτε νῦν καὶ ἀεὶ καὶ εἰς τοὺς αἰῶνας τῶν αἰώνων, ἀμήν!»

Στράφηκε σε μένα:

— Έχε το νου σου, αφεντικό...

— Δεν έχει απόψε αφεντικό, είπα· λέγε με κουμπάρο.

— Έχε το νου σου, κουμπάρε, το λοιπόν, όταν θα φωνάξω: «Βίρα! Βίρα!» να μας περάσεις τα δαχτυλίδια.

Είπε, κι άρχισε πάλι με φάλτσα γαϊδουροφωνάρα να φέλνει: «Ὑπὲρ τοῦ δούλου τοῦ Θεοῦ Ἀλεξίου καὶ τῆς δούλης τοῦ Θεοῦ Φορτεντσίας τῶν νῦν μνηστευομένων ἀλλήλοις καὶ τῆς σωτηρίας αὐτῶν τοῦ Κυρίου δεηθῶμεν!»

— Κύριε ελέησον! Κύριε ελέησον! τερέριζα εγώ, με δυσκολία συγκρατώντας τα γέλια μου και τα κλάματα.

— Έχει κι άλλα τροπάρια, είπε ο Ζορμπάς, μα ο διάολος να με πάρει αν τα θυμάμαι! Μα ας έρθουμε στο ψητό.

Έσυρε ένα σάλτο, φώναξε:

— Βίρα! Βίρα! και μου άπλωσε τη χερούκλα.

— Άπλωσε και συ, κοκόνα μου, το χεράκι σου, είπε στην αρραβωνιαστικιά του.

Το χέρι το παχουλό, το φαγωμένο από τις μπουγάδες, έτρεμε.

Πέρασα τα δαχτυλίδια από τα δάχτυλά τους κι ο Ζορμπάς φώναζε, έξαλλος σα δερβίσης: «Ἀρραβωνίζεται ὁ δοῦλος τοῦ Θεοῦ Ἀλέξιος τὴν δούλην τοῦ Θεοῦ Φορτεντσίαν, εἰς τὸ ὄνομα τοῦ Πατρὸς καὶ τοῦ Υἱοῦ καὶ τοῦ ἁγίου Πνεύματος, Ἀμήν! Ἀρραβωνίζεται ἡ δούλη τοῦ Θεοῦ Φορτεντσία τὸν δοῦλον τοῦ Θεοῦ Ἀλέξιον...»

— Πάει, τέλειωσε, και του χρόνου! Έλα εδώ, κυρα-Ζορμπάδαινά μου, να σου δώσω το πρώτο τίμιο φιλί της ζωής σου!

Μα η μαντάμ Ορτάνς είχε σωριαστεί χάμω, αγκάλιαζε τα πόδια του Ζορμπά, κι έκλαιε. Ο Ζορμπάς κούνησε με συμπόνια το ξαναμμένο κεφάλι του.

— Οι κακομοίρες οι γυναίκες! μουρμούρισε.

Η μαντάμ Ορτάνς σηκώθηκε, ξετίναξε τα φουστάνια της, άνοιξε την αγκαλιά της.

— Ε, ε, φώναξε ο Ζορμπάς. Μεγάλη Τρίτη σήμερα, κάτω τα χέρια! Σαρακοστή!

— Ζορμπά μου... μουρμούρισε αυτή λιγωμένη.

— Κάνε υπομονή, κυρά μου, ως τη Λαμπρή, και θα φάμε κρέας. Και θα σκουντρήξουμε τα κόκκινα αυγά. Τώρα, καιρός να γυρίσεις σπίτι. Τι θα πει ο κόσμος, αν σε δει να γυρίζεις τέτοια ώρα έξω;

Η Μπουμπουλίνα τον κοίταξε ικετευτικά.

— Όχι, όχι, είπε ο Ζορμπάς, τη Λαμπρή! Έλα μαζί μας, κουμπάρε!

Έσκυψε στο αυτί μου:

— Μη μας αφήσεις μόνους, για όνομα του Θεού! δεν έχω καθόλου κέφι απόψε.

Πήραμε το δρόμο του χωριού· σπίθιζε ο ουρανός, μύριζε η θάλασσα, τα νυχτοπούλια αναστέναζαν. Η γριά Σειρήνα, κρεμασμένη από το μπράτσο του Ζορμπά, σούρνουνταν ευτυχισμένη και μελαγχολική.

Είχε φτάσει απόψε στο λιμάνι που το 'χε τόσο λαχταρίσει σε όλη τη ζωή της. Τραγουδούσε η δύστυχη σε όλη της τη ζωή, γλεντούσε, περγελούσε τις τίμιες, μα η καρδιά της καίγουνταν. Όταν, παρφουμαρισμένη, βαριά σοβαντισμένη, περνούσε, με φανταχτερές τουαλέτες, τους δρόμους στην Αλεξάντρεια, στο Μπερούτι, στην Πόλη κι έβλεπε φτωχές γυναικούλες να βυζαίνουν το μωρό τους, το στήθος της καημένης της μαντάμ Ορτάνς μερμήδιζε, φούσκωνε, κι οι ρώγες της ανέβαιναν αποζητώντας κι αυτές ένα μωρουδίστικο στόμα. «Να παντρευτώ, να παντρευτώ, να κάμω παιδί...», ο νους κι ο λογισμός της σε όλη της τη ζωή, κι αναστέναζε. Μα ανθρώπου δε φανέρωνε ποτέ τον πόνο της. Και τώρα, δόξα σοι ο Θεός! λίγο αργά, μα πάλι καλά, έφτανε, ξεχαρβαλωμένη, θαλασσοδαρμένη, στο πολυπόθητο λιμάνι...

Σήκωνε κάπου κάπου τα μάτια, κοίταζε κλεφτά τον πανύψηλο κρεμανταλά στο πλευρό της. «Δεν είναι», συλλογίζουνταν, «πλούσιος με χρυσές φούντες πασάς· δεν είναι όμορφο μπεγόπουλο· μα πάλι καλά, δόξα σοι ο Θεός! Άντρας μου έγινε, άντρας με το στεφάνι· δόξα σοι ο Θεός!»

Ο Ζορμπάς την ένιωθε να βαραίνει απάνω του και την τραβούσε βιαστικά, να φτάσουν πια στο χωριό, να γλιτώσει. Κι η δύστυχη κατασκόνταφτε στις πέτρες, τα νυχοπόδαρά της κόντευαν να βγουν, την πονούσαν οι κάλοι, μα δε μιλούσε. Γιατί να μιλήσει; Γιατί να παραπονεθεί; Όλα καλά, δόξα σοι ο Θεός!

Είχαμε περάσει τη συκιά της Αρχοντοπούλας, το περιβόλι της χήρας, τα πρώτα σπίτια του χωριού φάνηκαν. Σταθήκαμε.

— Καληνύχτα, χρυσό μου, έκαμε η ευτυχισμένη σαντέζα κι ανασηκώθηκε στ' ακρονύχια να φτάσει το στόμα του αρραβωνιαστικού της.

Μα ο Ζορμπάς δεν έσκυβε.

— Να πέσω να σου φιλήσω τα πόδια, αγάπη μου; έκαμε η γυναίκα κι ετοιμάζουνταν να σωριαστεί χάμω.

— Όχι, όχι! έκαμε ο Ζορμπάς συγκινημένος και την άρπαξε στην αγκαλιά του. Εγώ έπρεπε να φιλήσω τα πόδια σου, κυρά μου, μα βαριέμαι... Καληνύχτα!

Χωρίσαμε. Πήραμε πίσω το δρόμο αμίλητοι. Αναπνέαμε βαθιά το μυρωδάτο αγέρα· ο Ζορμπάς μια στιγμή στράφηκε και με κοίταξε.

— Τι να κάνουμε, αφεντικό; είπε· να γελάσουμε, να κλάψουμε; Συβούλεφέ με.

Δεν αποκρίθηκα· και μένα ένας κόμπος κάθουνταν στο λαιμό μου και δεν ήξερα τι ήταν – λυγμός ή χάχανο.

— Αφεντικό, είπε ξάφνου πάλι ο Ζορμπάς, πώς τον έλεγαν τον μπερμπάντη αρχαίο θεό, που δεν άφηνε θηλυκό για θηλυκό απαραπόνετο στον κόσμο; Κάτι έχω ακουστά. Έβαφε, λέει, κι αυτός τα γένια του, σταμπάριζε τα μπράτσα του με καρδιές και με γοργόνες, μασκαρεύουνταν, λέει, γίνουνταν ταύρος, κύκνος, κριάρι και γάιδαρος, με το συμπάθειο, ό,τι τραβούσε η όρεξη της κάθε παστρικιάς. Για πες μου τ' όνομά του, να χαρείς!

— Θαρρώ πως λες το Δία· πώς τον θυμήθηκες;

— Ο Θεός ν' αγιάσει την ψυχή του! είπε ο Ζορμπάς σηκώνοντας τα χέρια του στον ουρανό. Υπόφερε πολύ, πόνεσε πολύ, σωστός μεγαλομάρτυρας, άκου με εμένα, αφεντικό, κάτι ξέρω. Εσύ ακούς τα βιβλία, μα για βάλε στο νου σου ποιοι τα γράφουν! Πφ! δασκάλοι! Και τι καταλαβαίνουν οι δασκάλοι από γυναικάδες και γυναίκες; Τον κακό τους τον καιρό!

— Γιατί δε γράφεις η αφεντιά σου, Ζορμπά, να μας ξηγήσεις όλα τα μυστήρια του κόσμου;

— Γιατί; Γιατί, μαθές, εγώ τα ζω όλα τα μυστήρια που λες και δεν έχω καιρό. Πότε ο κόσμος, πότε η γυναίκα, πότε το κρασί, πότε το σαντούρι, και δεν έχω καιρό να πιάσω την παπαρδέλα αυτή, την πένα. Κι έτσι ο κόσμος έπεσε στους καλαμαράδες· όσοι ζουν τα μυστήρια δεν έχουν καιρό· κι όσοι έχουν καιρό, δε ζουν τα μυστήρια. Κατάλαβες;

— Λοιπόν, ο Δίας; Μην ξεστρατίζεις την κουβέντα.

— Ε τον κακομοίρη! έκαμε ο Ζορμπάς αναστενάζοντας. Εγώ μονάχα ξέρω τι υπόφερε. Αγαπούσε, είναι αλήθεια, τις γυναίκες, μα όχι όπως θαρρείτε εσείς οι καλαμαράδες, όχι, καθόλου! Αυτός τις πονούσε· καταλάβαινε το μεράκι της καθεμιάς, γίνουνταν θυσία γι' αυτές. Όταν έβλεπε σε καμιάν επαρχία καμιά γεροντοκόρη να μαραζώνει από το σεκλέτι της, καμιά νόστιμη γυναικούλα –μωρέ, ας μην ήτανε και νόστιμη, ας ήταν και τέρας– που να λείπει ο άντρας της και να μην μπορεί να την πάρει ο ύπνος, αυτός έκανε το σταυρό του, ο ψυχοπονιάρης, άλλαζε ρούχα, έπαιρνε το πρόσωπο που 'χε στο νου της η γυναίκα κι έμπαινε στην κάμαρά της.

»Δεν είχε κανένα κέφι, σου λέω, για ερωτοδουλειές, πολλές φορές ήταν και ξεθεωμένος, και με το δίκιο του – πού να προλάβει τόσο κόσμο, ο κακομοίρης! Πολλές φορές ήταν βαριεστισμένος, αδιάθετος. Είδες ποτέ σου, αφεντικό, τράγο άμα πηδήξει καμπόσες κατσίκες; Τρέχουν τα σάλια του, θολώνουν τα μάτια του και γεμίζουν τσίμπλες, βηχουλίζει, βραχνιάζει, δεν μπορεί να σταθεί στα πόδια του. Τέτοια χάλια είχε πολλές φορές κι ο κακομοίρης ο Δίας. Γύριζε σπίτι του ξημερώματα, έλεγε: "Αχ, πότε, Χριστέ μου, να ξαπλώσω κι εγώ να κοιμηθώ; Δεν μπορώ πια να σταθώ στα πόδια μου!" και δώστου σκούπιζε τα σάλια του.

»Μα ξαφνικά άκουγε ένα στεναγμό, κάτω στη γης μια γυναίκα πέταξε τα σεντόνια της, βγήκε στην ταράτσα της, στέναξε. Κι ευτύς η καρδιά του Δία έλιωνε. "Αχ, αχ, ας ξανακατέβω πάλι στη γης", μουρμούριζε, "ας κατέβω πάλι στη γης, ο κακομοίρης, μια γυναίκα στέναξε, ας κατέβω να την παρηγορήσω!"

»Ωσότου τον ξέκαμαν οι γυναίκες, κόπηκε η μέση του, έκανε εμετούς, έπαθε παράλυση και τα κακάρωσε. Κι ήρθε τότε ο διάδοχός του, ο Χριστός, είδε τα χάλια του παλιού θεού κι είπε: "Βάρδα από γυναίκες!"

Άκουγα το Ζορμπά, καμάρωνα τη φρεσκάδα του μυαλού του και σκούσα στα γέλια.

— Γέλα, γέλα του λόγου σου, αφεντικό, μα αν δώσει ο θεοδιάολος και πάνε καλά οι δουλειές μας –αδύνατο μου φαίνεται, μα τέλος πάντων!– ξέρεις τι φάμπρικα θ' ανοίξω; Πραχτορείο γάμων! «Πραχτορείο Γάμων, ο Δίας!» Θα 'ρχουνται το λοιπόν οι κακόμοιρες οι γυναίκες που δεν μπόρεσαν να

βρουν άντρα, οι γεροντοκόρες, οι ασκημομούρες, οι στραβο-
κάνες, οι αλλήθωρες, οι κουτσές, οι καμπούρες, κι εγώ θα τις
δέχουμαι σ' ένα σαλονάκι καπλαντισμένο φωτογραφίες στους
τοίχους απ' όμορφα παλικάρια και θα τους λέω: «Διαλέχτε,
ωραίες κυράδες μου, όποιον θέλετε, κι εγώ θα ενεργήσω να
σας τον πάρω άντρα». Κι εγώ θα βρίσκω κάποιον παλικαρά
που θα του μοιάζει και θα τον ντύνω όπως στη φωτογραφία,
θα του δίνω λεφτά και θα του λέω: «Οδός τάδε, αριθμός τάδε,
τρέχα να βρεις την τάδε, κάνε της κόρτε. Μη σιχαθείς, εγώ
πλερώνω, κοιμήσου μαζί της· πες της τα γλυκά λόγια που λεν
οι άντρες στις γυναίκες και που δεν τ' άκουσε η κακομοίρα
ποτέ της, ορκίσου της πως θα την πάρεις γυναίκα, δώσ' της
λίγη χαρά της άμοιρης, τη χαρά που 'χουν κι οι κατσίκες
ακόμα, κι οι χελώνες κι οι σαρανταποδαρούσες...»
»Κι αν τύχαινε πια κάποτε καμιά γριά φώκια, καλησώρα
σαν την κυρα-Μπουμπουλίνα μας, που κανένας όσο και να
τον πλέρωνα, δε θα δέχουνταν να την παρηγορήσει, ε, τότε θα
'κανα το σταυρό μου, θα την αναλάβαινα εγώ, ο διευθυντής
του Πραχτορείου. Κι όλοι οι χαζοί θα λέγανε: "Ε το γερο-παρα-
λυμένο! Μα δεν έχει μάτια να δει, δεν έχει μύτη να μυρίσει;"
"Έχω, μωρέ σερσέμηδες, έχω, μωρέ αναίσθητοι, μάτια, έχω
μύτη, μα 'χω και καρδιά και πονώ! Κι όταν έχεις καρδιά, δεν
πα να 'χεις μύτες και μάτια! Όλα παν περίπατο!"
»Κι όταν πια, παράλυτος κι εγώ από τα πολλά μιστά, θα τα
κακαρώσω, θα μου ανοίξει ο κλειδοκράτορας ο Πέτρος την
Παράδεισο και θα μου πει: "Έμπα, σεβνταλή Ζορμπά, έμπα,
μεγαλομάρτυρα Ζορμπά, πήγαινε να ξαπλώσεις δίπλα στο
συνάδερφό σου το Δία, να ξεκουραστείς και συ, βλογημένε·
πολλά υπόφερες στη ζωή σου!"
Μιλούσε ο Ζορμπάς, έστηνε η φαντασία του παγίδες κι
έπεφτε ο ίδιος μέσα, πίστευε σιγά σιγά το παραμύθι του, κι
απόφε, σαν τέλειωσε, την ώρα που περνούσαμε από τη συκιά
της Αρχοντοπούλας, στέναξε και σήκωσε τα μπράτσα του, σα
να ορκίζουνταν:

—Έγνοια σου, Μπουμπουλίνα μου, σαπημένη, βασανισμένη μου μαούνα! Έγνοια σου, και δε θα σε αφήσω εγώ απαρηγόρητη, όχι! Οι τέσσερεις Δυνάμες σε αφήκαν, η νιότη σε αφήκε, ο Θεός σε αφήκε, εγώ, ο Ζορμπάς, δε σε αφήνω!

Περασμένα μεσάνυχτα όταν φτάσαμε στο ακρογιάλι μας. Αγέρας σηκώθηκε, πέρα από την Αφρική έφτανε ο ζεστός νοτιάς και φούσκωνε τα δέντρα, τ' αμπέλια, τα στήθια της Κρήτης. Αλάκερο το νησί, ξαπλωμένο στη θάλασσα, δέχουνταν ανατριχιάζοντας τις θερμές φουσκοδεντρίσιες πνοές του ανέμου. Δίας, Ζορμπάς, ερωτικός νοτιάς, έσμιγαν απόψε μέσα μου σ' ένα βαρύ, αντρίκειο πρόσωπο με μαύρα γένια, με μαύρα λιγδερά μαλλιά – κι έγερνε με κατακόκκινα ζεστά χείλη στη μαντάμ Ορτάνς, τη γης.

XX

Ξαπλώσαμε

στα κρεβάτια μας· ο Ζορμπάς έτριφε τα χέρια, ευχαριστημένος.

— Καλή ήταν η μέρα ετούτη, αφεντικό, είπε· και τι θα πει καλή; θα με ρωτήσεις: Γεμάτη! Για βάλε στο νου σου: το πρωί ήμασταν στου διαόλου τη μάνα, στο μοναστήρι, και βάλαμε στο τσουβάλι το γούμενο – την κατάρα του να 'χουμε! Ύστερα κατεβήκαμε στα λημέρια μας, βρήκαμε την κυρα-Μπουμπουλίνα, αρραβωνιαστήκαμε, να και το δαχτυλίδι. Μάλαμα πρώτης· είχε, λέει, ακόμα δυο εγγλέζικες λίρες, από εκείνες που της είχε δώσει, στα τέλη του περασμένου αιώνα, ο Εγγλέζος ναύαρχος· τις φύλαε, λέει, για την κηδεία της· και τώρα τις έδωκε, καλή της ώρα! του χρυσικού και τις έκαμε δαχτυλίδια. Μυστήριο ο άνθρωπος!

— Κοιμήσου, Ζορμπά, είπα· ησύχασε πια, φτάνει. Αύριο έχουμε επίσημη τελετή· θα καρφώσουμε τον πρώτο στύλο του εναέριου. Μήνυσα και στον παπα-Στέφανο να 'ρθει.

— Καλά έκαμες, αφεντικό, πολύ έξυπνα! Να 'ρθει ο τραγόπαπας, να 'ρθουν κι οι δημογέροντες, να μοιράσουμε και κεράκια, να τ' ανάφουν, αυτά κάνουν εντύπωση· στερεώνουν τη δουλειά μας. Μη με κοιτάς εμένα· εγώ έχω δικό μου, ιδιωτικό θεό κι ιδιωτικό διάολο· μα ο κοσμάκης...

Γέλασε· δεν μπορούσε να κοιμηθεί, το μυαλό του ανέμιζε, όρθια φλόγα.

— Άιντε, μωρέ παππού μου! είπε σε λίγο, άιντε, κι ο Θεός

ν' αγιάσει τα κόκαλά σου! Ήταν μουρντάρης κι αυτός και καπετάν Ένας σαν και μένα· κι όμως είχε πάει, ο Θεομπαίχτης, στον Άγιο Τάφο κι είχε γίνει χατζής. Ο Θεός ξέρει τι σκοπούς είχε. Όταν γύρισε στο χωριό, ένας κουμπάρος του, κατσικοκλέφτης κι αχαΐρευτος, του κάνει: «Αχ, μωρέ κουμπάρε, δε μου 'φερες ένα κομμάτι τίμιο ξύλο από τον Άγιο Τάφο!» «Πώς δε σου 'φερα, κουμπάρε», είπε ο παμπόνηρος ο παππούς μου· «εσένα να ξεχάσω; Έλα βράδυ σπίτι, φέρε και τον παπά να κάμει αγιασμό, να σου το παραδώσω. Φέρε και κανένα φητό γουρουνάκι, φέρε και κρασί, για τα καλορίζικα!»

»Γύρισε το βράδυ ο παππούς σπίτι, έκοψε από τη σαρακοφαγωμένη πόρτα του ένα κομμάτι ξύλο, τόσο δα, σαν ένα σπειρί ρύζι, το τύλιξε στο μπαμπάκι, έσταξε κι από πάνω του λίγο λάδι και περίμενε. Σε λίγο, να σου κι έρχεται ο κουμπάρος με τον παπά και με το γουρουνάκι. Έβαλε το πετραχήλι του ο παπάς, έκαμε τον αγιασμό, έγινε η παράδοση του τίμιου ξύλου, ρίχτηκαν στο γουρουνάκι. Ε λοιπόν, θα το πιστέψεις, αφεντικό; Προσκύνησε ο κουμπάρος το τίμιο ξύλο, το κρέμασε στο λαιμό του, κι από τότε έγινε άλλος άνθρωπος. Άλλαξε. Πήρε τα βουνά, έσμιξε με τους αρματολούς και κλέφτες, έκαιγε τούρκικα χωριά, χιμούσε μέσα στα βόλια, ατρόμητος. Γιατί να τρομάξει; Είχε απάνω του το τίμιο ξύλο, μολύβι δεν τον έπιανε.

Έσκασε ο Ζορμπάς στα γέλια.

— Όλα είναι ιδέα, είπε. Πιστεύεις; Μια σκλήθρα παλιόπορτα γίνεται τίμιο ξύλο· δεν πιστεύεις; Αλάκερος ο Τίμιος Σταυρός γίνεται παλιόπορτα.

Όπου κι αν άγγιζες την ψυχή του Ζορμπά, ξεπετιούνταν σπίθες.

— Πήγες ποτέ σου στον πόλεμο, Ζορμπά;

— Ξέρω κι εγώ; αποκρίθηκε και κατσούφιασε. Δε θυμούμαι· ποιον πόλεμο;

— Να, θέλω να πω, να πολεμήσεις για την πατρίδα.

— Δεν αφήνεις αυτές τις κουβέντες, λέω εγώ; Περασμένες κουταμάρες, ξεχασμένες κουταμάρες.

— Κουταμάρες τις λες, Ζορμπά; Δεν ντρέπεσαι; Έτσι μιλάς
για την πατρίδα;

Τέντωσε ο Ζορμπάς το λαιμό, με κοίταξε. Ήμουν κι εγώ
ξαπλωμένος στο κρεβάτι κι από πάνω μου έκαιγε το λυχνάρι·
με κοίταξε πολληώρα με αυστηρότητα· φούχτωσε τα μουστάκια
του:

— Άφητο πράμα... είπε τέλος. Δασκάλικο κρέας, δασκάλικο
μυαλό... Ό,τι και να σου πω, πάει χαμένο, και να με συμπαθάς,
αφεντικό.

— Μα πώς; διαμαρτυρήθηκα· καταλαβαίνω, Ζορμπά, σου
ορκίζουμαι, καταλαβαίνω!

— Ναι, καταλαβαίνεις με το μυαλό. Λες: σωστό, στραβό· έτσι
είναι, έτσι δεν είναι· έχεις δίκιο, δεν έχεις δίκιο. Μα τι βγαίνει με
αυτό; Εγώ κοιτάζω τα μπράτσα σου, τα πόδια σου, το στήθος
σου την ώρα που μιλάς· κι αυτά όλα 'πομένουν βουβά· δε
λένε τίποτα. Σα να μην έχουν αίμα. Από πού λοιπόν μπορείς
να καταλάβεις; Από το κεφάλι; Πφφ!

— Μωρέ, λέγε, Ζορμπά, μη μου τα στρίβεις! φώναξα για να
τον ερεθίσω· θαρρώ, δεν πολυσκοτίζεσαι, αφιλότιμε, για την
πατρίδα!

Θύμωσε, χτύπησε τη γροθιά του στον τοίχο, βρόντηξαν οι
γκαζοτενεκέδες.

— Εγώ που βλέπεις, φώναξε, και μη μου τα λες εμένα αυτά,
εγώ είχα κεντήσει με τα μαλλιά μου την Αγια-Σοφιά και την
κρατούσα απάνω μου, κρεμασμένη από το λαιμό, κατάστηθα,
χαϊμαλί. Ναι, με τις χερούκλες ετούτες την είχα κεντήσει, με τα
μαλλιά μου ετούτα που 'ταν τότε μαύρα του κοράκου. Γύριζα
με τον Παύλο Μελά, εγώ που βλέπεις, στα μακεδονίτικα κατσά-
βραχα – λεβέντης, θεριό ως εκεί πάνω, με τα τσαπράζια μου,
τα τουσλούκια μου, τα χαϊμαλιά, τις αλυσίδες, τα φυσεκλίκια,
τα κουμπούρια. Ήμουν όλο σίδερο κι ασήμι και πρόκες, κι έτσι

τσαπράζι: *ασημένια ή επίχρυσα στολίδια, σιρίτια του σταυρωτού γιλέκου, που τα*
φορούσαν σταυρωτά στο στήθος

που περπατούσα σήκωνα αχό σα να περνούσε καβαλαρία. Να, κοίτα εδώ, εδώ... κοίτα εδώ... κοίτα εδώ!

Άνοιξε το πουκάμισό του, πέταξε το πανταλόνι του.

— Φέρε το λυχνάρι εδώ! πρόσταξε.

Ζύγωσα με το λυχνάρι· το αδύνατο ταγαριασμένο κορμί φωτίστηκε: βαθιές λαβωματιές, τρύπες από σφαίρες, κόσκινο το κορμί του.

— Κοίταξε τώρα κι απ' εδώ!

Γύρισε πίστομα, μου 'δειξε τη ράχη του.

— Βλέπεις, από πίσω μήτε λαβωματιά... Κατάλαβες; Πάρε τώρα το λυχνάρι πέρα!

Έβαλε το πανταλόνι του και το πουκάμισο, ανακάθισε στο στρώμα του.

— Κουταμάρες! έσκουξε αγριεμένος. Ντροπή! Μωρέ, πότε ο άνθρωπος θα γίνει άνθρωπος; Φορούμε πανταλόνια, κολάρα, καπέλα κι είμαστε ακόμα μουλάρια, λύκοι, αλεπούδες, γουρούνια. Έχουμε, λέει, Θεού πρόσωπο! Ποιοι; Εμείς; Φτου στα μούτρα μας!

Ανέβαιναν στο κεφάλι του Ζορμπά τρομαχτικές θύμησες κι όλο κι αγρίευε. Μέσα από τα σαλεμένα, κουφαλιασμένα δόντια του έβγαιναν ακατανόητες λέξεις. Σηκώθηκε, άρπαξε το κανάτι το νερό, ήπιε, ήπιε, δροσίστηκε. Συνήφερε.

— Όπου κι αν με αγγίξεις, είπε, βογκώ· είμαι γεμάτος πληγές. Τι κάθεσαι και μου τσαμπουνάς για γυναίκες; Εγώ, σαν κατάλαβα πως ήμουν άντρας αληθινός, ούτε γύριζα να τις δω. Κι αν γύριζα, τις άγγιζα μια στιγμή, έτσι πηδηχτά, σαν κόκορας, κι έφευγα. «Τα βρομοκούναβα», έλεγα, «οι βρομοπαπαδιές, θένε να μου ρουφήξουν τη δύναμη, φτου να χαθούν!»

»Πήρα λοιπόν το τουφέκι μου και δρόμο! Μπήκα στ' αντάρτικα, κομιτατζής. Μια μέρα, κατά το σούρουπο, τρύπωξα σ' ένα βουλγάρικο χωριό και κρύφτηκα σ' ένα στάβλο. Μέσα στο ίδιο το σπίτι του Βούλγαρου του παπά, άγριου αιμοβόρου κομιτατζή. Έβγαζε τη νύχτα τα ράσα, φορούσε τσοπάνικα, έπιανε τ' άρματα και τραβούσε κατά τα ελληνικά χωριά· το πρωί γύριζε πίσω, ξημερώματα, πλένουνταν από τις λάσπες και τα αίματα κι έμπαινε στη λειτουργιά. Τις μέρες εκείνες είχε σκοτώσει έναν Έλληνα δάσκαλο, απάνω στο στρώμα του, την ώρα που κοιμόταν. Μπήκα λοιπόν στο στάβλο του παπά και περίμενα. Ξάπλωσα τα πίστομα απάνω στην κοπριά, πίσω από τα δυο βόδια, και περίμενα. Όπου κατά το βράδυ να σου και μπαίνει ο παπάς να ταΐσει τα ζωντανά του· πέφτω απάνω του και τον σφάζω σαν αρνί. Του 'κοφα τ' αυτιά και τα πήρα· έκανα, βλέπεις, συλλογή βουλγάρικα αυτιά· πήρα λοιπόν τ' αυτιά του παπά κι έφυγα.

»Σε λίγες μέρες έμπαινα πάλι στο ίδιο χωριό, μέρα μεσημέρι, κι έκανα τάχατε τον πραματευτή· είχα αφήσει στο βουνό τ' άρματά μου και μπήκα στο χωριό ν' αγοράσω ψωμί, αλάτι και τσαρούχια για τα παλικάρια. Όπου, απόξω από ένα σπίτι, βλέπω πέντε μαυροφορεμένα ξυπόλυτα παιδιά που κρατιούνταν χέρι χέρι και ζητιάνευαν. Τρία κοριτσάκια και δυο αγοράκια· το μεγαλύτερο θα 'ταν ως δέκα χρονών· το μικρότερο ήταν ακόμα μωρό και το κρατούσε στην αγκαλιά της η πρωτοκόρη και το φιλούσε και το χάδευε να μην κλαίει. Δεν ξέρω πώς, Θεού φώτιση, μου 'ρθε και τα ζύγωσα:

» — Ποιανού, είστε, βρε παιδιά; τα ρωτώ βουλγάρικα.

»Το μεγαλύτερο αγόρι σήκωσε το μικρό του κεφαλάκι:

» — Του παπά, αποκρίθηκε, που έσφαξαν προχτές στο στάβλο.

»Τα μάτια μου θόλωσαν· η γης στριφογύρισε σα μυλόπετρα· ακούμπησα στον τοίχο, η γης στάθηκε.

» — Ζυγώστε, βρε παιδιά! είπα· ελάτε κοντά μου.

»Έβγαλα από το σελάχι μου τη σακούλα, γεμάτη λίρες τούρκικες και μετζίτια, γονάτισα κάτω, τ' άδειασα καταγής.

» — Να, πάρτε, φώναξα, πάρτε! πάρτε!

»Τα παιδιά ρίχτηκαν χάμω και μάζευαν με τα χεράκια τους τα μετζίτια και τις λίρες.

» — Δικά σας, δικά σας! φώναξα· πάρτε τα!

»Αφήκα και το πανέρι μου με τις πραμάτειες.

» — Όλα δικά σας, πάρτε τα!

»Κι ευτύς το 'βαλα στα πόδια· βγήκα από το χωριό, άνοιξα το πουκάμισό μου, έβγαλα την Αγια-Σοφιά που 'χα κεντήσει, την έσκισα, την πέταξα κι έτρεχα... έτρεχα...

»Κι ακόμα τρέχω!

Ο Ζορμπάς ακούμπησε στον τοίχο, στράφηκε και με κοίταξε:

— Έτσι γλίτωσα, είπε.

— Γλίτωσες από την πατρίδα;

— Ναι, από την πατρίδα, αποκρίθηκε ο Ζορμπάς με ήσυχη σταθερή φωνή.

Κι ύστερα από λίγο:

— Γλίτωσα από την πατρίδα, γλίτωσα από τους παπάδες, γλίτωσα από τα λεφτά, ξεκοσκινίζω. Όσο πάει και ξεκοσκινίζω· αλαφρώνω. Πώς να σου το πω; Λευτερώνουμαι, γίνουμαι άνθρωπος.

Τα μάτια του Ζορμπά έλαμπαν, το φαρδύ του στόμα γελούσε ευχαριστημένο.

Ύστερα από λίγη σιωπή, πήρε πάλι φόρα· η καρδιά του ξεχείλιζε, δεν μπορούσε να την κάμει κουμάντο:

— Μια φορά έλεγα: Ετούτος είναι Τούρκος και Βούλγαρος, ετούτος Έλληνας. Έχω εγώ κάμει πράματα για την πατρίδα, αφεντικό, που να σηκώνεται η τρίχα σου· έσφαξα, έκλεφα, έκαψα χωριά, ατίμασα γυναίκες, ξεκλήρισα σπίτια... Γιατί; Γιατί, λέει, ήταν Βούλγαροι, Τούρκοι. Ου να χαθείς, παλιάνθρωπε, λέω συχνά στον εαυτό μου και τον μουντζώνω· ου να χαθείς, κουτεντέ! Έβαλα μαθές γνώση, κοιτάζω τώρα τους ανθρώπους και λέω: Ετούτος είναι καλός άνθρωπος, εκείνος κακός. Δεν πάει να 'ναι Βούλγαρος ή Ρωμιός; Το ίδιο μου κάνει· είναι καλός, είναι κακός, αυτό μονάχα τώρα ρωτώ. Κι όσο γερνώ, ναι, μα το ψωμί που τρώγω, μου φαίνεται πως θ' αρχίσω κι αυτό να μην το ρωτώ. Μωρέ, δεν πάει να 'ναι καλός ή κακός! Όλους τους λυπούμαι, το σπλάχνο μου σκίζεται, όταν δω έναν άνθρωπο, κι ας καμώνουμαι πως δε μου καίγεται καρφί. Να, λέω, κι ο φουκαράς ετούτος τρώει, πίνει, αγαπάει, φοβάται, έχει κι αυτός το θεό του και τον αντίθεό του, θα τα κακαρώσει κι αυτός και θα ξαπλωθεί τέζα στο χώμα, θα τονε φαν τα σκουλήκια... Ε τον κακομοίρη! Αδέρφια είμαστε όλοι... Κρέας για τα σκουλήκια! »Κι αν είναι γυναίκα, ε, τότε πια μου 'ρχουνται, μα το Θεό, τα κλάματα. Με πειράζεις κάθε τόσο η αφεντιά σου πως αγαπώ τις γυναίκες· πώς, μωρέ, να μην τις αγαπώ; Που 'ναι αδύναμα πλάσματα, που δεν ξέρουν τι τους γίνεται, που αν τις πιάσεις από το βυζί, μεμιάς ανοίγουν όλα τα πορτέλα και παραδίνουνται;

»Εγώ μια φορά μπήκα πάλι σ' ένα βουλγάρικο χωριό. Ένας άτιμος Ρωμιός δημογέροντας με πρόδωκε, και με μπλόκαραν στο σπίτι που 'χα κονέψει. Πετιούμαι στο δώμα, σούρνουμαι από στέγη σε στέγη, ήταν νύχτα με φεγγάρι, πηδώ από ταράτσα σε ταράτσα, σα γάτος, να ξεφύγω. Μα μπάνισαν τον ίσκιο μου, ανέβηκαν στις στέγες, μ' έστρωσαν στο τουφεκίδι. Όπου, τι να κάμω; γκρεμίζουμαι σε μιαν αυλή· μια Βουλγάρα πετιέται από την αυλή όπου κοιμόταν, με την πουκαμίσα της, με βλέπει, κάνει ν' ανοίξει το στόμα της να φωνάξει, μα απλώνω το χέρι, της κάνω "Αμάν! Αμάν! Σώπα!" και την πιάνω από το στήθος. Χλώμιασε η γυναίκα, έγειρε. "Έμπα μέσα", μου κάνει σιγά, "έμπα, να μη μας δούνε..." Μπήκα μέσα, μου 'σφιξε το χέρι: "Είσαι Ρωμιός;" μου λέει. "Ναι, Ρωμιός· μη με προδώσεις". Την πήρα από τη μέση, δε μίλησε. Κοιμήθηκα μαζί της, κι η καρδιά μου έτρεμε από τη γλύκα. Να, έλεγα, να, μωρέ Ζορμπά, αυτό θα πει γυναίκα, αυτό θα πει άνθρωπος! Βουλγάρα είναι ετούτη; Ρωμιά; Αλαμπουρνέζα; Το ίδιο κάνει, μπρε· άνθρωπος είναι, άνθρωπος. Δεν ντρέπεσαι να σκοτώνεις; Φτου σου!

»Αυτά έλεγα, όσο ήμουνα μαζί της, στη ζεστασιά της· μα πού να με αφήσει η πατρίδα, η σκύλα η λυσσασμένη! Έφυγα το πρωί ντυμένος βουλγάρικα, που μου τα 'χε δώσει η Βουλγάρα η χήρα· έβγαλε από το σεντούκι και μου 'δωκε τα ρούχα του μακαρίτη του αντρός της και μου φιλούσε τα γόνατα και με παρακάλαε να ξαναγυρίσω.

»Ναι, ναι, την άλλη νύχτα ξαναγύρισα, πατριώτης βλέπεις,

θεριό ανήμερο, ξαναγύρισα μ' έναν τενεκέ πετρέλαιο κι έκαψα το χωριό, θα κάηκε κι αυτή η κακομοίρα. Την έλεγαν Λουντμίλα...

Ο Ζορμπάς αναστέναξε· άναψε ένα τσιγάρο, το ρούφηξε δυο φορές, το πέταξε:

— Η πατρίδα, μου λες... Ακούς τις παπαρδέλες που λεν τα χαρτιά σου... Εμένα ν' ακούς· όσο θα υπάρχει πατρίδα, ο άνθρωπος θ' απομένει θεριό, θεριό ανήμερο... Μα δόξα σοι ο Θεός, γλίτωσα, γλίτωσα, πάει! Και λόγου σου;

Δεν αποκρίθηκα. Όλα τα προβλήματα που μάχουμουν εγώ κόμπο κόμπο να λύσω στη μοναξιά μου, καρφωμένος στην καρέκλα, ο άνθρωπος αυτός τα 'λυσε μέσα στα βουνά, στον καθαρό αγέρα, με το σπαθί του.

Έκλεισα τα μάτια, απαρηγόρητος.

— Κοιμήθηκες, αφεντικό; έκαμε ο Ζορμπάς βαριεστισμένος· κι εγώ, ο κουτεντές, κάθουμαι και σου κουβεντιάζω!

Ξαπλώθηκε στο στρώμα του μουρμουρίζοντας και σε λίγο τον άκουσα να ρουχαλίζει.

Όλη τη νύχτα δεν μπόρεσα να κλείσω μάτι· ένα αηδόνι που ακούστηκε για πρώτη φορά απόψε στην ερημιά μας, γέμισε τον κόσμο πίκρα αβάσταχτη, και ξαφνικά ένιωσα τα μάτια μου να τρέχουν.

Χαράματα σηκώθηκα, στάθηκα στην πόρτα και κοίταξα τη θάλασσα και τη γης, και μου φάνηκε σα να 'χε αλλάξει ο κόσμος σε μια νύχτα. Αντίκρα μου, απάνω στην άμμο, ένα άθλιο ακόμα χτες χαμαγκάθι είχε πετάξει μικροσκοπικά άσπρα λουλούδια, και στον αγέρα είχε χυθεί γλυκιά, μακρινή μυρωδιά από λεμονιές και πορτοκαλιές που ανθίσαν. Προχώρεσα· έκαμα λίγα βήματα στο νέο καταστόλιστο χώμα· δεν μπορούσα να αποχορτάσω το αιώνια ανανεούμενο θάμα.

Άξαφνα άκουσα πίσω μου χαρούμενη κραυγή. Στράφηκα· μισόγυμνος ο Ζορμπάς είχε πεταχτεί απάνω, είχε σταθεί στην πόρτα και κοίταζε κι αυτός, συνεπαρμένος, την άνοιξη.

— Τι 'ναι αυτό, αφεντικό! φώναξε σαστισμένος· μα την πίστη μου, βλέπω για πρώτη φορά τον κόσμο. Τι θάμα είναι, αφεντικό, εκείνο το μπλάβο που κουνιέται εκεί πέρα; Πώς το λένε; Θάλασσα; Θάλασσα; Και τούτο που φοράει την πράσινη ποδιά με τα λουλούδια; Γης; Ποιος μερακλής τα 'καμε! Ορκίζουμαι, αφεντικό, πρώτη φορά τα βλέπω.

Τα μάτια του είχαν βουρκώσει.

— Ε Ζορμπά, του φώναξα, ξεμωράθηκες;

— Μη γελάς! Μα δε βλέπεις; Εδώ μας κάνουν μάγια, αφεντικό!

Τινάχτηκε όξω, άρχισε να χορεύει, κυλίστηκε στη χλόη, σαν ανοιξιάτικο πουλάρι.

Ο ήλιος πρόβαλε· άπλωσα τις απαλάμες μου να ζεσταθούν. Φουσκοδεντριά, φουσκοστηθιά, άνοιγε κι η ψυχή σα δέντρο, ένιωθες, ψυχή, κορμί είναι πλασμένα από την ίδια ουσία.

Ο Ζορμπάς είχε τώρα σηκωθεί από το χορτάρι, με τα μαλλιά γεμάτα δροσούλα και χώματα.

— Γρήγορα, αφεντικό! μου φώναξε· να ντυθούμε, να στολιστούμε· σήμερα έχουμε αγιασμό. Όπου να 'ναι, ο παπάς κι οι πρόκριτοι θα προβάλουν· αν μας δουν να κυλιόμαστε στο χορτάρι, τι ντροπή για την εταιρεία! Φόρα λοιπόν τα κολάρα και τις γραβάτες! Φόρα τις σοβαρές μουτσούνες! Δεν πειράζει να μην έχεις κεφάλι· καπέλο να 'χεις, και φτάνει... Φτου σου, κόσμε!

Ντυθήκαμε, ετοιμαστήκαμε, έφτασαν οι εργάτες, πρόβαλαν οι πρόκριτοι.

— Κάνε υπομονή, αφεντικό, βάστα τα γέλια, μη γίνουμε ρεζίλι.

Μπροστά πήγαινε ο παπα-Στέφανος με τα λιγδωμένα του ράσα και τις άπατες τσέπες. Στους αγιασμούς, στις κηδείες, στους γάμους, στα βαφτίσια, έριχνε μέσα στις καταβόθρες αυτές, ανάκατα, ό,τι τραταμέντο του 'διναν, σταφίδες, κουλουράκια, μυζηθρόπιτες, αγγούρια, κεφτέδες, κόλλυβα, κουφέτα – και το βράδυ η γριά παπαδιά έβαζε τα γυαλιά της και τα ξέπλεχνε μασουλίζοντας...

Πίσω από τον παπα-Στέφανο, οι πρόκριτοι: Ο Κοντομανολιός ο καφετζής, που ήξερε από κόσμο, γιατί 'χε πάει ως τα Χανιά κι είχε δει τον πρίγκιπα Γεώργιο· ο μπαρμπα-Αναγνώστης, με το κάτασπρο φαρδομάνικο πουκάμισό του, ήσυχος και χαμογελαστός. Σοβαρός, επίσημος, ο δάσκαλος, με τη μαγκούρα του· και τελευταίος, με αργό, βαρύ περπάτημα, ο Μαυραντώνης· φορούσε μαύρο μαντίλι, μαύρο πουκάμισο, μαύρα στιβάνια. Χαιρέτησε με μισό χείλι, πικραμένος κι άγριος, και στάθηκε παράμερα με την πλάτη γυρισμένη στη θάλασσα.

— Στ' όνομα του Θεού! είπε ο Ζορμπάς μ' επισημότητα.

Μπήκε μπροστά, κι όλοι ακολούθησαν με θρησκευτική κατάνυξη.

Προαιώνιες θύμησες από μαγικές ιερουργίες ξυπνούσαν μέσα στα χωριάτικα στήθη· όλοι είχαν τα μάτια τους στυλωμένα στον παπά, σα να περίμεναν να τον δουν να παλεύει και να ξορκίζει αόρατες δυνάμες. Χιλιάδες τώρα χρόνια ο μάγος σήκωνε τα χέρια του, ράντιζε με την αγιαστούρα του τον αγέρα, μουρμούριζε μυστηριώδη παντοδύναμα λόγια, και τα πονηρά δαιμόνια έφευγαν, κι έτρεχαν από τα νερά, από τα χώματα, από τον αγέρα τ' αγαθά πνεύματα βοήθεια του ανθρώπου.

Φτάσαμε στο λάκκο που 'χε ανοιχτεί πλάι στο γιαλό, για να δεχτεί τον πρώτο στύλο του εναέριου· οι εργάτες ανασήκωναν ένα μεγάλο κορμό πεύκου, και τον έστηναν όρθιο μέσα στο λάκκο· ο παπα-Στέφανος πέρασε τα πετραχήλια του, πήρε την αγιαστούρα, κι άρχισε αυστηρά, επιτιμητικά κοιτάζοντας το στύλο, να τερερίζει το ξόρκι: «...καὶ ἔδρασον αὐτὸν ἐπὶ στερεὰν πέτραν ἣν οὐκ ἄνεμος οὐκ ὕδωρ καταβλάψαι ἰσχύσει... Ἀμήν!»

— Αμήν! φώναξε ο Ζορμπάς με βροντερή φωνή και σταυροκοπήθηκε.

— Αμήν! φώναξαν κι οι πρόκριτοι.

— Αμήν! κι οι εργάτες τελευταίοι.

— Ο Θεός να ευλογεί τα έργα σας και να σας δίνει του Αβραάμ και του Ισαάκ τ' αγαθά! ευκήθηκε ο παπα-Στέφανος, κι ο Ζορμπάς παράχωσε στη φούχτα του ένα χαρτονόμισμα.

—Έχε την ευκή μου! μουρμούρισε ο παπάς ευχαριστημένος.

Γυρίσαμε στην παράγκα, ο Ζορμπάς τράταρε κρασί και σαρακοστιανά μεζεδάκια –χταπόδι, καλαμαράκι, βρεχτοκούκια, ελιές– κι ύστερα όλοι οι επίσημοι πήραν γιαλό γιαλό κι εξαφανίστηκαν. Η μαγική τελετή είχε πάρει τέλος.

— Καλά τα καταφέραμε! είπε ο Ζορμπάς κι έτριψε τις χερούκλες του.

Γδύθηκε, έβαλε τα ρούχα της δουλειάς, πήρε μιαν αξίνα.

— Παιδιά, φώναξε στους εργάτες, εμπρός, στ' όνομα του Θεού!

Όλη τη μέρα εκείνη ο Ζορμπάς δε σήκωσε κεφάλι· ρίχτηκε στη δουλειά με λύσσα. Κάθε πενήντα μέτρα άνοιγαν οι εργάτες λάκκους, κάρφωναν στύλους και τραβούσαν μονοσκοίνι κατά τη βουνοκορφή. Μετρούσε ο Ζορμπάς, υπολόγιζε, έδινε διαταγές, μήτε έφαγε, μήτε κάπνισε, μήτε ανάσανε όλη μέρα. Παραδίνουνταν αλάκερος στη δουλειά του.

— Οι μισές δουλειές, μου 'λεγε κάποτε, οι μισές κουβέντες, οι μισές αμαρτίες, οι μισές καλοσύνες έφεραν τον κόσμο στα σημερινά χάλια. Φτάσε, μωρέ άνθρωπε, ως την άκρα, βάρα και μη φοβάσαι! Πιο πολύ σιχαίνεται ο Θεός το μισοδιάολο παρά τον αρχιδιάολο!

Το βράδυ, σα σκόλασε, ξάπλωσε στην αμμουδιά ξεθεωμένος.

— Εδώ θα κοιμηθώ, είπε, να περιμένω πότε να ξημερώσει να ξαναπιάσουμε δουλειά. Θα βάλω βάρδιες να δουλεύουν και τη νύχτα.

— Μα γιατί τόση βιάση, Ζορμπά;

Δίστασε λίγο.

— Γιατί; Να, θέλω να δω αν πέτυχα την κλίση. Αν δεν την πέτυχα, μας πήρε ο διάολος, αφεντικό. Κι όσο γρηγορότερα δω πως μας πήρε ο διάολος, τόσο το καλύτερο!

Έφαγε βιαστικά, αρπαχτά, και σε λίγο το ακρογιάλι αντιλαλούσε από το ρουχαλητό του. Κι εγώ κάμποση ώρα έμενα άγρυπνος παρακολουθώντας στον αλαφρογάλαζο ουρανό τ' αστέρια· έβλεπα αλάκερο τον ουρανό αγάλια να κουνιέται συνάστερος, και το καύκαλο του κεφαλιού μου σα θόλος αστεροσκοπείου κουνιόταν κι αυτό παρακολουθώντας τ᾽ αστέρια. «Περισκοπεῖν ἄστρων δρόμους ὥσπερ συμπεριθέοντα» – κοίταζε την πορεία των άστρων σα να περιστρέφεσαι και συ μαζί τους... Η φράση αυτή του Μάρκου Αυρήλιου γέμισε την καρδιά μου αρμονία.

XXI

Λαμπρή σήμερα

κι ο Ζορμπάς ντύθηκε, στολίστηκε, έβαλε τα τσουράπια – κάτι μελτζανιά μακεδονίτικα χοντροτσούραπα που του 'χε πλέξει, λέει, μια κουμπάρα του, και πηγαινόρχουνταν σ' ένα λόφο, κοντά στην ακρογιαλιά μας, ανήσυχος. Έβαζε το χέρι κεραμίδι απάνω από τις χουτρές φρυδάρες του κι αγνάντευε πέρα, κατά το χωριό.

— Αργεί η σκρόφα... αργεί η πατσαβούρα... αργεί η ξεσκισμένη παντιγέρα...

Μια νιόβγαλτη πεταλούδα πέταξε κι έκαμε να καθίσει απάνω στα μουστάκια του Ζορμπά· μα αυτός γαργαλίστηκε, φύσηξε με τα ρουθούνια του, κι η πεταλούδα ήσυχα αναπετάρισε και χάθηκε στο φως.

Περιμέναμε σήμερα τη μαντάμ Ορτάνς να κάμουμε ανάσταση μαζί της· φήσαμε στη σούβλα ένα αρνάκι, φτιάσαμε κοκορέτσι, στρώσαμε ένα άσπρο σεντόνι στην άμμο, βάφαμε αυγά. Είπαμε με το Ζορμπά, μισοκοροϊδεύοντας, μισοσυγκινημένοι, να της κάμουμε σήμερα μεγάλη υποδοχή. Στην έρημη ετούτη αμμούδα, η λιπαρή αυτή, μοσκομυρωδάτη, αλαφριά σαπημένη Σειρήνα μάς τραβούσε άθελά μας με αλλόκοτη γοητεία. Όταν δεν ήταν μαζί μας, κάτι έλειπε – μια μυρωδιά σαν κολόνια, ένα κόκκινο χρώμα, ένα κούνημα ανακυλιστό σαν πάπιας, μια φωνή βραχνούτσικη και δυο μάτια ξινισμένα και ξέθωρα.

313

Κόφαμε λοιπόν μυρτιές και δάφνες και στήσαμε μια θριαμβευτικιάν αφίδα να περάσει· κι απάνω στην αφίδα καρφώσαμε τις τέσσερεις σημαίες –της Αγγλίας, Γαλλίας, Ιταλίας και Ρουσίας– και στη μέση, πιο αφηλά, ένα μακρύ άσπρο σεντόνι με γαλάζιες ζώνες. Δεν είχαμε κανόνια, μα δανειστήκαμε δυο τουφέκια κι είπαμε να σταθούμε στο λόφο απάνω κι ευτύς ως αγναντέφουμε την κουνιστή μας φώκια να κουτρουβαλάει στο ακρογιάλι, ν' αρχίσουμε το τουφεκίδι. Να της αναστήσουμε, στην έρημη ετούτη αμμούδα, τέτοια μέρα σήμερα, τα παλιά της μεγαλεία· να ξεγελαστεί και αυτή, η κακόμοιρη, μια στιγμή και να πιστέφει πως έγινε νέα πάλι, ροδοκόκκινη, ορθοστήθα, με λουστρίνι γοβάκια, με μεταξωτές κάλτσες. Τι αξία θα 'χε η Ανάσταση του Χριστού αν δεν έδινε το σύνθημα ν' αναστηθούν μέσα μας η νιότη, η χαρά, η πίστη στο θάμα και να ξαναγίνει μια γριά κοκότα είκοσι χρονών;
— Αργεί η σιρόφα... αργεί η πατσαβούρα... αργεί η ξεσκισμένη παντιγέρα... μουρμούριζε κάθε τόσο ο Ζορμπάς κι ανατραβούσε τα μελιτζανιά του τσουράπια που έπεφταν.
— Έλα, κάτσε, Ζορμπά! είπα, εδώ στον ίσκιο της χαρουπιάς, να καπνίσεις ένα τσιγάρο· όπου να 'ναι θα προβάλει.
Έριξε μιαν τελευταία λαχταριστή ματιά κατά το δρόμο του χωριού και στρώθηκε κάτω από τη χαρουπιά· κόντευε πια μεσημέρι, έκανε ζέστη. Από μακριά ακούγουνταν χαρούμενες, γοργές, οι λαμπριάτικες καμπάνες· κάπου κάπου ο αγέρας μας έφερνε τις δοξαριές της λύρας· αλάκερο το χωριό βούιζε σαν ανοιξιάτικο μελισσοκόφινο.
Ο Ζορμπάς κούνησε το κεφάλι:
— Πάνε τα χρόνια, είπε, που ανασταίνουνταν η ψυχή μου, κάθε Λαμπρή, μαζί με το Χριστό. Πάνε! Τώρα ανασταίνεται μονάχα η σάρκα μου – γιατί κέρασε ο ένας, κέρασε ο άλλος, πάρε ετούτο το μεζεδάκι, πάρε και κείνο, τρώω πιο μπόλικα φαγιά και πιο νόστιμα, που δεν γίνουνται όλα κοπριά· κάτι μένει, κάτι γλιτώνει και γίνεται κέφι, χορός, τραγούδι, καβγαδάκι· κι αυτό το κάτι το λέω Ανάσταση.

Πετάχτηκε πάλι απάνω, βίγλισε. Κατέβασε τα μούτρα θυμωμένος:
— Κάποιο παιδί έρχεται τρεχάτο, είπε κι έδωκε ένα σάλτο να προλάβει το μαντατοφόρο.
Το παιδί ανασηκώθηκε στα νυχοπόδαρα, κάτι φιθύρισε στο αυτί του Ζορμπά. Ο Ζορμπάς τινάχτηκε αγριεμένος:
— Άρρωστη; έκαμε· άρρωστη; Φεύγα να μη σε σπάσω στο ξύλο!
Στράφηκε σε μένα:
— Αφεντικό, είπε, θα πεταχτώ στο χωριό να δω τι έπαθε η σκρόφα... Κάνε υπομονή. Δώσ' μου δυο κόκκινα αυγά να της κρατώ να σκουντρήσουμε· έφτασα!
Τσέπωσε τα κόκκινα αυγά, ανασήκωσε τα πεσμένα τσουράπια του και πήρε δρόμο.
Κατέβηκα από το ύψωμα και ξάπλωσα κάτω στο ακρογιάλι μας, απάνω στα δροσερά χοχλάδια. Ανάλαφρος μπάτης φυσούσε, η θάλασσα σγούραινε, δυο γλάροι ακούμπησαν την κοιλιά τους στα κυματάκια κι άρχισαν να κουναρίζουνται καμαρωτά, ακολουθώντας το ρυθμό της θάλασσας.
Μάντευα με λαχτάρα την αναγάλλιαση και τη δροσεράδα της κοιλιάς τους· κοίταζα τους γλάρους και συλλογίζουμουν: Αυτός είναι ο δρόμος· να βρεις το μεγάλο ρυθμό και να τον ακολουθάς μ' εμπιστοσύνη.
Ύστερα από μιαν ώρα φάνηκε ο Ζορμπάς· χάιδευε τα μουστάκια του ευχαριστημένος.
— Έχει πουντιάσει η κακομοίρα· δεν είναι τίποτα. Τώρα το Μεγαλοβδόμαδο πήγαινε κι αυτή τη νύχτα στις αγρύπνιες, κι ας είναι και φράγκισσα, για τιμή, λέει, δικιά μου. Και πούντιασε η κακομοίρα. Της έκοφα λοιπόν βεντούζες, την έτριφα καλά καλά με λάδι από το καντήλι, της έδωκα κι ένα ρούμι, αύριο θα 'ναι περδίκι. Ε την αφιλότιμη, έχει το χάζι της· γαργαλίζουνταν την ώρα που την έτριβα, γουργούριζε σαν περιστέρα.
Στρωθήκαμε στο φαΐ· ο Ζορμπάς γέμισε τα ποτήρια:

NIKOS KAZANTZAKIS

— Στην υγειά της! και ν' αργήσει ο διάολος να την πάρει!
είπε με τρυφερότητα.

Τρώγαμε και πίναμε κάμποση ώρα αμίλητοι· ο αγέρας μας
έφερνε, από μακριά, σα ζουζούνισμα μέλισσας, παθητικές
δοξαριές της λύρας· ανασταίνουνταν ακόμα ο Χριστός απάνω
στα δώματα, το πασχαλινό αρνί και τα λαμπροκούλουρα μετου-
σιώνουνταν ακόμα σ' ερωτόπαθες μαντινάδες.

Ο Ζορμπάς, άμα έφαε κι ήπιε καλά, στύλωσε τη μαλλιαρή
του αυτούκλα:

— Η λύρα... μουρμούρισε· χορεύουν στο χωριό!

Πετάχτηκε απάνω, είχε χορτάσει· το κρασί είχε ανηφορίσει
στο κεφάλι του.

— Μωρέ, τι καθόμαστε εδώ σαν τους κούκους; φώναξε· πάμε
να χορέψουμε! Δεν το λυπάσαι εσύ το αρνάκι; Έτσι άδικα θα
πάει; Άιντε να το κάμουμε χορό και τραγούδι! Ζορμπάς ανέστη!

— Στάσου, μωρέ Ζορμπά, παλάβωσες;

— Λόγω τιμής, ό,τι θες λέγε, αφεντικό, μα λυπούμαι το
αρνάκι· λυπούμαι τα κόκκινα αυγά, τις λαμπριάτικες κουλούρες,
τον ανθότυρο. Σου ορκίζουμαι, να 'τρωγα ψωμί κι ελιές, θα
'λεγα: «Ε, ας ξαπλώσω να κοιμηθώ, τι θέλω εγώ τα γλέντια;
Ελιές και ψωμί 'ναι, τι καλό περιμένεις, μαθές;» Μα τώρα είναι
κρίμα, σου λέω, να πάει έτσι χαραμισμένο τέτοιο φαΐ! Πάμε να
κάμουμε Ανάσταση, αφεντικό!

— Δεν έχω κέφι σήμερα· πήγαινε εσύ, χόρεψε και για μένα!

Ο Ζορμπάς με άρπαξε από το μπράτσο, με σήκωσε απάνω:

— Χριστός ανέστη, μωρέ παιδί μου! ε, και να 'χα τα νιάτα
σου! Θάλασσα, γυναίκα, κρασί, δουλειά μπόλικη! Να πέφτεις
όπου να 'ναι, με τα μούτρα! Να πέφτεις με τα μούτρα στη
δουλειά, στο κρασί, στον έρωτα και να μη φοβάσαι το Θεό,
μήτε το διάολο. Αυτό θα πει παλικάρι!

— Το αρνάκι μιλάει μέσα σου, Ζορμπά: αγρίεψε, έγινε
λύκος! είπα γελώντας.

— Μωρέ το αρνάκι έγινε Ζορμπάς, ο Ζορμπάς μιλάει,
σου λέω! Άκουσέ με εμένα και βλαστήμα με· εγώ 'μαι ένας

316

Σεβάχ Θαλασσινός· όχι πως γύρισα πολύν κόσμο, καθόλου! Μα έκλεφα, σκότωσα, είπα ψέματα, κοιμήθηκα μ' ένα σωρό γυναίκες. Πάτησα όλες τις εντολές· πόσες είναι; Δέκα; Γιατί, μωρέ, να μην είναι είκοσι, πενήντα, εκατό, να τις πατήσω όλες; Κι όμως, αν υπάρχει Θεός, καθόλου δε θα φοβηθώ να παρουσιαστώ την άλλη μέρα μπροστά του. Δεν ξέρω πώς να σου το πω για να καταλάβεις, μα όλα ετούτα θαρρώ δεν έχουν καμιά σημασία. Καταδέχεται τώρα ο Θεός να παρακατσεύει κάτι σκουληκάκια της γης και να κρατάει λογαριασμό; Και να θυμώνει, να βρίζει, να χαλνάει τη ζαχαρένια του, γιατί, λέει, παραπατήσαμε, περάσαμε απάνω από τη σκουληκίνα του διπλανού και φάγαμε, λέει, μια μπουκιά κρέας την Τετάρτη και την Παρασκευή! Ου να χαθείτε, ταυραμπάδες!

— Καλά, Ζορμπά, του 'πα για να τον κορώσω· καλά, ο Θεός δε σε ρωτάει τι έφαες, σε ρωτά όμως τι έκαμες!

— Εγώ λοιπόν σου λέω, πως μήτε αυτό σε ρωτάει! Και πώς το ξέρεις, μωρέ αγράμματε Ζορμπά; θα μου πεις. Το ξέρω θετικά, γιατί εγώ να 'χα δυο γιους, τον ένα φρόνιμο, νοικοκύρη, οικονόμο, θεοφοβούμενο· κι έναν άλλον μπερμπάντη, αδικητή, φαγά, γυναικά, φυγόδικο, θα τους έβαζα βέβαια και τους δυο στο τραπέζι μου· μα δεν ξέρω, η καρδιά μου θα 'ταν με το δεύτερο. Ίσως βέβαια γιατί θα μου 'μοιαζε· μα ποιος σου λέει πως κι εγώ δε μοιάζω περισσότερο με το Θεό από τον παπα-Στέφανο που μέρα νύχτα κάνει μετάνοιες, μαζώνει δεκάρες και δε δίνει του αγγέλου του νερό;

»Ο Θεός γλεντάει, σκοτώνει, αδικάει, αγαπάει, δουλεύει, κυνηγάει τ' άπιαστα πουλιά, απαράλλαχτα σαν και μένα. Τρώει ό,τι του αρέσει· παίρνει όποια γυναίκα θέλει. Βλέπεις μια γυναίκα όμορφη σαν τα κρύα νερά και περπατάει στη γης κι η καρδιά σου χαίρεται· και ξαφνικά ανοίγει η γης και χάνεται. Πού πάει; Ποιος την παίρνει; Αν είναι φρόνιμη, λέμε: την πήρε ο Θεός· αν είναι τσαχπίνα, λέμε: την πήρε ο διάολος. Μα εγώ σου λέω, αφεντικό, σου λέω και σου ξαναλέω: Θεός και διάολος είναι ένα!

Δε μίλησα· ο Ζορμπάς πήρε τη μαγκούρα του, στράβωσε το σκούφο του νταηλίδικα, με κοίταξε με συμπόνια –έτσι μου φάνηκε– και τα χείλια του μια στιγμή σάλεψαν, σαν κάτι να 'θελαν να πουν· μα δε μίλησε και τράβηξε γρήγορα, στρίβοντας το μουστάκι του, κατά το χωριό.

Έβλεπα, στο φως του δειλινού, γίγαντα τον ίσκιο του απάνω στα χοχλάδια ν' αλαργαίνει κουνώντας τη μαγκούρα· αλάκερο το ακρογιάλι στο πέρασμά του ζωντάνευε· κάμποση ώρα είχα στυλώσει το αυτί κι αφουκράζουμουν τα βήματα του Ζορμπά, σιγά σιγά να χάνουνται. Κι άξαφνα, ως ένιωσα ν' απομένω μόνος, πετάχτηκα απάνω. Γιατί; Για πού; Δεν ήξερα· τίποτα μέσα μου δεν είχα αποφασίσει· το σώμα μου είχε πεταχτεί απάνω, αυτό, μονάχο του, έπαιρνε απόφαση, χωρίς να με ρωτήσει.

— Εμπρός! είπε δυνατά, σα να 'δινε διαταγή.

Πήρα γραμμή κατά το χωριό. Πήγαινα αποφασισμένα και βιαστικά· κάπου κάπου στέκουμουν κι ανάπνεα την άνοιξη. Μύριζε η γης χαμομήλι, κι όσο ζύγωνα στα περβόλια, έρχουνταν καταπάνω μου πνοές πνοές η μυρωδιά από τις λεμονο-πορτοκαλιές και την ανθισμένη δάφνη. Κατά τη δύση κίνησε να χορεύει χαρούμενος ο Αποσπερίτης.

«Θάλασσα, γυναίκα, κρασί, δουλειά μπόλικη!» μουρμού-ριζα άθελά μου τα λόγια του Ζορμπά και πήγαινα. «Θάλασσα, γυναίκα, κρασί, δουλειά μπόλικη! Να πέφτεις με τα μούτρα στη δουλειά, στο κρασί, στον έρωτα, να μη φοβάσαι μήτε το Θεό, μήτε το διάολο... Αυτό θα πει παλικάρι!» έλεγα και ξανάλεγα μέσα μου, σα να 'θελα να κάμω κουράγιο, και προχωρούσα.

Άξαφνα σταμάτησα απότομα. Σα να 'χα φτάσει εκεί που ήθελα. Πού; Κοίταξα· το περβόλι της χήρας. Πίσω από τον καλα-μένιο φράχτη και τις φραγκοσυκιές γλυκιά γυναίκεια φωνή σιγοτραγουδούσε. Κοίταξα μπροστά και πίσω μου, ερημιά· ζύγωσα, αναμέρισα τα καλάμια· κάτω από μια πορτοκαλιά στέκουνταν μια γυναίκα μαυροντυμένη, με ξέχειλο λαιμό, έκοβε κλωνάρια ανθούς και τραγουδούσε· μέσα στο σούρουπο ξέκρινα μισανοιγμένο το στήθος της να γυαλίζει.

Πιάστηκε η αναπνοή μου. «Θεριό είναι ετούτο», συλλογίστηκα, «θεριό, και το ξέρει. Τι αδύναμα εφήμερα πλάσματα, σερσέμηδες, ζευζέκηδες, χωρίς αντοχή, μπροστά τους οι άντρες! Όπως μερικά έντομα –το αλογάκι της Παναγίας, η ακρίδα, η αράχνη– ταϊσμένη και τούτη κι αχόρταγη κατά τα ξημερώματα, θα τρώει τους άντρες...»

Η χήρα λες και νογήθηκε ξαφνικά τη ματιά μου, έκοφε απότομα το απόσιγο τραγούδι, στράφηκε· σα δυο αστραπές τα μάτια μας έσμιξαν· ένιωσα τα γόνατά μου να λυγίζουν – σα ν᾽ αντίκρισα, πίσω από τα καλάμια, μιαν τίγρη.

— Ποιος είναι; έκαμε πνιχτά η χήρα.
Κούμπωσε το μπολκάκι της, έκρυφε το στήθος. Το πρόσωπό της σκοτείνιασε.

Έκαμα να φύγω· μα τα λόγια του Ζορμπά ολομεμιάς γέμισαν την καρδιά μου, αντρείεφα – «θάλασσα, γυναίκα, κρασί...»

— Εγώ, αποκρίθηκα. Εγώ, άνοιξέ μου!
Μόλις πρόφερα τα λόγια ετούτα, τρόμαξα· έκαμα πάλι να φύγω.

Μα βάσταξα· ντράπηκα το Ζορμπά.

— Ποιος εσύ;
Έκαμε ένα βήμα σιγανό, προσεχτικό, αθόρυβο· άπλωσε το λαιμό, μισόκλεισε τα μάτια να ξεχωρίσει· έκαμε άλλο ένα βήμα, σκυφτή, παρακατσεύοντας.

Ξάφνου το πρόσωπό της φωτίστηκε· έβγαλε έξω την άκρα της γλώσσας κι ανάγλειφε τα χείλια.

— Το αφεντικό; είπε κι η φωνή της είχε γλυκάνει.
Έκαμε ακόμα ένα βήμα, μουλωχτή, συμμαζεμένη, έτοιμη να χιμήξει.

— Το αφεντικό; ξαναρώτησε πνιχτά.
— Ναι.
— Έλα!

ζευζέκης *και* ζεβζέκης: *που είναι ανόητος, ελαφρόμυαλος, επιπόλαιος*

Έδωκε, ο ήλιος, ξημέρωσε. Ο Ζορμπάς είχε γυρίσει και κάθουνταν απόξω από την παράγκα. Κάπνιζε και κοίταζε τη θάλασσα· με περίμενε. Ευτύς ως πρόβαλα, σήκωσε το κεφάλι, με κοίταξε. Τα ρουθούνια του έπαιξαν σαν του λαγωνικού· άπλωσε το λαιμό, πήρε βαθιάν ανάσα, μυρίζουνταν. Και μονομιάς το πρόσωπό του έλαμφε· οσμίστηκε απάνω μου τη μυρωδιά της χήρας. Σηκώθηκε σιγά· χαμογέλασε όλος· άπλωσε τα χέρια:

— Έχε την ευκή μου! μου κάνει.

Ξάπλωσα, έκλεισα τα μάτια, άκουγα τη θάλασσα ν' αναπνέει ήσυχα, νανουριστά, κι εγώ ανέβαινα, κατέβαινα απάνω της, σα γλάρος. Κι έτσι γλυκά νανουρισμένος βυθίστηκα στον ύπνο κι είδα όνειρο: Μια γιγάντισσα Αραπίνα κάθουνταν κουκουβιστά στο χώμα και μου φάνηκε πως ήταν κυκλώπειος αρχαίος ναός από μαύρο γρανίτη. Κυκλοφορούσα, λέει, με αγωνία γύρα τρογύρα της να βρω την είσοδο· το μπόι μου μόλις έφτανε το δαχτυλάκι του ποδιού της· κι άξαφνα, ως απογύριζα τη φτέρνα της, είδα μια μαύρη πόρτα σα σπηλιά· και μια βαριά φωνή ακούστηκε:

— Έμπα!

Και μπήκα.

Κατά το μεσημέρι ξύπνησα· ο ήλιος γλιστρούσε από το παραθυράκι, χύνουνταν στα σεντόνια, χτυπούσε απάνω σ' ένα καθρεφτάκι κρεμασμένο στον τοίχο, με τόση δύναμη, που θαρρείς και το 'κανε χίλια κομμάτια.

Τ' όνειρο της γιγάντισσας Αραπίνας ανέβηκε στο νου μου, η θάλασσα μουρμούριζε μαυλιστικά, έκλεισα πάλι τα μάτια και μου φάνηκε πως ήμουν ευτυχής. Αλαφρωμένο το σώμα, ευχαριστημένο, σα ζώο που βγήκε κυνήγι, έπιασε άγρη, έφαε, και τώρα, ξαπλωμένο στον ήλιο, αναγλείφεται. Ο νους, σώμα κι αυτός, αναπαύουνταν χορτάτος· θαρρείς και τα σπαραχτικά ρωτήματα, που τον τυραννούσαν, βρήκαν απλότατη απόκριση.

Όλη η χαρά της χτεσινής νύχτας αναρροούσε από τα σωθικά, διακλαδίζουνταν και πότιζε και χόρταινε το χώμα που 'μαι καμωμένος. Κι έτσι ξαπλωμένος, με σφαληχτά μάτια, άκουγα, μου φαίνουνταν, να τρίζουν και να φαρδαίνουν τα σπλάχνα μου. Για πρώτη φορά χτες τη νύχτα βεβαιώθηκα τόσο χεροπιαστά πως κι η ψυχή είναι κι αυτή σάρκα, πιο γοργοκίνητη ίσως, πιο διάφανη, πιο λεύτερη· μα σάρκα. Κι η σάρκα είναι κι αυτή ψυχή, νυσταγμένη λίγο, κατακουρασμένη από μεγάλες πορείες, καταφορτωμένη από βαριές κληρονομιές· μα μέσα στις μεγάλες στιγμές ξυπνάει κι αυτή, αναντρανίζει, τινάζοντας και τα πέντε της πλοκάμια, σα φτερούγες.

Κάποιος ίσκιος έπεσε απάνω μου· άνοιξα τα μάτια: ο Ζορμπάς στέκουνταν στην πόρτα και με κοίταζε ευχαριστημένος.

— Μην ξυπνάς, αφεντικό! μην ξυπνάς... μου 'πε σιγά με μητρική τρυφεράδα. Γιορτή 'ναι και σήμερα, κοιμήσου!

— Χόρτασα ύπνο, είπα και τινάχτηκα απάνω.

— Θα σου κάμω ένα αυγό χτυπητό, έκαμε ο Ζορμπάς χαμογελώντας· είναι δυναμωτικό.

Δε μίλησα· έτρεξα στο γιαλό, βούτηξα στη θάλασσα, στέγνωσα στον ήλιο. Μα οσμίζουμουν ακόμα μια γλυκιά επίμονη μυρωδιά στα ρουθούνια, στα χείλια, στις ρώγες των δαχτυλιών μου. Σαν ανθόνερο. Σα δαφνόλαδο που αλείφουν τα μαλλιά τους οι γυναίκες στην Κρήτη.

Είχε κόψει χτες μιαν αγκαλιά λεμονανθούς, για να τους πάει απόψε του Χριστού στην εκκλησιά· την ώρα που θα χορεύουν οι χωριανοί στην πλατεία του χωριού κάτω από τις λεύκες και θα 'ταν έρημη η εκκλησιά. Το εικονοστάσι απάνω από το κρεβάτι της ήταν φορτωμένο λεμονανθούς, κι ανάμεσα από τους ανθούς πρόβαινε η μεγαλομάτα Παναγιά, καλόκαρδη και θλιμμένη.

Ο Ζορμπάς έσκυφε κι απίθωσε δίπλα μου το φλιτζάνι με το χτυπητό αυγό και δυο μεγάλα πορτοκάλια κι ένα τσουρεκάκι της Λαμπρής. Με υπηρετούσε αθόρυβα, ευτυχισμένα, σα μάνα το γιο της που γύρισε από τον πόλεμο. Με κοίταξε χαϊδευτικά κι έφυγε:

— Πάω να καρφώσω μερικούς στύλους, είπε.

Μασούλιζα ήσυχα στον ήλιο, βυθισμένος σε βαθιά σωματική αναγάλλιαση, σα να 'πλεα σε δροσερή πράσινη θάλασσα. Δεν άφηνα το νου να περμαζέφει απ' όλο μου το κορμί τη σάρκινη ετούτη χαρά, να τη στριμώξει στα καλούπια του και να την κάμει σκέψη. Άφηνα όλο μου το κορμί να χαίρεται, από τα νύχια ως την κορφή, σα ζώο. Κάποτε μονάχα κοίταζα το θάμα του κόσμου γύρω μου, το θάμα μέσα μου, εκστατικός: «Τι 'ναι ετούτο;» έλεγα. «Πώς έλαχε κι είναι ο κόσμος τόσο καλά αρμοδεμένος με τα πόδια μας, με τα χέρια μας, με την κοιλιά μας;» Κι έπειτα πάλι σφαλνούσα τα μάτια και σώπαινα.

Άξαφνα πετάχτηκα απάνω· μπήκα στην παράγκα, πήρα το χερόγραφο του «Βούδα», το άνοιξα. Βρίσκουμουν πια στο τέλος· ο Βούδας, ξαπλωμένος κάτω από το ανθισμένο δέντρο, είχε σηκώσει το χέρι κι είχε προστάξει τα πέντε στοιχεία του που τον αρμόδεναν –χώμα, νερό, φωτιά, αγέρα, πνέμα– να διαλυθούν.

Δεν είχα πια ανάγκη από το πρόσωπο αυτό της αγωνίας μου, το 'χα ξεπεράσει, είχα τελέφει τη θητεία μου στο Βούδα – σήκωσα κι εγώ το χέρι και πρόσταξα μέσα μου το Βούδα να διαλυθεί.

Γρήγορα γρήγορα, χρησιμοποιώντας τα παντοδύναμα ξόρκια, τις λέξεις, αφάνιζα το κορμί του, έπειτα την ψυχή του, έπειτα το νου. Χωρίς έλεος· βιάζουμουν.

Γρατσούνισα τα τελευταία λόγια, έσυρα την τελευταία κραυγή, χάραξα μ' ένα κόκκινο χοντρό μολύβι τ' όνομά μου· τέλειωσα.

Πήρα ένα χοντρό σπάγγο, έδεσα το χερόγραφο σφιχτά· δοκίμαζα παράξενη χαρά, σα να 'δενα ένα μεγάλο οχτρό χεροπόδαρα· ή όπως οι άγριοι δένουν τους αγαπημένους νεκρούς τους, να μην μπορούν να βγουν έξω από τα μνήματα και να βουρκολακιάσουν.

Ένα ξυπόλυτο κοριτσάκι κατάφτασε τρεχάτο· φορούσε κίτρινο φουστανάκι και κρατούσε σφιχτά ένα κόκκινο αυγό στο χέρι. Στάθηκε, με κοίταξε τρομαγμένο.

— Λοιπόν; το ρώτησα και του χαμογέλασα να πάρει θάρρος· θες τίποτα;

Αναρούφηξε, κι ακούστηκε λαχανιασμένη η φωνούλα:

— Η μαντάμα μ' έπεφε, να 'ρθεις, λέει· κείτεται στο κρεβάτι, η κακομοίρα. Του λόγου σου είσαι αυτός που λένε Ζορμπάς;

— Καλά, είπα, έρχουμαι.

Έβαλα και στο άλλο της χεράκι ένα κόκκινο αυγό, το άρπαξε κι έφυγε.

Σηκώθηκα, πήρα το δρόμο· η βουή του χωριού όλο και ζύγωνε, γλυκές δοξαριές της λύρας, γιορτερές φωνές, τουφεκιές, μαντινάδες· κι όταν έφτασα στην πλατεία, τα παλικάρια κι οι κοπέλες είχαν μαζευτεί κάτω από τις νιοφούντωτες λεύκες κι αρματώνουνταν να χορέψουν. Γύρα στα πεζούλια κάθουνταν παραταριά οι γέροι, με το πιγούνι ακουμπισμένο στα ραβδιά τους και κοίταζαν πιο πίσω οι γριές όρθιες. Στη μέση θρόνιαζε ο φουμιστός λυράρης, ο Φανούριος, μ' ένα απριλιάτικο ρόδο περασμένο στο αυτί του· κρατούσε με το ζερβί του χέρι τη λύρα όρθια στο γόνατο· με το δεξί του, γοργοκίνητο, δοκίμαζε το δοξάρι με τα βροντερά γερακοκούδουνα.

— Χριστός ανέστη! φώναξα περνώντας.

— Αληθώς ανέστη! ακούστηκε μια βουή χαρούμενη από αντρίκειες και γυναίκειες φωνές.

Έριξα μια γοργή ματιά· σφιχτοδεμένοι έφηβοι με τη φουφούλα βράκα, με τη λιγνή μέση, και τα κρόσσια του κεφαλομάντιλου κρέμουνταν στο κούτελό τους και στα μελίγγια, σαν κατσαρά· κι οι κοπελιές, με τα φλουριά στο λαιμό, με τις άσπρες κεντητές μπόλιες, χαμοβλεπούσες, τους κρυφοτηρούσαν και λαχτάριζαν.

— Και δε μας καταδέχεσαι, αφεντικό; ακούστηκαν μερικές φωνές.

Μα είχα κιόλα προσπεράσει.

Η μαντάμ Ορτάνς ήταν ξαπλωμένη στο φαρδύ κρεβάτι της, το μόνο έπιπλο που της είχε μείνει πιστό· τα μάγουλά της ήταν αναμμένα από τον πυρετό, έβηχε.

323

Ευτύς ως με είδε, αναστέναξε παραπονεμένη:

— Κι ο Ζορμπάς, κουμπάρε, κι ο Ζορμπάς;...

— Είναι άρρωστος· από τη μέρα που έπεσες άρρωστη, έπεσε κι αυτός· κρατάει τη φωτογραφία σου, την κοιτάει κι αναστενάζει.

— Λέγε... λέγε... μουρμούρισε η καημένη η Σειρήνα κι έκλεισε τα μάτια της, ευτυχισμένη.

— Και τώρα μ' έστειλε να σε ρωτήσω αν θες τίποτα... Θα 'ρθει, λέει, απόψε ο ίδιος, κι ας σούρνεται με τα γόνατα... Δε βαστάει, λέει, πια, δε βαστάει το χωρισμό σου.

— Λέγε... λέγε... λέγε...

— Έλαβε, λέει, τηλεγράφημα από την Αθήνα· τα νυφικά είναι έτοιμα, τα στέφανα, τα σκαρπίνια, τα κουφέτα μπαρκαρίστηκαν, έρχουνται... Κι οι άσπρες λαμπάδες με τις ροζ κορδελίτσες...

— Λέγε... λέγε... λέγε...

Μα σα να την είχε πάρει ο ύπνος, άλλαξε η αναπνοή της, άρχισε το παραμίλημα. Το δωμάτιο μύριζε κολόνια, αμμωνία κι ιδρώτα· κι από το ανοιχτό παραθυράκι έμπαινε η δριμιά μυρωδιά από τις κουτσουλιές και τα κουνέλια της αυλής.

Σηκώθηκα, πήρα να φύγω· στην ξώπορτα πέτυχα το Μιμηθό. Φορούσε σήμερα στιβάνια και καινούρια γαλάζια φουφούλα· στο αυτί του είχε περάσει ένα κλωνί βασιλικό.

— Μιμηθό, του 'πα, τρέξε στο Καλό Χωριό να φέρεις το γιατρό.

Ο Μιμηθός είχε βγάλει κιόλα τα στιβάνια του, να μην τα χαλάσει στο δρόμο, και τα 'σφιγγε στην αμασκάλη.

— Να βρεις το γιατρό και να του πεις πολλά χαιρετίσματα από μένα και να καβαλήσει τη φοράδα του να 'ρθει το χωρίς άλλο. Η μαντάμα, να του πεις, είναι βαριά άρρωστη· πούντιασε, πούντιασε η κακομοίρα. Αυτά να του πεις· τρέχα.

— Πάω κιόλα!

Έφτυσε στις απαλάμες του, τις χτύπησε χαρούμενος μα δεν κουνούσε. Με κοίταζε γελαστός.

— Φεύγα, σου λέω!

Μα δεν έφευγε· μου 'κλεισε το μάτι και χαμογέλασε πονηρά.

— Αφεντικό, είπε, σου πήγα σπίτι ένα μπουκάλι ανθόνερο... πεσκέσι.

Στάθηκε λίγο, περίμενε να τον ρωτήσω ποιος μου το στέλνει, μα σώπαινα.

— Και δε ρωτάς ποιος σου το στέλνει, αφεντικό; είπε χιχιρίζοντας. Για να βάζεις, λέει, στα μαλλιά σου, να μυρίζουν!

— Φεύγα γρήγορα! Σώπα!

Γέλασε, έφτυσε πάλι στις φούχτες του:

— Χοπ! Χοπ! φώναξε· Χριστός ανέστη!

Κι εξαφανίστηκε.

XXII

Ο λαμπριάτικος

χορός είχε φουντώσει κάτω από τις λεύκες. Είχε πιάσει στον κάβο του χορού ένας μελαχρινός βαρβάτος έφηβος ως είκοσι χρονών, με ανέγγιχτα ακόμα από το ξουράφι χοντρόχνουδα μάγουλα· ανοιχτό το στήθος του μαυρολογούσε όλο δασές κατσαρωμένες τρίχες· είχε αναγείρει πίσω το κεφάλι, τα πόδια του κλοτσούσαν τη γης σα φτερά, κάπου κάπου έριχνε τα μάτια του σε καμιάν κοπέλα και γυάλιζε το ασπράδι τους άγριο μέσα στη μαυρίλα του προσώπου.

Χάρηκα, τρόμαξα. Γύριζα από τη μαντάμ Ορτάνς· είχα κράξει μια γυναίκα να 'χει την έγνοια της και τώρα έφευγα ήσυχος να δω τους Κρητικούς να χορεύουν· ζύγωσα τον μπαρμπα-Αναγνώστη, κάθισα δίπλα του στο πεζούλι.

— Ποιο 'ναι το παλικαράκι που σέρνει το χορό; είπα στο αυτί του.

Ο μπαρμπα-Αναγνώστης γέλασε:

— Σαν αρχάγγελος είναι ο αφιλότιμος, που παίρνει τις ψυχές, είπε καμαρώνοντας. Είναι μαθές ο Σήφακας ο βοσκός. Όλο το χρόνο βόσκει στα βουνά, και τη Λαμπρή μόνο κατεβαίνει να δει ανθρώπους και να χορέψει.

Αναστέναξε.

— Ε μωρέ, και να 'χα τα νιάτα του! μουρμούρισε· να 'χα τα νιάτα του, θα πατούσα, μα την πίστη μου, την Πόλη!

Ο νέος τίναξε το κεφάλι· έσυρε φωνή, μπεμπεριστή, ασούσουμη, σαν αγκρισμένο κριάρι:

— Βάρα, Φανούριο! φώναξε· βάρα που να πεθάνει ο Χάρος. Ο Χάρος πέθαινε κάθε στιγμή, ξαναγεννιόταν κάθε στιγμή, σαν τη ζωή. Χιλιάδες χρόνια οι νιοι κι οι νιες χορεύουν κάτω από νιοφούντωτα δέντρα –λεύκες, έλατα, δρυς, πλατάνια και σπαθάτες χουρμαδιές– και θα χορεύουν χιλιάδες ακόμα χρόνια με καταφαγωμένα από τον πόθο πρόσωπα. Τα πρόσωπα χύνουνται κάτω στη γης, αλλάζουν κάθε είκοσι χρόνια, έρχουνται άλλα. Μα η ουσία, ο Ένας, θα μένει πάντα ο ίδιος, ερωτεμένος, είκοσι χρονών, να χορεύει, αθάνατος.

Σήκωσε ο νιούτσικος το χέρι να στρίψει το μουστάκι, μα δεν είχε.

— Βάρα! φώναξε πάλι· βάρα, μωρέ Φανούριο, να μην πλαντάξω.

Τίναξε το χέρι ο λυράρης, βρόντηξε η λύρα, αγρίεψαν τα γερακοκούδουνα κι ο νιος έδωσε ένα σάλτο, χτύπησε τρεις φορές τα πόδια του στον αγέρα, ένα μπόι αψηλά, κι άρπαξε με τα μπροσμούρια των στιβανιών του το άσπρο μαντίλι από το κεφάλι του διπλανού του, του Μανόλακα τ' αγροφύλακα.

— Γεια σου, μωρέ Σήφακα! ακούστηκαν φωνές κι οι κοπέλες ανατρίχιασαν και χαμήλωσαν στη γης τα μάτια.

Μα ο νιος, αμίλητος, χωρίς να κοιτάζει κανένα, άγριος και πειθαρχημένος, ακουμπώντας τώρα αναγερτό το ζερβί του χέρι στα λιγνά σιδερένια γοφιά, χόρευε, καρφώνοντας αγριεμένα και σεμνά τα μάτια του στο χώμα.

Άξαφνα ο χορός κόπηκε απότομα. Ο γερο-καντηλανάφτης ο Αντρουλιός, ξεπρόβαλε, σήκωσε τα χέρια του, έσυρε φωνή.

— Η χήρα! Η χήρα! Η χήρα! φώναζε ξεγλωσσισμένος.

Ο αγροφύλακας ο Μανόλακας τινάχτηκε πρώτος, έκοψε το χορό. Από την πλατεία φαίνουνταν κάτω η εκκλησιά, στολισμένη ακόμα με μυρτιές και δάφνες· οι χορευτές σταμάτησαν ξαναμμένοι, οι γέροι σηκώθηκαν από τα πεζούλια· ο Φανούριος άπλωσε τη λύρα απάνω στα γόνατά του, έβγαλε από το αυτί του το απριλιάτικο τριαντάφυλλο και το μύρισε.

— Πού, μωρέ Αντρουλιό; φώναξαν όλοι ξαναμμένοι, πού;
— Στην εκκλησιά· να, τώρα μπήκε, η θεοκαταραμένη, και κρατούσε μιαν αγκαλιά λεμονανθούς.
— Απάνω της, παιδιά! φώναξε ο αγροφύλακας και χίμηξε πρώτος.

Τη στιγμή εκείνη πρόβαλε στο κατώφλι της εκκλησιάς η χήρα· φορούσε μαύρο τσεμπέρι κι έκανε το σταυρό της.
— Την άτιμη! Την ξεσκισμένη! Τη φόνισσα! ακούστηκαν φωνές στο χοροστάσι. Έχει μούτρα και προβαίνει κιόλας! Απάνω της, μωρέ, και ντρόπιασε το χωριό μας!

Άλλοι χύθηκαν μαζί με τον αγροφύλακα κάτω στην εκκλησιά, άλλοι, από αψηλά, της σφεντόνιζαν πέτρες. Μια πέτρα τη χτύπησε στον ώμο. Η χήρα έσυρε φωνή· έβαλε τα χέρια της στο πρόσωπο, χίμηξε, σκυφτή, να φύγει. Μα οι νιοι είχαν κιόλα φτάσει στην οξώπορτα της εκκλησιάς κι ο Μανόλακας είχε τραβήξει το μαχαίρι.

Η χήρα πισωδρόμησε σκληρίζοντας, δίπλωσε σε δυο, κι έτρεξε τρεκλίζοντας να τρουπώσει στην εκκλησιά. Μα στο κατώφλι εκεί στέκουνταν αμίλητος ο γερο-Μαυραντώνης, είχε ανοίξει τα μπράτσα κι είχε πιάσει τους παραστάτες της πόρτας.

Πήδηξε η χήρα ζερβά, χύθηκε κι αγκάλιασε το μεγάλο κυπαρίσσι της αυλής. Μια πέτρα σφύριξε στον αγέρα, την πέτυχε στο κεφάλι, έπεσε το μαύρο τσεμπέρι, ξεχύθηκαν στους ώμους τα μαλλιά.
— Για τ' όνομα του Χριστού! Για τ' όνομα του Χριστού! βογκούσε η χήρα κι αγκάλιαζε σφιχτά το κυπαρίσσι.

Αρμαθιασμένες πάνω στην πλατεία, οι κοπέλες δάγκαναν τις άσπρες μπολίδες τους· οι γριές, αποκρεμασμένες στους φράχτες, σκλήριζαν:
— Σκοτώστε τη, μωρέ, σκοτώστε τη!

Δυο νέοι έπεσαν απάνω της, την άρπαξαν, ξεσκίστηκε η μαύρη μπλούζα της, έλαμψε άσπρο, σα μάρμαρο, το βυζί. Τα αίματα έτρεχαν τώρα από το κορφοκέφαλό της στο μέτωπο, στα μάγουλα, στο λαιμό.

— Για τ' όνομα του Χριστού! Για τ' όνομα του Χριστού! βογκούσε ακόμα η χήρα.

Το αίμα που έτρεχε, το στήθος που έλαμπε, φρένιασε τους νιους· τράβηξαν από τις ζώνες τους τα μαχαίρια.

— Σταθείτε, φώναξε ο Μανόλακας, είναι δική μου!

Ο γερο-Μαυραντώνης, όρθιος ακόμα στο κατώφλι της εκκλησιάς, σήκωσε το χέρι· όλοι σταμάτησαν.

— Μανόλακα, είπε με βαριά φωνή, το αίμα του εξαδέρφου σου βουά· ανάπαφέ το!

Τινάχτηκα από το φράχτη, όπου ήμουν σκαρφαλωμένος, χύθηκα να φτάσω στην εκκλησιά, σκόνταφε το πόδι μου σε μιαν πέτρα και ξαπλώθηκα κάτω. Τη στιγμή εκείνη περνούσε ο Σήφακας, έσκυφε, μ' έπιασε από το σβέρκο όπως πιάνουμε τους γάτους, και με στύλωσε απάνω.

— Τι γυρεύεις του λόγου σου εδωνά, λιμοκοντόρε; μου κάνει. Φεύγα!

— Δεν τη λυπάσαι, μωρέ Σήφακα, λυπήσου τη!

Ο βουνάνθρωπος γέλασε:

— Γυναίκα είμαι, είπε, να λυπούμαι; Άντρας είμαι!

Και μ' έναν πήδο βρέθηκε κι αυτός στο περιαύλι της εκκλησιάς.

Έφτασα κι εγώ από πίσω του τρέχοντας. Όλοι τώρα είχαν κυκλώσει τη χήρα· βαριά σιωπή· δεν άκουγες παρά το πνιχτό λαχάνιασμα της χήρας.

Ο Μανόλακας έκαμε το σταυρό του, προχώρησε ένα βήμα, σήκωσε το μαχαίρι, οι γριές απάνω στο φράχτη σκλήριξαν χαρούμενα· οι νιες κατέβασαν τις μπόλιες και σκέπασαν τα μάτια.

Η χήρα αναντράνισε, είδε το μαχαίρι από πάνω της, μούγκρισε σα δαμάλα. Κυλίστηκε στη ρίζα του κυπαρισσιού κι έχωσε το κεφάλι στους ώμους. Τα μαλλιά της σκέπασαν το χώμα, άστραφε ο κάτασπρος σβέρκος.

— Στ' όνομα του Θεού! έκραξε ο γερο-Μαυραντώνης κι έκαμε το σταυρό του.

Μα τη στιγμή εκείνη άγρια φωνάρα ακούστηκε πίσω μας:

— Κάτω το μαχαίρι, φονιά!

Όλοι στράφηκαν ξαφνιασμένοι· ο Μανόλακας σήκωσε το κεφάλι· ο Ζορμπάς στέκουνταν μπροστά του, κουνούσε μανιασμένος τα χέρια και φώναζε:

— Μωρέ, δεν ντρέπεστε; Τι παλικάρια είστε εσείς; Ένα χωριό να σκοτώσει μια γυναίκα! Θα ντροπιάσετε, μωρέ, την Κρήτη!

— Πήγαινε στη δουλειά σου, Ζορμπά· μην ανακατεύεσαι! μούγκρισε ο Μαυραντώνης.

Στράφηκε στον ανιψιό του:

— Μανόλακα, είπε, στ' όνομα του Χριστού και της Παναγίας, χτύπα!

Μ' ένα σάλτο άρπαξε ο Μανόλακας τη χήρα, την έριξε κάτω, πάτησε το γόνατό του στην κοιλιά της και σήκωσε το μαχαίρι.

Μα δεν πρόλαβε· ο Ζορμπάς είχε αρπάξει κιόλα το μπράτσο του Μανόλακα, είχε τυλίξει στο γρόθο του το μεγάλο του μαντίλι και μάχουνταν ν' ανασπάσει από τη φούχτα του αγροφύλακα το μαχαίρι.

Η χήρα ανατινάχτηκε γονατιστή, γοργοβλεφάρισε γύρω να φύγει· μα οι χωριανοί είχαν πιάσει την πόρτα, στέκουνταν κύκλο στην αυλή και στα πεζούλια, κι ως την είδαν να θέλει να ξεφύγει, έδωκαν ένα σάλτο κι ο κύκλος στένεφε.

Ωστόσο ο Ζορμπάς πάλευε χωρίς φωνές, σβέλτος, στρουφογυριζάμενος, αμίλητος· ορθός στην πόρτα παρακολουθούσα το πάλεμα με αγωνία. Τα μούτρα του Μανόλακα είχαν μπλαβίσει από τη μάνητα, ο Σήφακας κι ένας άλλος άντρακλας ζύγωσαν να του δώσουν βοήθεια· μα ο Μανόλακας γύρισε αγριεμένος τα μάτια:

— Πίσω! Πίσω! φώναξε· κανένας να μη σιμώσει!

Και ρίχτηκε πάλι με λύσσα στο Ζορμπά και τον κουτουλούσε σαν ταύρος.

Ο Ζορμπάς δάγκανε τα χείλια, σώπαινε· κρατούσε σαν

τανάλια το δεξό μπράτσο του αγροφύλακα και λύγιζε δεξά ζερβά να ξεφύγει τις κουτουλιές. Λυσσασμένος ο Μανόλακας χύθηκε κι άρπαξε μέσα στα δόντια του το αυτί του Ζορμπά και το τραβούσε να το κόψει. Τα αίματα έτρεχαν.

— Ζορμπά! φώναξα τρομαγμένος και χύθηκα να τον γλιτώσω.

— Φεύγα, αφεντικό, μου φώναξε, μην ανακατεύεσαι!

Έσφιξε τη γροθιά κι έδωκε μια δυνατή μπηχτή κάτω από την κοιλιά, στ' αχαμνά του Μανόλακα. Μονομιάς το άγριο θεριό παράλυσε· ξέσφιξαν τα δόντια του και παράτησαν το μισοξεκολλημένο αυτί, και το γαλάζιο πρόσωπο χλώμιασε. Με μια σπρωξιά ο Ζορμπάς τονε σώριασε κάτω, του ξεφούχτωσε το μαχαίρι, του 'δωκε μια στις πλάκες και το 'καμε κομμάτια.

Σφούγγιξε με το μαντίλι τα αίματα που 'τρεχαν από το αυτί του κι ύστερα σκούπισε το πρόσωπό του, μουσκίδι στον ιδρώτα· όλο του το πρόσωπο γέμισε αίματα. Πετάχτηκε απάνω, παγάνισε γύρα, τα μάτια του ήταν πρησμένα και κατακόκκινα· φώναξε της χήρας:

— Σήκω, έλα μαζί μου!

Και τράβηξε κατά την αυλόπορτα να φύγει.

Η χήρα αναστυλώθηκε με άγρια λαχτάρα, μάζωξε όλη της τη δύναμη, πήρε φόρα να χιμήξει· μα δεν πρόφτασε. Σαν αστραπή ο γερο-Μαυραντώνης είχε πέσει απάνω της, την αναποδογύρισε, έστριψε τρεις γύρες στο μπράτσο του τα μαλλιά της και με μια μαχαιριά της πήρε το κεφάλι.

— Παίρνω το κρίμα απάνω μου! φώναξε και πέταξε το κεφάλι της χήρας στο κατώφλι της εκκλησιάς.

Κι έκαμε το σταυρό του.

Ο Ζορμπάς στράφηκε, είδε. Ξερίζωσε μιαν τούφα τρίχες από το μουστάκι του, στέναξε. Ζύγωσα, του φούχτωσα το μπράτσο· έσκυψε, με κοίταξε· δυο χοντρά δάκρυα κρέμουνταν στα τσίνουρά του.

— Πάμε, αφεντικό! είπε με πνιγμένη φωνή.

Το βράδυ εκείνο, ο Ζορμπάς δε θέλησε να βάλει μπουκιά

στο στόμα του. «Ο λαιμός μου είναι φραγμένος», έλεγε, «δεν καταπίνει». Έπλυνε το αυτί του με κρύο νερό, μούσκεφε μπαμπάκι στη ρακή, έκαμε επίδεσμο, ανακαθισμένος στο στρώμα, κρατούσε το κεφάλι στις παλάμες κι έμενε συλλογισμένος.

Είχα ακουμπήσει κι εγώ, ξαπλωμένος χάμω, στον τοίχο, κι ένιωθα να τρέχουν αργά, ζεστά τα κλάματα στα μάγουλά μου. Δε δούλευε καθόλου το μυαλό μου, δε συλλογίζουμουν τίποτα· σα να με είχε πάρει βαθύ, παιδιάτικο παράπονο κι έκλαιγα.

Μια στιγμή ο Ζορμπάς σήκωσε το κεφάλι, ξέσπασε· άρχισε να φωνάζει, συνεχίζοντας δυνατά τον άγριο μέσα του μονόλογο:

— Σου λέω, αφεντικό, όλα ετούτα που γίνουνται εδώ στον κόσμο, άδικα, άδικα, άδικα! Δεν υπογράφω εγώ, εγώ το σκουληκάκι, εγώ ο γυμνοσάλιαγκας, ο Ζορμπάς! Γιατί να πεθαίνουν οι νέοι κι οι νέες και να 'πομένουν τα σαράβαλα; Γιατί να πεθαίνουν τα μικρά παιδιά; Εγώ είχα ένα μικρό παιδί, το Δημητράκη μου, και μου πέθανε τριών χρονών και ποτέ, ποτέ, το ακούς; δε θα το συχωρέσω στο Θεό! Την άλλη μέρα, αν έχει μούτρα να παρουσιαστεί μπροστά μου, να το ξέρεις πως, αν είναι αληθινός Θεός, θα ντραπεί! Ναι, ναι, θα ντραπεί εμένα το γυμνοσάλιαγκα, το Ζορμπά.

Έκαμε ένα μορφασμό, πονούσε· τα αίματα άρχισαν πάλι να τρέχουν από την πληγή του· δάγκασε τα χείλια του να μη φωνάξει.

— Στάσου, Ζορμπά, είπα, να σου αλλάξω τον επίδεσμο.

Έπλυνα με ρακή πάλι το αυτί του, πήρα το ανθόνερο που μου 'χε στείλει η χήρα και το βρήκα απάνω στο κρεβάτι μου, και μούσκεφα το μπαμπάκι.

— Ανθόνερο; έκαμε ο Ζορμπάς, ανασαίνοντας αχόρταγα· ανθόνερο; Ρίξε μου και στα μαλλιά, έτσι, γεια σου! Και στις φούχτες, χύσε το όλο, βίρα!

Είχε ζωντανέφει· τον κοίταξα ξαφνιασμένος.

— Μου φαίνεται πως μπαίνω στο περιβόλι της χήρας, είπε.

Και τον πήρε πάλι το παράπονο.

— Πόσα χρόνια χρειάστηκε, μουρμούρισε, πόσα χρόνια, για να καταφέρει το χώμα να φτιάσει ένα τέτοιο κορμί! Την κοίταζες κι έλεγες: «Αχ, να ᾽μουν είκοσι χρονών και να ξοφληθεί το γένος των ανθρώπων από τη γης και να γλιτώσει μονάχα ετούτη και να φτιάσω μαζί της παιδιά, όχι παιδιά, θεούς αληθινούς, και να ξαναγεμίσω τον κόσμο!» Και τώρα...

Πετάχτηκε απάνω· τα μάτια του βούρκωσαν.

— Δεν μπορώ, είπε, αφεντικό! Πρέπει να περπατήσω, ν᾽ ανέβω, να κατέβω απόψε δυο τρεις φορές το βουνό, να κουραστώ, να κατακάτσει ο νους μου... Ε μωρή χήρα, και μου ᾽ρχεται να σύρω μοιρολόι, θα σκάσω!

Πετάχτηκε έξω, πήρε κατά το βουνό, χάθηκε μέσα στο σκοτάδι.

Ξάπλωσα στο κρεβάτι μου, έσβησα το λυχνάρι κι άρχισα πάλι, κατά την άθλια απάνθρωπή μου συνήθεια, να μετατοπίζω την πραγματικότητα, να της αφαιρώ το αίμα, τη σάρκα, τα κόκαλα, να την καταντώ αφηρημένη ιδέα και να τη συναρτώ με γενικότατους νόμους, ωσότου να βγάλω το φρικαλέο συμπέρασμα πως ό,τι έγινε ήταν ανάγκη να γίνει. Ό,τι έγινε ήταν μέσα στο ρυθμό του κόσμου να γίνει, και πλουταίνει την αρμονία. Και να φτάσω τέλος στην αποτρόπαιη παρηγοριά: ό,τι έγινε, όχι μονάχα ήταν ανάγκη να γίνει παρά κι έπρεπε, ήταν σωστό να γίνει.

Η σφαγή της χήρας έπεσε σαν άγριο τρομαχτικό μήνυμα στην περιοχή του μυαλού μου, όπου τα πάντα, τώρα και λίγα χρόνια, είχαν κατασταλάξει και υποταχτεί σε πειθαρχία. Το μήνυμα αυτό αναστάτωσε την καρδιά μου· μα ολομεμιάς χίμηξαν απάνω του όλες μου οι θεωρίες να το περιτυλίξουν με εικόνες και τεχνάσματα και να το καταντήσουν ακίντυνο – απαράλλαχτα όπως οι μέλισσες τυλίγουν με κερόμπολη τον άγριο ζωνόσβουρο που τρούπωξε στο φλασκί τους για να τους διαγουμίσει το μέλι.

ζωνόσβουρος: μεγάλη αγριομέλισσα

Κι έτσι, σε λίγες ώρες, η χήρα κείτουνταν στη θύμησή μου ήσυχη, σχεδόν χαμογελαστή, στη θείαν ακινησία του συμβόλου. Η χήρα είχε κιόλα τυλιχτεί μέσα στην καρδιά μου με κερόμπολη, δεν μπορούσε πια να μεταδώσει τον πανικό μέσα μου και να παραλύσει το νου μου. Το φρικαλέο εφήμερο περιστατικό πλάτυνε, απλώθηκε σε φαρδύ καιρό και τόπο, ταυτίστηκε με τους μεγάλους πολιτισμούς που πέθαναν, οι πολιτισμοί με τη μοίρα της γης, η γης με τη μοίρα του σύμπαντος – κι έτσι, ξαναγυρίζοντας στη χήρα, τη βρήκα υποταγμένη στους μεγάλους νόμους, φιλιωμένη με τους φονιάδες της, σε γαλήνια θεϊκιάν ακινησία.

Ο καιρός είχε πάρει μέσα μου την αληθινή του ουσία· η χήρα σα να 'χε πεθάνει πριν από χιλιάδες χρόνια, κι οι κνωσαϊκές σγουρόμαλλες κοπέλες του αιγαίικου πολιτισμού σα να 'χαν πεθάνει σήμερα το πρωί.

Ο ύπνος με πήρε, όπως θα με πάρει σίγουρα –πιο σίγουρο πράμα δεν υπάρχει– κι ο θάνατος, και γλίστρησα αθόρυβα στο σκοτάδι. Και δεν άκουσα μήτε πότε γύρισε μήτε αν γύρισε ο Ζορμπάς· το πρωί τον βρήκα απάνω στο βουνό να φωνάζει τους εργάτες και να μαλώνει. Τίποτα απ' ό,τι έκαναν δεν του άρεσε· έδιωξε τρεις εργάτες που του σήκωσαν κεφάλι, πήρε ο ίδιος το τσεκούρι κι άνοιξε το δρόμο που 'χε χαράξει για τους στύλους μέσα στις αστοιβίδες και τα κατσοπούρναρα. Ανέβηκε στο βουνό, βρήκε τους λατόμους που 'κοβαν τα πεύκα, έβαλε τις φωνές· ένας γέλασε, κάτι μουρμούρισε, ο Ζορμπάς χύθηκε απάνω του.

Το βράδυ κατέβηκε ξεθεωμένος, καταξεσκισμένος, και κάθισε δίπλα μου στο γιαλό. Με δυσκολία άνοιγε το στόμα· κι όταν το άνοιγε, μιλούσε για ξυλεία, σύρματα και λιγνίτη, σαν άπληστος επιχειρηματίας που βιάζονταν, όσο μπορούσε πιο έρριζα, να ρημάξει τον τόπο, να κερδίσει και να φύγει.

Όταν μια στιγμή, παρηγορημένος όπως είχα καταντήσει, έκαμα κάτι να πω για τη χήρα, άπλωσε ο Ζορμπάς τη χερούκλα και μου 'φραξε το στόμα.

— Σώπα! είπε με υπόκωφη φωνή.

Έκλεισα το στόμα ντροπιασμένος. Αυτό θα πει άνθρωπος, έλεγα με το νου μου, ζουλεύοντας τον πόνο του Ζορμπά. Άνθρωπος μ' αίμα ζεστό και στέρεα κόκαλα, που όταν πονάει πετάει χοντρά αληθινά δάκρυα κι όταν χαίρεται δεν ξανεμίζει τη χαρά του περνώντας την από φιλές μεταφυσικές κρησάρες. Πέρασαν έτσι τρεις, τέσσερεις μέρες. Ο Ζορμπάς δε σήκωνε κεφάλι από τη δουλειά, δεν έτρωγε, δεν έπινε, έλιωνε. Ένα βράδυ του 'πα πως η κυρα-Μπουμπουλίνα κείτεται ακόμα στο κρεβάτι, ο γιατρός δεν ήρθε, παραμιλάει και λέει τ' όνομά του.

Έσφιξε τη γροθιά του.

— Καλά, είπε.

Την άλλη μέρα πρωί πρωί πήγε στο χωριό, γύρισε γρήγορα.

— Την είδες; τον ρώτησα. Πώς περνάει;

Ο Ζορμπάς μάζεψε τα φρύδια.

— Δεν έχει τίποτα, είπε· θα πεθάνει.

Και τράβηξε γρήγορα κατά το βουνό.

Το ίδιο βράδυ, χωρίς να δειπνήσει, πήρε τη μαγκούρα του, βγήκε όξω.

— Πού πας, Ζορμπά; ρώτησα. Στο χωριό;

— Όχι· μια βόλτα, και θα γυρίσω.

Τράβηξε κατά το χωριό με μεγάλες αποφασιστικές δρασκελιές.

Ήμουν κουρασμένος, ξάπλωσα· πήρε ο νους μου πάλι σβάρνα τη γης, σηκώθηκαν θύμησες, ήρθαν πίκρες, πεταλούδισε ο νους στις πιο μακρινές ιδέες κι ήρθε πάλι και κάθισε απάνω στο Ζορμπά.

«Αν του λάχει στο δρόμο ο Μανόλακας», συλλογίστηκα, «ο μανιασμένος Κρητίκαρος θα χιμήξει απάνω του και θα τον σκοτώσει. Όλες τις μέρες ετούτες, είχα μάθει, είναι κλειδωμένος σπίτι του και μουγκρίζει· ντρέπεται να προβάλει στο χωριό κι όλο και φοβερίζει πως αν πιάσει το Ζορμπά, θα "τόνε σκίσει σαν τη σαρδέλα". Και χτες τα μεσάνυχτα ένας εργάτης τον είδε να τριγυρνάει την παράγκα αρματωμένος. Αν συναντηθούν απόφε οι δυο τους, θα γίνει φονικό...»

Πετάχτηκα απάνω, ντύθηκα και πήρα γοργά κατά το χωριό. Γλυκιά 'ταν η νύχτα, ογρή, μύριζε αγριοβιολέτα. Ύστερα από λίγη ώρα ξέκρινα μέσα στο σκοτάδι το Ζορμπά να προχωράει σιγά, σαν κουρασμένος. Κάποτε σταματούσε, κοίταζε τ' αστέρια, αφουκράζουνταν, έπαιρνε πάλι φόρα κι άκουγα το ραβδί του που χτυπούσε τις πέτρες.

Ζύγωνε πια στο περιβόλι της χήρας· ο αγέρας μύρισε λεμονανθό και αγιόκλημα· κι άξαφνα, μέσα από τις πορτοκαλιές ξέσπασε, σα γάργαρο κελαρυστό νερό, το κελάδημα του αηδονιού. Κελαηδούσε, κελαηδούσε μέσα στο σκοτάδι, πιάνουνταν η αναπνοή του ανθρώπου. Κι ο Ζορμπάς απότομα σταμάτησε, πλανταμένος κι αυτός από την τόση γλύκα.

Κι ολομεμιάς τα καλάμια του φράχτη κουνήθηκαν και τα κοφτερά φύλλα τους αχολόησαν σα λάμες ατσαλένιες.

— Ε κουμπάρε, ακούστηκε μια αγριοφωνάρα, ε γερο-ξούρη, καλώς σε βρήκα!

Πάγωσα· κατάλαβα τη φωνή.

Ο Ζορμπάς έκαμε ένα βήμα, σήκωσε το ραβδί και σταμάτησε πάλι. Ξεχώριζα καλά, μέσα στην αστροφεγγιά, κάθε του κίνηση.

Από τα καλάμια, μ' ένα πήδημα, πετάχτηκε ένας αφηλός άντρακλας.

— Ποιος είναι; φώναξε ο Ζορμπάς τεντώνοντας το λαιμό.

— Εγώ, μωρέ, ο Μανόλακας.

— Τράβα το δρόμο σου, φεύγα!

— Γιατί με ντρόπιασες, μωρέ Ζορμπά;

— Δε σε ντρόπιασα εγώ, Μανόλακα, φεύγα, σου λέω. Εσύ 'σαι θεριό· μα έτσι το 'φερε η τύχη, στραβή 'ναι, δεν το κατέχεις;

— Τύχη ξετύχη, στραβή ξεστραβή, έκαμε ο Μανόλακας κι άκουσα τα δόντια του να τρίζουν, εγώ θέλω να ξεπλύνω την ντροπή· απόψε κιόλα. Βαστάς μαχαίρι;

— Όχι, αποκρίθηκε ο Ζορμπάς· μονάχα μαγκούρα.

— Πήγαινε να πάρεις το μαχαίρι σου· εδώ θα σε ανημένω. Πήγαινε!

Ο Ζορμπάς δεν κουνούσε.

— Φοβάσαι; σούριξε περγελαχτά η φωνή του Μανόλακα. Πήγαινε, σου λέω!

— Τι να το κάμω, ρε Μανόλακα, το μαχαίρι; έκαμε ο Ζορμπάς που 'χε αρχίσει να παίρνει φωτιά· τι να το κάμω, μωρέ; Θυμάσαι, στην εκκλησιά εσύ, θαρρώ, είχες μαχαίρι κι εγώ δεν είχα· μα μου φαίνεται πως τα κατάφερα.

Ο Μανόλακας βρουχήθηκε.

— Γελάς, μωρέ, κιόλας, ε; Με βρήκες απόφε του χεριού σου, μαθές, που 'μαι αρματωμένος εγώ και συ δεν είσαι, και με αναμπαίζεις. Φέρε, παλιομακεδόνα, το μαχαίρι, να μετρηθούμε!

— Ρίξε το μαχαίρι σου κι εγώ τη μαγκούρα, να μετρηθούμε! αντιφώναξε ο Ζορμπάς κι η φωνή του έτρεμε από θυμό. Ομπρός, παλιοκρητίκαρε!

Τίναξε ο Ζορμπάς το μπράτσο, πέταξε το ραβδί και το άκουσα να πέφτει μέσα στα καλάμια.

— Πέτα το μαχαίρι! ακούστηκε πάλι η φωνή του Ζορμπά.

Ακράνυχα, σιγά σιγά, είχα ζυγώσει· στην αστροβολή πρόλαβε το μάτι μου και πήρε τη λάμψη που έβγαλε το μαχαίρι, πέφτοντας κι αυτό μέσα στα καλάμια.

Ο Ζορμπάς έφτυσε στις φούχτες του.

— Βίρα! φώναξε κι ανατινάχτηκε να πάρει απίδρομο.

Μα πριν προφτάσουν οι δυο παλικαράδες να πιαστούν, πετάχτηκα στη μέση.

— Σταθείτε! φώναξα. Έλα εδώ, Μανόλακα, έλα και συ, Ζορμπά· ντροπή σας!

Οι δυο αντίμαχοι ζύγωσαν, σιγοπατώντας· έπιασα το δεξί χέρι του καθενός.

— Δώστε τα χέρια· καλά παλικάρια είστε κι οι δυο, φιλιώστε!

— Με ντρόπιασε... είπε ο Μανόλακας, προσπαθώντας ν' αποτραβήξει το χέρι του.

— Δεν ντροπιάζεσαι εσύ εύκολα, καπετάν Μανόλακα! είπα. Όλο το χωριό έχει να κάμει με την παλικαριά σου· μην κοιτάζεις τι γίνηκε προχτές στην εκκλησιά· ήταν κακή ώρα, ό,τι έγινε έγινε, πάει! Κι ύστερα μην το ξεχνάς, ο Ζορμπάς

338

είναι ξένος, Μακεδόνας, κι είναι μεγάλη ντροπή, εμείς οι Κρητικοί, να σηκώνουμε χέρι σ' ένα ξενομερίτη που 'ρθε στον τόπο μας... Έλα, δώσε το χέρι, αυτό θα πει παλικαριά, κι έλα, πάμε στην παράγκα να πιούμε ένα κρασί, να ψήσουμε μιαν πήχη λουκάνικο μεζέ, να στερεώσει, καπετάν Μανόλακα, ο φιλιωμός!

Πήρα το Μανόλακα από τη μέση, τον αναμέρισα λίγο:

— Είναι γέρος, του ψιθύρισα στο αυτί, δεν ταιριάζει εσύ, κοτζάμ παλικάρι, να τα βάζεις μαζί του!

Ο Μανόλακας μαλάκωσε:

— Ας είναι, έκαμε· για το χατίρι σου!

Έκαμε ένα βήμα προς το Ζορμπά, άπλωσε τη βαριά του χερούκλα:

— Έλα, κουμπάρε Ζορμπά, είπε, περασμένα ξεχασμένα· τη χέρα σου!

— Μου 'φαες το αυτί, είπε ο Ζορμπάς, χαλάλι σου· να τη χέρα μου!

Έσφιξαν τα χέρια, πολλή ώρα, με δύναμη· έσφιγγαν τα χέρια, όλο πιο δυνατά, κοίταζαν ο ένας τον άλλον κι αγρίευαν. Φοβήθηκα πως θα πιαστούν πάλι.

— Καλά σφίγγεις, είπε ο Ζορμπάς· είσαι λεβέντης, Μανόλακα!

— Και του λόγου σου καλά σφίγγεις· για σφίξε ακόμα, αν μπορείς!

— Φτάνει πια, φώναξα· πάμε να βρέξουμε τη φιλία μας!

Μπήκα στη μέση, δεξά μου ο Ζορμπάς, ζερβά μου ο Μανόλακας· τραβήξαμε πίσω κατά το ακρογιάλι μας.

— Καλά θα 'ναι εφέτο τα σπαρμένα... έκαμα για ν' αλλάξω κουβέντα· είχαμε μπόλικες βροχές.

Μα κανένας τους δεν άρπαξε το λόγο· τα στήθια τους ήταν ακόμα φουσκωμένα. Όλα τα θάρρη μου τα 'χα πια στο κρασί· φτάσαμε στην παράγκα.

— Καλώς όρισες, καπετάν Μανόλακα, στο φτωχικό μας! είπα· Ζορμπά, ψήσε μας το λουκάνικο και βάλε να μας κεράσεις.

Ο Μανόλακας κάθισε απόξω από την παράγκα, σε μιαν

πέτρα. Ο Ζορμπάς άναφε ένα φρύγανο, έφησε το μεζέ, γέμισε ξέχειλα τρία ποτήρια.

— Στην υγειά σας, είπα, σηκώνοντας το γεμάτο· στην υγειά σου, καπετάν Μανόλακα! Στην υγειά σου, Ζορμπά! Σκουντρήχτε!

Σκούντρηξαν, ο Μανόλακας έχυσε λίγες στάλες κρασί χάμω:

— Έτσι να χυθεί το αίμα μου, είπε μ' επίσημο τόνο, έτσι να χυθεί το αίμα μου, αν θα σηκώσω πια χέρι απάνω σου, Ζορμπά!

— Έτσι να χυθεί και μένα το αίμα μου, είπε κι ο Ζορμπάς, χύνοντας κι αυτός λίγες στάλες χάμω, αν δεν ξέχασα κιόλα το αυτί που μου 'φαες, Μανόλακα!

XXIII

Ξημερώματα

ανακάθισε ο Ζορμπάς στο στρώμα του και με ξύπνησε:

— Κοιμάσαι, αφεντικό;

— Τι τρέχει, Ζορμπά;

— Είδα όνειρο. Παράξενο όνειρο· θα 'χουμε, θαρρώ, γρήγορα ταξίδι. Άκουσε να γελάσεις. Ήταν, λέει, εδώ στο λιμάνι ένα βαπόρι μεγάλο, σαν πολιτεία. Σφύριζε να φύγει. Κι εγώ έτρεχα, λέει, από το χωριό, να το προφτάσω· και κρατούσα κι ένα παπαγάλο στο χέρι. Φτάνω, σκαρφαλώνω στο βαπόρι, έρχεται ο καπετάνιος. «Εισιτήριο!» μου φωνάζει. «Πόσο κάνει;» ρωτώ και βγάζω μια φούχτα χαρτιά από την τσέπη μου. «Χίλιες δραχμές». «Βρε αμάν, δεν κάνει οχτακόσιες;» του κάνω. «Όχι, χίλιες». «Δεν έχω παρά οχτακόσιες, πάρ' τις!» «Χίλιες, μήτε πεντάρα παρακάτω! Αλλιώς, τράβα έξω· γρήγορα!» Θύμωσα τότε κι εγώ: «Άκουσε, καπετάνιο», του λέω, «το καλό που σου θέλω, πάρε τις οχτακόσιες που σου δίνω, αλλιώς θα ξυπνήσω, κακομοίρη, και θα τις χάσεις κι αυτές!»

Ο Ζορμπάς έσπασε στα γέλια:

— Μωρέ, τι μηχανή είναι ο άνθρωπος! Της βάζεις ψωμί, κρασί, ψάρια, ραπανάκια, και βγαίνουν αναστεναγμοί, γέλια κι ονείρατα. Εργοστάσιο! Μέσα στο κεφάλι μας είναι, θαρρώ, ένας κινηματογράφος από κείνους που μιλούνε.

Άξαφνα ο Ζορμπάς τινάχτηκε από το στρώμα του:

— Μα γιατί ο παπαγάλος; έκαμε ανήσυχος. Τι πάει να πει ο παπαγάλος που 'φευγε μαζί μου; Ωχου, θαρρώ...

Δεν πρόφτασε να τελειώσει· ένας μαντατοφόρος, κοντός, κοκκινοτρίχης, σα διάολος, έμπαινε μέσα κοντανασαίνοντας.

— Για το Θεό! φωνάζει η κακομοίρα η μαντάμα, να μηνύσουμε, λέει, το γιατρό να 'ρθει, γιατί πεθαίνει, λέει, πεθαίνει η κακομοίρα και θα 'χετε το κρίμα της.

Ντράπηκα· μέσα στην αναστάτωση που μας έβαλε η χήρα, την είχαμε ξεχάσει ολότελα τη γριά φιλενάδα μας.

— Πονάει η μαυροσκότεινη, εξακολούθησε κεφάτος ο κοκκινοτρίχης, βήχει, όλο το χάνι κουνιέται. Ε μωρέ, γαϊδουρόβηχας! Γκουχ! Γκουχ! κουνιέται το χωριό.

— Μη γελάς, του φώναξα, σώπα.

Έπιασα ένα κομμάτι χαρτί, έγραφα:

— Τρέχα, πήγαινε το γραμματάκι αυτό στο γιατρό· να μη γυρίσεις πίσω αν δεν τον δεις να καβαλικεύει τη φοράδα του· ακούς; Φεύγα!

Άρπαξε το γραμματάκι, το στρίμωξε στη ζώνη του και πήρε τον ανήφορο.

Ο Ζορμπάς είχε κιόλα πεταχτεί απάνω· ντύθηκε βιαστικός, αμίλητος.

— Περίμενε, έρχουμαι μαζί σου, του κάνω.

— Βιάζουμαι, βιάζουμαι... είπε και δρόμωσε κατά το χωριό.

Ύστερα από λίγη ώρα έπαιρνα κι εγώ την ίδια στράτα. Έρημο το περιβόλι της χήρας· ο Μιμηθός κάθουνταν απόξω, μαζεμένος, αγριεμένος, σα δαρμένο σκυλί. Είχε αδυνατίσει, τα μάτια του είχαν βουλιάξει μέσα στις κόχες τους, έκαιγαν. Στράφηκε, με πήρε το μάτι του, άρπαξε μιαν πέτρα.

— Τι κάνεις εδώ, Μιμηθό; ρώτησα κι έριξα λαχταριστή ματιά στο περιβόλι.

Ένιωσα γύρα στο λαιμό μου δυο ζεστά παντοδύναμα μπράτσα... Μυρωδιά από λεμονανθούς και δαφνόλαδο. Δε μιλούσαμε· έβλεπα στα σουρουπώματα τα μάτια της πυρωμένα, φιχαλιστά, κατάμαυρα· και τα δόντια της, τριμμένα με καρυδόφυλλο, γυάλιζαν κοφτερά και κάτασπρα.

— Τι ρωτάς; έγρουξε ο Μιμηθός· άε, τράβα στη δουλειά σου!

— Θες ένα τσιγάρο;

— Το 'κοφα. Όλοι είστε παλιάνθρωποι. Όλοι! Όλοι! Όλοι! Σταμάτησε λαχανιασμένος, σα να ζητούσε τις λέξες και δεν τις έβρισκε.

— Παλιάνθρωποι... άτιμοι... φεύτες... Φονιάδες! Σα να βρήκε τη λέξη που ζητούσε, πετάχτηκε απάνω, χτύπησε τα παλαμάκια:

— Φονιάδες! Φονιάδες! Φονιάδες! σκλήριζε και τον πήραν τα γέλια.

Σφίχτηκε η καρδιά μου:

— Έχεις δίκιο, Μιμηθό, έχεις δίκιο! μουρμούρισα κι έφυγα με γρήγορο βήμα.

Στο έμπα του χωριού είδα το γερο-Αναγνώστη, σκυμμένο στο ραβδί του, να κοιτάζει με προσοχή δυο κίτρινες πεταλούδες που κυνηγιούνταν απάνω στο ανοιξιάτικο χορτάρι. Τώρα που γέρασε και δεν τον έτρωγαν πια οι έγνοιες για το χωράφι, για τη γυναίκα, για τα παιδιά, είχε καιρό και κοίταζε τον κόσμο. Είδε τον ίσκιο μου απάνω στο χώμα, σήκωσε το κεφάλι:

— Για πού με το καλό, πρωί πρωί; μου κάνει.

Μα θα 'δε το πρόσωπό μου ανήσυχο, και χωρίς να περιμένει απόκριση:

— Κάνε γρήγορα, παιδί μου· προφταίνεις τη δεν την προφταίνεις ζωντανή... Ε την άμοιρη!

Το φαρδύ πολυδουλεμένο κρεβάτι, το πιο πιστό της σύνεργο, είχε μετατοπιστεί καταμεσίς στη μικρή καμαρούλα και τη γέμιζε όλη. Από πάνω της έσκυβε ο έμπιστος μυστικοσύμβουλός της, με το πράσινο φράκο του, με τον κίτρινο σκούφο του, με το στρογγυλό κακότροπο μάτι, συλλογισμένος κι ανήσυχος, ο παπαγάλος. Κοίταζε κάτω την κυρά του να κείτεται και να βόγκει· και γύρναε κοφτά πλάι το ανθρωπόμορφο κεφάλι του ν' ακούσει...

Όχι, όχι, δεν ήταν οι τόσο γνώριμοί του ερωτοπλανταγμένοι στεναγμοί, τα τρυφερά γουργουρίσματα της περιστέρας, τα γαργαλίσματα... Κι ο ιδρώτας, έτσι που 'τρεχε σπειρωτός και παγωμένος στο πρόσωπο της κυράς του, και τα λιναρένια, άπλυτα, αχτένιστα μαλλιά, τα κολλημένα στα μελίγγια, και τα βαριά ετούτα στρουφογυρίσματα στο κρεβάτι, πρώτη φορά τα 'βλεπε ο παπαγάλος, κι ανησυχούσε... Έκανε να φωνάξει: «Καναβάρο! Καναβάρο!» μα η φωνή του δεν περνούσε από το πνιγμένο του λαρύγγι.

Κι η ερημοσκότεινη η κυρά του βογκούσε, και τα μαραμένα ντάντουλα μπράτσα της ανέβαζαν, κατέβαζαν τα σεντόνια, πλαντούσε. Ήταν ξεβαμμένη, φλασκιασμένη, μύριζε ξινή δρωτίλα και κρέας που αρχίζει να σέπεται. Τα γοβάκια της, ξεπατωμένα, στραβοπατημένα, ξεπρόβαιναν από το γύρο του κρεβατιού, κι η καρδιά σου πιάνουνταν να τα βλέπεις· περισσότερο τα γοβάκια αυτά σε πίκραιναν από την ίδια την κυρά τους.

Ο Ζορμπάς, καθισμένος δίπλα στο μαξιλάρι της άρρωστης, κοίταζε τα δυο γοβάκια και δεν μπορούσε να ξεκολλήσει τα μάτια του από πάνω τους· έσφιγγε τα χείλια για να βαστάξει το κλάμα. Μπήκα μέσα, στάθηκα πίσω από το Ζορμπά, μα αυτός δε με άκουσε.

Η δύστυχη τινάζουνταν να πάρει ανάσα, πλαντούσε. Άρπαξε ο Ζορμπάς από το καρφί ένα καπελίνο με πάνινα τριαντάφυλλα να της κάμει αγέρα· γρήγορα γρήγορα κουνιόταν η χερούκλα του κι αδέξια, σα να 'χε μπροστά του βρεμένα κάρβουνα και τα σύμπαινε ν' ανάφουν.

Άνοιξε τα μάτια της τρομαγμένη· κοίταξε γύρα της· ο κόσμος είχε θαμπώσει, δεν ξέκρινε κανένα· μήτε το Ζορμπά με το ροδοκόκκινο καπελίνο.

Σκοτάδι γύρα της, ανέβαιναν γαλάζιοι αχνοί από τη γης κι άλλαζαν, συνάλλαζαν, πότε στόματα που χαχάριζαν, πότε πόδια νυχάτα που ζύγωναν, πότε μαύρες φτερούγες.

Κάρφωσε η κακόμοιρη τα νύχια της στο καταλερωμένο

μαξιλάρι, το λεκιασμένο από τα κλάματα, τα σάλια και τον ιδρώτα, κι έσυρε φωνή μεγάλη:
— Ντεν τέλω να πετάνω! Ντεν τέλω!

Μα οι δυο μοιρολοήτρες του χωριού είχαν κιόλα πάρει τη μυρωδιά της κι είχαν καταφτάσει· γλίστρηξαν μέσα στην κάμαρα και στρωνιάστηκαν κατάχαμα, με τη ράχη ακουμπισμένη στον τοίχο.

Ο παπαγάλος, με το στρογγυλό του μάτι είδε, θύμωσε, τέντωσε το λαιμό, φώναξε: «Καναβ...» μα ο Ζορμπάς άπλωσε διαολισμένος τη χερούκλα απάνω από το κλουβί κι ο παπαγάλος λούφαξε.

Κι ακούστηκε πάλι η πνιχτή απελπισμένη κραυγή:
— Ντεν τέλω να πετάνω! Ντεν τέλω.

Δυο αμούστακα λιοκαμένα παλικάρια πρόβαλαν στην πόρτα, κοίταξαν καλά καλά την άρρωστη, έκαναν χαρούμενοι νόημα ο ένας του άλλου κι εξαφανίστηκαν.

Και μονομιάς ακούστηκαν στην αυλή τρομαγμένα κακαρίσματα και φτερουγιά, σαν κάποιος να κυνηγούσε να πιάσει τις όρνιθες.

Η πρώτη μοιρολοήτρα, η γρια-Μαλαματένια, στράφηκε στη συντρόφισσά της:
— Τους είδες, θεια-Λενιώ μου, τους είδες; Βιάζουνται οι λιμασμένοι, θα σφάξουν τώρα τις όρνιθες, να τις ξενοκαλίσουν. Όλοι οι ρέμπελοι του χωριού μαζώχτηκαν στην αυλή κι όπου όπου θα κάμουνε ρεσάλτο!

Στράφηκε κατά το κρεβάτι της ετοιμοθάνατης:
— Πέθανε, μωρή, γρήγορα, μουρμούρισε από τα σπλάχνα της, πέθανε γρήγορα να προφτάσουμε κι εμείς να φάμε!

— Να σου πω του Θεού την αλήθεια, είπε η θεια το Λενιό, σουφρώνοντας το φαφούτικο στοματάκι της, να σου πω του Θεού την αλήθεια, κυρα-Μαλαματένια μου, καλά κάνουν... Άρπαξε να φας και κλέφε να 'χεις, μου παράγγελνε η συχωρεμένη η μάνα μου. Να πούμε κι εμείς μάνι μάνι τα μοιρολόγια, να προφτάσουμε κανένα μεζέ, ν' αρπάξουμε καμιάν κουβαρίστρα, να συχωρέσουμε την ψυχή της. Παιδιά, σκυλιά, μαθές, δεν είχε, ποιος θα φάει τις όρνιθές της και τα κουνέλια; Ποιος θα πιει το κρασί της; Ποιος θα κληρονομήσει τις κουβαρίστρες της, τις τσατσάρες, τις καραμέλες; Ε, τι να σου πω, κυρα-Μαλαματένια μου, ο Θεός να μου συχωρέσει, μα έτσι μου 'ρχεται να χυθώ, κι ό,τι αρπάξω!

— Στάσου, μωρή θεοσκοτωμένη, μη βιάζεσαι, έκαμε η κυρα-Μαλαματένια κι άρπαξε τη συντρόφισσά της από το μπράτσο· τα ίδια δα, μα το Θεό, έχω κι εγώ στο νου μου, μα άσε να ξεψυχήσει πρώτας!

Ωστόσο η κακόμοιρη η μαντάμ Ορτάνς έφαχνε αρπαχτά κάτω από το μαξιλάρι της, κάτι ζητούσε. Είχε ξετρουπώσει μέσα στο σεντούκι της, ευτύς ως ένιωσε τον κίντυνο, ένα Χριστό σταυρωμένο, από άσπρο γυαλιστερό κόκαλο και τον έχωσε κάτω από το προσκεφάλι της. Χρόνια τώρα τον είχε αποξεχάσει μέσα στις ξεσκισμένες της πουκαμίσες και τα βελουδένια της κουρέλια, στον πάτο του σεντουκιού. Σα να 'ταν ο Χριστός κανένα γιατρικό, που το παίρνεις μονάχα σαν αρρωστήσεις βαριά· όσο ζούμε και καλοζούμε και τρώμε και πίνουμε και φιλούμε, δε μας χρειάζεται.

Βρήκε ψαχουλευτά τον κοκαλένιο Χριστό και τον κόλλησε απάνω στο μουσκεμένο κρεμάμενο στήθος της.

— Κριστούλη μου... Κριστουλάκι μου... μουρμούριζε ερωτόπαθα κι έσφιγγε και φιλούσε τον τελευταίο της εραστή.

Τα λόγια της, μισό φραντζέζικα, μισό ρωμαίικα, μπερδεύονταν όλο τρυφερότητα και πάθος. Κι ο παπαγάλος άκουσε, ένιωσε πως άλλαξε ο τόνος της φωνής, θυμήθηκε περασμένες ολονυχτίες και τινάχτηκε απάνω χαρούμενος:

— Καναβάρο! Καναβάρο! βραχνόκραξε σαν κόκορας που φωνάζει τον ήλιο.

Ο Ζορμπάς δεν κουνήθηκε τώρα να του πνίξει τη φωνή. Κοίταζε με σπλάχνος τη γυναίκα να κλαίει και να φιλάει το σταυρωμένο Θεό και να χύνεται απαντεχη γλύκα στο ξεπνεμένο, αρμολιωμένο πρόσωπο.

Η πόρτα άνοιξε, ο γερο-Αναγνώστης μπήκε ακροπάτητα και κρατούσε το σκούφο του στο χέρι· ζύγωσε την άρρωστη, έσκυψε, έκαμε μετάνοια:

— Συχώρεσέ με, μαντάμα, της είπε, συχώρεσέ με κι ο Θεός να σε συχωρέσει. Αν καμιά φορά ξεστόμισα κι ένα βαρύ λόγο, άνθρωποι είμαστε, συχώρεσέ με!

Μα η μαντάμα ήταν τώρα ξαπλωμένη ήσυχη, βυθισμένη σε ανείπωτη ευδαιμονία, και δεν άκουσε το γερο-Αναγνώστη. Όλα της τα βάσανα είχαν σβήσει, τα έρμα τα γεράματα, οι φτώχειες, οι εξευτελισμοί, τα πικραμένα βράδια που κάθουνταν στο έρημο κατώφλι της κι έπλεκε μπαμπακερές χωριάτικες κάλτσες, σα μια ασήμαντη τίμια γυναικούλα. Αυτή, η Παριζιάνα, η τσαχπίνα, η μπιρμπιλομάτα, που έπαιξε στα γόνατά της τις τέσσερεις Μεγάλες Δυνάμεις και που τη χαιρετούσαν τέσσερεις μεγάλοι στόλοι!

Θάλασσα καταγάλανη, κύματα αφρισμένα, τα σιδερένια πλεούμενα κάστρα χορεύουν, λογής λογής σημαίες κυματίζουν στα κοντάρια. Πέρδικες ψήνουνται και μυρίζουν, και μπαρμπούνια στη σκάρα, κι έρχουνται τα παγωμένα φρούτα μέσα στα πελεκητά κρύσταλλα, και τινάζεται ο φελλός της σαμπάνιας ως τα σιδερένια ταβάνια του θωρακωτού.

Γένια μαύρα, καστανά, ψαρά, τετράξανθα, μυρωδιές τεσσάρων λογιών, κολόνια, βιολέτα, μόσκος, πατσουλί, οι πόρτες της σιδερένιας καμπίνας σφαλνούν, πέφτουν οι βαριοί μπερντέδες, ανάβουν τα ηλεχτρικά – η μαντάμ Ορτάνς κλείνει τα μάτια· όλη η πολυφιλημένη, η πολυβασανισμένη ζωή της, αχ! Θέ μου, ήταν δεν ήταν δευτερόλεφτο...

Περνά από γόνατα σε γόνατα, αγκαλιάζει χρυσοκέντητα σακάκια, χώνει τα δάχτυλά της σε πυκνά παρφουμαρισμένα γένια. Πώς τους λεν δε θυμάται, μήτε αυτή μήτε ο παπαγάλος της· μοναχά τον Καναβάρο θυμάται, γιατί ήταν ο πιο χουβαρντάς και γιατί αυτουνού μοναχά τ᾽ όνομα μπορούσε ο παπαγάλος να προφέρει· τα άλλα ήταν μπερδεμένα και δύσκολα· κι έτσι χάθηκαν.

Αναστέναξε βαθιά η μαντάμ Ορτάνς κι αγκάλιασε σφιχτά, περίπαθα το σταυρωμένο Χριστό:

— Καναβάρο μου... Καναβαράκι μου... μουρμούριζε παραληρώντας και τον έσφιγγε στα πλαδαρά ιδρωμένα στήθια της.

— Αρχίζει πια να τα χάνει, μουρμούρισε η θεια το Λενιό. Θα 'δε τον άγγελό της και σκιάχτηκε... Ας λύσουμε τα τσεμπέρια να ζυγώσουμε.

— Μωρέ, δε φοβάσαι το Θεό; έκανε η κυρα-Μαλαματένια. Ζωντανή, μωρή, θα τη μοιρολοήσουμε;

— Ε κυρα-Μαλαματένια, ούρλιασε κρουφτά η θεια το Λενιό, δε θωράς, μωρή, τα σεντούκια και τα ρούχα της κι απόξω στο μαγαζί το βιος που 'χει και στην αυλή τις όρνιθες και τα κουνέλια, μόνο κάθεσαι και μου λες να ξεψυχήσει! Όπου προφτάσει, ας πάρει!

Είπε, πετάχτηκε απάνω, κι η άλλη την πήρε από πίσω, αγριεμένη. Έλυσαν τα μαύρα τσεμπέρια τους, ξέπλεξαν τα λιγοστά άσπρα μαλλιά τους, γαντζώθηκαν στο γύρο του κρεβατιού. Και πρώτη η θεια το Λενιό έδωκε το σινιάλο σούρνοντας ανατριχιαστικά φιλή φωνή:

— Ίιιι!

Ο Ζορμπάς χύθηκε, άρπαξε τις δυο γριές από τα μαλλιά, τις πέταξε πίσω:

— Σκασμός, βρομοκαρακάξες! φώναξε· ζει, μωρέ, ακόμα, που να σας πάρει ο διάολος!

— Το γερο-ξεκουτιάρη! έγρουξε η κυρα-Μαλαματένια, δένοντας πάλι το τσεμπέρι της. Πού διάολο μας έλαχε κι αυτός εδώ πέρα, ο ξενομπασιάρης!

Κι η πολύπαθη καπετάνισσα, η μαντάμ Ορτάνς, άκουσε τη στριγκιά κραυγή, το γλυκό όραμα αφανίστηκε, βούλιαξε η ναυαρχίδα, φτιά, σαμπάνια, γένια παρφουμαρισμένα αφανίστηκαν και ξανάπεσε του θανατά στο βρομερό ετούτο στρώμα, στην άκρη του κόσμου. Έκαμε ν' ανασηκωθεί σα να 'θελε να φύγει, να γλιτώσει, μα ξανακύλησε κάτω κι έσκουξε πάλι σιγά, παραπονεμένα:

— Ντεν τέλω να πετάνω... Ντεν τέλω...

Ο Ζορμπάς έσκυφε απάνω της, άγγιξε με τη ροζωμένη χερούκλα του το κούτελό της που έκαιγε, ξεκόλλησε από το πρόσωπο τα μαλλιά της, τα πουλίσια μάτια του βούρκωσαν.

— Σώπα, σώπα, κυρά μου, μουρμούρισε· εγώ 'μαι εδώ, ο Ζορμπάς, μη φοβάσαι!

Και να σου, μονομιάς ξανάρθε τ' όραμα, σαν τεράστια θαλασσιά πεταλούδα, και ξανασκέπασε αλάκερο το κρεβάτι.

Άρπαξε η μελλοθάνατη τη χερούκλα του Ζορμπά, άπλωσε αργά το μπράτσο της κι αγκάλιασε το σκυμμένο λαιμό του· τα χείλια της σάλεφαν:

— Καναβάρο μου... ω Καναβαράκι μου...

Ο κοκαλένιος Χριστός κατρακύλησε από το μαξιλάρι κι έπεσε κάτω και ξεκόλλησε· μιαν αντρίκεια φωνή ακούστηκε στην αυλή.

— Μωρέ, βάλε την όρνιθα, σου λέω, και το νερό βράζει!

Ο Ζορμπάς ξέπλεξε σιγά το μπράτσο της μαντάμ Ορτάνς από το λαιμό του. Σηκώθηκε· ήταν κατάχλωμος. Σφούγγισε με το ανάστροφο του χεριού του τα μάτια του που 'τρεχαν. Κοίταξε την άρρωστη μα δεν ξεχώρισε τίποτα· δεν έβλεπε. Ξανασφούγγισε τα μάτια του και την είδε τότε να τινάζει τα πλαδαρά πρησμένα της πόδια και να στρουφίζεται το στόμα της. Τινάχτηκε μια, δυο φορές, τα σεντόνια κύλησαν κάτω, φάνηκε μισόγυμνη, ολόδρωτη, πρησμένη, κιτρινοπράσινη. Έσυρε φιλή στριγκιά φωνούλα, σαν όρνιθας που σφάζουν· κι ύστερα έμεινε ασάλευτη, με ορθάνοιχτα, κατάτρομα, γυάλινα μάτια.

Ο παπαγάλος πήδηξε στο κάτω πάτωμα του κλουβιού, γαντζώθηκε στα κάγκελα, κοίταξε κι είδε το Ζορμπά ν' απλώνει τη χερούκλα του απάνω στην κυρά του κι απαλά απαλά, με ανείπωτη τρυφεράδα, να της σφαλνάει τα βλέφαρα...

— Γρήγορα χέρια, μωρέ παιδιά, και τα κακάρωσε! στρίγγλισαν οι μοιρολόητρες και χύθηκαν στο κρεβάτι. Εμπήξαν το μονόφωνο, κουνούσαν το απανωκόρμι μπροστά και πίσω, έσφιγγαν τις γροθιές και χτυπούσαν τα στήθια τους·

349

κι έτσι σιγά σιγά, με το πένθιμο αυτό μονόκορδο ταλάντεμα ζαλίζουνταν ανάλαφρα, φαρμακώνουνταν από παμπάλαιες πίκρες, έσπαζε η φλούδα της καρδιάς κι ανέβαινε το μοιρολόι:

Δε σου 'πρεπε, δε σου 'μοιαζε στη γης κρεβατοστρώσн...

Ο Ζορμπάς βγήκε στην αυλή· τα κλάματα τον έπαιρναν και ντράπηκε να κλάψει μπροστά στις γυναίκες. Θυμούμαι, μια μέρα μου 'χε πει: «Δεν ντρέπουμαι να κλαίω, όχι· μα μπροστά στους άντρες. Άντρες είμαστε, ένα σινάφι, δεν είναι ντροπή· μα μπροστά από τις γυναίκες πρέπει να δείχνουμε πάντα γενναίοι· γιατί, αν αρχίσουμε κι εμείς τα κλάματα, τι θ' απογίνουν αυτές οι κακομοίρες; Ο κόσμος θα χαθεί».

Την έπλυναν με κρασί, άνοιξε η γριά σαβανώτρα το σεντούκι, έβγαλε ρούχα καθαρά, την άλλαξε, της έχυσε κι ένα μποτιλάκι κολόνια που βρήκε· ήρθαν από τα κοντινά περιβόλια οι θανατόμυγες κι απίθωσαν τ' αυγά τους στα ρουθούνια, στις κόχες των ματιών και στ' ακραχείλια της.

Είχε κινήσει πια να σουρουπώνει. Ο ουρανός προς τη δύση είχε πάρει μεγάλη γλύκα, σκούρος μενεξελής κι απάνω του κόκκινα φουφουδάτα συννεφάκια με χρυσές ούγιες έπλεχαν αγάλια στο βραδινό φως κι άλλαζαν ακατάπαυστα μορφές – πότε καράβια, πότε κύκνοι, πότε φανταστικά θεριά από μπαμπάκι και μετάξια ξεφτισμένα. Κι ανάμεσα από τα καλάμια της αυλής λιαντράνιζε πέρα η θάλασσα τρικυμισμένη.

Δυο καλοθρεμμένα κοράκια πέταξαν από μια συκιά κι ήρθαν και στρατάρισαν απάνω στις πλάκες της αυλής· ο Ζορμπάς θύμωσε, άρπαξε μια πέτρα και τα 'διωξε.

Στην πέρα γωνιά της αυλής οι αλάνηδες του χωριού είχαν στήσει τρικούβερτο γλέντι. Είχαν βγάλει έξω το μεγάλο τραπέζι της κουζίνας, έφαξαν, βρήκαν ψωμιά, πιάτα, μαχαιροπίρουνα, έφεραν από το κελάρι μια νταμιτζάνα κρασί, έβρασαν τρεις όρνιθες, και τώρα, χαρούμενοι, πειναλέοι, έτρωγαν κι έπιναν, σκουντρώντας τα ποτήρια.

— Ο Θεός να τη συχωρέσει! Κι ό,τι έκαμε, νερό κι αλάτι!
— Κι όλοι οι αγαπητικοί της, μωρέ παιδιά, να γίνουν αγγέλοι να πάρουν την ψυχή της.
— Μωρέ, για κοίτα το γερο-Ζορμπά, είπε ο Μανόλακας, κυνηγάει κοράκια! Χήρεψε ο κακομοίρης, ας του φωνάξουμε να πιει μια μακαρία. Ε καπετάν Ζορμπά, ε πατριώτη!

Ο Ζορμπάς στράφηκε. Στρωμένο τραπέζι, αχνίζαν οι όρνιθες, το κρασί μέσα στα ποτήρια, δυνατά, λιοφημένα παλικάρια, με τα στριφτά μαντίλια στο κεφάλι, όλο ξεγνοιασιά και νιάτα.

«Ζορμπά, Ζορμπά», μουρμούρισε, «βάστα· εδώ σε θέλω!»

Ζύγωσε, ήπιε ένα ποτήρι κρασί, ήπιε δυο, τρία, μονανα-πνιάς· έφαε ένα μερί όρνιθας, του μιλούσαν, δεν αποκρί-νουνταν, έτρωε κι έπινε βιαστικά, λαίμαργα, μονομπούκι, μονορούφι, αμίλητος. Είχε γυρισμένο το πρόσωπό του κατά την κάμαρα όπου κείτουνταν, ασάλευτη, η γριά του φιλε-νάδα κι άκουγε το μοιρολόι, που 'ρχουνταν από το ανοιγμένο παραθυράκι. Κάπου κάπου ο θλιβερός σκοπός κόβουνταν κι ακούγουνταν φωνές σαν καβγάδες κι ανοιγοκλείσματα ντου-λαπιών και γοργά βαριά πατήματα, σα να πάλευαν και πάλι ξανάρχιζε το μοιρολόι, μονόκορδο, απελπισμένο, γλυκό, σα ζουζούνισμα μελισσιού.

Οι μοιρολοήτρες έτρεχαν απάνω κάτω στη νεκροκάμαρα, μοιρολογούσαν κι έφαχναν μανιασμένες. Άνοιξαν ένα ντουλα-πάκι, βρήκαν πέντ' έξι κουταλάκια, λίγη ζάχαρη, ένα τενεκεδάκι καφέ, ένα κουτί λουκούμια. Η θεια το Λενιό χύθηκε, άρπαξε τον καφέ και τα λουκούμια, η γριά Μαλαματένια τη ζάχαρη και τα κουταλάκια· χύθηκε, άρπαξε και δυο λουκούμια, μπου-κώθηκε, και το μοιρολόι άρχισε να βγαίνει τώρα πλανταμένο, πνιχτό, μέσα από τα λουκούμια:

Να πέφτουν τ' άνθη απάνω σου, τα μήλα στην ποδιά σου...

Δυο γριές τρύπωξαν στην κάμαρα, χίμηξαν στο σεντούκι· έχωσαν τα χέρια τους, άρπαξαν μερικά μαντιλάκια, δυο τρεις πετσέτες, τρεις κάλτσες, μια καλτσοδέτα· τα παράχωσαν στον κόρφο τους, γύρισαν κατά τη νεκρή κι έκαμαν το σταυρό τους. Η κυρα-Μαλαματένια είδε τις γριές να διαγουμίζουν το σεντούκι, λύσσιαξε.

— Λέγε, μωρή, το σκοπό, λέγε κι έρχουμαι! φώναξε στη θεια το Λενιό, και χώθηκε κι αυτή με το κεφάλι στο σεντούκι.

Κουρέλια από ξεσκισμένο ατλάζι, μια ξεβαμμένη ρόμπα μελιτζανιά, παμπάλαια πασουμάκια κόκκινα, μια βεντάλια σπασμένη, ένα κόκκινο ομπρελίνο καινούριο και στον πάτο ένα παλιό τρικαντό ναυάρχου· της το 'χαν χαρίσει μια φορά κι ένα καιρό. Όταν ήταν μόνη το φορούσε μπροστά από τον καθρέφτη, σοβαρή, μελαγχολική, και χαιρετούσε.

Κάποιος ζύγωσε την πόρτα· οι γριές τραβήχτηκαν, η θειά το Λενιό πιάστηκε πάλι από το νεκροκρέβατο κι άρχισε να στηθοδέρνεται και να σκληρίζει:

Τα κρεμεζογαρούφαλα τριγύρα στο λαιμό σου...

Ο Ζορμπάς μπήκε· κοίταξε την πεθαμένη γυναίκα, ήσυχη, γαλινεμένη, κατακίτρινη, γεμάτη μύγες, να κείτεται με σταυρωμένα χέρια και με τη βελουδένια ακόμα κορδελίτσα στο λαιμό. «Ένα κομμάτι γης», συλλογίστηκε, «ένα κομμάτι γης που πεινούσε, γελούσε κι αγκάλιαζε. Ένας βώλος λάσπη που έκλαιε. Και τώρα; Ποιος διάολος μας φέρνει στον κόσμο και ποιος διάολος μας παίρνει;»

Έφτυσε χάμω, κάθισε· έφαε μαθές κι ήπιε, είχε πάρει δύναμη.

Απόξω στην αυλή οι νέοι είχαν κιόλα στελιώσει χορό· ήρθε ο καλός λυράρης, ο Φανούριος, αναμέρισαν το τραπέζι, τους γκαζοτενεκέδες, τη σκάφη, το μπουγαδοκόφινο, έκαμαν τόπο κι άρχισαν να χορεύουν.

Έφτασαν οι προεστοί, ο μπαρμπα-Αναγνώστης με το γαντζουνωτό αφηλό ραβδί του, και το φαρδύ άσπρο πουκάμισο· ο Κοντομανολιός, στρουμπουλός και λιγδιασμένος· ο δάσκαλος, μ' ένα χοντρό μπακιρένιο καλαμάρι στο ζωνάρι κι ένα πράσινο

κοντυλοφόρο περασμένο στο αυτί. Ο γερο-Μαυραντώνης έλειπε·
είχε πιάσει τα βουνά, φυγόδικος.

— Καλώς σας βρήκαμε, μωρέ κοπέλια! έκαμε ο μπαρμπα-
Αναγνώστης, σηκώνοντας το χέρι. Καλώς τα χαίρεστε! Τρώτε
και πίνετε, να 'χετε την ευκή του Θεού, μα μη φωνάζετε· ντροπή
'ναι. Ο νεκρός ακούει· ακούει, μωρέ κοπέλια!

Ο Κοντομανολιός εξήγησε:

— Ήρθαμε να καταγράφομε, μαθές, το βιος της συχωρε-
μένης, να το μοιράσουμε στους φτωχούς του χωριού. Φάγατε
ό,τι φάγατε, ήπιατε ό,τι ήπιατε, φτάνει! Μη χυθείτε και κάμετε
ρεμούλα, μαυροκακομοίρηδες, γιατί, για κοιτάχτε! είπε και
κούνησε φοβεριστικά τη μαγκούρα του.

Πίσω από τους τρεις προεστούς ξεπρόβαλαν μια δεκαριά
γυναίκες, αναμαλλιάρες, ξυπόλυτες, κουρελιάρες. Καθεμιά είχε
κι από ένα αδειανό τσουβάλι στην αμασκάλη της ή κρατούσε
μια κοφίνα στη ράχη. Ζύγωναν κλεφτά, πατουχιά πατουχιά,
αμίλητες.

Ο μπαρμπα-Αναγνώστης, στράφηκε, τις είδε, άναφε:

— Ε κατσιβέλες, φώναξε, πίσω! Τι; Γιουρούσι ήρθατε να
κάμετε; Εδώ θα τα γράφουμε ένα ένα στο χαρτί, κι ύστερα τα
μοιράζουμε με τάξη και δικαιοσύνη στους φτωχούς. Πίσω, σας
λέω, μη σηκώσω τη μαγκούρα!

Ο δάσκαλος τράβηξε από τη μέση του το μακρουλό μπακι-
ρένιο καλαμάρι, ξεδίπλωσε μια χοντρή κόλλα χαρτί και στρά-
φηκε κατά το μαγαζάκι ν' αρχίσει από κει την καταγραφή.

Μα τη στιγμή εκείνη φοβερή βουή ακούστηκε – κατα-
χτυπούσαν τενεκέδες, κατρακυλούσαν κουβαρίστρες, σκουν-
τρούσαν και σπάζαν φλιτζάνια. Και στην κουζίνα μέσα
μεγάλος σαματάς από κατσαρόλες, πιάτα, πιρούνια.

Χύθηκε ο γερο-Κοντομανολιός κουνώντας τη μαγκούρα
του. Μα πού να πρωτοπροφτάσει! Γριές, άντρες, παιδιά,
έτρεχαν από τις πόρτες, πηδούσαν από τα παραθύρια κι από
τους φράχτες, γκρεμίζουνταν από το δώμα, κουβαλώντας ό,τι
καθένας πρόλαβε ν' αρπάξει: τηγάνια, κατσαρόλες, στρώ-

ματα, κουνέλια... Μερικοί είχαν βγάλει από τους στροφούς τους τα παράθυρα και τις πόρτες και τα κουβαλούσαν στους ώμους. Ο Μιμηθός είχε αρπάξει κι αυτός τα δυο γοβάκια της μακαρίτισσας, τα 'χε δέσει μ' ένα κορδόνι και τα πέρασε στο λαιμό του – θαρρείς κι ήταν καβάλα στο σβέρκο του η μαντάμ Ορτάνς κι έφευγε, και μονάχα τα γοβάκια της διακρίνουνταν...

Ο δάσκαλος ζάρωσε τα φρύδια, πέρασε πάλι το καλαμάρι στη ζώνη του, δίπλωσε την κόλλα το άγραφο χαρτί και χωρίς να βγάλει άχνα, με μεγάλη πληγωμένη αξιοπρέπεια, δρασκέλισε το κατώφλι κι έφυγε.

Κι ο καημένος ο μπαρμπα-Αναγνώστης φώναζε, παρακαλούσε, σήκωνε το ραβδί του:

— Ντραπείτε, μωρέ κοπέλια, ντραπείτε, κι ο νεκρός ακούει!

— Να πάω να φωνάξω τον παπά; είπε ο Μιμηθός.

— Ποιον παπά, μωρέ σερσέμη; έκαμε ο Κοντομανολιός αγριεμένος. Αυτή, μωρέ, ήταν φράγκισσα, δεν είδες πώς έκανε το σταυρό της; Με τα τέσσερα δαχτύλια, η αφορεσμένη! Αντέστε, να την παραχώσουμε στον άμμο, να μη βρομέσει και μαγαρίσει το χωριό!

— Αρχίζει και σκουληκιάζει, να, μα το σταυρό! έκαμε ο Μιμηθός και σταυροκοπήθηκε.

Ο μπαρμπα-Αναγνώστης κούνησε το φτενό αρχοντικό κεφάλι:

— Παράξενο σου φαίνεται, μωρέ κουζούλακα; Ο άνθρωπος, μαθές, είναι γεμάτος σκουλήκια από την ώρα που θα γεννηθεί· μα δεν τα βλέπουμε· άμα δουν πως αρχίζουμε και βρομούμε, προβαίνουν από τις τρύπες τους – άσπρα άσπρα, σαν του τυριού!

Τα πρώτα αστέρια πρόβαλαν και κρεμάστηκαν ανάερα, τρεμάμενα, σαν ασημένια κουδουνάκια· όλη η νύχτα ντιντίνισε.

Ο Ζορμπάς ξεκρέμασε το κλουβί με τον παπαγάλο απάνω από το κρεβάτι της πεθαμένης. Τ' ορφανεμένο πουλί είχε λουφάξει σε μια γωνιά τρομαγμένο· κοίταζε, κοίταζε, δεν μπορούσε να καταλάβει· έβαλε το κεφάλι του μέσα στις φτερούγες και ζάρωσε.

Όταν ο Ζορμπάς ξεκρέμασε το κλουβί του, ο παπαγάλος τινάχτηκε απάνω· έκαμε να μιλήσει, μα ο Ζορμπάς άπλωσε τη φούχτα του:

— Σώπα, του 'καμε χαϊδευτικά, σώπα· έλα μαζί μου.

Έσκυψε ο Ζορμπάς, κοίταξε την πεθαμένη· την κοίταζε πολλή ώρα, σφίγγουνταν ο λαιμός του· έκαμε να σκύψει να τη φιλήσει, μα κρατήθηκε.

— Άιντε στο καλό, μουρμούρισε.

Πήρε το κλουβί και βγήκε στην αυλή. Με πήρε το μάτι του, ζύγωσε:

— Πάμε να φύγουμε... μου 'πε σιγά και μ' έπιασε από το μπράτσο.

Φαίνουνταν ήσυχος, μα τα χείλια του έτρεμαν.

— Όλοι θα πάρουμε τον ίδιο δρόμο... είπα, για να τον παρηγορήσω.

— Χαρά στην παρηγοριά! σούριξε σαρκαστικά· πάμε να φύγουμε.

— Στάσου, Ζορμπά, τώρα πάνε να τη σηκώσουν, στάσου να δούμε... Δεν αντέχεις;

— Αντέχω... αποκρίθηκε πνιχτά.

Απίθωσε χάμω το κλουβί και σταύρωσε τα χέρια.

Από τη νεκροκάμαρα πρόβαλαν ξεσκούφωτοι ο μπαρμπα-Αναγνώστης κι ο Κοντομανολιός κι έκαναν το σταυρό τους. Πίσω τους τέσσερεις από τους χορευταράδες, με τ' απριλιάτικα ακόμα τριαντάφυλλα στο αυτί τους, κεφάτοι, μισομεθυσμένοι, κρατούσαν από τις τέσσερεις γωνιές την ξώπορτα κι απάνω της ήταν ξαπλωμένη η νεκρή. Πιο πίσω ακολουθούσαν ο λυράρης με τη λύρα του, μια δεκαριά άντρες στο κέφι, που μασούλιζαν ακόμα, και πέντ' έξι γυναίκες, που κρατούσαν από καμιάν κατσαρόλα ή καρέκλα. Ο Μιμηθός έρχουνταν τελευταίος, με τα ξεπατωμένα γοβάκια περασμένα στο λαιμό του.

— Φονιάδες! Φονιάδες! Φονιάδες! ξεφώνιζε και γελούσε.

Ζεστός ογρός αγέρας φυσούσε, κι η θάλασσα αγρίεφε· σήκωσε ο λυράρης το δοξάρι του – χαρούμενη, κελαρυστή ανάβρυσε μέσα στη ζεστή νύχτα η φωνή του:

Ήλιε μου, και πώς βιάστηκες να πας να βασιλέψεις...

— Πάμε! είπε ο Ζορμπάς· όλα τέλειωσαν...

XXIV

Προχωρούσαμε

αμίλητοι μέσα από τα στενά δρομάκια του χωριού. Τα σπίτια μαυρολογούσαν ολοσκότεινα, κάπου ένα σκυλί γάβγιζε, κάποιο βόδι αναστέναζε. Κάποτε μας έρχουνταν στο φύσημα του αγέρα εύθυμα, αναβρυτά, σαν παιχνιδιάρικα νερά, τα κουδουνάκια της λύρας.

Βγήκαμε από το χωριό, πήραμε το δρόμο κατά το ακρογιάλι μας.

— Ζορμπά, είπα, για να κόψω τη βαριά σιωπή, τι αγέρας είναι ετούτος; Νοτιάς;

Μα ο Ζορμπάς πήγαινε μπροστά, κρατώντας σα φανάρι το κλουβί με τον παπαγάλο και δεν αποκρίθηκε.

Όταν φτάσαμε στο ακρογιάλι μας, ο Ζορμπάς στράφηκε:

— Πεινάς, αφεντικό; ρώτησε.

— Όχι, δεν πεινώ, Ζορμπά.

— Νυστάζεις;

— Όχι.

— Μήτε εγώ. Ας καθίσουμε στα χοχλάδια· έχω κάτι να σε ρωτήσω.

Ήμασταν και οι δυο κουρασμένοι, μα δε θέλαμε να κοιμηθούμε. Δε θέλαμε να χάσουμε το φαρμάκι της μέρας ετούτης·

αναβρυτός: *που αναπηδά από την πηγή, που αναβρύζει, πηγαίος*

ο ύπνος μας φαίνουνταν σα μια φυγή σε ώρα κιντύνου και ντρεπόμασταν να κοιμηθούμε.

Καθίσαμε στην άκρα της θάλασσας· έβαλε ο Ζορμπάς το κλουβί ανάμεσα στα γόνατά του και κάμποση ώρα σώπαινε. Ένας φοβερός αστερισμός ανέβηκε από το βουνό, πολυόμματο τέρας με στρουφιχτήν ουρά, κάπου κάπου ένα αστέρι ξεκολλούσε κι έπεφτε.

Ο Ζορμπάς κοίταξε τ' αστέρια, με το στόμα ανοιχτό, σα να τα 'βλεπε για πρώτη φορά.

— Τι να γίνεται εκεί απάνω! μουρμούρισε.

Και σε λίγο πήρε την απόφαση, μίλησε:

— Ξέρεις να μου πεις, αφεντικό, είπε κι η φωνή του ασκώθηκε επίσημη, συγκινημένη μέσα στη ζεστή νύχτα, ξέρεις να μου πεις τι πάει να πουν όλα αυτά; Ποιος τα 'καμε; Γιατί τα 'καμε; Και πάνω απ' όλα, ετούτο (η φωνή του Ζορμπά ήταν γεμάτη θυμό και τρόμο): Γιατί να πεθαίνουμε;

— Δεν ξέρω, Ζορμπά! αποκρίθηκα, και ντράπηκα σα να με ρωτούσαν το πιο απλό πράμα, το πιο απαραίτητο, και δεν μπορούσα να το ξηγήσω.

— Δεν ξέρεις! έκαμε ο Ζορμπάς και τα μάτια του γούρλωσαν.

Όμοια γούρλωσαν και μιαν άλλη νύχτα, όταν με ρώτησε αν χορεύω και του αποκρίθηκα πως δεν ξέρω χορό.

Σώπασε λίγο· άξαφνα ξέσπασε:

— Τότε τι 'ναι αυτά τα παλιόχαρτα που διαβάζεις; Γιατί τα διαβάζεις; Άμα δε λένε αυτό, τι λένε;

— Λένε τη στενοχώρια του ανθρώπου που δεν μπορεί ν' απαντήσει σε αυτά που ρωτάς, Ζορμπά, αποκρίθηκα.

— Να τη βράσω τη στενοχώρια τους! έκαμε ο Ζορμπάς χτυπώντας με αγανάχτηση το πόδι του στις πέτρες.

Ο παπαγάλος στις ξαφνικές φωνές τινάχτηκε απάνω:

— Καναβάρο! Καναβάρο! έσκουζε σα να ζητούσε βοήθεια.

— Σκασμός και συ! έκαμε ο Ζορμπάς κι έδωκε μια γροθιά στο κλουβί.

Στράφηκε πάλι σε μένα.

— Εγώ θέλω να μου πεις από πού ερχόμαστε και πού πάμε.

Του λόγου σου τόσα χρόνια μαράζωσες απάνω στις Σολομωνικές· θα 'χεις στύφει δυο τρεις χιλιάδες οκάδες χαρτί· τι ζουμί έβγαλες; Τόση αγωνία είχε η φωνή του Ζορμπά, που η πνοή μου κόπηκε· αχ, να μπορούσα να του 'δινα μιαν απόκριση!

Ένιωθα βαθιά πως το ανώτατο που μπορεί να φτάσει ο άνθρωπος δεν είναι η Γνώση, μήτε η Αρετή, μήτε η Καλοσύνη, μήτε η Νίκη· μα κάτι άλλο πιο αφηλό, πιο ηρωικό κι απελπισμένο: Το Δέος, ο ιερός τρόμος. Τι 'ναι πέρα από τον ιερό τρόμο; Ο νους του ανθρώπου δεν μπορεί να προχωρέσει.

— Δεν απαντάς; έκαμε ο Ζορμπάς με αγωνία.

Δοκίμασα να δώσω στο σύντροφό μου να καταλάβει τι είναι ο ιερός τρόμος:

— Είμαστε σκουληκάκια μικρά μικρά, Ζορμπά, αποκρίθηκα, απάνω σ' ένα φυλλαράκι γιγάντιου δέντρου. Το φυλλαράκι αυτό είναι η Γη μας· τ' άλλα φύλλα είναι τ' αστέρια που βλέπεις να κουνιούνται μέσα στη νύχτα. Σουρνόμαστε απάνω στο φυλλαράκι μας, και το φαχουλεύουμε με λαχτάρα· τ' οσμιζόμαστε, μυρίζει, βρομάει· το γευόμαστε, τρώγεται· το χτυπούμε, αντηχάει και φωνάζει σαν πράμα ζωντανό.

»Μερικοί άνθρωποι, οι πιο ατρόμητοι, φτάνουν ως την άκρα του φύλλου· από την άκρα αυτή σκύβουμε, με τα μάτια ανοιχτά, τα αυτιά ανοιχτά, κάτω στο χάος. Ανατριχιάζουμε. Μαντεύουμε κάτω μας το φοβερό γκρεμό, ακούμε ανάρια ανάρια το θρο που κάνουν τ' άλλα φύλλα του γιγάντιου δέντρου, νιώθουμε το χυμό ν' ανεβαίνει από τις ρίζες του δέντρου και να φουσκώνει την καρδιά μας. Κι έτσι σκυμμένοι στην άβυσσο, νογούμε σύγκορμα, σύψυχα, να μας κυριεύει τρόμος. Από τη στιγμή εκείνη αρχίζει...

Σταμάτησα. Ήθελα να πω: «Από τη στιγμή εκείνη αρχίζει η Ποίηση», μα ο Ζορμπάς δε θα καταλάβαινε και σώπασα.

— Τι αρχίζει; ρώτησε ο Ζορμπάς με λαχτάρα. Γιατί σταμάτησες;

— ...αρχίζει ο μεγάλος κίντυνος, Ζορμπά, είπα. Άλλοι ζαλίζουνται και παραμιλούν, άλλοι φοβούνται και μοχτούν να βρουν μιαν απάντηση, που να τους στυλώνει την καρδιά, και λένε: «Θεός»· άλλοι κοιτάζουν από την άκρα του φύλλου τον γκρεμό ήσυχα, παλικαρίσια και λένε: «Μου αρέσει».

Ο Ζορμπάς συλλογίστηκε κάμποση ώρα· βασανίζουνταν να καταλάβει.

— Εγώ, είπε τέλος, κοιτάζω κάθε στιγμή το θάνατο· τον κοιτάζω και δε φοβούμαι· όμως και ποτέ, ποτέ δε λέω: Μου αρέσει. Όχι, δε μου αρέσει καθόλου! Δεν είμαι λεύτερος; Δεν υπογράφω!

Σώπασε, μα γρήγορα φώναξε πάλι:

— Όχι, δε θ' απλώσω εγώ στο Χάρο το λαιμό μου σαν αρνί και να του πω: «Σφάξε με, αγά μου, ν' αγιάσω!»

Δε μιλούσα· στράφηκε, με κοίταξε ο Ζορμπάς θυμωμένος.

— Δεν είμαι λεύτερος; ξαναφώναξε.

Δε μιλούσα. Να λες «Ναι!» στην ανάγκη, να μετουσιώνεις το αναπόφευγο σε δικιά σου λεύτερη βούληση – αυτός, ίσως, είναι ο μόνος ανθρώπινος δρόμος της λύτρωσης. Το 'ξερα, και γι' αυτό δε μιλούσα.

Ο Ζορμπάς είδε πως δεν είχα πια τίποτα να του πω, πήρε το κλουβί σιγά σιγά, να μην ξυπνήσει ο παπαγάλος, το τοποθέτησε δίπλα από το κεφάλι του και ξάπλωσε.

— Καληνύχτα, αφεντικό, είπε· φτάνει.

Ζεστός νοτιάς φυσούσε πέρα από το Μισίρι και μέστωνε τα τζερτζεβατικά και τα φρούτα και τα στήθια της Κρήτης. Τον δέχουμουν να περεχύνεται στο μέτωπο, στα χείλια μου και στο λαιμό, κι έτριζε και μεγάλωνε, σα να 'ταν πωρικό, το μυαλό μου.

Δεν μπορούσα να κοιμηθώ, δεν ήθελα. Δε συλλογίζουμουν τίποτα· ένιωθα μονάχα, στη ζεστή ετούτη νυχτιά, κάτι μέσα μου, κάποιον μέσα μου, να μεστώνει. Έβλεπα, ζούσα καθαρά το καταπληχτικό ετούτο θέαμα: ν' αλλάζω. Ό,τι γίνεται πάντα στα πιο σκοτεινά υπόγεια του στήθους μας, γίνουνταν τώρα φανερά, ξέσκεπα μπροστά μου. Κουκουβιστός στην άκρα της θάλασσας, παρακολουθούσα το θάμα. Τ' αστέρια θάμπωσαν, ο ουρανός φωτίστηκε, κι απάνω στο φως χαράχτηκαν με φιλό κοντύλι τα βουνά, τα δέντρα, οι γλάροι. Ξημέρωνε.

Πέρασαν κάμποσες μέρες· τα σπαρμένα είχαν φωμώσει, έγερναν τα κεφάλια φορτωμένα καρπό· τα τζιτζίκια στις ελιές πριόνιζαν τον αγέρα, λαμπερά ζούδια βουβούνιζαν μέσα στο πυρωμένο φως. Η θάλασσα άχνιζε.

Ο Ζορμπάς, αμίλητος, τραβούσε ξημερώματα στο βουνό, τέλειωνε πια η εγκατάσταση του εναέριου, μπήκαν οι στύλοι, τεντώθηκε το σύρμα, κρεμάστηκαν οι μακαράδες. Γύριζε ο Ζορμπάς νύχτα από τη δουλειά, ξεπνεμένος· άναβε φωτιά, μαγέρευε, τρώγαμε, αποφεύγαμε να ξυπνούμε τους μεγάλους δαιμόνους μέσα μας, τον έρωτα, το θάνατο, τον τρόμο. Δε φέρναμε κουβέντα μήτε για τη χήρα, μήτε για τη μαντάμ Ορτάνς, μήτε για το Θεό. Βουβοί κοιτάζαμε κι οι δυο πέρα τη θάλασσα.

Ένα πρωί, σηκώθηκα, πλύθηκα· σα να σηκώθηκε και πλύθηκε ο κόσμος κι έλαμφε κατακαίνουριος· πήρα το δρόμο του χωριού· ζερβά μου η θάλασσα λουλακιά ακινητούσε· δεξά μου, όρθια σα χρυσοκόνταρα στρατέματα, τα σιτάρια· προσπέρασα τη συκιά της Αρχοντοπούλας, γεμάτη πράσινα φύλλα και μικρούλικα σύκα, διάβηκα με βιάση, χωρίς να στραφώ, το περιβόλι της χήρας, μπήκα στο χωριό. Ορφανεμένο πια, έρημο το ξενοδοχειάκι· οι πόρτες και τα παράθυρα έλειπαν, σκύλοι μπαινόβγαιναν στην αυλή, τα καμαράκια αδειανά και ξεχαρβαλωμένα. Στη νεκρίκια κάμαρα μήτε κρεβάτι πια, μήτε σεντούκι, μήτε καρέκλα· όλα τα 'χαν διαγουμίσει, και μονάχα, σε μια γωνιά, απόμενε ακόμα μια κουρελού, στραβοπατημένη, με κόκκινη φουντίτσα παντούφλα. Πιστή, διατηρούσε ακόμα το σχήμα του ποδιού της κυράς της· η άθλια ετούτη παντούφλα, πιο πονετικιά από τις ψυχές των ανθρώπων, δεν είχε ακόμα ξεχάσει το αγαπημένο, πολυβασανισμένο πόδι. Άργησα να γυρίσω, κι ο Ζορμπάς είχε ανάψει κιόλα τη φωτιά κι ετοιμάζουνταν να μαγερέψει· ως σήκωσε το κεφάλι και με κοίταξε, κατάλαβε από πού ερχόμουν· ζάρωσε τα φρύδια. Ύστερα από τόσες μέρες, απόψε ξεκλείδωσε πάλι την καρδιά του· μίλησε:

— Ο κάθε πόνος, αφεντικό, είπε, σα να 'θελε να δικαιολογηθεί, μου κάνει την καρδιά δυο κομμάτια· μα αυτή η σαραντα-πληγιάρα δένει ευτύς, και δε φαίνεται η πληγή· είμαι γεμάτος πληγές δεμένες· γι' αυτό αντέχω.

— Πολύ γρήγορα, Ζορμπά, ξέχασες την άμοιρη την Μπου-μπουλίνα, είπα κι η φωνή μου, χωρίς να το θέλω, είχε γίνει απότομη.

Ο Ζορμπάς πειράχτηκε· σήκωσε τη φωνή:

— Νέος δρόμος, φώναξε, νέα σχέδια, έπαψα να θυμούμαι τα χτεσινά, έπαψα να ζητώ τ' αυριανά· τι γίνεται τώρα, ετούτη τη στιγμή, αυτό με νοιάζει. Λέω: «Τι κάνεις τώρα, Ζορμπά;» «Κοιμούμαι». «Κοιμήσου, λοιπόν, καλά!» «Τι κάνεις τώρα, Ζορμπά;» «Δουλεύω». «Δούλευε λοιπόν καλά!» «Τι κάνεις τώρα, Ζορμπά;» «Αγκαλιάζω μια γυναίκα». «Αγκάλιαζέ τη λοιπόν, καλά, Ζορμπά, ξέχασέ τα όλα, τίποτα άλλο δεν υπάρχει στον κόσμο, μονάχα αυτή και συ, βίρα!»

Κι ύστερα από λίγο:

— Όταν ζούσε η Μπουμπουλίνα, που λες, κανένας Κανα-βάρο δεν της είχε δώσει τόση χαρά όση εγώ που βλέπεις, ο κουρελής, ο γερο-Ζορμπάς. Γιατί, θα πεις; Γιατί οι Καναβάρηδες τη φιλούσαν, και την ίδια στιγμή που τη φιλούσαν συλλογί-ζουνταν το στόλο τους και την Κρήτη και το βασιλιά τους και τα γαλόνια τους και τις γυναίκες τους· μα εγώ τα ξεχνούσα όλα, όλα, κι αυτή, η αφιλότιμη, το καταλάβαινε· και μάθε το, σοφολογιότατε, για τη γυναίκα μεγαλύτερη χαρά από αυτή δεν υπάρχει! Η αληθινή γυναίκα, να ξέρεις, περισσότερο χαίρεται για τη χαρά που δίνει παρά για τη χαρά που παίρνει από τον άντρα.

Έσκυψε, έβαλε κι άλλα ξύλα στην παραστιά· και σε λίγο:
— Μεθαύριο έχουμε τα εγκαίνια του εναέριου, είπε· δεν περπατώ πια στη γης, είμαι εναέριος, νιώθω απάνω στους ώμους μου τους μακαράδες!
— Θυμάσαι, Ζορμπά, τι δόλωμα μου ’ριξες στο καφενείο του Πειραιά για να με αγκιστρώσεις; Πως φτιάνεις τάχατε κάτι σούπες, να τρώει η μάνα και του παιδιού να μη δίνει – κι έτυχε ίσα ίσα να ’ναι αυτό το φαΐ που περισσότερο αγαπώ· πώς το κατάλαβες;
Ο Ζορμπάς κούνησε το κεφάλι:
— Ξέρω κι εγώ, αφεντικό; Έτσι μου ’ρθε. Καθώς σ’ έβλεπα να κάθεσαι στη γωνιά του καφενέ, ήσυχα ήσυχα, συμμαζεμένος, και να σκύβεις τουρτουρίζοντας απάνω σ’ ένα χρυσοδεμένο βιβλιαράκι – δεν ξέρω, είπα πως θ’ αγαπάς τις σούπες. Έτσι μου ’ρθε, σου λέω, τρέχα γύρευε.
Σώπασε· τρούλωσε το αυτί του:
— Σώπα, είπε· κάποιος έρχεται!
Βιαστικά πατήματα ακούστηκαν και βαρύ λαχάνιασμα ανθρώπου που τρέχει· κι ολομεμιάς, μες στο αντιλάμπισμα της φλόγας, πετάχτηκε μπροστά μας ένας καλόγερος με ξεσκισμένα ράσα, ξεσκούφωτος, με τσουρουφλισμένα γένια, με μισό μουστάκι. Μύριζε πετρέλαιο.
— Βρε, καλώς τον πάτερ Ζαχαρία! φώναξε ο Ζορμπάς. Βρε καλώς τον πάτερ Ιωσήφ. Τι ’ναι αυτά τα χάλια;
Ο καλόγερος σωριάστηκε χάμω, δίπλα στη φωτιά· τα σαγόνια του καταχτυπούσαν.
Ο Ζορμπάς έσκυψε, του ’κλεισε το μάτι.
— Ναι, αποκρίθηκε ο καλόγερος.
Πήδηξε ο Ζορμπάς χαρούμενος.
— Γεια σου, καλόγερε! Τώρα πια θα πας στην Παράδεισο, δε γλιτώνεις· και θα κρατάς κι έναν γκαζοτενεκέ στο χέρι.
— Αμήν! μουρμούρισε ο καλόγερος κι έκαμε το σταυρό του.

παραστιά: *χώρος γύρω ή δίπλα από το τζάκι, παραγώνι*

— Πώς έγινε; Πότε; Λέγε!

— Είδα τον αρχάγγελο Μιχαήλ, αδελφέ Καναβάρο· έλαβα διαταγή. Άκου να δεις: Ήμουνα στο μαγερειό και καθάριζα αμπελοφάσουλα· ολομόναχος, η πόρτα σφαλιχτή, οι πατέρες στον εσπερινό, ησυχία μεγάλη. Αφουκράζουμουν τα πουλιά που κελαηδούσαν και μου φαίνουνταν αγγέλοι. Ήμουν ήσυχος, όλα τα 'χα ετοιμάσει, περίμενα. Είχα αγοράσει έναν τενεκέ πετρέλαιο και τον είχα κρύψει στο παρεκκλήσι του κοιμητηρίου, κάτω από την Αγία Τράπεζα, να τον βλογήσει ο αρχάγγελος Μιχαήλ...

»Καθάριζα, λοιπόν, χτες το δειλινό αμπελοφάσουλα, είχα στο νου μου την Παράδεισο κι έλεγα: "Χριστέ μου, ν' αξιωθώ κι εγώ τη βασιλεία των ουρανών, κι ας καθαρίζω αιώνια τα τζερτζεβατικά στα μαγερειά της Παράδεισος!" Ετούτα συλλογίζουμουν κι έτρεχαν τα δάκρυά μου. Όπου ξάφνου ακούω από πάνω μου φτερούγες· κατάλαβα, έσκυψα το κεφάλι. Κι άκουσα τότε μια φωνή: "Ζαχαρία, σήκωσε τα μάτια, μη φοβάσαι!" Μα εγώ έτρεμα κι έπεσα κάτω. "Σήκωσε τα μάτια, Ζαχαρία!" ακούστηκε πάλι η φωνή. Σήκωσα τα μάτια κι είδα: Η πόρτα είχε ανοίξει, και στο κατώφλι στέκουνταν ο αρχάγγελος Μιχαήλ, όπως είναι ζωγραφισμένος στην πόρτα του ιερού, απαράλλαχτος: με μαύρες φτερούγες, με κόκκινα τσουλούκια, με χρυσή περικεφαλαία. Μονάχα δεν κρατούσε σπαθί, κρατούσε ένα δαυλό αναμμένο: "Χαίρε, Ζαχαρία!" μου κάνει. "Ιδού ο δούλος του Θεού", αποκρίθηκα, "πρόσταξε!" "Πάρε τον αναμμένο δαυλό, ο Κύριος μετά σου!" Άπλωσα το χέρι, ένιωσα να καίγεται η παλάμη μου. Μα ο αρχάγγελος είχε αφανιστεί· είδα μονάχα από την πόρτα μια πύρινη γραμμή στον ουρανό, σαν άστρο που χύνεται.

Ο καλόγερος σφούγγιξε τον ιδρώτα από το πρόσωπό του· είχε γίνει κατάχλωμος. Τα δόντια του καταχτυπούσαν σα να 'χε δυνατό πυρετό.

— Λοιπόν; έκαμε ο Ζορμπάς· κουράγιο, καλόγερε!

— Την ώρα εκείνη οι πατέρες έβγαιναν από τον εσπερινό κι έμπαιναν στην τράπεζα. Ο γούμενος περνώντας μου 'δωκε μιαν κλοτσιά, σα να 'μουνα σκύλος. Οι πατέρες γέλασαν, εγώ άχνα. Ο αγέρας μύριζε ακόμα θειάφι από το πέρασμα του αρχάγγελου· μα κανένας δεν το κατάλαβε. Κάθισαν στην τράπεζα. «Ζαχαρία», μου κάνει ο τραπεζάρης, «δε θα φας εσύ;» Τσιμουδιά εγώ. «Χορταίνει με τον άρτο των αγγέλων!» είπε ο Δομέτιος ο αρσενοκοίτης· οι πατέρες γέλασαν πάλι. Κι εγώ σηκώθηκα, τράβηξα στο κοιμητήρι· έπεσα μπρούμυτα στα πόδια του αρχάγγελου κι ένιωθα βαριά στο σβέρκο μου το πόδι του που με πατούσε. Οι ώρες πέρασαν αστραπή· έτσι θα περνούν κι οι ώρες κι οι αιώνες στην Παράδεισο. Μεσάνυχτα, ησυχία, οι καλόγεροι είχαν κοιμηθεί, σηκώθηκα. Έκαμα το σταυρό μου, φίλησα το πόδι του αρχάγγελου. «Γενηθήτω το θέλημά σου!» είπα, άρπαξα τον τενεκέ το πετρέλαιο, τον άνοιξα, είχα παραγεμίσει τον κόρφο μου κουρέλια, βγήκα έξω. »Πίσσα σκοτάδι. Το φεγγάρι δεν είχε ακόμα βγει, το μοναστήρι ήταν κατάμαυρο, σαν την Κόλαση. Μπήκα στο περιαύλι, ανέβηκα τη σκάλα, έφτασα στο γουμενικό· έχυσα στην πόρτα, στα παράθυρα, στους τοίχους πετρέλαιο, έτρεξα στο κελί του Δομετίου κι άρχισα από κει να περεχύνω τα κελιά και το μακρύ χαγιάτι – κατά που μου 'χες αρμηνέψει. Κι ύστερα μπήκα στην εκκλησιά, πήρα ένα κερί, το άναφα από το καντήλι του Χριστού κι έβαλα φωτιά...

Ο καλόγερος σώπασε λαχανιασμένος· τα μάτια του γέμισαν φλόγες.

— Δόξα σοι ο Θεός, βρουχήθηκε, κάνοντας το σταυρό του· δόξα σοι ο Θεός! Μεμιάς το μοναστήρι τυλίχτηκε στις φλόγες. «Στο πυρ το εξώτερον!» φώναξα δυνατά και το 'βαλα στα πόδια. Έτρεχα, έτρεχα, άκουγα τις καμπάνες να χτυπούν, τους καλόγερους να φωνάζουν, κι εγώ έτρεχα, έτρεχα... »Ξημέρωσε. Κρύφτηκα στο δάσο. Τουρτούριζα. Βγήκε ο ήλιος, άκουγα τους καλόγερους να τρέχουν στο δάσο και να με ζητούν· μα ο Θεός είχε ρίξει απάνω μου μιαν πάχνη και δε μ' έβλεπαν. Κατά το σούρουπο άκουσα πάλι φωνή: «Κατέβα στο γιαλό, φύγε!» «Αρχάγγελε, οδήγα!» φώναξα και πήρα πάλι δρόμο. Δεν ήξερα πού πήγαινα, ο αρχάγγελος με οδηγούσε· πότε σα λάμψη, πότε σαν πουλί μαύρο μέσα στα δέντρα, πότε σα μονοπάτι που κατηφόριζε. Κι εγώ έτρεχα, έτρεχα πίσω του, μ' εμπιστοσύνη· και να, μεγάλη η χάρη του! σε βρήκα, Καναβάρο μου, γλίτωσα.

Ο Ζορμπάς δε μιλούσε· μα στο πρόσωπό του όλο είχε χυθεί ένα πλατύ, δαιμονικό, αθόρυβο γέλιο· έφταναν τ' ακραχείλια του ως τα μαλλιαρά γαϊδουρίσια αυτιά του.

Το φαΐ ήταν τώρα έτοιμο, το κατέβασε.

— Ζαχαρία, είπε, τι 'ναι αυτό: «ο άρτος των αγγέλων»;

— Πνέμα, αποκρίθηκε ο καλόγερος και σταυροκοπήθηκε.

— Πνέμα, δηλαδή, με άλλα λόγια, αγέρας; Δε χορταίνει, χριστιανέ μου, κάτσε να φας ψωμί και φαρόσουπα κι ορφό να συνηφέρεις· καλά δούλεψες, φάε!

— Δεν πεινώ, έκαμε ο καλόγερος.

— Δεν πεινά ο Ζαχαρίας, μα ο Ιωσήφ; Δεν πεινάει μήτε ο Ιωσήφ;

— Ο Ιωσήφ, είπε σιγά ο καλόγερος, σα να ξεφανέρωνε κάποιο μεγάλο μυστικό, ο Ιωσήφ ο καταραμένος κάηκε, δόξα σοι ο Θεός!

— Κάηκε! φώναξε γελώντας ο Ζορμπάς. Πώς; Πότε; Τον είδες;

— Αδελφέ Καναβάρο, κάηκε τη στιγμή που άναφα το κερί από το καντήλι του Χριστού. Τον είδα, με τα μάτια μου, να βγαίνει από το στόμα μου, σα μια μαύρη κορδέλα με πύρινα γράμματα· έπεσε απάνω του η φλόγα του κεριού, κουλουριάστηκε σα φίδι κι έγινε στάχτη. Αλάφρωσα, δόξα σοι ο Θεός. Θαρρώ μπήκα κιόλα στην Παράδεισο.

Σηκώθηκε από τη φωτιά όπου ήταν κουλουριασμένος.

— Θα πάω, είπε, να ξαπλώσω στο γιαλό· έχω τέτοια διαταγή.

Πήρε γιαλό γιαλό κι αφανίστηκε μέσα στη νύχτα.

— Τον πήρες στο λαιμό σου, Ζορμπά, είπα· αν τον βρουν οι καλόγεροι, χάθηκε.

— Δε θα τον βρουν, έγνοια σου, αφεντικό· από τέτοια κοντραμπάντα κάτι ξέρω. Αύριο πρωί πρωί θα τον ξουρίσω, θα του δώσω ρούχα ανθρώπινα να βάλει και θα τον μπαρκάρω. Μη σκοτίζεσαι, αφεντικό, φιλοδουλειές... Καλή 'ναι η σούπα; Τρώε με όρεξη τον άρτο των ανθρώπων και μη σεκλεντίζεσαι. Έφαε με όρεξη ο Ζορμπάς, ήπιε, σφούγγιξε τα μουστάκια του. Είχε τώρα κέφι για κουβέντα.

— Είδες; είπε· πέθανε ο διάολος μέσα του. Και τώρα άδειασε, άδειασε ο κακομοίρης, πάει! Κατάντησε πια κι αυτός σαν και τους άλλους.

Σκέφτηκε μια στιγμή, και ξαφνικά:

— Λες, αφεντικό, ο διάολος αυτός να 'ταν...

— Σίγουρα, αποκρίθηκα. Τον είχε κυριέψει η ιδέα να κάψει το μοναστήρι, το 'καψε, ησύχασε. Αυτή η ιδέα ήθελε να φάει κρέας, να πιει κρασί, να μεστώσει, να γίνει πράξη. Ο άλλος, ο Ζαχαρίας, δεν είχε ανάγκη από κρέατα και κρασιά· αυτός μέστωνε νηστεύοντας.

Ο Ζορμπάς το γύρισε, το μεταγύρισε στο νου του.

— Ώχου, και θαρρώ πως έχεις δίκιο, αφεντικό, είπε· θαρρώ πως έχω κι εγώ μέσα μου πέντ' έξι δαιμόνους!

— Όλοι έχουμε, Ζορμπά, μην τρομάζεις. Κι όσο περισσότερους έχουμε, τόσο το καλύτερο. Φτάνει να τραβούν όλοι κατά τον ίδιο σκοπό από διαφορετικούς δρόμους.

Τα λόγια αυτά έβαλαν σε ταραχή το Ζορμπά· ακούμπησε την κεφάλα του ανάμεσα στα γόνατα και συλλογίζουνταν.

— Ποιο σκοπό; ρώτησε τέλος σηκώνοντας τα μάτια.

— Ξέρω κι εγώ, Ζορμπά; Δύσκολα πράματα με ρωτάς, πώς να σου τα πω;

— Πες τα απλά, να καταλάβω· εγώ ως τώρα άφηνα τους δαιμόνους μου λεύτερους να κάνουν ό,τι θέλουν, να τραβούν όποια στράτα τους αρέσει – και γι' αυτό άλλοι με λένε άτιμο, άλλοι τίμιο, άλλοι σερσέμη, άλλοι σοφό Σολομώντα. Κι είμαι όλα αυτά κι άλλα ακόμα, ρούσικη σαλάτα· φώτισέ με, το λοιπόν, αν μπορείς· ποιο σκοπό;

— Θαρρώ, Ζορμπά, μα μπορεί να κάνω και λάθος, πως τριών

λογιών είναι οι άνθρωποι: Αυτοί που βάζουν σκοπό να ζήσουν, καθώς λένε, τη ζωή τους· να φαν, να πιουν, να φιλήσουν, να πλουτίσουν, να δοξαστούν... Έπειτα είναι αυτοί που σκοπό βάζουν όχι τη ζωή τους, παρά τη ζωή όλων των ανθρώπων· νιώθουν πως όλοι οι άνθρωποι είναι ένα και μάχουνται να φωτίσουν, ν' αγαπήσουν, να ευεργετήσουν όσο μπορούν τους ανθρώπους. Και τέλος είναι αυτοί που βάζουν σκοπό τους να ζήσουν τη ζωή του σύμπαντου· όλοι, άνθρωποι, ζα, φυτά, άστρα είμαστε ένα, η ίδια ουσία που μάχεται τον ίδιο φοβερόν αγώνα· ποιον αγώνα; Να μετουσιώσει την ύλη και να την κάμει πνέμα.

Ο Ζορμπάς έξυσε το κεφάλι του:

— Είμαι ξεροκέφαλος, είπε, εύκολα δεν μπαίνω στο νόημα... Ε μωρέ αφεντικό, και να μπορούσες αυτά που λες να τα χόρευες, να τα καταλάβω!

Δάγκασα τα χείλια απελπισμένος. Να μπορούσα όλους αυτούς τους απελπισμένους στοχασμούς να τους χόρευα!

— Ή να μπορούσες, αφεντικό, όλα αυτά να μου τα πεις σαν παραμύθι. Όπως έκανε ο Χουσεΐν-αγάς. Αυτός ήταν ένας γέρος Τούρκος, γείτονάς μου· γέρος πολύ, φτωχός πολύ, δεν είχε μήτε γυναίκα, μήτε παιδιά, παντέρημος. Τα ρούχα του ήταν τριμμένα μα άστραφταν· τα 'πλενε μόνος του, μαγέρευε, σφουγγάριζε, και το δειλινό έρχουνταν στο πατρικό σπίτι και κάθουνταν στην αυλή μαζί με τη γιαγιά μου κι άλλες γριές γειτόνισσες κι έπλεκε κάλτσες.

»Αυτός λοιπόν που λες, ο Χουσεΐν-αγάς, ήταν άγιος άνθρωπος· μια μέρα με πήρε στα γόνατά του, έβαλε το χέρι του απάνω στο κεφάλι μου, σα να μου 'δινε την ευκή του:

» "Αλέξη", μου 'πε, "θα σου μπιστευτώ ένα λόγο· είσαι μικρός και δε θα τον καταλάβεις· θα τον καταλάβεις σα μεγαλώσεις. Άκου, παιδί μου: Το Θεό δεν μπορούν να τον χωρέσουν οι εφτά πατωσιές τ' ουρανού κι οι εφτά πατωσιές της γης· όμως τον χωρά η καρδιά του ανθρώπου. Και γι' αυτό, το νου σου, Αλέξη, να 'χεις την ευκή μου, να μην πληγώσεις ποτέ την καρδιά του ανθρώπου!"

Άκουγα το Ζορμπά, αμίλητος. Να μπορούσα κι εγώ να μην άνοιγα το στόμα παρά όταν θα 'φτανε πια η αφηρημένη ιδέα την πιο αφηλή κορφή της – όταν θα γίνουνταν παραμύθι! Μα αυτό μονάχα ένας μεγάλος ποιητής μπορεί να το κατορθώσει ή ένας λαός, ύστερα από πολλούς αιώνες αμίλητο δούλεμα.

Ο Ζορμπάς σηκώθηκε.

— Θα πάω να δω, είπε, τι κάνει ο μπουρλοτιέρης μας. Να του ρίξω μιαν πατανία να μην πουντιάσει. Θα πάρω κι ένα ψαλίδι, χρειάζεται.

Γέλασε.

— Όταν θα γίνουν οι άνθρωποι, είπε, άνθρωποι όνομα και πράμα, ο Ζαχαρίας τούτος που βλέπεις, αφεντικό, θα πάρει θέση δίπλα στον Κανάρη!

Πήρε μιαν πατανία, πήρε και το ψαλίδι και τράβηξε γιαλό γιαλό. Το φεγγάρι είχε προβάλει λειφό, χύθηκε ένα χρώμα χλωμό κι αρρωστιάρικο στη γης, θλιμμένο.

Μόνος, δίπλα στη σβημένη φωτιά, ζύγιαζα τα λόγια του Ζορμπά – γιομάτα ουσία και χωματένια θερμή μυρωδιά και βάρος ανθρώπινο. Τα λόγια τα δικά του ανέβαιναν από τα νεφρά του κι από τα σπλάχνα και διατηρούσαν ακόμα μέσα τους την ανθρώπινη ζέστα. Τα λόγια τα δικά μου ήταν χάρτινα, κατέβαιναν από το κεφάλι, πιτσιλισμένα μονάχα με μια σταλαγματιάν αίμα· κι αν είχαν κάποια αξία, την αξία αυτή τη χρωστούσαν στη σταλαγματιά ετούτη το αίμα.

Είχα ξαπλώσει τα πίστομα κι ανασκάλευα τη χόβολη, όταν ξαφνικά πρόβαλε ο Ζορμπάς, με κρεμάμενα χέρια, σαστισμένος.

— Αφεντικό, είπε, μην τρομάξεις...

Πετάχτηκα απάνω.

— Ο καλόγερος πέθανε.

— Πέθανε;!

— Τον βρήκα ξαπλωμένο πάνω σ' ένα βράχο, φωτίζουνταν από το φεγγάρι, γονάτισα κι άρχισα να του κόβω τα γένια και το επίλοιπο μουστάκι. Έκοβα, έκοβα, δεν κουνούσε· πήρα φόρα, του 'κοφα και τα μαλλιά σύρριζα· θα 'βγαλα μισή οκά μαλλί, τον έκαμα γουλί. Όπου μ' έπιασαν κάτι γέλια! «Βρε, σινιόρ Ζαχαρία», του φώναξα και τον σκούντησα, «ξύπνα να δεις το θάμα της Παναγίας!» Μα αυτός δεν κουνούσε. Τον σκούντησα πάλι, τίποτα! Μην τα κακάρωσε ο κακομοίρης; συλλογίστηκα. Άνοιξα το ράσο του, ξεσκέπασα το στήθος του, έβαλα το χέρι στην καρδιά του. Τακ; Τακ; Τακ; Τίποτα! Ησυχία. Η μηχανή δε δούλευε πια.

Όσο μιλούσε ο Ζορμπάς, έκανε κέφι· ο θάνατος τον είχε μια στιγμή σαστίσει· μα γρήγορα του πήρε τον αγέρα.

— Τώρα τι να τον κάνουμε, αφεντικό; Εγώ λέω να του βάλουμε φωτιά. Πετρέλαιο έδωκες, πετρέλαιο θα λάβεις, έτσι δε λέει το Βαγγέλιο; Και να δεις, τα ράσα είναι κολλαρισμένα από τη λίγδα, τώρα μούσκεψαν και στο πετρέλαιο, θα πάρει φωτιά σαν της Μεγάλης Πέμπτης το Γιούδα.

— Κάμε ό,τι θες, είπα με δυσφορία.

Ο Ζορμπάς έπεσε σε λογισμούς.

— Μπελάς, είπε τέλος, μπελάς μεγάλος... Αν του βάλω φωτιά, τα ράσα του θα καούν σα δαδί, μα αυτός είναι αδύναμος ο κακομοίρης, πετσί και κόκαλο, θ' αργήσει να γίνει στάχτη· δεν έχει, βλέπεις, ο δόλιος ξίγκι να βοηθήσει τη φωτιά...

Κούνησε το κεφάλι.

— Αν υπήρχε Θεός, είπε, δε θα τα 'χε προβλέψει όλα αυτά και να τον κάμει παχύ, με μπόλικα ξίγκια, να γλιτώνουμε; Τι λες και του λόγου σου;

— Μη με ανακατεύεις, σου λέω· κάμε ό,τι θες, μα γρήγορα.

— Το καλύτερο θα 'ταν να βγει απ' όλα αυτά ένα θάμα. Να πιστέψουν οι καλόγεροι πως ο Θεός ο ίδιος γίνηκε μπαρμπέρης και τον ξούρισε κι ύστερα τον σκότωσε, γιατί πείραξε το μοναστήρι...

Έξυσε πάλι την κεφάλα του.

— Μα τι θάμα; Τι θάμα; Εδώ σε θέλω, Ζορμπά!

Το λειφό φεγγάρι κόντευε πια να βασιλέψει· άγγιζε το ουρανοθάλασσο. Χρυσοκόκκινο σαν πυρωμένο χάλκωμα.

Ήμουν κουρασμένος, ξάπλωσα. Όταν ξύπνησα, χαράματα, είδα το Ζορμπά να κάθεται δίπλα μου και να φτιάνει καφέ.

Ήταν κατάχλωμος· και τα μάτια του πρησμένα κι ολοκόκ-
κινα από την αγρύπνια. Μα τα χοντρά του τραγίσια χείλια
χαμογελούσαν παμπόνηρα.

— Δεν κοιμήθηκα, αφεντικό, όλη νύχτα· είχα δουλειά.

— Τι δουλειά, θεομπαίχτη;

— Έφτιανα το θάμα.

Γέλασε. Έβαλε το δάχτυλο στο στόμα

— Δε σου λέω! Αύριο έχουμε τα εγκαίνια του εναέριου· θα
'ρθουν οι ταυραμπάδες να κάμουν αγιασμό· και τότε πια θ'
ακούσεις το νέο θάμα της Παναγίας της Εγδικήτρας, μεγάλη
η χάρη της!
Σέρβιρε τον καφέ.

— Μωρέ, εγώ κάνω για γούμενος, είπε. Αν άνοιγα μονα-
στήρι, βάζω στοίχημα πως θα τα κλειούσα όλα τ' άλλα και θα
τους έπαιρνα όλη την πελατεία. Δάκρυα θες; Ένα βρεμένο
σφουγγαράκι, κι όλα μου τα κονίσματα θα 'βαζαν τα κλάματα·
βροντές θες; Θα κότσερνα ένα μηχάνημα κάτω από την Άγια
Τράπεζα, να μουγκρίζει· φαντάσματα θες; Όλη νύχτα δυο έμπι-
στοι καλόγεροί μου θα σεριάνιζαν στις στέγες του μοναστηριού
με σεντόνια. Και θα ετοίμαζα κουτσούς, στραβούς, παράλυτους
κάθε χρόνο, στο πανηγύρι της χάρης της, να βλέπουν το φως
τους και να πετιούνται απάνω να χορεύουν...

»Μη γελάς, αφεντικό! Είχα έναν μπάρμπα που βρήκε μια
φορά ένα γέρικο μουλάρι ετοιμοθάνατο· το 'χαν παρατήσει
στην ερημιά να ψοφήσει. Κι ο μπάρμπας μου το πήρε, το
'βγαζε κάθε πρωί να βοσκήσει και το βράδυ το γύριζε σπίτι
του. "Ε μπαρμπα-Χαραλάμπη", του 'λεγαν οι χωριανοί, "τι το
θες αυτό το παλιομούλαρο; "Το 'χω φάμπρικα για καβαλίνα!"
αποκρίνουνταν ο μπάρμπας μου. Εγώ θα το 'χα το μοναστήρι,
αφεντικό, φάμπρικα για θάματα.

XXV

Η σημερινή

παραμονή της Πρωτομαγιάς θα μείνει αλησμόνητη στη ζωή μου. Ο εναέριος ήταν έτοιμος, οι στύλοι, το σύρμα, οι μακαράδες γυάλιζαν στον πρωινό ήλιο, μεγάλα πελεκημένα πεύκα είχαν σωριαστεί στη βουνοκορφή, κι εργάτες εκεί πάνω περίμεναν να τα κρεμάσουν στο σύρμα και να τ' αμολήσουν κατά το γιαλό.

Μεγάλη ελληνική σημαία κυμάτιζε στην κορφή του εναέριου στο βουνό κι άλλη στη ρίζα του, στο ακρογιάλι. Απόξω από την παράγκα ο Ζορμπάς είχε στήσει ένα βαρελάκι κρασί, κι ένας εργάτης γύριζε στη σούβλα τετράπαχο αρνί· μετά τον αγιασμό και τα εγκαίνια θα 'παιρναν οι καλεσμένοι ένα ποτήρι κρασί μ' ένα μεζεδάκι, να ευκηθούν καλά κέρδητα.

Είχε ξεκρεμάσει ο Ζορμπάς από την παράγκα και το κλουβί με τον παπαγάλο και το 'στησε με προσοχή απάνω σε μιαν αψηλή πέτρα, κοντά στον πρώτο στύλο.

— Σα να βλέπω την κυρά του, μουρμούρισε κοιτάζοντάς τον τρυφερά κι έβγαλε από την τσέπη του μια φούχτα αράπικα φιστίκια και τον τάισε.

Φορούσε τα γιορτινά του, άσπρο πουκάμισο ξεκούμπωτο, το γκρίζο σακάκι, το πράσινο πανταλόνι και τα καλά του παπούτσια με λάστιχο· το μουστάκι του είχε αρχίσει να ξεβάφει και το πάστωσε με μαντέκα.

Έτρεξε κι υποδέχτηκε, σα μέγας άρχοντας μεγάλους αρχόντους, τους προεστούς, και τους ξηγούσε τι 'ναι ο εναέριος, τι πλούτη θα 'φερνε στο χωριό και πώς η Παναγία τον είχε φωτίσει, μεγάλη η χάρη της! να τον φτιάσει τέλειο.

— Το έργο αυτό, έλεγε, είναι σπουδαίο· πρέπει να βρεις τη σωστή κλίση – ολόκληρη επιστήμη! Μήνες παιδεύουμουν, μα του κάκου· ο νους του ανθρώπου στα μεγάλα έργα μαθές δε φτάνει, χρειάζεται και Θεού φώτιση. Με είδε λοιπόν η Μεγαλόχαρη να παιδεύουμαι και με λυπήθηκε: Τον κακομοίρη το Ζορμπά, είπε, καλός άνθρωπος είναι, το καλό του χωριού θέλει, ας τον βοηθήσω. Κι ω θάμα!

Ο Ζορμπάς σταμάτησε, έκαμε τρεις φορές το σταυρό του.

— Ω θάμα! μια νύχτα μου παρουσιάζεται στον ύπνο μου μια μαυροφόρα· ήταν η Παναγία, μεγάλη η χάρη της! και κρατούσε στο χέρι της ένα μικρό, τόσο δα, εναέριο σιδεροδρομάκι. «Ζορμπά», μου κάνει, «σου φέρνω από τους ουρανούς το σχέδιο· να, πάρε αυτή την κλίση κι έχε την ευκή μου!» Είπε, κι εξαφανίστηκε· κι εγώ πετιούμαι από τον ύπνο, τρέχω εκεί που 'κανα τις πρόβες, και τι να δω; Ο σπάγγος είχε πάρει την κλίση τη σωστή και μύριζε μοσκολίβανο· σίγουρα θα τον είχε αγγίξει το χέρι της Παναγίας!

Ο Κοντομανολιός άνοιγε το στόμα κάτι να ρωτήσει, μα από το πετρωτό μονοπάτι φάνηκαν πέντε καλόγεροι καβάλα σε μούλες· ένας καλόγερος έτρεχε μπροστά μ' ένα μεγάλο ξύλινο σταυρό στον ώμο. Φώναζε· τι φώναζε; Δεν μπορούσαμε ακόμα να ξεχωρίσουμε.

Ψαλμουδιές ακούστηκαν τώρα, οι καλόγεροι κουνούσαν τα χέρια, έκαναν το σταυρό τους, οι πέτρες σπίθιζαν.

Ο πεζοδρόμος καλόγερος έφτασε, κι έτρεχε ο ιδρώτας από πάνω του· σήκωσε αψηλά το σταυρό, φώναξε:

μαντέκα: κηρώδης αρωματική αλοιφή σε σχήμα μικρού κύλινδρου που χρησίμευε για τον καλλωπισμό, τη βαφή και τη στερέωση των τριχών, ιδίως του στριφτού μουστακιού

— Χριστιανοί, το θάμα! Χριστιανοί, το θάμα! Φέρνουν οι πατέρες την Παναγιά τη Μεγαλόχαρη... Πέσετε και προσκυνήστε!

Οι χωριανοί έτρεξαν συγκινημένοι –προεστοί κι εργάτες– κύκλωσαν τον καλόγερο κι έκαναν το σταυρό τους. Εγώ στέκουμουν παράμερα· ο Ζορμπάς μου 'ριξε γοργή αστραφτερή ματιά.

— Ζύγωσε και του λόγου σου αφεντικό, μου λέει, ζύγωσε ν' ακούσεις το θάμα της Μεγαλόχαρης!

Ο καλόγερος, βιαστικός, λαχανιασμένος, άρχισε να δηγάται:

— Ακούστε, χριστιανοί. Θεού θέα, θείον θάμα! Ακούστε, χριστιανοί. Ο διάβολος είχε κυριέψει την ψυχή του κατάρατου Ζαχαρία και τον έβαλε προχτές τη νύχτα να περεχύσει το άγιο μοναστήρι με πετρέλαιο. Μα ο Θεός μάς σκούντησε, ξυπνήσαμε, είδαμε τις φωτιές, πεταχτήκαμε απάνω· το γουμενικό, το χαγιάτι, τα κελιά είχαν πάρει φωτιά. Χτυπήσαμε τις καμπάνες, φωνάξαμε: «Βοήθεια, Παναγία μας Εγδικήτρα!» και τρέξαμε με σταμνιά και κουβάδες, και τα ξημερώματα η φωτιά 'χε σβήσει, ας είναι καλά η χάρη της!

»Πήγαμε στο παρεκκλήσι, όπου θρονιάζει η θαματουργή της εικόνα, γονατίσαμε: "Παναγία Εγδικήτρα", φωνάξαμε, "σήκωσε το κοντάρι και χτύπα τον αίτιο!" Μαζευτήκαμε στο περιαύλι, είδαμε, έλειπε ο Ζαχαρίας, ο Ιούδας. «Αυτός μας έκαψε, αυτός!» φωνάξαμε όλοι και σκορπίσαμε να τον βρούμε. Ψάχναμε όλη μέρα, τίποτα· ψάχναμε όλη νύχτα, τίποτα. Και σήμερα τα ξημερώματα πήγαμε πάλι στο παρεκκλήσι· και τι να δούμε, χριστιανοί μου; Θεού θέα, θείον θάμα! Ο Ζαχαρίας ήταν ξαπλωμένος στα πόδια της Παναγίας νεκρός· και στο κοντάρι που κρατά η Παναγία, στην άκρα του, μια χοντρή στάλα αίμα.

— Κύριε ελέησον! Κύριε ελέησον! μουρμούριζαν οι χωριανοί, έπεφταν και δώστου μετάνοιες.

— Κι ακόμα ετούτο το φοβερό! εξακολούθησε ο καλόγερος καταπίνοντας το σάλιο του. Όταν σκύψαμε να σηκώσουμε το δαιμονοπαρμένο, μείναμε όλοι με το στόμα ανοιχτό: η Παναγία

375

του 'χε ξουρίσει τα μαλλιά, τα μουστάκια, τα γένια – σα φραγκό-
παπα!

Στράφηκα, με βία κρατώντας τα γέλια, κοίταξα το Ζορμπά:
— Θεομπαίχτη! του 'πα σιγά.

Μα ο Ζορμπάς κοίταζε τον καλόγερο με γουρλωμένα τα
μάτια κι έκανε απανωτά το σταυρό του με κατάνυξη.
— Μέγας είσαι, Κύριε, μέγας είσαι, Κύριε, και θαμαστά τα
έργα σου, μουρμούριζε.

Ωστόσο οι καλόγεροι έφτασαν, πέζεψαν, ο αρχοντάρης
κρατούσε στην αγκαλιά του το θαματουργό κόνισμα, στάθηκε
σε μιαν πέτρα κι όλοι έτρεξαν πατείς με πατώ σε να το προσκυ-
νήσουν. Πίσω ο παχύς Δομέτιος κρατούσε δίσκο και μάζωνε,
ραντίζοντας με το ροδοστάλι τα σκληρά χωριάτικα κούτελα·
τρεις καλόγεροι όρθιοι γύρα, με τα μαλλιαρά χέρια στην κοιλιά,
έφελναν μουσκεμένοι στον ιδρώτα.
— Θα κάμουμε μια γύρα στα χωριά της Κρήτης, είπε ο παχύς
Δομέτιος, να προσκυνήσουν οι πιστοί και να δώσουν ό,τι τους
φωτίσει η χάρη της... Να μαζέφουμε χρήματα, ν' ανακαινίσουμε
το άγιο μοναστήρι...
— Τους ταυραμπάδες! μουρμούρισε ο Ζορμπάς· πάλι θα
βγουν κερδεμένοι.

Ζύγωσε το γούμενο:
— Άγιε καθηγούμενε, είπε, όλα είναι έτοιμα για τον αγιασμό·
η χάρη της ας βλογήσει το έργο μας!

Ο ήλιος είχε ψηλώσει, αγέρας δε φυσούσε, ζέστη πολλή.
Στάθηκαν οι πατέρες γύρα από τον πρώτο στύλο με την ελλη-
νική σημαία· σκούπισαν με τα φαρδομάνικά τους τα κούτελα,
άρχισαν να φέλνουν την ευκή για τα «θεμέλια οίκου»: «Κύριε,
Κύριε, έδρασον τὴν μηχανὴν ταύτην ἐπὶ τὴν στερεὰν πέτραν,
ἣν οὐκ ἄνεμος οὐκ ὕδωρ καταβλάψαι ἰσχύσει...», βούτηξαν την
αγιαστούρα στο μπακιρένιο σιγλί και ράντισαν το στύλο, το
σύρμα, τους μακαράδες, το Ζορμπά και μένα κι ύστερα τους
χωριάτες, τους εργάτες και τη θάλασσα.

Ύστερα σήκωσαν με προσοχή, σα να 'ταν άρρωστη γυναίκα,

την εικόνα, την τοποθέτησαν όρθια στην αψηλή πέτρα δίπλα στον παπαγάλο και στάθηκαν γύρα της να καμαρώσουν τα εγκαίνια. Από την άλλη μεριά του στύλου στάθηκαν οι προύχοντες, και στη μέση ο Ζορμπάς· εγώ είχα αποτραβηχτεί πλάι στη θάλασσα και περίμενα.

Η πρόβα ήταν να γίνει μονάχα με τρεις δεντροκορμούς· Αγία Τριάδα· βάλαμε όμως κι ένα τέταρτο πεύκο προς χάρη της Παναγίας της Εγδικήτρας.

Καλόγεροι, χωριάτες, εργάτες, σταυροκοπήθηκαν:

— Στ' όνομα του Θεού και της Παναγίας! μουρμούρισαν.

Με μια δρασκελιά ο Ζορμπάς βρέθηκε στον πρώτο στύλο, τράβηξε το σκοινί, κατέβασε τη σημαία· ήταν το σύνθημα που περίμεναν οι εργάτες ψηλά στο βουνό. Όλοι τραβηχτήκαμε και στυλώσαμε τα μάτια στο κορφοβούνι.

— Εις το όνομα του Πατρός! φώναξε ο γούμενος.

Το τι έγινε τότε δεν περιγράφεται· η καταστροφή ξέσπασε σαν κεραυνός, μόλις προλάβαμε να σωθούμε. Όλος ο εναέριος τράνταξε· το πεύκο που 'χαν κρεμάσει οι εργάτες στο σύρμα χύθηκε με δαιμονισμένη ορμή προς τα κάτω, πετούσε σπίθες, σκίζες μεγάλες ξέκοβαν και τινάζουνταν στον αγέρα κι όταν, σε λίγα δευτερόλεφτα, έφτασε κάτω, δεν είχε απομείνει παρά ένα μισοκαμένο κούτσουρο.

Ο Ζορμπάς με κοίταξε σα δαρμένος σκύλος· οι καλόγεροι κι οι χωριάτες τραβήχτηκαν πιο πέρα, τα μουλάρια που παράστεκαν δεμένα άρχισαν να κλοτσούνε. Ο παχύς Δομέτιος σωριάστηκε κάτω:

— Μνήσθητί μου, Κύριε! μουρμούριζε κατατρομαγμένος.

Ο Ζορμπάς σήκωσε το χέρι.

— Δεν είναι τίποτα, είπε· έτσι κάνει το πρώτο ξύλο πάντα· τώρα θα στρώσει η μηχανή· κοιτάχτε!

Ανέβασε τη σημαία, έδωκε το σύνθημα κι έφυγε τρεχάτος.

— Και του Υιού! φώναξε πάλι ο γούμενος κι η φωνή του έτρεμε λίγο.

Αμολήθηκε το δεύτερο ξύλο· οι στύλοι τράνταξαν, το ξύλο

πήρε φόρα, πηδούσε σα δελφίνι, χιμούσε καταπάνω μας, μα δεν πρόλαβε να κατέβει, γίνηκε θρύμματα και σκόρπισε στη μέση του βουνού.

— Να πάρει ο διάολος! μουρμούρισε ο Ζορμπάς δαγκάνοντας τις μουστάκες του· δεν πέτυχε η κλίση.

Τινάχτηκε λυσσασμένος στο στύλο, κατέβασε τη σημαία, έδωκε πάλι το σύνθημα· οι καλόγεροι, πίσω από τις μούλες, σταυροκοπήθηκαν· οι προεστοί περίμεναν με ανασηκωμένα τα πόδια, έτοιμοι να φύγουν.

— Και του Αγίου Πνεύματος! κοντολαχάνιασε ο γούμενος μαζεύοντας τα ράσα του.

Το τρίτο ξύλο ήταν ένα πεύκο τεράστιο· μόλις αμολύθηκε, ακούστηκε βουή μεγάλη.

— Πέστε κάτω, κακομοίρηδες! φώναξε ο Ζορμπάς φεύγοντας.

Οι καλόγεροι έπεσαν μπρούμυτα, οι χωριάτες πήραν πόδι.

Το πεύκο έδωκε ένα σάλτο, κρεμάστηκε πάλι στο σύρμα, πέταξε σπίθες και, πριν προλάβουμε να δούμε, είχε περάσει βουνό κι ακρογιάλι και βούτηξε αφρίζοντας μακριά στο πέλαο. Πολλοί στύλοι είχαν γείρει και τράνταζαν, τα μουλάρια έσπασαν τα σκοινιά τους κι έφευγαν.

— Δεν είναι τίποτα! Δεν είναι τίποτα! φώναξε ο Ζορμπάς, έξαλλος· τώρα θα στρώσει η μηχανή, εμπρός!

Σήκωσε πάλι τη σημαία· ένιωθες, ήταν απελπισμένος και βιάζουνταν όλα ετούτα πια να πάρουν τέλος.

— Και της Παναγίας Παρθένας της Εγδικήτρας, τραύλισε ο γούμενος κρυμμένος πίσω από ένα βράχο.

Το τέταρτο ξύλο χίμηξε· τρομαχτικό κρακ! ακούστηκε· δεύτερο κρακ! κι όλοι οι στύλοι γκρεμίστηκαν, ο ένας πίσω από τον άλλο, σαν τραπουλόχαρτα.

— Κύριε, ελέησον! Κύριε, ελέησον! φώναξαν εργάτες, χωριάτες, καλόγεροι, και που φύγει φύγει.

Μια σκίζα πλήγωσε στο μερί το Δομέτιο· μια άλλη παρά τρίχα να βγάλει το μάτι του γούμενου. Οι χωριάτες είχαν εξαφανιστεί· μονάχα η Παναγία στέκουνταν όρθια απάνω στην πέτρα με το κοντάρι στο χέρι και κοίταζε με το αυστηρό μάτι της τους ανθρώπους· και δίπλα της ο κακόμοιρος ο παπαγάλος, με αναφουφουδωμένα τα πράσινα φτερά, έτρεμε.

Οι καλόγεροι άρπαξαν την Παναγία στην αγκαλιά τους, σήκωσαν το Δομέτιο που μούγκριζε από τους πόνους, μάζεφαν τα μουλάρια, καβαλίκεφαν κι έφυγαν· ο εργάτης, που γύριζε το αρνί στη σούβλα, το 'χε παρατήσει από την τρομάρα του και το αρνί καίγουνταν.

— Κάρβουνο θα γίνει το αρνί! έσυρε φωνή ο Ζορμπάς κι έτρεξε να το γυρίσει.

Κάθισα δίπλα του· τώρα πια κανένας δεν είχε απομείνει στο ακρογιάλι· είχαμε μείνει ολομόναχοι. Στράφηκε, με κοίταξε με αβέβαιη, ασχημάτιστη ματιά... Δεν ήξερε πώς θα 'παιρνα την καταστροφή, κατά πού θα 'βγαινε η περιπέτεια ετούτη. Έσκυφε πάλι στο αρνί, πήρε ένα μαχαίρι, έκοφε ένα κομμάτι, το δοκίμασε· έβγαλε ευτύς το αρνί από τη φωτιά, το 'στησε όρθιο.

— Λουκούμι, είπε· λουκούμι, αφεντικό! Θες ένα μεζεδάκι και του λόγου σου;

— Φέρε και το κρασί, φέρε και το ψωμί, πείνασα.

Πετάχτηκε σβέλτος ο Ζορμπάς, κύλησε το βαρελάκι δίπλα στο αρνί, έφερε ένα μεγάλο καρβέλι σιταρένιο ψωμί και δυο ποτήρια. Πήρε καθένας ένα μαχαίρι, κόφαμε δυο μεγάλες λουρίδες κρέας και χοντρές φέτες ψωμί και τρώγαμε, τρώγαμε, αχόρταγα.

— Είδες τι νόστιμο που 'ναι, αφεντικό; είπε ο Ζορμπάς. Μπουκιά και συχώριο. Εδώ δεν έχει, βλέπεις, παχύ χορτάρι, βόσκουν τα ζα ξερονομή και το κρέας τους είναι όλο νοστιμιά. Μια φορά μόνο θυμούμαι να 'φαγα τόσο νόστιμο κρέας σαν και τούτο. Ήταν η εποχή, ξέρεις, που 'χα κεντημένη με τα μαλλιά μου την Αγια-Σοφιά και τη φορούσα γκόλφι... Παλιές ιστορίες!

— Λέγε, λέγε!

ξερονομή: *άγονος βοσκότοπος, σανός*

— Παλιές ιστορίες, σου λέω, αφεντικό! Ελληνομάρες παλα-βομάρες!

— Μωρέ λέγε, Ζορμπά, και μου αρέσουν!

— Οι Βούλγαροι λοιπόν, που λες, μας είχαν μπλοκάρει. Είχε νυχτώσει. Τους βλέπαμε ολόγυρά μας στις ράχες του βουνού ν' ανάβουν φωτιές και να χτυπούν τουμπελέκια και να ουρλιά-ζουν σα λύκοι, για να μας τρομάξουν. Θα 'ταν μια τριακοσαριά· εμείς εικοσιοχτώ, κι ο καπετάν Ρούβας –ο Θεός σχωρέσ' τον, αν πέθανε, καλό παλικάρι!– αρχηγός μας.

» — Ε Ζορμπά, μου κάνει, πέρασε το αρνί στη σούβλα!

» — Πιο νόστιμο γίνεται, καπετάνιο μου, είπα, στο λάκκο.

» — Κάμε το όπως θες, μα γρήγορα· πεινούμε!

»Σκάψαμε λάκκο, το παράχωσα με την προβιά· σωριάσαμε μεγάλη καρβουνιστιά από πάνω, βγάλαμε από τα ταγάρια μας το ψωμί, καθίσαμε γύρα.

» — Μπορεί να 'ναι και το στερνό μας! έκαμε ο καπετάν Ρούβας· φοβάται, μωρέ παιδιά, κανένας σας;

»Όλοι γελάσαμε· κανένας δεν καταδέχτηκε να δώσει απάντηση. Πιάσαμε την τσότρα.

» — Στην υγειά σου, καπετάνιο· καλό μολύβι!

»Ήπιαμε μια, ήπιαμε δυο, ξεχώσαμε το αρνί. Μωρέ, τι 'τανε αυτό, αφεντικό; Το θυμούμαι και τρέχουν ακόμα τα σάλια μου, λιώμα, μυαλός! Ριχτήκαμε όλοι απάνω του, παλικαρίσια.

» — Νοστιμότερο κρέας δεν έφαγα ποτέ μου! είπε ο καπε-τάνιος. Ο Θεός μαζί μας!

»Ήπιε κι αυτός, μονορούφι, που ποτέ του δεν έπινε.

» — Τραγουδήστε, παιδιά, ένα κλέφτικο! πρόσταξε. Αυτοί εκεί πέρα ουρλιάζουν σα λύκοι, εμείς θα τραγουδήσουμε σαν άνθρωποι. Να πούμε το "Γερο-Δήμο".

»Κατάπιαμε γρήγορα· τσούξαμε ακόμα μια, φούντωσε το τραγούδι· οι ρεματιές αντιλάλησαν:

τσότρα: *ξύλινο δοχείο υγρών με πλατιά βάση που στενεύει προς το στόμιο*

Εγέρασα, μωρέ παιδιά, σαράντα χρόνους κλέφτης...

»Κέφι τρικούβερτο.

» — Μπα, σε καλό μας, είπε ο καπετάνιος· τι κέφι είναι ετούτο; Για μελέτα, μωρέ Αλέξη, την πλάτη... τι λέει;

»Καθάρισα με το σουγιά την πλάτη του αρνιού, ζύγωσα στη φωτιά.

» — Δε βλέπω μνήματα, καπετάνιο· δε βλέπω θάνατο. Θα τη γλιτώσουμε και τη φορά ετούτη, θαρρώ.

» — Ο λόγος σου και στου Θεού το αυτί, είπε το πρωτοπαλίκαρο, που ήταν νιόπαντρος· να προφτάσω να κάμω ένα γιο, κι ύστερα ό,τι θέλει ας γίνει!

Ο Ζορμπάς έκοφε ένα μεγάλο κομμάτι νεφραμιά:

— Καλό 'ταν εκείνο το αρνί, είπε, μα και τούτο, να το χαρώ! δεν πάει πίσω.

— Βάλε, Ζορμπά, να πιούμε· ξέχειλα τα ποτήρια κι άσπρο πάτο!

Σκουντρήξαμε, ήπιαμε. Περίφημο γεραπετρίτικο κρασί, μαύρο σαν το αίμα του λαγού· το 'πινες, κι ήταν σα να μεταλάβαινες το αίμα της γης και θέριευες. Ξεχείλιζαν οι φλέβες σου δύναμη κι η καρδιά σου καλοσύνη· αν ήσουν κιοτής, γίνουσουν παλικάρι, αν ήσουν παλικάρι, θεριό! Ξεχνούσες τις ταπεινές μικρολογίες, έσπαζαν τα στενά σύνορα, έσμιγες με τους ανθρώπους, με τα ζώα, με το Θεό, γίνουσουν ένα.

— Ομπρός, να δούμε κι εμείς την πλάτη του αρνιού τι μολογάει, είπα. Έλα, βίρα τις προφητείες, Ζορμπά!

Έγλειφε καλά καλά την πλάτη, την καθάρισε ύστερα με το μαχαίρι, τη σήκωσε στο φως, κοίταξε με προσοχή.

— Όλα καλά, είπε· χίλια χρόνια θα ζήσουμε, αφεντικό· καρδιά βουνό.

Έσκυψε πάλι, κοίταξε:

— Ταξίδι βλέπω, είπε· ένα μεγάλο ταξίδι· και στην άκρα του ταξιδιού ένα μεγάλο μεγάλο σπίτι με πολλές πόρτες. Θα 'ναι καμιά πολιτεία, αφεντικό· μπορεί όμως και το μοναστήρι, όπου θα 'μαι εγώ πορτιέρης και θα κάνω το κοντραμπάντο που λέγαμε.

— Βάλε να πιούμε, Ζορμπά, κι άσε τις προφητείες. Εγώ να σου πω τι 'ναι το σπίτι με τις πολλές πόρτες· είναι η γης με τα μνήματα· αυτή 'ναι η άκρα του ταξιδιού· στην υγειά σου, θεομπαίχτη!

— Στην υγειά σου, αφεντικό! Η τύχη, έχουν να πουν, είναι θεόστραβη· δεν ξέρει πού πάει, σκουντουφλάει στους διαβάτες· και σε όποιον πέσει τονε λένε τυχερό. Στο διάολο τέτοια τύχη· δεν τη θέμε εμείς, αφεντικό!

— Δεν τη θέμε εμείς, Ζορμπά· βίρα!

Πίναμε, ξεκοκαλίζαμε το αρνί, ο κόσμος άρχισε ν' αλαφραίνει, η θάλασσα γελούσε, κουνιούνταν η γης σαν κουβέρτι καραβιού, δυο γλάροι περπατούσαν απάνω στα χοχλάδια και κουβέντιαζαν σαν ανθρώποι.

Σηκώθηκα.

— Έλα, Ζορμπά, φώναξα, μάθε με να χορεύω!

Τινάχτηκε ο Ζορμπάς, το πρόσωπό του άστραφε.

— Χορό, αφεντικό; έκαμε· χορό; Έλα!

— Ομπρός, Ζορμπά, άλλαξε η ζωή μου, βίρα!

— Θα σε μάθω πρώτα πρώτα το ζεϊμπέκικο· άγριος, παλικαρίσιος. Αυτόν χορεύανε οι κομιτατζήδες πριν από τη μάχη.

Έβγαλε τα παπούτσια του, πέταξε τις μελιτζανιές κάλτσες, έμεινε με το πουκάμισο· μα πάλι πλαντούσε, το πέταξε κι αυτό.

— Κοίτα το πόδι μου, αφεντικό, πρόσταξε· το νου σου!

Άπλωσε το πόδι, άγγιξε ανάλαφρα τη γης, άπλωσε το άλλο, πλέχτηκαν άγρια, χαρούμενα τα βήματα, αντιλάλησε η γης. Μ' έπιασε από τον ώμο:

— Έλα, παλικαράκι μου, οι δυο μας!

Ριχτήκαμε στο χορό· ο Ζορμπάς με διόρθωνε, σοβαρός, υπομονετικός, με τρυφεράδα· έπαιρνα κουράγιο, ένιωθα τα βαριά μου ποδάρια να φτερώνουν.

— Γεια σου, ξεφτέρι μου! φώναξε ο Ζορμπάς και χτυπούσε τα παλαμάκια, για να μου κρατάει το ρυθμό. Γεια σου, παλικα-

ράκι μου! Στο διάολο τα χαρτιά και τα καλαμάρια! Στο διάολο τα καλά και συμφέροντα. Ε μωρέ! τώρα που χορεύεις και του λόγου σου και μαθαίνεις τη γλώσσα μου, τι έχουμε να πούμε!

Σβάρνισε με τις γυμνές πατούσες τα χοχλάδια, χτύπησε τις παλάμες.

— Αφεντικό, φώναξε, έχω πολλά να σου πω, άνθρωπο δεν αγάπησα σαν εσένα, έχω πολλά να σου πω, μα δεν τα πάει η γλώσσα μου... Θα τα χορέψω το λοιπόν! Στάσου παράμερα μη σε πατήσω! Βίρα! Χοπ, χοπ!

Έδωκε ένα σάλτο, τα πόδια και τα χέρια του έγιναν φτερούγες. Όρθιος χιμούσε απάνω από τη γης, κι έτσι που τον έβλεπα στο βάθος τ' ουρανού και της θάλασσας, μου φάνταζε σαν ένας γέρος αρχάγγελος αντάρτης. Γιατί ο χορός αυτός του Ζορμπά ήταν όλο πρόκληση, πείσμα κι ανταρσία. Θαρρείς και φώναζε: «Τι μπορείς να μου κάμεις, Παντοδύναμε; Τίποτα δεν μπορείς να μου κάμεις· να με σκοτώσεις μονάχα. Σκότωσέ με, καρφί δε μου καίγεται· έβγαλα το άχτι μου, είπα ό,τι ήθελα να πω· πρόφτασα και χόρεψα, και πια δε σ' έχω ανάγκη!»

Έβλεπα το Ζορμπά να χορεύει κι ένιωθα για πρώτη φορά τη δαιμονικιάν ανταρσία του ανθρώπου, να νικήσει το βάρος και την ύλη, την προγονική κατάρα. Καμάρωνα την αντοχή του, τη σβελτέτσα, την περηφάνια· κάτω στην αμμουδιά τα ορμητικά κι αντάμα περίτεχνα πατήματα του Ζορμπά χάραζαν την εωσφορικήν ιστορία του ανθρώπου.

Στάθηκε. Κοίταξε σωρούς σωρούς τον γκρεμισμένο εναέριο· ο ήλιος έγερνε να βασιλέψει, μεγάλωσαν οι σκιές. Ο Ζορμπάς γούρλωσε τα μάτια, σα να θυμήθηκε ξαφνικά. Στράφηκε, με κοίταξε· έβαλε, ως συνηθούσε, την απαλάμη του κι έφραξε το στόμα.

— Πω, πω, αφεντικό! έκαμε· είδες τι σπίθες πετούσε ο αφιλότιμος;

Σπάσαμε κι οι δυο στα γέλια. Ο Ζορμπάς χύθηκε απάνω μου, με άρπαξε στην αγκαλιά του κι άρχισε να με φιλάει.

σβελτέτσα: *σβελτάδα, ευκινησία*

— Γελάς και του λόγου σου; μου φώναξε με τρυφερότητα· γελάς και του λόγου σου, αφεντικό; Γεια σου, λεβέντη μου! Σκούσαμε στα γέλια κι οι δυο και παλεύαμε απάνω στα χοχλάδια ώρα πολλή· κι απότομα σωριαστήκαμε κι οι δυο χάμω, ξαπλώσαμε στα βότσαλα του γιαλού και κοιμηθήκαμε αγκαλιασμένοι.

Γλυκοχαράματα σηκώθηκα, κι άρχισα να περπατώ γρήγορα, γιαλό γιαλό, κατά το χωριό, κι η καρδιά μου πετούσε. Σπάνια δοκίμασα τόση χαρά στη ζωή μου. Δεν ήταν χαρά, ήταν ένα αφηλό, παράλογο, αδικαιολόγητο κέφι. Όχι μονάχα αδικαιολόγητο, παρά κι ενάντια σε όλες τις δικαιολογίες· είχα χάσει όλα μου τα λεφτά – εργάτες, εναέριος, βαγόνια, φτιάσαμε λιμανάκι για τη μεταφορά· και τώρα δεν είχαμε τι να μεταφέρουμε· όλα χαμένα.

Κι ίσια ίσια τώρα ένιωθα απροσδόκητη λύτρωση. Σα ν' ανακάλυφα μέσα στο σκληρό, αγέλαστο κρανίο της Ανάγκης, σε μια μικρή γωνιά, τη λευτεριά να παίζει· και παίζω μαζί της.

Όταν μας έρχουνται ανάποδα όλα, τι χαρά να δοκιμάζουμε την ψυχή μας αν έχει αντοχή κι αξία! Θαρρείς κι ένας οχτρός αόρατος, παντοδύναμος –άλλοι τον λένε Θεό κι άλλοι διάολο– χιμάει να μας ρίξει, μα εμείς στέκουμε όρθιοι. Κι έτσι κάθε φορά που εσωτερικά είμαστε νικητές, όταν εξωτερικά είμαστε νικημένοι κατά κράτος, ο αληθινός άντρας νιώθει άφραστη περηφάνια και χαρά· η εξωτερική συμφορά μετουσιώνεται σε ανώτατη, δυσκολότατη ευδαιμονία.

Ένα βράδυ ο Ζορμπάς μου 'χε πει:

— Σ' ένα χιονισμένο μακεδονίτικο βουνό μια νύχτα σηκώθηκε τρομαχτικός αγέρας και κουνούσε το μικρό καλύβι, όπου είχα τρουπώξει, κι ήθελε να μου το γκρεμίσει. Μα εγώ το 'χα καλά στερεωμένο, κάθουμουν ολομόναχος μπροστά από το αναμμένο τζάκι και γελούσα και προγκούσα τον αγέρα και του φώναζα: «Δε θα μπεις στην καλύβα μου, δε σου ανοίγω την πόρτα, δε θα μου σβήσεις το τζάκι, δε θα με γκρεμίσεις!»

Τα λόγια ετούτα του Ζορμπά είχαν αντριέψει την ψυχή μου· κατάλαβα πώς πρέπει να φέρνεται ο άνθρωπος και πώς να μιλάει στην Ανάγκη.

Περπατούσα γρήγορα στο γιαλό, μιλούσα κι εγώ με τον αόρατον οχτρό, φώναζα: «Δε θα μπεις στην ψυχή μου, δε σου ανοίγω την πόρτα, δε θα μου σβήσεις το τζάκι, δε θα με γκρεμίσεις!»

Ο ήλιος δεν είχε ακόμα ξεμυτίσει από το βουνό, έπαιζαν τα χρώματα στο ουρανοθάλασσο, γαλάζια, πράσινα, τριαντα-φυλλιά και σεντεφένια, πέρα μέσα στις ελιές ξυπνούσαν και πουρπούριζαν τα μικρά κελαηδοπούλια.

Πήγαινα γιαλό γιαλό ν' αποχαιρετήσω το έρημο ετούτο ακρογιάλι, να το σημαδέψω στο νου μου και να το πάρω μαζί μου φεύγοντας.

Είχα πολύ χαρεί στο γιαλό τούτον, η ζωή με το Ζορμπά είχε πλατύνει την καρδιά μου και μερικά του λόγια είχαν γαληνέψει το νου μου, δίνοντας απλότατη λύση σε πολύπλοκες μέσα μου έγνοιες. Ο άνθρωπος αυτός με το αλάθευτό του ψυχόρμητο, με το αϊτίσιο του πρωτόγονο μάτι, έκοβε από σίγουρους και σύντομους δρόμους κι έφτανε απλά, χωρίς μόχτο, στην κορυφή της προσπάθειας – στην απροσπάθεια.

Μια παρέα πέρασε, άντρες, γυναίκες, με γεμάτα καλάθια, μεζέδες και μπουκάλες, πήγαιναν στα περβόλια να γλεντήσουν την Πρωτομαγιά· μια κοριτσίστικη φωνή ανέβηκε συντριβάνι, τραγούδησε. Μια κοπελούδα μικρή, με φουσκωμένο στήθος, πέρασε τρέχοντας από μπρος μου λαχανιασμένη κι ανέβηκε μιαν αψηλή πέτρα να σωθεί· πίσω της ένας άντρας μαυρογένης την κυνηγούσε χλωμός κι αγριεμένος.

— Κατέβα... Κατέβα... της φώναζε κι η φωνή του ήταν βραχνιασμένη.

Μα η κορασιά, με τα μάγουλα αναμμένα, σήκωσε τα χέρια, τα 'πλεξε απάνω από το κεφάλι, κι αργά ταλαντεύοντας τ' ολαχνισμένο σώμα το 'ριξε στο τραγούδι:

Πες μου το με το χωρατά, πες μου το με το νάζι,
πες μου το πως δε μ' αγαπάς, μα μένα δε με νοιάζει...

— Κατέβα... Κατέβα... της φώναξε ο μαυρογένης κι η βραχνή
φωνή του παρακαλούσε και φοβέριζε.
Κι άξαφνα, μ' ένα σάλτο της άρπαξε το πόδι και το 'σφιξε, κι
η κορασιά, λες και περίμενε αυτό για ν' αλαφρώσει, ξέσπασε
σε κλάματα.
Προσπέρασα γρήγορα, όλες ετούτες οι λαχτάρες φαρμά-
κωναν την καρδιά μου· ήρθε στο νου μου η παχουλή,
παρφουμαρισμένη γριά Σειρήνα που, χορτασμένη, φιλημένη,
κρυολογήθηκε ένα βράδυ, και σκίστηκε η γης και την κατάπιε·
θα 'χει τώρα πια πρηστεί και πρασινίσει, θα ράισε, θα χύθηκαν
οι χυμοί, θα πρόβαλαν τα σκουλήκια...
Τίναξα το κεφάλι με φρίκη. Κάποτε η γης γίνεται διάφανη, και
ξεκρίνουμε το μεγάλο εργοστασιάρχη, το Σκούληκα, να δουλεύει
μέρα νύχτα κάτω στα χωματένια του εργαστήρια· μα γρήγορα
γυρνούμε πέρα το πρόσωπο, γιατί όλα μπορεί να τα βαστάξει ο
άνθρωπος, εξόν από το μικρούλικο άσπρο σκουληκάκι.
Στην μπασιά του χωριού συναπάντησα τον ταχυδρόμο, που
ετοιμάζουνταν να κολλήσει την τρουμπέτα στο στόμα.
— Ένα γράμμα, αφεντικό! μου φώναξε, δίνοντάς μου ένα
γαλάζιο φάκελο.
Τινάχτηκα χαρούμενος αναγνωρίζοντας το φιλό φίνο
γράφιμο· πέρασα βιαστικά το χωριό, βγήκα στον ελαιώνα,
άνοιξα το γράμμα με λαχτάρα. Σύντομο, βιαστικό, το διάβασα
μονανάπνιάς:

«Μπήκαμε στα σύνορα της Γεωργίας, γλιτώσαμε από τους
Κούρδους, όλα πάνε καλά, αρχίζω να νομίζω πως τώρα μονάχα
ξέρω τι θα πει ευτυχία. Τώρα μονάχα το καταλαβαίνω, γιατί το
ζω, το παμπάλαιο ρητό της Χριστομάθειας: ευτυχία θα πει να
κάνεις το χρέος σου. Κι όσο πιο δύσκολο το χρέος, τόσο πιο
μεγάλη η ευτυχία...

»Σε λίγες μέρες, οι κυνηγημένες ετούτες ετοιμοθάνατες ρωμαίικες ψυχές θα βρίσκουνται στο Μπατούμ, κι έλαβα σήμερα τηλεγράφημα: "Φάνηκαν τα πρώτα βαπόρια!"

»Οι χιλιάδες ετούτοι τετραπέρατοι, δουλευταράδες Ρωμιοί κι οι γυναίκες τους με τα φαρδιά λαγόνια και τα παιδιά τους, θα μεταφυτευτούν γρήγορα στη Μακεδονία και τη Θράκη. Χύνουμε καινούριο αίμα, παλικαρίσιο, στις φλέβες της Ελλάδας.

»Κουράστηκα λίγο, μα δεν πειράζει· νικήσαμε, δάσκαλέ μου, καλήν αντάμωση!»

Έκρυψα το γράμμα, γόργωσα το βήμα, ήμουν κι εγώ ευτυχής. Πήγαινα, πήγαινα, πήρα το ανηφορικό μονοπάτι του βουνού, έθρυβα στα δάχτυλά μου ένα αγκαθερό κλωνί ανθισμένο θυμάρι, κόντευε μεσημέρι. Κατάμαυρος μαζώνουνταν ο ίσκιος στα πόδια μου, ένα γεράκι ζυγαριάστηκε αψηλά, κι οι φτερούγες του έτρεμαν τόσο γοργά που φάνταζε ακίνητο· μια πέρδικα γρίκηξε το περπάτημά μου, τινάχτηκε από τα θάμνα και βρόντηξε το μεταλλικό της πέταγμα στον αγέρα.

Ήμουν ευτυχής· να κάτεχα, θα τραγουδούσα ν' αλαφρώσω· έσερνα μονάχα άναρθρες κραυγές. «Τι έπαθες;» έλεγα στον εαυτό μου, κοροϊδεύοντάς τον· «είσαι λοιπόν τόσο πατριώτης, και δεν το 'ξερα; Αγαπάς τόσο πολύ το φίλο σου; Κάτσε φρόνιμα. Δεν ντρέπεσαι;» Μα κανένας δεν αποκρίνουνταν κι εξακολουθούσα πάλι τον ανήφορο σκληρίζοντας. Κουδούνια τώρα ακούστηκαν, γίδια μαύρα, κανελιά, γκρίζα έλαμφαν απάνω στους βράχους· βαρύς πήγαινε μπροστά, με αλύγιστο σβέρκο, ο τράγος· μύρισε ο αγέρας τραγίλα.

— Ε κουμπάρε! Για πού το 'βαλες; Ποιον κυνηγάς;

Ένας βοσκός είχε πεταχτεί απάνω σ' ένα βράχο, σφύριζε με τα δάχτυλα στο στόμα και μου φώναζε.

— Έχω δουλειά! αποκρίθηκα κι εξακολουθούσα να σκαρφαλώνω.

— Στάσου να πιεις γάλα, να δροσερέφεις! φώναξε πάλι ο βοσκός πηδώντας από βράχο σε βράχο, να με ζυγώσει.

—Έχω δουλειά! φώναξα πάλι, σα να μην ήθελα, μιλώντας, να διακόψω τη χαρά μου.

— Δεν καταδέχεσαι! έκαμε ο βοσκός πειραγμένος· άε στο καλό!

Έβαλε τα δάχτυλά του στο στόμα, σφύριξε στο κοπάδι του και χάθηκαν όλοι μαζί πίσω από τους βράχους.

Ύστερα από λίγη ώρα έφτανα στην κορυφή του βουνού· και σα να 'ταν η κορυφή ετούτη ο σκοπός της πορείας, ησύχασα. Ξάπλωσα κάτω από ένα βράχο στον ίσκιο και κοίταζα πέρα τον κάμπο και τη θάλασσα· έπαιρνα βαθιές αναπνοές, ο αγέρας μύριζε φασκόμηλο και θυμάρι.

Σηκώθηκα, μάζεψα μιαν αγκαλιά φασκομηλιές, τις έβαλα μαξιλάρι και ξάπλωσα· ήμουν κουρασμένος, έκλεισα τα μάτια. Μια στιγμή πήγε ο νους μου πέρα σε αφηλά καταχιόνιστα οροπέδια, προσπάθησα ν' ανασυντάξω στη φαντασία τα κοπάδια τους ανθρώπους και τα βόδια που 'τρεχαν κατά βορρά, και το φίλο μου που τραβούσε ομπρός, μπροστολάτης. Μα γρήγορα το μυαλό μου θαμπώθηκε, με κυρίεψε ακαταμάχητη νύστα.

Θέλησα ν' αντισταθώ, να μην κοιμηθώ, άνοιξα τα μάτια. Ένα κοράκι είχε κουρνιάσει απέναντί μου στο βράχο, ίσα ίσα στην κορυφή του βουνού· τα γαλαζόμαυρα φτερά του στραφτάλιζαν στον ήλιο, και διέκρινα καλά το μεγάλο κίτρινο ραμφί του. Θύμωσα, μου φάνηκε κακό σημάδι, πήρα μιαν πέτρα, του την πέταξα· το κοράκι ήσυχα, αργά, άνοιξε τις φτερούγες.

Έκλεισα πάλι τα μάτια, μην μπορώντας ν' αντισταθώ, και μονοκοπανιάς, κεραυνοβόλα, ο ύπνος με πήρε.

Δε θα 'χα κοιμηθεί παρά λίγα δευτερόλεφτα, όταν έσυρα φωνή και πετάχτηκα όρθιος· το κοράκι καμπάνιζε ακόμα απάνω από το κεφάλι μου κι έφευγε. Ανακάθισα στο βράχο κι έτρεμα· ένα όνειρο, σπαθάτο, σαν επιφοίτηση, είχε σκίσει το νου μου:

Είδα, λέει, πως ήμουνα στην Αθήνα κι ανέβαινα την οδόν Ερμού ολομόναχος. Ήλιος πολύς, ο δρόμος έρημος, κλειστά τα μαγαζιά, νέκρα. Κι άξαφνα, τη στιγμή που προσπερνούσα την Καπνικαρέα, βλέπω από το Σύνταγμα το φίλο μου να τρέχει χλωμός, λαχανιασμένος και ν' ακολουθάει ένα πανύψηλον άντρα, που πήγαινε μπροστά με γιγάντιες δρασκελιές. Φορούσε ο φίλος μου τη μεγάλη του διπλωματική στολή, με πήρε το μάτι του και μου φώναξε, λαχανιασμένος, από μακριά: «Ε δάσκαλέ μου, τι γίνεσαι; Χρόνια έχω να σε δω· έλα απόψε να μιλήσουμε».

«Πού;» φώναξα κι εγώ δυνατά, σα να 'ταν πολύ μακριά κι έπρεπε να βάλω όλη μου τη δύναμη για να με ακούσει.

«Στην Ομόνοια, το βράδυ, στις έξι. Στο καφενείο: "Η βρύση της Παράδεισος"».

«Καλά», αποκρίθηκα, «θα 'ρθω».

«Έτσι το λες», ακούστηκε τώρα η φωνή του με παράπονο, «έτσι το λες, μα δε θα 'ρθεις».

«Θα 'ρθω σίγουρα!» φώναξα· «δώσ' μου το χέρι σου!»

«Βιάζουμαι».

«Γιατί βιάζεσαι; Δώσ' μου το χέρι σου!»

Άπλωσε το χέρι του· κι απότομα το χέρι του κόπηκε σύρριζα από τον ώμο κι ήρθε μέσα από τον αγέρα κι άρπαξε το χέρι μου.

Τρόμαξα από την κρύα επαφή, έσυρα φωνή και πετάχτηκα από τον ύπνο μου.

Είδα το κοράκι, απάνω ακόμα από το κεφάλι μου, να φεύγει· τα χείλια μου έσταζαν φαρμάκι.

Γύρισα το κεφάλι ανατολικά, κάρφωσα τα μάτια μου στον αγέρα, σα να 'θελα να τρυπήσω την απόσταση και να δω· ήμουν βέβαιος, ο φίλος μου κιντύνευε. Φώναξα τρεις φορές τ' όνομά του:

— Σταυριδάκη! Σταυριδάκη! Σταυριδάκη!

Σα να 'θελα να του δώσω κουράγιο· μα η φωνή μου σκόρπισε λίγες οργιές μπροστά μου στον αγέρα.

Πήρα το δρόμο προς τα κάτω, κατρακυλούσα από το βουνό, προσπαθούσα, κουράζοντας το κορμί, να μετατοπίσω τον πόνο. Του κάκου μάχουνταν το μυαλό μου να περιπαίξει τα μυστικά μηνύματα, που κάποτε κατορθώνουν να φτάσουν στην ψυχή του ανθρώπου· μέσα μου μια βεβαιότητα πρωτόγονη, βαθύτερη από τη λογική, ολότελα ζωική, με γέμιζε τρόμο. Την ίδια βεβαιότητα σίγουρα θα 'χουν και μερικά ζώα, τα πρόβατα, τα ποντίκια, πριν ξεσπάσει ο σεισμός. Μέσα μου ξύπνησε η προανθρώπινη ψυχή, όταν ακόμα καλά καλά δεν είχε ξεκολλήσει από το χώμα, κι ένιωθε άμεσα, χωρίς την παραμορφωτική επέμβαση της λογικής, την αλήθεια.

— Κιντυνεύει... κιντυνεύει... μουρμούριζα· θα πεθάνει... Μπορεί να μην το ξέρει αυτός ακόμα· εγώ το ξέρω σίγουρα.

Κατηφορούσα τρέχοντας το βουνό, έπεσα σ' ένα χαλικιά, κατρακύλησα ορμητικά μαζί με τα χαλίκια. Τα χέρια μου, τα πόδια μου ήταν ολομάτωτα, γεμάτα γρατσουνιές, το πουκάμισό μου σκίστηκε.

— Θα πεθάνει... θα πεθάνει, έλεγα, κι ο λαιμός μου σφίγγουνταν.

Έχει σηκώσει ο κακομοίρης ο άνθρωπος γύρω από την ψυχή του αψηλό, αδιαπέραστο φράχτη, έχει οχυρώσει ένα μικρό αλώνι, όπου μάχεται να βάλει τάξη κι ασφάλεια στην καθημερινή σωματική και πνεματική του ζωούλα. Όλα μέσα στο αλώνι ετούτο πρέπει ν' ακολουθούν τους χαραγμένους δρόμους, την άγια ρουτίνα, να υπακούν σε απλούς ευκολονόητους νόμους, κι έτσι να μπορούμε με κάποια σιγουράδα να προβλέφουμε τι μέλλεται να γίνει και πώς συμφέρει να φερθούμε. Μέσα στο κατοχυρωμένο αυτό από τις βίαιες επιδρομές του μυστήριου αλώνι, βασιλεύουν οι μικρές σαρανταποδαρούσες βεβαιότητες. Ένας είναι ο μισητός θανάσιμος οχτρός που όλοι κι όλα είναι από χιλιάδες χρόνια οργανωμένοι να τον διώξουν: η Μεγάλη Βεβαιότητα. Κι η Μεγάλη αυτή Βεβαιότητα είχε τώρα πηδήξει το φράγμα κι είχε χιμήξει απάνω μου.

Σαν έφτασα στο ακρογιάλι μου, ανάσανα λίγο· σα να 'χα φτάσει στη δεύτερη οχυρωματική γραμμή του αλωνιού μου, κι ανασυντάχτηκα.

«Όλα αυτά τα πράματα, συλλογίστηκα, είναι παιδιά της εδικής μας ανησυχίας και παίρνουν στον ύπνο τη λαμπρότατη στολή του συμβόλου. Εμείς οι ίδιοι τα δημιουργούμε· δεν ξεκινούν από μακριά να μας βρουν· δεν είναι μηνύματα που μας έρχουνται από παντοδύναμες σκοτεινές περιοχές· είναι δικές μας, χωρίς καμιάν έξω από μας αξία, εκπομπές. Δεν είναι η ψυχή μας ο δέχτης, είναι ο πομπός· δεν πρέπει να τρομάζουμε».

Γαλήνεφα· η λογική έβαλε πάλι τάξη στην αναστατωμένη από το σκοτεινό μήνυμα καρδιά, ψαλίδισε τις φτερούγες, έκοφε, έραφε, συμμόρφωσε την αλλόκοτη νυχτερίδα, την έκαμε γνώριμο ποντίκι, ησύχασε.

Κι όταν έφτασα πια στην παράγκα, χαμογελούσα με την αφέλειά μου και ντρέπουμουν που τόσο γρήγορα σάστισε ο νους μου· είχα γυρίσει κιόλα στον άγιο δρόμο της ρουτίνας, πεινούσα, διψούσα, ήμουν εξαντλημένος και μ' έτσουζαν οι γρατσουνιές που μου 'καμαν οι πέτρες· μα απάνω απ' όλα ένιωθα ψυχική ανακούφιση: ο φοβερός οχτρός που 'χε πηδήξει το φράχτη αναχαιτίστηκε στη δεύτερη οχυρωματική γραμμή της ψυχής μου.

XXVI

Όλα τέλειωσαν.

Ο Ζορμπάς μάζεφε το σύρμα, τα εργαλεία, τα βαγονάκια, τα σιδερικά, την ξυλεία, τα 'καμε σωρό στο ακρογιάλι και περίμενε να 'ρθει το καΐκι να τα φορτώσει.

— Σου τα χαρίζω, Ζορμπά, είπα· δικά σου, και καλά κέρδη.

Ο Ζορμπάς έσφιξε το λαιμό του, σα να 'θελε να κρατήσει ένα λυγμό.

— Χωρίζουμε; μουρμούρισε. Πού θα πας, αφεντικό;

— Φεύγω για την ξενιτιά· έχει ακόμα πολλά χαρτιά να φάει μέσα μου η κατσίκα.

— Δεν έβαλες ακόμα γνώση, αφεντικό;

— Έβαλα, Ζορμπά, ας είσαι καλά· μα ακολουθώ τον εδικό σου δρόμο· θα κάμω με τα βιβλία, ό,τι έκαμες και συ με τα κεράσια· θα φάω τόσο πολύ χαρτί, που θα μου 'ρθει αναγούλα, θα κάμω εμετό και θα γλιτώσω.

— Και, τι θα γίνω εγώ, χωρίς τη συντροφιά σου, αφεντικό;

— Μη θλίβεσαι, Ζορμπά, θα ξανασμίξουμε πάλι και θα βάλουμε, ποιος ξέρει, μεγάλη η δύναμη του ανθρώπου! σε πράξη το μεγάλο μας σχέδιο: Να χτίσουμε μοναστήρι όπως το θέμε εμείς, χωρίς Θεό, χωρίς διάολο, με λεύτερους ανθρώπους, και θα κάθεσαι εσύ, Ζορμπά, στην πόρτα, να κρατάς τα κλειδιά, σαν τον Άγιο Πέτρο, ν' ανοίγεις και να κλείνεις...

Ο Ζορμπάς, καθισμένος χάμω, ακουμπούσε τη ράχη στην

παράγκα, γέμιζε και ξαναγέμιζε το ποτήρι του, έπινε και δε μιλούσε.

Είχε νυχτώσει, είχαμε 'ποφάει και τώρα κάναμε τη στερνή μας κουβέντα κουτσοπίνοντας· αύριο θα χωρίζαμε – θα 'φευγα εγώ για το Κάστρο.

— Ναι... ναι... έκανε ο Ζορμπάς, τραβούσε τα μουστάκια του κι έπινε ξεροσφύρι.

Ο καλοκαιριάτικος ουρανός ήταν γεμάτος άστρα· η νύχτα από πάνω μας σπιθοβολούσε· μέσα η καρδιά μας ήθελε να μουγκρίσει, μα κρατιόταν.

«Χαιρέτα, αποχαιρέτα για πάντα», συλλογίζουμουν, «κοίτα τον καλά, ποτέ σου πια δε θα ξαναδούν τα μάτια σου το Ζορμπά!»

Έκαμα να πέσω στη γέρικη αγκαλιά και να κινήσω το κλάμα, μα ντράπηκα· έκαμα να γελάσω για να κρύψω τη συγκίνησή μου, μα δεν μπόρεσα· ο λαιμός μου ήταν φραμένος. Κοίταξα το Ζορμπά ν' ανασηκώνει το λιγνό του κοκαλιάρικο λαιμό και να πίνει αμίλητος· τον κοίταζα και στοχάζουμουν πόσο αλήθεια καταπληχτικό μυστήριο είναι ετούτη η ζωή και πώς σμίγουν και χωρίζουν οι άνθρωποι σα φύλλα χινοπωριάτικα που τα κυνηγά η μπόρα· και πώς του κάκου μοχτάς ν' αρπάξεις με τη ματιά σου το πρόσωπο, το σώμα, τις χερονομίες του ανθρώπου που αγαπάς – κι όμως σε λίγα χρόνια δε θα θυμάσαι πια αν ήταν γαλάζια ή μαύρα τα μάτια του...

«Μπρούντζος σκληρός», φώναξα από μέσα μου, «ατσάλι έπρεπε να 'ναι η ψυχή του ανθρώπου, κι όχι αγέρας!»

Ο Ζορμπάς έπινε, κρατούσε τη χοντρή κεφάλα του όρθια, ακίνητη. Θαρρούσες κι αφουκράζουνταν μέσα στη νύχτα κάποιο περπάτημα που ζύγωνε ή κάποιο περπάτημα που αλάργαινε και που δεν ακούγουνταν παρά μονάχα μέσα στο σπλάχνο...

— Τι συλλογιέσαι, Ζορμπά;

— Τι να συλλογιέμαι, αφεντικό; Τίποτα. Τίποτα, σου λέω! Δε συλλογιέμαι τίποτα.

Κι ύστερα σε λίγο, ξαναγεμίζοντας το ποτήρι:
— Στην υγειά σου, αφεντικό!
Σκουντρήξαμε. Καταλαβαίναμε κι οι δύο μας πως δεν μπορούσε να βαστάξει πια πολλήν ώρα τόση στενοχώρια. Έπρεπε να βάλουμε τα κλάματα ή να πιάσουμε το χορό και να γίνουμε στουπί στο μεθύσι.
— Παίξε, Ζορμπά! πρότεινα.
— Το σαντούρι, δεν τα'παμε, αφεντικό; το σαντούρι θέλει καλή καρδιά. Θα παίξω ύστερα από ένα μήνα, από δυο μήνες, από δυο χρόνια, ξέρω κι εγώ; Και θα τραγουδήσω τότε πώς χωρίζουνται δυο άνθρωποι για πάντα.
— Για πάντα! ξεφώνισα τρομαγμένος.
Έλεγα από μέσα μου το φοβερό αυτόν αγιάτρευτο λόγο μα δεν είχα κουράγιο να τον ακούσω φωναχτά· τρόμαξα.
— Για πάντα! ξανάπε ο Ζορμπάς, καταπίνοντας με δυσκολία το σάλιο του. Για πάντα. Αυτά που μου λες, θα σμίξουμε πάλι, θα φτιάσουμε μοναστήρι, παρηγοριές στον άρρωστο όσο να βγει η ψυχή του... Δεν τα δέχουμαι! Δεν τα θέλω! Τι; Γυναικούλες είμαστε, να θέμε παρηγοριές; Δε θέμε παρηγοριές. Ναι, για πάντα!
— Μπορεί και να μείνω... είπα, τρομαγμένος από την άγρια τρυφεράδα του Ζορμπά. Μπορεί και να 'ρθω μαζί σου· είμαι λεύτερος!
Ο Ζορμπάς κούνησε το κεφάλι:
— Όχι, δεν είσαι λεύτερος, είπε· το σκοινί, όπου είσαι δεμένος, είναι λίγο πιο μακρύ από τους άλλους ανθρώπους· αυτό είναι όλο. Του λόγου σου, αφεντικό, έχεις μακρύ σπάγγο, πας κι έρχεσαι, θαρρείς πως είσαι λεύτερος· μα το σπάγγο δεν τον κόβεις. Κι άμα δεν κόφεις το σπάγγο...
— Θα τον κόφω μια μέρα! είπα με πείσμα, γιατί τα λόγια του Ζορμπά άγγιξαν μέσα μου μιαν ανοιχτή πληγή και πόνεσα.
— Δύσκολο, αφεντικό, δύσκολο πολύ. Εδώ χρειάζεται τρέλα· τρέλα, το ακούς; Όλα για όλα! Μα εσύ έχεις μυαλό, κι αυτό θα σε φάει. Ο νους είναι μπακάλης, κρατάει κατάστιχα, γράφει

τόσα έδωκα, τόσα πήρα, αυτά 'ναι τα κέρδη, αυτές οι ζημιές. Είναι μαθές καλός νοικοκυράκος, δεν τα βάζει όλα κάτω, κρατάει πάντα του πισινή. Δε σπάει το σπάγγο, όχι! τον κρατά ο μπαγάσας γερά στα χέρια του· σαν του φύγει, χάθηκε, χάθηκε ο κακομοίρης! Μα άμα δε σπάσεις το σπάγγο, δε μου λες, τι ουσία έχει η ζωή; Χαμομήλι, χαμομηλάκι· δεν είναι ρούμι να αναποδογυρίζει τον κόσμο!

Σώπασε· έβαλε να πιει, μα το μετάνιωσε.

— Να με συμπαθάς, αφεντικό, είμαι χωριάτης· τα λόγια καθίζουν στα δόντια μου όπως καθίζουν οι λάσπες στα πόδια· δεν μπορώ να κλώθω τα λόγια και να κάνω ευγένειες· δεν μπορώ· μα εσύ καταλαβαίνεις.

Άδειασε το ποτήρι, με κοίταξε.

— Καταλαβαίνεις! φώναξε, σα να τον έπιασε ξαφνικός θυμός· καταλαβαίνεις, κι αυτό θα σε φάει! Αν δεν καταλάβαινες, θα 'σουν ευτυχισμένος. Τι σου λείπει; Νέος είσαι, παράδες έχεις, μυαλό έχεις, γερός είσαι, καλός άνθρωπος είσαι, τίποτα δε σου λείπει. Τίποτα δε σου λείπει, να πάρει ο διάολος! Μονάχα ένα· είπαμε, η τρέλα. Κι άμα σου λείπει αυτό, αφεντικό...

Κούνησε την κεφάλα, σώπασε πάλι.

Παρά τρίχα να μ' έπαιρναν τα κλάματα· ό,τι έλεγε ο Ζορμπάς ήτανε σωστό... Όταν ήμουν παιδί, ορμές μεγάλες, λαχτάρες προανθρώπινες, κάθουμουν μόνος κι αναστέναζα γιατί δε με χωρούσε ο κόσμος.

Κι ύστερα, αγάλια αγάλια, με τον καιρό, όλο και φρόνιμα· έβαζα σύνορα, χώριζα το δυνατό από το αδύνατο, το ανθρώπινο από το θεϊκό, κρατούσα σφιχτά το χαρταϊτό μου να μη φύγει.

Ένα μεγάλο άστρο χαράκωσε τον ουρανό και χάθηκε. Ο Ζορμπάς τινάχτηκε, γούρλωσε τα μάτια και το κοίταξε τρομαγμένος, λες κι έβλεπε πρώτη φορά άστρο να χάνεται.

— Είδες το άστρο; μου κάνει.

— Ναι.

Σωπάσαμε.

Κι άξαφνα σήκωσε ο Ζορμπάς αφηλά το λιγνό κοκαλιάρικο

λαιμό, φούσκωσε το στήθος κι έσυρε μιαν άγρια ανέλπιδη κραυγή. Και μονομιάς μπήκε σε τούρκικα λόγια η φοβερή κραυγή κι άρχισε ν' ανεβαίνει από τα σωθικά του Ζορμπά παλιός μονόκορδος σκοπός, όλο πάθος και πίκρα κι ερημιά. Έσπασε η καρδιά της γης, χύθηκε το γλυκύτατο ανατολίτικο φαρμάκι, σάπισαν μέσα μου όλες οι ίνες, που μ' έδεναν με την αρετή και την ελπίδα:

Ικί κικλίκ μπίρ τεπεντέ οτίγιορ·
οτμέ ντε, κικλίκ, μπενίμ ντερτίμ γιετίγιορ,
αμάν! αμάν!

Ερημία, φιλή απέραντη αμμούδα, τρέμει τριανταφυλλένιος, γαλάζιος, κίτρινος ο αγέρας, τα μελίγγια ξεβίδωσαν, σέρνει φωνή αλλόφρενη η ψυχή και χαίρεται που καμιά φωνή δεν αποκρίνεται. Ερημία... ερημία... Κι άξαφνα τα μάτια μου βούρκωσαν:

Δυο πέρδικες σ' ένα λόφο κελαηδούσαν·
μην κελαηδάς, πέρδικα, με φτάνει εμένα ο καημός μου,
αμάν! αμάν!

Ο Ζορμπάς σώπασε· σφούγγιξε κοφτά με το δάχτυλο από το μέτωπό του τον ιδρώτα και τον τίναξε στη γης. Έσκυψε κάτω και κοίταξε το χώμα.

— Τι σκοπός είναι αυτός, Ζορμπά; ρώτησα ύστερα από πολλήν ώρα.

— Του καμηλιέρη. Το τραγούδι αυτό τραγουδά ο καμηλιέρης στην έρημο. Χρόνια είχα να το θυμηθώ και να το τραγουδήσω. Και τώρα...

Η φωνή του ήταν στεγνή, ο λαιμός του είχε φράξει.

— Αφεντικό, είπε, ώρα να κοιμηθείς. Αύριο θα ξυπνήσεις χαράματα για το Κάστρο, να πάρεις το βαπόρι. Καληνύχτα!

— Δε νυστάζω, αποκρίθηκα· θα μείνω. Είναι η τελευταία βραδιά που περνούμε μαζί.

— Μα ίσια ίσια γι' αυτό πρέπει να τελειώνουμε σύντομα, φώναξε ο Ζορμπάς κι αναποδογύρισε το αδειασμένο του ποτήρι – σημάδι πως δεν ήθελε άλλο να πιει. Να, έτσι όπως οι καλοί άντρες κόβουν το τσιγάρο, το κρασί, το ζάρι· παλικαρίσια.

»Ο πατέρας μου, πρέπει να ξέρεις, ήταν παλικάρι με ουρά· μη με κοιτάζεις εμένα· εγώ 'μαι ξεφυσίδι· χαρτωσιά δεν πιάνω μπροστά του. Αυτός ήταν από τους παλιούς Έλληνες που λένε· έπιανε τη χέρα σου και σου 'σπαζε τα κόκαλα. Εγώ μπορώ και μιλώ συσταζούμενα σαν άνθρωπος κάπου κάπου· μα ο πατέρας μου μούγκριζε, χλιμίντριζε και τραγουδούσε· σπάνια έβγαινε από το στόμα του στρωτός ανθρώπινος λόγος.

»Αυτός λοιπόν είχε όλα τα πάθη· μα τα 'κοφε όλα, με το σπαθί. Κάπνιζε σα φουγάρο· ένα πρωί σηκώθηκε, πήγε στο χωράφι ν' αλετρίσει, έφτασε, ακούμπησε στο φράχτη, έχωσε, θεριακλής όπως ήταν, με λαχτάρα το χέρι του στη ζώνη, να βγάλει την καπνοσακούλα, να στρίψει ένα τσιγάρο πριν πιάσει δουλειά. Τραβάει την καπνοσακούλα, άδεια, πανί με πανί· είχε ξεχάσει να τη γεμίσει στο σπίτι.

»Άφρισε από το κακό του, μούγκρισε· και μονομιάς, μ' έναν πήδο, στράφηκε πίσω κι άρχισε να τρέχει κατά το χωριό· τον είχε, βλέπεις, κυριέψει το πάθος. Μα ξαφνικά, εκεί που 'τρεχε –ο άνθρωπος, σου λέω, είναι μυστήριο– στάθηκε, ντράπηκε, έβγαλε την καπνοσακούλα, την έκανε με τα δόντια του χίλια κομμάτια και την τσαλαπάτησε λυσσασμένος.

» — Άτιμη, άτιμη! μούγκριζε· πουτάνα!

»Κι από την ώρα εκείνη, σε όλη του τη ζωή, δεν έβαλε τσιγάρο στο στόμα του.

»Έτσι κάνουν τα παλικάρια, αφεντικό· καληνύχτα!

Σηκώθηκε, δρασκέλισε γρήγορα τα χοχλάδια, μήτε στράφηκε πίσω, έφτασε στην παραφρή της θάλασσας, και πια, μέσα στο σκοτάδι, τον έχασα.

συσταζούμενα: *με ντροπή, συνεσταλμένα, σεμνά*

Δεν τον ξανάδα. Προτού να κράξει ο πετεινός, ήρθε ο αγωγιάτης, καβαλίκεφα κι έφυγα. Υποφιάζουμαι, μα μπορεί και να κάνω λάθος, κάπου θα 'ταν το πρωί κρυμμένος και με κοίταζε· όμως δεν έτρεξε να πούμε τα συνηθισμένα λόγια του χωρισμού, να μουσκέφουν τα μάτια μας, να κουνήσουμε τα χέρια και τα μαντίλια και να δώσουμε όρκους.

Ο χωρισμός έγινε με το σπαθί.

Στο Κάστρο πήρα ένα τηλεγράφημα· το πήρα, το κοίταξα πολλή ώρα, το χέρι μου έτρεμε. Ήξερα θετικά τι έλεγε· έβλεπα με τρομαχτικά βεβαιότητα πόσες λέξες είχε, πόσα γράμματα. Με κυρίεφε η επιθυμία να το σκίσω· γιατί να το διαβάσω, αφού ήξερα; Μα δεν έχουμε, αλίμονο! εμπιστοσύνη ακόμα στην ψυχή μας, ο νους ο εμποράκος, ο φιλικατζής, την περγελάει, όπως περγελούμε τις γριές ξορκίστρες και μάγισσες. Άνοιξα το τηλεγράφημα, ήταν από την Τιφλίδα· μια στιγμή τα γράμματα χόρεφαν μπροστά από τα μάτια μου, δεν ξέκρινα τίποτα· μα σιγά σιγά τα γράμματα ακινήτησαν, διάβασα:

«Χτες το απόγεμα, κατόπιν κεραυνοβόλου περιπνευμονίας, ο Σταυριδάκης πέθανε».

Πέρασαν πέντε χρόνια, μεγάλα χρόνια, φοβερά, που ο καιρός πήρε φόρα, τα γεωγραφικά σύνορα έπιασαν το χορό, άνοιγαν, μαζεύουνταν σα φυσαρμόνικες τα κράτη. Μια στιγμή ο Ζορμπάς κι εγώ χαθήκαμε μέσα στην μπόρα, ανάμεσά μας στάθηκαν πείνες και τρομάρες. Κάπου κάπου τα τρία πρώτα χρόνια λάβαινα μια σύντομη κάρτα του:

Πότε από το Άγιον Όρος – την κάρτα της Παναγίας της Πορταΐτισσας με τα μεγάλα πικραμένα μάτια και το στέρεο, όλο θέληση πιγούνι· και μου 'γραφε με τη βαριά χοντρή του πένα που ξέσκιζε το χαρτί: «Εδώ δουλειά δε γίνεται, αφεντικό· εδώ οι καλόγεροι πεταλώνουν και τον φύλλο· θα φύγω!» Κι ύστερα από λίγες μέρες άλλη κάρτα: «Δεν μπορώ να γυρίζω τα μονα-στήρια, να κρατώ τον παπαγάλο στο χέρι σα λοταρτζής· τόνε χάρισα λοιπόν κι εγώ σ' ένα μερακλή καλόγερο που 'χει έναν κότσυφα και φέλνει ο αφιλότιμος, σαστίζει ο νους σου, σαν καλλίφωνος φάλτης το Κύριε, ἐκέκραξα. Θα τον μάθει λοιπόν και τον κακομοίρη τον παπαγάλο μας να φέλνει. Ε πόσα είδε ο άτιμος στη ζωή του, και τώρα... Και παπάς εγίνης, παπαγάλο; Έτσι το 'φερε η κατάρα! Σε φιλικοασπάζομαι, Πάτερ Αλέξιος, ολομόναχος».

Πέρασαν έξι εφτά μήνες· και λαβαίνω από τη Ρουμανία μιαν κάρτα με μιαν παχιά γυναίκα ξεστήθωτη: «Ζω ακόμα, τρώγω μαμαλίγκα, πίνω μπίρα, δουλεύω στα πετρέλαια, λαδοπόντικας. Μα βρίσκεις εδώ μπόλικο ό,τι τραβά η καρδιά σου· παράδεισος για γεροκολασμένους σαν και μένα· με καταλαβαίνεις, αφεντικό· ζωή και κοκότα κι άγιος ο Θεός. Σε φιλικοασπάζομαι, Αλέξης Ζορμπέσκο, λαδοπόντικας».

Πέρασαν δυο χρόνια, και μια μέρα λαβαίνω καινούρια κάρτα· από τη Σερβία τώρα: «Ζω ακόμα, κάνει κρύο διαολεμένο, αναγκάστηκα λοιπόν να παντρευτώ· κοίταξε πίσω να δεις το μουτράκι της· κόμματος. Η κοιλιά της είναι λίγο πρισμένη, γιατί μου ετοιμάζει κιόλας ένα Ζορμπαδάκι. Κι εγώ φορώ το κουστούμι που μου χάρισες, κι ο αρραβώνας που βλέπεις στο χέρι μου είναι της καημένης της Μπουμπουλίνας – ν' αγιάσουν (όλα γίνουνται) τα κοκαλάκια της! Ετούτη τη λένε Λιούμπα. Το παλτό που φορώ, με γιακά αλεπού, είναι προίκα της γυναίκας μου· μου 'δωκε και μια γουρούνα μ' εφτά γουρουνάκια, αλλόκοτο σόι. Και δυο παιδιά από τον πρώτο της άντρα· χήρα, βλέπεις. Βρήκα σ' ένα βουνό, εδώ κοντά, λευκόλιθο, μπέρδεψα πάλι κάποιο κεφαλαιούχο, περνώ μπέης. Σε φιλικοασπάζομαι, Αλέξης Ζόρμπιετς, πρώην χήρος».

Στο πρόσωπο της κάρτας ήταν η φωτογραφία του Ζορμπά, καλοθρεμμένος, γαμπροντυμένος, με το γούνινο σκούφο, μ'

μαμαλίγκα: *είδος παραδοσιακής πίτας από πηχτό χυλό ως υποκατάστατο ψωμιού*

ένα λιμοκοντορίστικο μπαστουνάκι κι ένα μακρύ παλτό της ώρας. Και κρεμασμένη στο μπράτσο του μια νόστιμη Σλάβα έως 25 χρονών, αγριοφοραδίτσα, διπλοκάπουλη, τσαχπίνα, με αφηλές μπότες, με πλούσιο στήθος. Και από κάτω τα χοντρά, σκεπαρνίσια γράμματα του Ζορμπά: «Εγώ, ο Ζορμπάς κι η ατέλειωτη υπόθεση, η γυναίκα· τώρα τηνε λένε Λιούμπα». Όλα αυτά τα χρόνια γύριζα στην ξενιτιά. Είχα κι εγώ την ατέλειωτή μου υπόθεση· μα δεν είχε αυτή μήτε πλούσιο στήθος, μήτε παλτό να μου δώσει, μήτε γουρούνια. Και μια μέρα στο Βερολίνο, έλαβα το τηλεγράφημα που είπαμε στην αρχή: «Εύρον πρασίνην πέτραν ωραιοτάτην· ελθέ αμέσως. Ζορμπάς».

Δεν είχα, είπαμε, το κουράγιο να τα παρατήσω όλα και να κάμω κι εγώ μια φορά στη ζωή μου μια γενναία παράλογη πράξη· κι έλαβα το γραμματάκι που αντέγραφα στην αρχή, όπου με θεωρεί πια, και με το δίκιο του, ο Ζορμπάς, άνθρωπο χαμένο, καλαμαρά.

Από τότε δε μου ξανάγραφε· μπήκαν πάλι τρομερά παγκόσμια περιστατικά ανάμεσά μας, ο κόσμος εξακολουθούσε να τρεκλίζει σα λαβωμένος, σα μεθυσμένος, οι ατομικές αγάπες κι έγνοιες αναμερίστηκαν.

Συχνά όμως μιλούσα στους φίλους μου κι ανάσταινα μέσα μου τη μεγάλη ψυχή· καμαρώναμε του αγράμματου ανθρώπου το περήφανο και σίγουρο, πέρα από τη λογική, περπάτημα. Κορφές πνεματικές που χρειαστήκαμε εμείς χρόνια με μεγάλους μόχτους να καταχτήσουμε, αυτός, με λίγα πλαστικά λόγια, τις έφτανε, και λέγαμε: «Είναι μεγάλη ψυχή ο Ζορμπάς»· ή τις ξεπερνούσε, και λέγαμε: «Είναι τρελός».

Περνούσεν έτσι ο καιρός γλυκά φαρμακωμένος από τις θύμησες. Κι ο άλλος ίσκιος, του φίλου μου, που 'χε πέσει απάνω στο κρητικό ακρογιάλι μου, την εποχή του Ζορμπά, βάραινε κι αυτός την ψυχή μου και δε με άφηνε – γιατί δεν τον άφηνα.

Για τον ίσκιο όμως αυτόν δε μιλούσα σε κανένα· ήταν η κρυφή κουβέντα που 'πιανα με τον άλλον όχτο και που με συνήθιζε να φιλιώνω με το θάνατο· ήταν το μυστικό γιοφύρι μου με τον Άδη. Κι όταν η πεθαμένη ψυχή το περνούσε, την ένιωθα εξαντλημένη και χλωμή, δεν μπορούσε στέρεα να μιλήσει, δεν είχε τη δύναμη να μου σφίξει το χέρι.

Κάποτε λογιάζω με αγωνία, ίσως να μην πρόφτασε ο φίλος μου να μετουσιώσει απάνω στη γης αλάκερο το σώμα του, να κατεργαστεί και να στερεώσει την ψυχή του, να μην κυριευτεί, στην κρίσιμη στιγμή, από τον πανικό του θανάτου και να κατασκορπίσει στον αγέρα. Ίσως, συλλογίζουμουν, κιντυνεύει να χαθεί, γιατί δεν του δόθηκε καιρός ν' αθανατίσει αυτό που του ήταν μπορετό ν' αθανατίσει από το θνητό του συγκρότημα.

Μα ξάφνου παίρνει δύναμη –αυτός; ή μήπως εγώ ξαφνικά τονε θυμούμαι με σφοδρότερη αγάπη;– κι έρχεται δυνατός, ξανανιωμένος, και κοντεύει να γρικώ και τα πατήματά του στις σκάλες.

Τώρα και λίγος καιρός, είχα κάμει μόνος μου μια εκδρομή στα χιονισμένα βουνά της Εγκαντίν, όπου κάποτε ο φίλος μου κι εγώ και μια γυναίκα που αγαπούσαμε, περάσαμε αφηλές, εξαίσιες μέρες και νύχτες.

Ήμουν ξαπλωμένος στο κρεβάτι, στο ίδιο ξενοδοχείο που είχαμε τότε μείνει. Κοιμόμουν· το φεγγάρι έσταζε, από το ανοιχτό παράθυρο, μέσα στα κοιμισμένα φρένα μου έμπαιναν τα βουνά, τα κρυσταλλωμένα έλατα, η βαθιά γαλάζια νύχτα.

Ένιωθα μέσα στον ύπνο μου ανείπωτη ευδαιμονία· σα να 'ταν ο ύπνος βαθιά θάλασσα, γαλήνια και διάφανη, κι ήμουν εγώ ξαπλωμένος στο βυθό της, ευτυχισμένος κι ακίνητος· κι ήταν τόση η ευαισθησία μου που ένα καραβάκι να περνούσε στην κορυφή του νερού, χιλιάδες οργιές απάνωθέ μου, θα χάραζε το κορμί μου.

Κι άξαφνα ένας ίσκιος έπεσε απάνω μου· κατάλαβα ποιος ήταν. Κι ακούστηκε η φωνή του όλο παράπονο:

«Κοιμάσαι;»

Κι εγώ αποκρίθηκα με το ίδιο παράπονο:

«Άργησες· μήνες έχω ν' ακούσω τη φωνή σου... Πού γύριζες;»

«Είμαι πάντα μαζί σου, μα εσύ με ξεχνάς. Δεν έχω τη δύναμη πάντα να φωνάζω, και συ θες να με αφήσεις. Καλό 'ναι το φεγγάρι, καλά τα χιονισμένα δέντρα, καλή 'ναι η ζωή στον απάνω κόσμο – μα μη με ξεχνάς και μένα».

«Ποτέ δε σε ξεχνώ, το ξέρεις. Τις πρώτες ημέρες έφυγα για την ξενιτιά, γύριζα σε άγρια βουνά, εξαντλούσα το κορμί μου, αγρυπνούσα κι έκλαιγα για σένα. Έκανα και τραγούδια, να μη με πνίξει ο πόνος· μα τα τραγούδια ήταν άθλια, και δεν πήραν καθόλου τον πόνο μου ν' ανασάνω. Το ένα αρχίζει:

Στο πλάι του Χάρου ως πήγαινες, καμάρωνα το μπόι,
την αλαφράδα και των δυο στο απόκρεμνο ανήφορι,
σα δυο συντρόφοι που ξυπνούν χαράματα και πάνε...

»Και σ' ένα άλλο, ατέλειωτο κι αυτό, τραγούδι σου φώναζα:

Κράτα γερά τα φρένα σου, καλέ μου, μη σκορπίσουν!»

Χαμογέλασε με πίκρα· έσκυψε το πρόσωπό του απάνω μου κι έφριξα θωρώντας τη χλωμάδα του.

Με κοίταξε πολλή ώρα, αμίλητος, με τις γούβες των ματιών του· δεν είχαν μάτια μέσα· μονάχα δυο βωλαράκια χώμα.

«Τι συλλογιέσαι;» μουρμούρισα· «γιατί δε μιλάς;»

Κι ακούστηκε πάλι, βαθύς, μακρινός στεναγμός, η φωνή του:

«Αχ, τι απόμεινε από μιαν ψυχή που δεν τη χωρούσε ο κόσμος! Μερικοί στίχοι ενός άλλου, σκόρπιοι, μισεροί, μήτε ένα ακέριο τετράστιχο! Πάω κι έρχουμαι απάνω στη γης, τριγυρίζω τους αγαπημένους, μα η καρδιά τους έκλεισε. Από πού να μπω; Πώς να ζωντανέψω; Σαν το σκύλο γυρίζω κύκλο από το μανταλωμένο σπίτι του αφεντικού... Αχ, να μπορούσα να ζούσα λεύτερος, χωρίς να πιάνουμαι, σαν τον πνιγμένο, από τα ζεστά, ζωντανά κορμιά σας!»

Τα κλάματα πετάχτηκαν από τις γούβες των ματιών του, το χώμα μέσα τους έγινε λάσπη.

Μα σε λίγο η φωνή του στερεώθηκε:

«Η μεγαλύτερη χαρά που μου 'δωκες», είπε, «ήταν όταν μια φορά, στη γιορτή μου, στη Ζυρίχη, θυμάσαι; μίλησες για μένα. Θυμάσαι; ήταν και κάποια άλλη ψυχή μαζί μας...»

«Θυμούμαι», αποκρίθηκα· «ήταν αυτή που τη λέγαμε Κυρά μας...»

Σωπάσαμε. Πόσοι αιώνες από τότε έχουν περάσει! Στο τραπέζι της γιορτής του, έτσι κλεισμένοι που 'μασταν στο ζεστό δωμάτιο κι όξω χιόνιζε κι ήμασταν τρεις αγαπημένοι, είχα κάμει το εγκώμιο του φίλου μου.

«Τι συλλογιέσαι, δάσκαλέ μου;» ρώτησε ο ίσκιος με ανάλαφρη ειρωνεία.

«Πολλά, όλα...»

«Εγώ, τα τελευταία σου λόγια· σήκωσες το ποτήρι κι είπες: "Κυρά μου, όταν ο Σταυριδάκης ήταν μωρό, ο γερο-παππούς του τον κρατούσε στο ένα του γόνατο και στο άλλο του ακουμπούσε την κρητικιά λύρα κι έπαιζε αντρίστικους σκοπούς· ας πιούμε απόψε στην υγειά του: όμοια να δώσει η μοίρα έτσι στα γόνατα του Θεού να κάθεται πάντα!"

»Ο Θεός πολύ γρήγορα εισάκουσε την προσευχή σου, δάσκαλέ μου!»

«Δεν πειράζει», είπα, «η αγάπη νικάει το θάνατο».

Χαμογέλασε πικρά, μα δε μίλησε· ένιωθα το σώμα του ν' αρμολύνεται, να χάνεται στο σκοτάδι, να γίνεται λυγμός, αναστεναγμός και περγέλιο...

Μέρες έμεινε η γέψη του θανάτου στα χείλια μου· η καρδιά μου αλάφρωσε. Ο θάνατος μπήκε στη ζωή μου με γνώριμο, αγαπημένο πρόσωπο, σα φίλος που ήρθε να μας πάρει και κάθεται στη γωνιά, ως να τελειώσουμε τη δουλειά μας, και δε βιάζεται. Το μυαλό μου γαλήνεψε νογώντας έτσι φιλικό το νόημα του θανάτου.

Ο θάνατος χύνεται κάποτε στη ζωή μας, σα μυρωδιά που ζαλίζει· προπάντων όταν βρίσκεσαι στη μοναξιά κι είναι φεγγάρι και βαθιά σιωπή κι είναι το σώμα σου νιολουσμένο κι ανάλαφρο και δε φέρνει πολλά εμπόδια στην ψυχή, και κοιμάσαι. Τότε, για μια στιγμή, το μεσότοιχο ανάμεσα ζωής και θανάτου γίνεται διάφανο και βλέπεις τι γίνεται πίσω, κάτω από τα χώματα.

Σε μιαν τέτοια αλαφρωμένη στιγμή, εδώ στη μοναξιά, πρόβαλε ο Ζορμπάς στον ύπνο μου. Δε θυμούμαι καθόλου πώς ήταν, τι είπε, γιατί ήρθε· όταν ξύπνησα, η καρδιά μου πήγαινε να σπάσει· και ξαφνικά, χωρίς να ξέρω γιατί, τα μάτια μου γέμισαν δάκρυα.

Συνάμα σφοδρή πεθυμιά –όχι πεθυμιά, ανάγκη– με κυρίεψε να ανασυντάξω τη ζωή που ζήσαμε οι δυο μας στο κρητικό ακρογιάλι, να ζορίσω τη μνήμη μου να θυμηθεί, να μαζέψει όλες τις σκόρπιες κουβέντες, φωνές, χερονομίες, τα γέλια, τα κλάματα, τους χορούς του Ζορμπά – και να τα περισώσω.

Τόσο σφοδρή και ξαφνικιά ήταν η πιθυμιά μου αυτή, που φοβήθηκα πως ετούτο είναι σημάδι πως κάπου στη γης, τις μέρες εκείνες, ψυχομαχούσε ο Ζορμπάς· γιατί τόσο ένιωθα την ψυχή μου ενωμένη με την ψυχή του, που θεωρούσα αδύνατο να πεθάνει η μια χωρίς να τρανταχτεί και να σύρει φωνή κι η άλλη.

Δίστασα μια στιγμή να συγκεντρώσω όλα τ' αχνάρια του Ζορμπά στη μνήμη μου και να τα διατυπώσω με λόγια. Παιδιάτικος φόβος με συνεπήρε· έλεγα: «Αν το κάμω αυτό, θα πει πως ο Ζορμπάς αληθινά κιντυνεύει· ας αντισταθώ στο χέρι που σπρώχνει το χέρι μου».

Αντιστάθηκα δυο μέρες, τρεις μέρες, μια βδομάδα. Ρίχτηκα σε άλλα γραφίματα, έκανα εκδρομές, διάβαζα· με τέτοια τερτίπια προσπαθούσα να ξεγελάσω την αόρατη παρουσία. Μα ο νους μου αλάκερος ήταν συγκεντρωμένος, ανήσυχος, βαρύς, απάνω στο Ζορμπά.

Μια μέρα κάθουμουν στην ταράτσα του σπιτιού μου στο ακρογιάλι της Αίγινας· μεσημέρι, ήλιος πολύς, και κοίταζα αντίκρα μου τα γυμνά χαριτωμένα λαγόνια της Σαλαμίνας.

Και ξαφνικά, χωρίς καθόλου να το 'χα στο νου μου, πήρα χαρτί, ξάπλωσα στις πυρωμένες πλάκες της ταράτσας κι άρχισα να γράφω το συναξάρι ετούτο του Ζορμπά.

Έγραφα βιαστικά, με λαχτάρα, ανάσταινα ανυπόμονα τα περασμένα, προσπαθούσα να θυμηθώ και να σώσω αλάκερο το Ζορμπά. Θαρρείς κι είχα εγώ όλη την ευθύνη αν χάνουνταν, και δούλευα μέρα νύχτα να στερεώσω ακέριο το πρόσωπό του, το πρόσωπο του «Γέροντά» μου.

Δούλευα σαν τους μάγους στις άγριες φυλές της Αφρικής, που ζωγραφίζουν μέσα στις σπηλιές τον Πρόγονο που είδαν στ' όνειρό τους, και μάχουνται να τον ζωγραφίσουν όσο μπορούν πιο πιστά, για να μπορέσει ν' αναγνωρίσει η ψυχή το σώμα της και να ξαναγυρίσει.

Σε λίγες βδομάδες το Συναξάρι τέλειωσε.

Τη μέρα, που τέλειωσε, κάθουμουν πάλι, δειλινό, στην ταράτσα και κοίταζα τη θάλασσα· κρατούσα το χερόγραφο στα γόνατά μου, έτοιμο. Τι χαρά ήταν εκείνη κι αλάφρωση, σα να 'φυγε από πάνω μου ενα βάρος· σαν τη γυναίκα που γέννησε, και τώρα κρατάει το νεογέννητο στην αγκάλη.

Και τότε, ο ήλιος πια βασίλευε, ανέβηκε στην ταράτσα η Σούλα, ένα κοριτσάκι που μου φέρνει τα γράμματα από τη χώρα· στρουμπουλό, ξυπόλυτο, όλο ζωντάνια. Μου αφήκε ένα γράμμα κι έφυγε τρεχάτο. Κατάλαβα. Έτσι μου φάνηκε, πως κατάλαβα· γιατί, όταν το άνοιξα και το διάβασα, δεν πετάχτηκα απάνω να σύρω φωνή, δεν ξαφνιάστηκα. Ήμουν βέβαιος. Ήξερα πως ακριβώς τη στιγμή ετούτη, έτσι που κρατούσα στα γόνατά μου τελειωμένο το χερόγραφο και κοίταζα τον ήλιο που βασίλευε, θα λάβαινα το γράμμα ετούτο.

Ήσυχα, χωρίς να με πάρουν τα κλάματα, το διάβασα· ήταν από κάποιο χωριό κοντά στα Σκόπια της Σερβίας, γραμμένο τσάτρα πάτρα γερμανικά, και το μεταφράζω:

«Είμαι ο δάσκαλος του χωριού και σας γράφω για να σας αναγγείλω τη θλιβερή είδηση πως ο Αλέξης Ζορμπάς, που 'χε εδώ ορυχείο λευκόλιθου, πέθανε την περασμένη Κυριακή, στις έξι το απόγευμα. Στο ψυχομάχημά του με φώναξε:

»"Έλα εδώ, δάσκαλε, μου 'πε, έχω τον τάδε φίλο στην Ελλάδα· άμα πεθάνω, γράφε του πως πέθανα και πως, ως την τελευταία μου στιγμή, τα 'χα σωστά τα μυαλά μου, τετρακόσια, και τον θυμόμουν. Και πως ό,τι κι αν έκανα, δεν το μετανιώνω. Και να 'ναι καλά, να του πεις, και πως είναι καιρός πια να βάλει γνώση... Κι αν έρθει κανένας παπάς να με ξεμολοήσει και να με μεταλάβει, πες του να ξεκουμπιστεί να φύγει, και την κατάρα του να 'χω! Έκαμα, έκαμα, έκαμα στη ζωή μου και πάλι λίγα έκαμα· ανθρώποι σαν εμένα έπρεπε να ζούνε χίλια χρόνια. Καληνύχτα!"

»Αυτά ήταν τα τελευταία του λόγια· κι ευτύς ανασηκώθηκε στα μαξιλάρια, πέταξε τα σεντόνια, έκαμε να τιναχτεί απάνω. Τρέξαμε να τον κρατήσουμε, η Λιούμπα, η γυναίκα του, εγώ και μερικοί χεροδύναμοι γειτόνοι· μα αυτός μας πέταξε πέρα, κατέβηκε από το κρεβάτι, πήγε ως το παράθυρο. Κι εκεί πιάστηκε από το περβάζι, κοίταξε πέρα, κατά τα βουνά, γούρλωσε τα μάτια κι άρχισε να γελάει κι ύστερα να χλιμιντρίζει σαν άλογο. Έτσι ολόρθο, με τα νύχια καρφωμένα στο παράθυρο, τον βρήκε ο θάνατος.

»Η γυναίκα του η Λιούμπα μου παραγγέλνει να σας γράφω πως σας χαιρετάει και πως της μιλούσε, λέει, ταχτικά για την ευγενεία σας ο μακαρίτης και πως ένα σαντούρι, που 'χε, έδωκε εντολή να σας το παραδώσουμε, λέει, άμα πεθάνει, για να τον θυμάστε.

»Σας παρακαλάει το λοιπόν η χήρα, όταν τύχει να περάσετε από το χωριό μας, να κοπιάσετε να κοιμηθείτε σπίτι της και να παραλάβετε, το πρωί που θα φύγετε με το καλό, και το σαντούρι».

ΤΕΛΟΣ

ΕΠΙΜΕΤΡΟ

Ο *ΖΟΡΜΠΑΣ*
ΤΟΥ ΝΙΚΟΥ ΚΑΖΑΝΤΖΑΚΗ

ΣΤΗΝ ΤΡΙΤΗ ΔΕΚΑΕΤΙΑ ΤΟΥ 21ου ΑΙΩΝΑ

Το μυθιστόρημα

Βίος και πολιτεία του Αλέξη Ζορμπά αποτελεί την κρίσιμη καμπή στη δημιουργική πορεία του Νίκου Καζαντζάκη: είναι το έργο που προσφέρει στον Έλληνα συγγραφέα το διαβατήριο για την παγκόσμια αναγνώριση, την οποία τόσο πεισματικά αγωνίζεται να κατακτήσει σε όλη του τη ζωή. Έρχεται καθυστερημένα στην πορεία του δημιουργού του, για να αλλάξει τα πάντα: Ο πνευματικός άνθρωπος που επί δεκαετίες γράφει ακατάπαυστα θεατρικά έργα, μυθιστορήματα, ποίηση, δοκίμια, ταξιδιωτικά κείμενα και κάνει μεταφράσεις αποφασίζει να αφοσιωθεί οριστικά στο μυθιστόρημα· ο συγγραφέας που μονίμως διακατέχεται από το άγχος του βιοπορισμού αποκτά επιτέλους οικονομική άνεση, καθώς ο *Ζορμπάς* σχεδόν αμέσως μπαίνει στη λίστα των ευπώλητων στις περισσότερες ευρωπαϊκές χώρες και στις ΗΠΑ· ο διανοούμενος που αντιμετωπίζεται με προκατάληψη από τους ελληνικούς πνευματικούς κύκλους και προσλαμβάνεται από τους ντόπιους κριτικούς με δυσκολία και εμφανή αμηχανία γίνεται «διεθνής» συγγραφέας, αφού τα καλύτερα έντυπα του κόσμου φιλοξενούν εκτενείς συνεντεύξεις του και διθυραμβικές κριτικές για τον *Ζορμπά* και τα μυθιστορήματα που θα ακολουθήσουν.

Το καζαντζακικό μυθιστόρημα έχει λοιπόν κατακτήσει επάξια τον τίτλο του «κλασικού». Ωστόσο είναι επίκαιρο σήμερα, στην τρίτη δεκαετία του 21ου αιώνα; Γιατί θα πρέπει να το διαβάσει ένας σύγχρονος αναγνώστης;

Η πρώτη απάντηση στην παραπάνω ερώτηση φαίνεται, εκ πρώτης όψεως, αυτονόητη, τουλάχιστον για έναν Έλληνα αναγνώστη: διότι είναι το διασημότερο έργο του Νίκου Καζαντζάκη, το πιο διαβασμένο βιβλίο της νεοελληνικής λογοτεχνίας και το μόνο μάλλον νεοελληνικό μυθιστόρημα που μπαίνει στον κανόνα της παγκόσμιας λογοτεχνίας[1] με πλήθος μεταφράσεων σε όλες τις γλώσσες του κόσμου ως τις μέρες μας[2] - και μεγάλη εμπορική επιτυχία. Επιπλέον, είναι το κατεξοχήν «εθνικό» μας μυθιστόρημα, που με το πέρασμα του χρόνου κατακτά μια οικουμενική διάσταση.

Επίσης, γιατί είναι μια ευκαιρία για τον νέο αναγνώστη να δει το συγκεκριμένο μυθιστόρημα και έξω από το πλαίσιο -ή, έστω, παράλληλα με το πλαίσιο- της πολύ επιτυχημένης κινηματογραφικής διασκευής του από τον Μιχάλη Κακογιάννη, που από το 1964 μέχρι σήμερα δεν έχει πάψει να προσελκύει εκατομμύρια θεατών σε όλη την υφήλιο. Γιατί ο -εξαιρετικός από κάθε άποψη- Ζορμπάς του Κακογιάννη, με τη διαμεσολάβηση της εμβληματικής ερμηνείας του Anthony Quinn στον ομώνυμο ρόλο και της μυθικής μουσικής του Μίκη Θεοδωράκη δεν είναι ακριβώς ο Ζορμπάς του Καζαντζάκη - και δεν χρειάζεται να είναι, καθώς η μετάπλαση ενός λογοτεχνικού έργου στον κινηματογράφο ή σε οποιαδήποτε άλλη

---

[1] Ενδεικτικά αναφέρω ότι το μυθιστόρημα του Καζαντζάκη είναι το μόνο έργο της νεότερης ελληνικής γραμματείας που συμπεριλαμβάνεται σε λίστα της βρετανικής εφημερίδας *The Guardian* με τα 100 καλύτερα βιβλία όλων των εποχών (2002). (Ανυπόγραφο), «The top 100 books of all time», *The Guardian*, 8 Μαΐου 2002, προσβάσιμο στην ηλεκτρονική διεύθυνση https://www.theguardian.com/world/2002/may/08/books.booksnews (τελευταία επίσκεψη: 23 Αυγούστου 2022).

[2] Το 2014 κυκλοφορεί στις ΗΠΑ από τον εκδοτικό οίκο Simon & Schuster μία νέα μετάφραση που φέρει την υπογραφή του κορυφαίου καζαντζακιστή Peter Bien (μετάφραση που γίνεται απευθείας από το πρωτότυπο ελληνικό κείμενο, σε αντίθεση με την προγενέστερη αγγλική μετάφραση, αυτήν του Carl Wildman, που πραγματοποιείται από τα γαλλικά το 1952).

μορφή τέχνης έχει νόημα όταν ανοίγει έναν διάλογο με τη λογο-
τεχνική πηγή και όχι όταν αποτελεί μιαν εντελώς πιστή, δουλική
μεταφορά της.[3] Έτσι ο κινηματογραφόφιλος αναγνώστης του 21ου
αιώνα θα μπει στη διαδικασία της σύγκρισης ενός κλασικού μυθι-
στορήματος και μιας κλασικής ταινίας του προηγούμενου αιώνα,
θα εντοπίσει συγκλίσεις και αποκλίσεις στην απόδοση των χαρα-
κτήρων και των κομβικών επεισοδίων, θα διακρίνει το σχόλιο του
Κακογιάννη πάνω στο βιβλίο του Καζαντζάκη.

Στην παραπάνω κατεύθυνση αξίζει να ανακαλύψει ο νέος
αναγνώστης ότι ο Ζορμπάς, πέρα από συνώνυμο της ελληνικής
«λεβεντιάς»[4] (με ό,τι θετικό ή αρνητικό αυτό συνεπάγεται για τη
διεθνή εικόνα της Ελλάδας), πέρα από brand name εκατοντάδων
ελληνικών εστιατορίων και καφετεριών στην Ελλάδα και στο εξωτε-
ρικό, πέρα από το syrtaki dance, ξεκινά τη ζωή του ως λογοτεχνικός
ήρωας κάπου στις αρχές της επώδυνης για την ανθρωπότητα δεκαε-
τίας του 1940, όταν ο Καζαντζάκης, με σπάνιο κέφι, δημιουργεί
ένα πρόσωπο που μέσα σε λίγα χρόνια θα αγγίξει την περιοχή του
μύθου, θα λάβει διαστάσεις αρχετυπικές και θα καταστεί οικου-
μενικό σύμβολο, ξεπερνώντας τις προθέσεις του δημιουργού του.

Το μυθιστόρημα παραμένει επίκαιρο, γιατί αποτελεί μια
διαχρονική κραυγή ελευθερίας και ανεξαρτησίας. Ο ήρωάς του
αποτελεί ένα σπάνιο μοντέλο αδέσμευτου ανθρώπου, που αρνείται
να υποταχθεί στις συμβάσεις και χαράζει έναν δικό του δρόμο.

---

[3] Για αναλυτική σύγκριση μυθιστορήματος και ταινίας, βλ. Ευριπίδης
Γαραντούδης, «*Βίος και πολιτεία του Αλέξη Ζορμπά* και *Zorba the Greek*.
Μια σύγκριση υπό τη σκιά της πρόσληψης του καζαντζακού έργου»,
Σύγκριση/Comparaison, τχ. 19 (2008), σσ. 50-84· Θανάσης Αγάθος, *Ο Νίκος
Καζαντζάκης στον κινηματογράφο*, Gutenberg, Αθήνα 2017, σσ. 217-238.

[4] Πρβλ. τις επισημάνσεις του Δημήτρη Τζιόβα αναφορικά με την ένταξη
των στερεοτύπων της ελληνικής «λεβεντιάς» και «αρρενωπότητας» που
εκφράζει ο Ζορμπάς σε μια ευρύτερη τάση εθνογραφικής προσέγγισης
του έργου του Καζαντζάκη, η οποία μετατρέπει τον συγγραφέα σε πολιτι-
σμικό φαινόμενο και θεματοφύλακα του παραδοσιακού. Dimitris Tziovas,
«From being to becoming: Reflections on the enduring popularity of
Kazantzakis», *Byzantine and Modern Greek Studies*, τχ. 33, no. 1 (2009), σσ.
83-91.

Θετική ενέργεια, κατάφαση στη ζωή, αυθορμητισμός, αυθεντικότητα είναι τα στοιχεία που χαρακτηρίζουν τον Αλέξη Ζορμπά και τον κάνουν να υπερβαίνει τις διαστάσεις ενός μυθιστορηματικού χαρακτήρα. Πρόκειται για στοιχεία που ένα μεγάλο μέρος του παγκόσμιου αναγνωστικού κοινού, με τη μεσολάβηση του αγγλόγλωσσου τίτλου του μυθιστορήματος (*Zorba the Greek*) και της κινηματογραφικής διασκευής του Μιχάλη Κακογιάννη, προσλαμβάνει λανθασμένα ως αποκλειστικά ελληνικά, ενώ στην πραγματικότητα η πρόθεση του Καζαντζάκη είναι μάλλον να πλάσει ένα οικουμενικό σύμβολο, ένα πορτρέτο Έλληνα που να υπερβαίνει τα ελληνικά σύνορα και να κηρύσσει την πίστη του στα διεθνιστικά ιδεώδη.

Το ακόμη πιο ρηξικέλευθο και προκλητικό –και ένας ακόμη λόγος για να διαβάσει το μυθιστόρημα ένας αναγνώστης του 21ου αιώνα– είναι ότι αυτός ο ήρωας που απαρνιέται την πατρίδα και ξεστομίζει μια φράση όπως «Δε χαίρουμαι για το καλό μήτε λυπούμαι για το κακό· αν μάθω πήραν την Πόλη οι Έλληνες, είναι το ίδιο για μένα αν πάρουν την Αθήνα οι Τούρκοι» πλάθεται από τον δημιουργό του κατά τη διετία 1941-1943, μέσα στα ερεβώδη χρόνια της Γερμανικής Κατοχής. Δηλαδή μέσα σε μια περίοδο κατά την οποία το αναμενόμενο από έναν συγγραφέα που βλέπει τον εαυτό του ως πνευματικό ταγό, ως «διαμορφωτή συνειδήσεων»,[5] είναι να δώσει ένα σαφές αντιφασιστικό μήνυμα μέσω του έργου του, ο Καζαντζάκης επιλέγει να δημιουργήσει ένα μυθιστόρημα χωρίς καμία απολύτως αναφορά στην Κατοχή, με ηθελημένη χρονική απροσδιοριστία, με έναν κεντρικό χαρακτήρα που τονίζει τη ματαιότητα του πολέμου και των συνόρων και ούτε λίγο ούτε πολύ περιγράφει πώς «γλύτωσε από την πατρίδα» μέσα από την τραυματική εμπειρία της συμμετοχής του στους Βαλκανικούς Πολέμους και με έναν επίσης βασικό χαρακτήρα –το Αφεντικό– να αναφέρεται στις τραγικές συνθήκες ζωής στο Βερολίνο μετά την ήττα της Γερμανίας

---

[5] Τον όρο χρησιμοποιεί ο Αλέξης Ζήρας, «Νίκος Καζαντζάκης», στο *Η Μεσοπολεμική πεζογραφία. Από τον πρώτο ως τον δεύτερο παγκόσμιο πόλεμο (1914-1939)*, τόμ. Δ΄, εκδόσεις Σοκόλη, Αθήνα 1992, σσ. 126-209: 131.

στον Α΄ Παγκόσμιο Πόλεμο.[6] Βέβαια αυτή η επιλογή, που περνά σχετικά απαρατήρητη από την κριτική της εποχής της πρώτης έκδοσης στην Ελλάδα,[7] μπορεί να διαβαστεί και διαφορετικά: «Η κατεχόμενη από τους Γερμανούς Ελλάδα, με τις ανείπωτες ταπεινώσεις και τη μαζική πείνα των κατοίκων της, αποτελεί τον χώρο μέσα από τον οποίο ο Ζορμπάς αποκτά φωνή για να εκφράσει, με την αυθεντία της εμπειρίας, το αδάμαστο και ακατανίκητο πνεύμα του ηττημένου στον πόλεμο Έλληνα».[8]

Αυτή ακριβώς η διεθνιστική και βαθιά ουμανιστική διάθεση που εκφράζει ο Καζαντζάκης στον *Ζορμπά* του ίσως είναι και ο λόγος που ο συγγραφέας κρατά ανέκδοτο το μυθιστόρημά του κατά τη διάρκεια της Κατοχής και αποφασίζει να προχωρήσει στην έκδοσή του μόλις τον Δεκέμβριο του 1946, όταν η γερμανική μπότα αποτελεί παρελθόν, η Ελλάδα βρίσκεται μέσα στη δίνη του Εμφυλίου και ο ίδιος είναι πλέον οριστικά εγκατεστημένος στη Γαλλία. Αξίζει λοιπόν ο σημερινός αναγνώστης να διερωτηθεί πώς θα αντιμετώπιζε το αντιμιλιταριστικό μήνυμα του μυθιστορήματος ο –βουτηγμένος στη λογική του εθνικού διχασμού, με νωπές ακόμη τις τραυματικές μνήμες του Β΄ Παγκοσμίου Πολέμου– Έλληνας αναγνώστης του 1946.

6 Βλ. τις σχετικές επισημάνσεις της Αγγέλας Καστρινάκη, «"Ελληνομάρες-παλαβομάρες": Ζορμπάς: ένας διεθνιστής μέσα στην Κατοχή», στο Κ. Ε. Ψυχογιός (επιμ.), *Νίκος Καζαντζάκης. Το έργο και η πρόσληψή του. Πεπραγμένα Διεθνούς Επιστημονικού Συνεδρίου: Ρέθυμνο, 23-25 Απριλίου 2004*, Κέντρο Κρητικής Λογοτεχνίας, Ηράκλειο 2006, σσ. 151-162.

7 Μόνο ο Α. Κόμης στηλιτεύει την απουσία οποιασδήποτε νύξης στην περίοδο της Κατοχής. Βλ. Α. Κόμης, «Κριτική. Βιβλίο. Ν. Καζαντζάκη: *Βίος και πολιτεία του Αλέξη Ζορμπά*», *Ελεύθερα Γράμματα*, τχ. 61 (1 Μαρτίου 1947), σ. 60.

8 Roderick Beaton, «Εισαγωγή», στο Roderick Beaton (επιμ.), *Εισαγωγή στο έργο του Καζαντζάκη. Επιλογή κριτικών κειμένων*, Πανεπιστημιακές Εκδόσεις Κρήτης, Ηράκλειο 2011, σσ. ιε΄-λ΄: κς΄. Σε αντίστοιχο μήκος κύματος, ο Kálmán Szabó υποστηρίζει ότι η συγγραφή του *Ζορμπά* αποτελεί καλλιτεχνική πράξη σπουδαιότερη από τη σύνθεση ενός μυθιστορήματος άμεσα σχετιζόμενου με την Εθνική Αντίσταση (Kálmán Szabó, «Zorbas: A New Model of Unalienated Man», *Folia Neohellenica*, τχ. 3 (1981), σσ. 130-150) και ο Peter Bien θεωρεί ότι το μυθιστόρημα εκφράζει με αλληγορικό τρόπο την αντοχή και τον οπτιμισμό του Έλληνα κατά τη διάρκεια της Κατοχής (Peter Bien, *Kazantzakis-Novelist*, Bristol Classical Press, Μπρίστολ 1989, σσ. 11-27).

Ένα άλλο στοιχείο που καθιστά το μυθιστόρημα επίκαιρο -αναγκαίο στις κρίσιμες στιγμές που διανύει και τώρα η ανθρωπότητα- είναι η αισιοδοξία που αποπνέει. Μια αίσθηση αισιοδοξίας ισχυρή, η οποία λαμβάνει ως σημείο εκκίνησης την κατάφαση στη ζωή που αντιπροσωπεύει ο Ζορμπάς. Μια αίσθηση αισιοδοξίας που εκπορεύεται από την ίδια τη σαρωτική προσωπικότητα ενός μυθιστορηματικού χαρακτήρα που κοιτάζει μόνο στο παρόν και στο μέλλον, πηγαίνει μόνο μπροστά και ζει κάθε στιγμή του σαν να είναι η τελευταία. Μια στάση ζωής που κορυφώνεται στην εκπληκτική σκηνή του χορού μετά το φιάσκο του εναέριου σιδηρόδρομου, του χορού ο οποίος παρουσιάζεται ως λυτρωτική, αναζωογονητική αντίδραση στην αποτυχία και στη διάψευση των ελπίδων. Είναι τέτοιο το κέφι που πηγάζει από τον ήρωα, που οι αναγνώστες συχνά ξεχνούν την τραγική διάσταση του μυθιστορήματος, τον θάνατο του Ζορμπά, τον θάνατο του φίλου του Αφεντικού ή τις δυστυχισμένες ζωές και τους σκληρούς θανάτους των δύο βασικών γυναικείων χαρακτήρων.

Ο αλλοτριωμένος από τα σύγχρονα τεχνολογικά επιτεύγματα αναγνώστης ενδέχεται να βρει μια αχτίδα φωτός στην προσωπικότητα και στις συνήθειες του Ζορμπά και να δει το απομονωμένο κρητικό ακρογιάλι ως έναν επίγειο παράδεισο όπου ο άνθρωπος μπορεί να ζήσει μια ζωή μέσα στη φύση, μακριά από τις τυποποιημένες συμβάσεις του αστικού πολιτισμού και κοντά στις πραγματικές, ουσιαστικές του ανάγκες. Υπό το πρίσμα αυτό, το ταξίδι των δύο κεντρικών ανδρικών χαρακτήρων στην Κρήτη μπορεί να νοηθεί και ως ένα ταξίδι επιστροφής στις αρχέγονες πηγές της ζωής.

Ο *Ζορμπάς* καθίσταται ακόμη πιο επίκαιρος σήμερα, καθώς θίγει -έστω υπό το πρίσμα των ιδεολογικών εμμονών του Καζαντζάκη- το ζήτημα της γυναικοκτονίας. Η Σουρμελίνα, η ανυπότακτη και υπερήφανη χήρα, πληρώνει το τίμημα της διαφορετικότητάς της και της επιθυμίας της να ορίσει η ίδια τη ζωή της. Η χήρα, ενσάρκωση του πειρασμού και ανομολόγητη ή ομολογημένη φαντασίωση όλων των αρσενικών του χωριού, αποκεφαλίζεται από τον Μαυραντώνη, αλλά στην πραγματικότητα η δολοφονία της έχει συλλογικές διαστάσεις, αφού ξεκινά από τον Μανόλακα και λαμβάνει μια τελετουργική μορφή[9] με τη συμμετοχή όλου του χωριού, αντρών και γυναικών, καθώς τη θεωρούν υπεύθυνη για τον θάνατο του νεαρού Παυλή. Ο θάνατος του Παυλή είναι μόνο η αφορμή, καθώς η δολοφονία της χήρας έχει «προγραμματιστεί» καιρό πριν με την κοινωνική περιθωριοποίησή της και την αντιμετώπισή της ως απειλής για τις αξίες της κλειστής πατριαρχικής κοινωνίας του κρητικού χωριού.

Η στάση του Καζαντζάκη απέναντι στη γυναικοκτονία πάντως δεν είναι τόσο κριτική όσο θα περίμενε ο σύγχρονος αναγνώστης: Σε μιαν από τις πιο αδικαιολόγητα σκληρές στιγμές του μυθιστορήματος το Αφεντικό προδίδει τη χήρα μετά τον θάνατό της, καθώς αποπειράται να συμφιλιώσει τον Μανόλακα, παρ' ολίγον δολοφόνο της γυναίκας, και τον Ζορμπά, καλώντας τον να φάει μαζί τους και αποδίδοντας στην «κακή ώρα» τη συμπλοκή τους κατά τη διάρκεια της δολοφονίας της χήρας.

Κοινωνική περιθωριοποίηση βιώνει και ο χαρακτήρας της μαντάμ Ορτάνς, χαρακτήρας που αποτελεί έναν ισχυρότατο λόγο για να απολαύσει ένας αναγνώστης το μυθιστόρημα ακόμη και σήμερα, καθώς έχει σχεδιαστεί με μεγάλη μαεστρία από τον Καζαντζάκη, με σοφά υπολογισμένες δόσεις ανθρωπιάς, γλυκιάς μελαγχολίας και γκροτέσκων στοιχείων. Η Ορτάνς είναι μάλλον ο πλέον ολοκληρωμένος γυναικείος χαρακτήρας στο σύνολο του έργου ενός συγγραφέα που συχνά επικρίνεται για τη στάση του απέναντι στη γυναίκα: Η ηλικιωμένη Γαλλίδα εταίρα, ιδιοκτήτρια του ταπεινού πανδοχείου όπου καταλύουν οι δύο άντρες της ιστορίας, ηρωικό απομεινάρι της περιόδου της Κρητικής Επανάστασης, εμφανίζεται να αναπολεί το ένδοξο παρελθόν και να βιώνει ένα μίζερο παρόν, σημαδεμένο από την περιφρόνηση της τοπικής κοινωνίας, μέχρι τη στιγμή που μπαίνουν στη ζωή της ο Ζορμπάς και το Αφεντικό. Η ερωτική σχέση με τον Ζορμπά θα τη βοηθήσει να ανακτήσει

---

[9] Βλ. και τις παρατηρήσεις της Έρης Σταυροπούλου, «Η τελετουργία του θανάτου στην πεζογραφία του Νίκου Καζαντζάκη», *Νίκος Καζαντζάκης. Το έργο του και η πρόσληψή του. Πεπραγμένα Διεθνούς Επιστημονικού Συνεδρίου: Ρέθυμνο, 23-25 Απριλίου 2004*, Κέντρο Κρητικής Λογοτεχνίας, Ηράκλειο 2006, σσ. 229-254.

την αυτοπεποίθησή της, θα τονώσει τη θηλυκότητά της, με τον Καζαντζάκη να τολμά να δείξει δύο ανθρώπους προχωρημένης ηλικίας που απολαμβάνουν χωρίς αναστολές τη σεξουαλική ζωή τους, κόντρα στο στερεότυπο που θέλει τους ηλικιωμένους -και ειδικά τις ηλικιωμένες γυναίκες- ερωτικά παροπλισμένους.

Μιας και ο λόγος για στερεότυπα, θα υποστήριζα ότι ένας από τους λόγους για τους οποίους το καζαντζακικό μυθιστόρημα μπορεί να προσελκύσει τον σύγχρονο αναγνώστη είναι και η -συνειδητή ή μη- απόπειρα του Καζαντζάκη να προβληματιστεί γύρω από τα στερεότυπα που αφορούν τα όρια των ερωτικών και των φιλικών σχέσεων, τους ρόλους των φύλων και τη διερεύνηση της ανδρικής και της γυναικείας σεξουαλικότητας. Αυτό πιστοποιείται όχι μόνο από τη σχέση Ζορμπά-Ορτάνς ή από τη σχέση του Ζορμπά με τη νεαρή Λόλα και την άνεση με την οποία μιλά για τις σεξουαλικά απελευθερωμένες Σλάβες πρώην συζύγους του, αλλά και από τη σχέση Αφεντικού-Σουρμελίνας (η χυμώδης χήρα απορρίπτει όλους τους άντρες του χωριού, αλλά έλκεται από τον άτολμο και ντελικάτο συγγραφέα, ο οποίος, χάρη στη σεξουαλική επαφή μαζί της, υπερβαίνει τις φοβίες του και ολοκληρώνει το κείμενό του για τον Βούδα). Ακόμη πιο αποκαλυπτική είναι η ιδιόμορφη σχέση του Αφεντικού με τους δύο αγαπημένους φίλους που στοιχειώνουν τη ζωή του, τον Ζορμπά και τον Σταυριδάκη, σχέση που μπορεί να αναγνωστεί και με εργαλείο τις σπουδές φύλου.[10] Όλη αυτή η παλινδρόμηση του Αφεντικού ανάμεσα σε δύο πολύ διαφορετικούς τύπους ανθρώπων, δύο διαφορετικές εκδοχές «αρρενωπότητας» -με τον Ζορμπά να υποκαθιστά τον Σταυριδάκη και τελικά να υπερισχύει- είναι ίσως ένα σχόλιο του Καζαντζάκη πάνω στις πολύπλοκες μορφές που μπορεί να λάβει η ανδρική φιλία.

[10] Δημήτρης Παπανικολάου, «Αφεντικό, άνθρωπο δεν αγάπησα σαν εσένα»: Ο Αλέξης Ζορμπάς και η ποιητική της ομοκοινωνικότητας», στο Σ. Ν. Φιλιππίδης, *Ο Καζαντζάκης στον 21ο αιώνα. Πρακτικά του Διεθνούς Επιστημονικού Συνεδρίου «Νίκος Καζαντζάκης 2007: Πενήντα χρόνια μετά»* (Πανεπιστήμιο Κρήτης, Ηράκλειο & Ρέθυμνο, 18-21 Μαΐου 2007), Πανεπιστημιακές Εκδόσεις Κρήτης, Ηράκλειο, σσ. 435-475.

Ο χαρακτήρας του Αφεντικού είναι, επιπρόσθετα, ένα ακόμη δείγμα της συγγραφικής δεινότητας του Καζαντζάκη και ένα επιπλέον κίνητρο για να διαβάσει ένας νέος αναγνώστης το βιβλίο.

Γεμάτος δισταγμούς, φοβίες και αντιφάσεις, ο νεαρός άντρας που παλεύει διαρκώς με τους εσωτερικούς του δαίμονες και αγωνίζεται για την υπερίσχυση του πνεύματος έναντι της σάρκας έχει συχνά αντιμετωπιστεί από την κριτική ως «αδύναμος» ή «σκιώδης», ως ένα μέσο για να προβληθεί η προσωπικότητα και ο λόγος του Ζορμπά. Κατά τη γνώμη μου ωστόσο η τελευταία αυτή άποψη είναι κάπως άδικη: Το Αφεντικό κατορθώνει να κρατήσει την ισορροπία του, να βρει τη χρυσή τομή ανάμεσα στη συναισθηματική εμπλοκή και την αποστασιοποίηση, να εισέλθει στον κόσμο του Ζορμπά –αλλά και της Ορτάνς, της χήρας, του Σταυριδάκη, των κατοίκων του χωριού– και να αποτελέσει το κατάλληλο απολλώνειο αντίβαρο στον διονυσιακό Ζορμπά.

Ο χαρακτήρας του Αφεντικού εξάλλου είναι το όχημα για να λάβει το μυθιστόρημα και τη μορφή της απότισης ενός συγκινητικού φόρου τιμής στη δύναμη της μνήμης και της γραφής: Ο νεαρός συγγραφέας θυμάται και καταγράφει όσα θυμούνται οι δύο άλλοι βασικοί χαρακτήρες. Το Αφεντικό εξομολογείται στον Πρόλογο ότι θα συνθέσει ένα μυθιστόρημα αφιερωμένο στον Ζορμπά, τον γέρο εργάτη που «πολύ αγάπησε» και μνημειώνει, μέσω της λυτρωτικής διαδικασίας της γραφής, τον βίο του φίλου του, τις στιγμές που ζουν μαζί στην Κρήτη και όλα αυτά που ο ίδιος ο Ζορμπάς του διηγείται, αλλά και τον βίο της Ορτάνς (μέσα από τις προφορικές αφηγήσεις της με τις αναμνήσεις του παρελθόντος της) και του Σταυριδάκη. Η γραφή λοιπόν είναι φάρμακο για την απώλεια και αντίδοτο στη λήθη. Το μυθιστόρημα μοιάζει να αφηγείται την πορεία της συγγραφής του, ενώ εντάσσονται οργανικά στην αφηγηματική ροή όχι μόνο το κείμενο που γράφει το Αφεντικό για τον Βούδα, αλλά και επιστολές, τηλεγραφήματα, κάρτες και ποιήματα.

Μια άλλη επιτυχία του Καζαντζάκη που αξίζει να προσέξει ο σύγχρονος αναγνώστης είναι ότι στο *Βίος και πολιτεία του Αλέξη Ζορμπά* ο συγγραφέας κατορθώνει να συγκεράσει το πραγματικό με το μυθοπλαστικό κατά τρόπο παραδειγματικό, αποδεικνύοντας ότι διαθέτει το χάρισμα του πεζογράφου-παραμυθά: Ο κεντρικός χαρακτήρας στηρίζεται βέβαια στον πραγματικό Γιώργη Ζορμπά, τον Μακεδόνα εργάτη που διαδραματίζει καθοριστικό ρόλο στη ζωή του δημιουργού, και διάφορα επεισόδια του μυθιστορήματος παραπέμπουν σε γεγονότα της προσωπικής ζωής του συγγραφέα, αλλά ο πραγματικός Ζορμπάς και ο Καζαντζάκης ουδέποτε πηγαίνουν στην Κρήτη ούτε συναντιούνται ποτέ με τη γυναίκα που στέκεται το μοντέλο για τη Μαντάμ Ορτάνς (την οποία έχει ήδη μνημειώσει ο Παντελής Πρεβελάκης στο Χρονικό μιας πολιτείας το 1938). Βιωματικό υλικό ως βάση μπορεί να ανιχνευτεί και σε προηγούμενα μυθιστορήματα του Καζαντζάκη (Όφις και κρίνο, Σπασμένες ψυχές, Toda-Raba), αλλά ο Ζορμπάς είναι η πρώτη περίπτωση όπου το πραγματικό εμφιλοχωρεί με τόση επιτυχία στο μυθοπλαστικό και η φαντασία του Καζαντζάκη αφήνεται ελεύθερη να οργιάσει, ανοίγοντας τον δρόμο για τα μεταγενέστερα, πολύ πιο πολυπρόσωπα και σύνθετα ως προς την πλοκή μυθιστορήματά του (Ο Χριστός ξανασταυρώνεται, Ο καπετάν Μιχάλης).

Ο αναγνώστης που ενδιαφέρεται να γνωρίσει τις φιλοσοφικές διαστάσεις του έργου του Καζαντζάκη θα γοητευθεί από τον Ζορμπά, διότι στον κεντρικό χαρακτήρα συνδυάζονται στοιχεία από τους δύο φιλοσόφους που περισσότερο σημαδεύουν τη σκέψη του Καζαντζάκη, τον Friedrich Nietzsche και τον Henri Bergson. Ο Ζορμπάς έχει χαρακτηρισθεί ταυτόχρονα ως «το διονυσιακό τέρας του Καζαντζάκη, ο αντίχριστός του, ο Ζαρατούστρας του»[11] και «ο φόρος τιμής του Καζαντζάκη στον δάσκαλό του Henri Bergson»[12], καθώς συνταιριάζει το πάθος, τον διονυσιακό οίστρο και τον ανορθολογισμό με τη ζωτική ορμή μέσα από απλές καθημερινές πράξεις.

Το φιλοσοφικό υπόβαθρο του μυθιστορήματος συχνά δίνεται

[11] Peter Bien, Νίκος Καζαντζάκης. Η πολιτική του πνεύματος, τόμος δεύτερος, απόδοση στα ελληνικά Αθανάσιος Κ. Κατσικερός, Πανεπιστημιακές Εκδόσεις Κρήτης, Ηράκλειο 2007, σ. 187.

[12] Aziz Izzet, «Nikos Kazantzaki», Cahiers du Sud [Marseilles], τόμ. 57, τχ. 377 (1964), σσ. 347-355: 353.

με τη μορφή σχοινοτενών συζητήσεων –ένα είδος πλατωνικού διαλόγου, όπως ήδη έχει επισημανθεί–[13] ανάμεσα στον Ζορμπά και στο Αφεντικό· συζητήσεων οι οποίες ωστόσο δεν κουράζουν τον αναγνώστη, καθώς διανθίζονται με τις λαϊκότροπες αφηγήσεις του Ζορμπά γύρω από το οικογενειακό, επαγγελματικό και στρατιωτικό παρελθόν του. Η ευφυΐα του Καζαντζάκη να αναμείξει αυτό τον ιδιότυπο διάλογο των δύο ανδρών με την ιστορία της Ορτάνς αλλά και με αυτήν της χήρας και τις αναλήψεις που αφορούν στον Σταυριδάκη δείχνει ότι ο δημιουργός έχει πλέον κατανοήσει, στις αρχές της δεκαετίας του 1940, τους κώδικες της αφηγηματικής μυθοπλασίας, γι' αυτό και επιλέγει να κλείσει τις ιστορίες των δύο γυναικείων χαρακτήρων με τις πολυσυζητημένες σκηνές του θανάτου της Ορτάνς και του πλιάτσικου στο σπίτι της και της άγριας δολοφονίας της χήρας αντίστοιχα: Πρόκειται για σκηνές-κλειδιά του μυθιστορήματος, με έντονες νατουραλιστικές αποχρώσεις, που συντελούν στην προώθηση της πλοκής και χαράζουν ανεξίτηλα τη μνήμη του αναγνώστη.

Ο υποψιασμένος αναγνώστης θα εντυπωσιαστεί επίσης από τον πλούτο των φανερών ή κρυπτικών αναφορών σε συγγραφείς και κείμενα που ο Καζαντζάκης γνωρίζει καλά και αγαπά: Ο Όμηρος, ο Πλάτων, ο Shakespeare, ο Dante, ο Cervantes, ο Rabelais και άλλοι αφομοιώνονται γόνιμα στις σελίδες του Ζορμπά και συνθέτουν ένα διακειμενικό μωσαϊκό που γοητεύει και πιστοποιεί, περισσότερο από οποιοδήποτε άλλο καζαντζακικό έργο, την εξαιρετική εποπτεία της παγκόσμιας λογοτεχνίας που διαθέτει ο Κρητικός δημιουργός.

Πλάι σε όλα τα παραπάνω, ο σημερινός αναγνώστης θα βρει

---

[13] Roderick Beaton, *Εισαγωγή στη Νεότερη Ελληνική Λογοτεχνία*, μτφρ. Ευαγγελία Ζούργου, Μαριάννα Σπανάκη, Νεφέλη, Αθήνα 1996, σσ. 229-232. Βλ. επίσης την επισήμανση του Δημήτρη Τζιόβα για τον υβριδικό χαρακτήρα του *Ζορμπά*, αφού αναμειγνύει το πικαρικό στοιχείο με τις ορθόδοξες παραδόσεις των Βίων Αγίων και τον πλατωνικό διάλογο (Dimitris Tziovas, «Beyond the Acropolis: Rethinking Neohellenism», *Journal of Modern Greek Studies*, τχ. 19, no. 2, Οκτώβριος 2001, σσ. 189-220).

στον *Ζορμπά* ενδιαφέροντα δείγματα παροιμιακού λόγου,[14] θα εντοπίσει λαμπρές περιγραφές του κρητικού τοπίου, που θυμίζουν τις καλύτερες στιγμές της καζαντζακικής ταξιδιωτικής λογοτεχνίας, θα προσέξει το ψυχολογικό βάθος των χαρακτήρων και, υπεράνω όλων, θα χαρεί τις σπάνιες αφηγηματικές αρετές του συγγραφέα, καθώς και τον πλούτο και την παιγνιώδη διάσταση της γλώσσας του.

Η διαχρονικότητα του μυθιστορήματος υπογραμμίζεται και από τη διακαλλιτεχνική του προσαρμοστικότητα, τον μεγάλο αριθμό μεταπλάσεών του σε διάφορες μορφές τέχνης, στοιχείο που εκλαμβάνω ως σαφή ένδειξη ότι το καζαντζακικό κείμενο αφορά όλο και αυξανόμενο αριθμό αναγνωστών και θεατών. Πέρα από τη διάσημη ταινία του Κακογιάννη, αξίζει να αναφερθούν: το μιούζικαλ *Zorba* των Joseph Stein, John Kander και Fred Ebb, που ανεβαίνει το 1968 στο Μπρόντγουεϊ σε σκηνοθεσία Harold Prince και επαναλαμβάνεται το 1983 (και παραλίγο να μεταφερθεί και στον κινηματογράφο το 1987, με σκηνοθέτη τον Robert Wise και πρωταγωνιστές τον Anthony Quinn, τον John Travolta και την Jeanne Moreau – δυστυχώς το σχέδιο ναυαγεί), οι θεατρικές διασκευές που παρουσιάζουν το Κυπριακό Νέο Θέατρο του Βλαδίμηρου Καυκαρίδη (1984), ο θίασος Γιάννη Βόγλη-Σμάρως Στεφανίδου (1984), ο θίασος Σταύρου Παράβα-Αντώνη Καφετζόπουλου-Άννας Φόνσου (1988), ο θίασος Αλμπέρτο Εσκενάζυ (2002), η Νέα Σκηνή του Εθνικού Θεάτρου (2009, *Ζορμπάς, η πραγματική ιστορία*, σε σκηνοθεσία του Λιθουανού Cezaris Grauzinis, με πρωταγωνιστή τον Μανώλη Μαυροματάκη), ο θίασος Γρηγόρη Βαλτινού (2017, σε διασκευή των Θανάση Παπαθανασίου και Μιχάλη Ρέππα και σε σκηνοθεσία του Σταμάτη Φασουλή), καθώς και η παράσταση του Ιδρύματος Μείζονος Ελληνισμού (2022, σε διασκευή των Γιάννη Κακλέα και Γεράσιμου Ευαγγελάτου και σκηνοθεσία Γιάννη Κακλέα, με πρωταγωνιστές τον Γιάννη Στάνκογλου και την Όλια Λαζαρίδου). Ιδιαίτερη μνεία πρέπει να γίνει επίσης στο μπαλέτο *Ζορμπάς*, που παρουσιά-

---

[14] Βλ. σχετικά Αριστείδης Ν. Δουλαβέρας, *Ο παροιμιακός λόγος στο μυθιστόρημα του Ν. Καζαντζάκη Αλέξης Ζορμπάς*, Βιβλιογονία, Αθήνα 1991.

ζεται σε χορογραφία Lorca Massine από την Εθνική Λυρική Σκηνή το 1979 και κατόπιν ανεβαίνει σε νέα, διευρυμένη εκδοχή το 1988 στην Αρένα της Βερόνας, πάντα με τη μουσική του Θεοδωράκη, και το 1998 σε περιοδεία ανά τον κόσμο, στο πλαίσιο της Πολιτιστικής Ολυμπιάδας.

Θα αφήσω την τελευταία λέξη στον Peter Bien, που εντάσσει τον *Ζορμπά* σε μια μικρή ομάδα καζαντζακικών έργων (μαζί με την *Οδύσσεια* και τα μυθιστορήματα *Ο Χριστός ξανασταυρώνεται*, *Ο τελευταίος πειρασμός* και *Ο φτωχούλης του Θεού*), στα οποία ο συγγραφέας εξετάζει ένα κεντρικό πρόβλημα της σύγχρονης και της μελλοντικής εποχής: «Πώς να αντιμετωπίσει κάποιος την αποτυχία, πώς να ζήσει σαν αθάνατος σε έναν δαρβινικό σύγχρονο κόσμο χωρίς μετά θάνατον ζωή και πώς να δώσει αιώνιο νόημα σε μια ζωή που δεν έχει την οποιαδήποτε ρεαλιστικά αιώνια διάσταση;».[15] Ακριβώς επειδή ο καζαντζακικός *Ζορμπάς* προσπαθεί να δώσει απάντηση στα παραπάνω διαχρονικά ερωτήματα με τρόπο που φανερώνει τη λογοτεχνική μεγαλοσύνη και την ειλικρινή ιδεολογική αγωνία του δημιουργού του, το ταξίδι του μυθιστορήματος μέσα στον χρόνο συνεχίζεται στον 21ο αιώνα και θα συνεχίζεται για πολύ ακόμα, προσελκύοντας όλο και νεότερες γενιές αναγνωστών.

Θανάσης Αγάθος
Αναπληρωτής Καθηγητής Νεοελληνικής Φιλολογίας
Τμήμα Φιλολογίας ΕΚΠΑ

[15] Peter Bien, «Why Read Kazantzakis in the Twenty-first Century?», *Journal of Modern Greek Studies*, συμπλήρωμα στο τεύχος 28, νο. 1, Μάιος 2010, σσ. 1-6: 4.

Η στοιχειοθεσία του βιβλίου πραγματοποιήθηκε
με τα Grecs d'Estienne (τα Ελληνικά του Στεφάνου),
μια γραμματοσειρά φόρο τιμής και ευγνωμοσύνης
στους Γάλλους τυπογράφους των περασμένων
πέντε αιώνων, σχεδιασμένη από δύο αποφοίτους
της École Estienne, τον Γιάννη Κ. και
τον Baptiste D., το καλοκαίρι του δύο
χιλιάδες είκοσι δύο στην Αθήνα.

Για τα εισαγωγικά κείμενα και το επίμετρο χρησιμοποιήθηκαν
τα Greta της Typotheque.

ISBN: 978-618-220-136-7